amanhecer

amanhecer

STEPHENIE MEYER

TRADUÇÃO DE RYTA VINAGRE

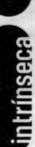

Copyright © 2008 by Stephenie Meyer
Publicado mediante acordo com
Little Brown and Company, Nova York, NY, EUA.
Todos os direitos reservados.

Citação da página 283 extraída de Empire, de Orson Scott Card,
publicado por Tom Doherty Associates, LLC. Copyright © 2006 Orson
Scott Card. Reproduzida com permissão do autor.

Título original
Breaking Dawn

Adaptação do projeto gráfico
Angelo Bottino

Diagramação
Ilustrarte Design e Produção Editorial

Revisão
Umberto Figueiredo Pinto
Maria José de Sant'Anna
Theo Dominique

EDIÇÃO COMEMORATIVA

Capa
© 2025 by Hachette Book Group, Inc.

Arte de capa
© 2025 by Pedro Tapa

Design de capa
Karina Granda

Design original da série
Gail Doobinin

EDIÇÃO COMERCIAL

Capa
Gail Doobinin

Imagem da capa
Roger Hagadone

Foto da autora
David Stone

CIP-BRASIL. CATALOGAÇÃO NA PUBLICAÇÃO
SINDICATO NACIONAL DOS EDITORES DE LIVROS, RJ

M561a

    Meyer, Stephenie, 1973-
        Amanhecer / Stephenie Meyer ; tradução Ryta Vinagre. - [2. ed.]. - Rio de Janeiro : Intrínseca, 2025.
        576 p. (Crepúsculo ; 4)

    Tradução de: Breaking dawn
    ISBN 978-85-98078-46-5
    ISBN 978-85-510-1200-0 [Edição comemorativa]

    1. Ficção americana. I. Vinagre, Ryta. II. Título. III. Série.

25-99001.1

CDD: 813
CDU: 82-3(73)

Meri Gleice Rodrigues de Souza - Bibliotecária - CRB-7/6439

[2025]
Todos os direitos desta edição reservados à
EDITORA INTRÍNSECA LTDA.
Av. das Américas, 500, bloco 12, sala 303
22640-904 – Barra da Tijuca
Rio de Janeiro – RJ
Tel. e Fax: (21) 3206-7400
www.intrinseca.com.br

*Este livro é dedicado a minha agente/ninja, Jodi Reamer.
Obrigada por evitar que eu caia do precipício.*

*E obrigada também à minha banda preferida,
Muse, de nome muito apropriado,
por fornecer inspiração digna de uma saga.*

LIVRO UM

⋘ ⋙

bella

SUMÁRIO

<< >>

PRÓLOGO	13
1. NOIVA	14
2. LONGA NOITE	28
3. O GRANDE DIA	39
4. GESTO	49
5. ILHA DE ESME	67
6. DISTRAÇÕES	84
7. INESPERADO	98

A infância não vai do nascimento até certa idade, e a certa altura a criança está crescida, deixando de lado as coisas de criança. A infância é o reino onde ninguém morre.

Edna St. Vincent Millay

PRÓLOGO

EU JÁ TIVERA MAIS DO QUE UMA QUOTA JUSTA DE EXPERIÊNCIAS DE quase morte; isso não é algo com que você se acostume.

Mas parecia estranhamente inevitável enfrentar a morte outra vez. Como se eu *estivesse* mesmo marcada para o desastre. Eu havia escapado repetidas vezes, mas ela continuava me rondando.

Ainda assim, dessa vez foi diferente.

Pode-se correr de alguém de quem se tenha medo; pode-se tentar lutar com alguém que se odeie. Todas as minhas reações eram preparadas para aqueles tipos de assassinos — os monstros, os inimigos.

Mas, quando se ama aquele que vai matá-la, não restam alternativas. Como se pode correr, como se pode lutar, quando essa atitude magoaria o amado? Se sua vida é tudo o que você tem para dar a ele, como não dá-la, se é alguém que você ama de verdade?

1. NOIVA

NINGUÉM ESTÁ OLHANDO PARA VOCÊ, GARANTI A MIM MESMA. *NINGUÉM está olhando para você. Ninguém está olhando para você.*

Como eu não conseguia mentir de modo convincente nem mesmo para mim, tive de verificar.

Enquanto esperava que um dos três sinais de trânsito da cidade abrisse, olhei para a direita — na minivan, a Sra. Weber tinha virado todo o corpo para mim. Os olhos dela perfuravam os meus, e eu me encolhi, me perguntando por que ela não desviava o olhar ou demonstrava constrangimento. Ainda era considerado falta de educação encarar as pessoas, não era? Isso não se aplicava mais a mim?

Depois me lembrei de que aquelas janelas eram tão escuras que ela não devia fazer ideia de que era eu que estava ali, menos ainda de que eu havia flagrado seu olhar. Tentei me reconfortar um pouco com o fato de que ela não estava olhando a mim, só o carro.

Meu carro. Suspiro.

Olhei para a esquerda e gemi. Dois pedestres estavam paralisados na calçada, perdendo a oportunidade de atravessar por estarem olhando o carro. Atrás deles, o Sr. Marshall olhava feito um parvo pela vitrine de sua lojinha de presentes. Pelo menos ele não estava com o nariz achatado contra o vidro. Ainda.

O sinal ficou verde, e na pressa para escapar pisei fundo no acelerador, sem pensar — como normalmente teria feito para colocar em movimento minha antiga picape Chevy.

O motor rugiu como uma pantera caçando, o carro deu um solavanco tão forte para a frente que meu corpo bateu contra o encosto do banco de couro preto e meu estômago se achatou de encontro à coluna.

— Ai! — arfei enquanto procurava o freio. Mantendo a calma, apenas toquei o pedal. O carro deu uma sacudidela e ficou completamente imóvel.

Não consegui olhar as reações à minha volta. Se houvesse alguma dúvida sobre quem estava dirigindo o carro, agora ela deixara de existir. Com a ponta do sapato, cutuquei de leve o pedal do acelerador, e o carro se lançou para a frente de novo.

Consegui chegar ao meu destino: o posto de gasolina. Se eu não estivesse com quase nada de gasolina, de jeito nenhum teria ido à cidade. Estava sem muitas coisas ultimamente, como torradas Pop-Tarts e cadarços, só para não aparecer em público.

Agindo como se estivesse em uma corrida, abri o tanque, passei o cartão e encaixei a mangueira de combustível em segundos. É claro que não havia nada que eu pudesse fazer para que os números no medidor andassem mais rápido. Eles mudavam lentamente, quase como se quisessem me irritar.

Não era um dia claro — um típico dia chuvoso em Forks, Washington —, mas eu ainda tinha a sensação de que havia um holofote focado sobre mim, chamando a atenção para a delicada aliança em minha mão esquerda. Em ocasiões como aquela, sentindo olhares nas minhas costas, parecia que a aliança pulsava como uma placa de neon: *Olhem para mim. Olhem para mim.*

Era idiotice ficar tão sem graça, e eu sabia disso. Além de meu pai e de minha mãe, será que importava realmente o que as pessoas diziam sobre meu noivado? Sobre meu carro novo? Sobre minha misteriosa admissão numa universidade da Ivy League? Sobre o cartão de crédito preto e reluzente que agora parecia arder no meu bolso de trás?

— É, quem liga para o que eles pensam? — murmurei.

— Hmmm, moça? — uma voz de homem chamou.

Eu me virei, e então desejei não ter feito aquilo.

Dois homens estavam parados atrás de um 4 x 4 caro, com caiaques novos em folha no *rack* do teto. Nenhum deles olhava para mim; os dois tinham os olhos fixos no carro.

Pessoalmente, eu não entendia. Já me orgulhava de poder distinguir entre os logos da Toyota, da Ford e da Chevrolet. Aquele carro era preto, reluzente e lindo, mas para mim ainda era só um carro.

— Desculpe incomodá-la, mas poderia me dizer que modelo é esse que está dirigindo? — perguntou o alto.

— Hã, é um Mercedes, não é?

— Sim — disse o homem com educação, enquanto o amigo mais baixo revirava os olhos diante da minha resposta. — Eu sei. Mas eu estava me perguntando se você... está dirigindo um Mercedes *Guardian*. — O homem disse o nome com reverência. Tive a sensação de que aquele sujeito iria se dar bem com Edward Cullen, meu... meu noivo (ultimamente não havia como fugir da realidade do casamento dali a alguns dias). — Eles ainda não devem estar disponíveis nem na Europa — continuou o homem —, que dirá aqui.

Enquanto meus olhos acompanhavam as linhas de meu carro — não me parecia muito diferente de outros Mercedes sedãs, mas o que eu entendia do assunto? —, pensei brevemente em meus problemas com palavras como *noivo*, *casamento*, *marido* etc.

Eu não conseguia aceitar aquilo.

Por um lado, fui criada para me encolher só de pensar em vestidos brancos e buquês de noiva. Mais do que isso, porém: eu não conseguia harmonizar um conceito tradicional, respeitável e tedioso como *marido* com meu conceito de *Edward*. Era como imaginar um arcanjo como um contador; eu não conseguia visualizá-lo em nenhum papel comum.

Como sempre, assim que comecei a pensar em Edward, fui apanhada numa vertigem de fantasias. O estranho teve de pigarrear para chamar minha atenção; ainda esperava por uma resposta sobre a fabricação e o modelo do carro.

— Não sei — eu respondi com sinceridade.

— Posso tirar uma foto dele?

Precisei de um segundo para processar o pedido.

— De verdade? Quer tirar uma foto do carro?

— Claro... Ninguém vai acreditar em mim se eu não tiver a prova.

— Hã. Tudo bem. Pode tirar.

Rapidamente tirei a mangueira de gasolina e me esgueirei para o banco da frente a fim de me esconder enquanto o cara fissurado pegava na mochila uma câmera que parecia profissional. Ele e o amigo se revezaram posando junto ao capô e depois tiraram fotos da traseira.

— Ai, que saudade da minha picape — choraminguei comigo mesma.

Fora mesmo muito conveniente — conveniente demais — que minha picape desse seu último suspiro semanas depois de Edward e eu fecharmos nosso acordo desigual, e um detalhe do acordo era que Edward poderia substituir minha picape quando ela morresse. Ele jurou que era apenas o esperado; que a picape tinha tido uma vida plena e longa e depois falecera, de causas naturais. Isso é o que ele diz. E, é claro, eu não tinha como verificar a veracidade de sua história ou tentar, sozinha, trazer a picape de volta à vida. Meu mecânico preferido...

Afastei esse pensamento, recusando-me a levá-lo a uma conclusão. Em vez disso, voltei a atenção para as vozes dos homens do lado de fora, abafadas pela lataria do carro.

— ... atacado com um lança-chamas num vídeo *on-line*. Nem enrugou a pintura.

— É claro que não. Até dá para passar com um tanque por cima desse bebê. Mas não tem muito mercado por aqui. Foi projetado basicamente para diplomatas e traficantes de armas ou drogas.

— Acha que *ela* é alguma coisa? — perguntou o mais baixo, reduzindo o volume da voz.

Baixei a cabeça com o rosto em brasa.

— Hmmm — murmurou o alto. — Talvez. Nem imagino para que alguém precisa de vidro à prova de mísseis e duzentos quilos de blindagem por aqui. Deve estar indo a um lugar mais perigoso.

Blindagem. *Duzentos quilos* de blindagem. E vidro à prova de *mísseis*? Que ótimo. O que aconteceu com o bom e velho vidro à prova de balas?

Bom, pelo menos isso fazia algum sentido — para quem tem um senso de humor meio distorcido.

Não é que eu não esperasse que Edward tirasse proveito de nosso acordo, fazendo a balança pender para o lado dele, dando-me muito mais do que receberia. Eu concordei que ele substituiria minha picape quando fosse necessário, sem esperar que esse momento chegaria tão cedo, é claro. Quando fui obrigada a admitir que a picape não passava de um tributo em natureza-morta aos Chevys clássicos no meu meio-fio, sabia que o carro que ele escolheria seria extravagante. Ia me tornar o foco de olhares e cochichos. Eu tinha razão quanto a essa parte. Mas, mesmo em minhas mais sinistras concepções, não previ que ele me daria *dois* carros.

O carro de "antes" e o carro de "depois", explicou-me quando eu pirei.

Aquele era só o carro de "antes". Ele me disse que era emprestado e prometeu que o devolveria depois do casamento. Tudo aquilo não fazia qualquer sentido para mim. Até então.

Rá-rá. Ao que parecia, porque eu era tão fragilmente humana, tendia tanto a me acidentar, era tão vítima de minha própria e perigosa falta de sorte, precisava de um carro que resistisse a tanques para me manter segura. Hilário. Eu tinha certeza de que ele e os irmãos riram da piada pelas minhas costas.

Ou talvez, só talvez, sussurrou uma vozinha em minha cabeça, *não seja uma piada, sua boba. Talvez ele realmente se preocupe com você. Não seria a primeira vez que ele teria exagerado um pouco, tentando protegê-la.*

Eu suspirei.

Ainda não vira o carro de "depois". Estava escondido embaixo de uma lona no fundo da garagem dos Cullen. Eu sabia que àquela altura a maioria das pessoas teria dado uma espiada, mas eu não era curiosa.

Provavelmente, não haveria blindagem nesse outro carro — porque eu não precisaria disso depois da lua de mel. A quase indestrutibilidade era só uma das muitas vantagens por que eu ansiava. O melhor de ser uma Cullen não eram os carros caros e os cartões de crédito impressionantes.

— Ei — falou o alto, colocando as mãos em concha no vidro, tentando me enxergar. — Já acabamos. Muito obrigado!

— Não há de quê — eu disse, e então, tensa, liguei o motor e pisei no pedal bem delicadamente...

Não importava quantas vezes eu passasse pela tão conhecida estrada para casa, ainda não conseguia deixar de olhar os cartazes desbotados pela chuva. Cada um deles, colados nos postes telefônicos e em placas de rua, era como um tapa na cara. Um merecido tapa na cara. Minha mente foi levada de volta ao pensamento que eu interrompera um pouco antes. Eu não conseguia evitá-lo naquela estrada. Não com as imagens de *meu mecânico preferido* passando por mim a intervalos regulares.

Meu melhor amigo. Meu Jacob.

Os cartazes de você viu esse garoto? não foram ideia do pai de Jacob. Foram do *meu* pai, Charlie, que os imprimiu e espalhou por toda a cidade. E não só por Forks, mas por Port Angeles, Sequim, Hoquiam, Aberdeen e em cada cidade da península de Olympic. Ele se certificou de que todas as delegacias no estado de Washington exibissem o cartaz. Sua própria delegacia tinha um quadro de cortiça dedicado à procura de Jacob. Um quadro que estava praticamente vazio, para decepção e frustração dele.

Meu pai não estava decepcionado só com a falta de resposta. Estava muito decepcionado com Billy, o pai de Jacob, e melhor amigo de Charlie.

Porque Billy não está se envolvendo mais nas buscas por seu filho "foragido" de 16 anos. Porque Billy se recusa a colocar os cartazes em La Push, a reserva na costa, que era o lar de Jacob. Porque ele parece ter se resignado com o desaparecimento do filho, como se não houvesse nada que pudesse fazer. Por ele dizer: "Agora Jacob é adulto. Se quiser, vai voltar para casa."

E ele estava frustrado comigo, por ficar do lado de Billy.

Eu também não colocaria os cartazes. Porque Billy e eu sabíamos mais ou menos onde Jacob estava, e também sabíamos que ninguém tinha visto aquele *garoto*.

Os cartazes me trouxeram o habitual nó à garganta, as habituais lágrimas ardendo em meus olhos, e fiquei feliz por Edward ter saído para caçar naquele sábado. Ver minha reação só serviria para deixá-lo péssimo também.

É claro que havia desvantagens por ser sábado. Enquanto eu entrava devagar e com cuidado na minha rua, pude ver a viatura de meu pai na frente de casa. Hoje ele não fora pescar de novo. Ainda chateado com o casamento.

Então eu não ia conseguir usar o telefone de casa. Mas *precisava* telefonar...

Estacionei no meio-fio atrás da escultura do Chevy e peguei no porta-luvas o celular que Edward me dera para emergências. Disquei, o dedo pairando sobre o botão para encerrar a chamada, enquanto o telefone tocava. Só por garantia.

— Alô? — Seth Clearwater atendeu, e eu suspirei de alívio. Eu era covarde demais para falar com a irmã mais velha dele, Leah. A expressão "arrancar minha cabeça" não era inteiramente uma figura de linguagem quando se tratava de Leah.

— Oi, Seth. É Bella.

— Ora, viva, Bella! Como você está?

Engasgada. Desesperada para que alguém me tranquilizasse.

— Bem.

— Querendo saber das últimas?

— Você é paranormal.

— Nem tanto. Não sou Alice... Você é que é previsível — brincou ele.

Do grupo quileute de La Push, só Seth ficava à vontade em mencionar os Cullen pelo nome — que dirá brincar com coisas como minha futura cunhada onisciente.

— Sei que sou. — Hesitei por um minuto. — Como ele está?

Seth suspirou.

— O mesmo de sempre. Ele não fala, embora a gente saiba que ouve. Está tentando não pensar como *humano*, sabe como é. Só seguir seus instintos.

— Sabe onde ele está agora?

— Em algum lugar no norte do Canadá. Não sei lhe dizer que província. Ele não presta muita atenção nas divisas territoriais.

— Algum indício de que ele possa...

— Ele não vai voltar, Bella. Desculpe.

Engoli em seco.

— Está tudo bem, Seth. Eu sabia antes mesmo de perguntar. Só não consigo deixar de querer isso.

— É. Todos sentimos o mesmo.

— Obrigada por me aturar, Seth. Sei que os outros devem criar dificuldades para você.

— Eles não são seus maiores fãs — concordou ele, alegremente. — Mas eu acho isso meio idiota. Jacob tomou a decisão dele, você tomou a sua. Jake mesmo não gostou da atitude deles com relação a isso. É claro que ele não fica superemocionado por você estar procurando saber dele.

Eu arfei.

— Pensei que ele não estivesse falando com você.

— Ele não pode esconder tudo de nós, por mais que tente.

Então Jacob sabia que eu estava preocupada. Eu não tinha certeza de como me sentia com relação a isso. Bom, pelo menos ele sabia que eu não fugira ao pôr do sol e me esquecera completamente dele. Ele podia ter imaginado que eu fosse capaz disso.

— Acho que verei você no... casamento — eu disse, obrigando a palavra a sair por entre os meus dentes.

— É, eu e minha mãe estaremos lá. Foi gentil de sua parte nos convidar.

Sorri com o entusiasmo na voz dele. A ideia de convidar os Clearwater foi de Edward. Fiquei feliz que ele tivesse pensado nisso. Ter Seth ali seria ótimo — um elo, embora tênue, com meu padrinho desaparecido.

— Não seria o mesmo sem vocês.

— Diga a Edward que mandei lembranças, está bem?

— Pode ter certeza.

Eu sacudi a cabeça. A amizade que surgiu entre Edward e Seth era algo que ainda me perturbava. Era uma prova, porém, de que as coisas não tinham de ser daquele jeito. Que vampiros e lobisomens podiam conviver bem, obrigada, se quisessem.

Nem todo mundo gostava disso.

— Ah! — disse Seth, a voz subindo uma oitava. — Hã, Leah chegou em casa.

— Ah! Tchau!

O telefone ficou mudo. Deixei-o no banco e me preparei psicologicamente para entrar em casa, onde Charlie estaria esperando.

Agora meu pobre pai tinha muito o que fazer. Jacob-o-fugitivo era só *um* dos fardos em suas costas sobrecarregadas: ele estava quase tão preocupado comigo, sua filha que mal era legalmente adulta e já ia se tornar uma senhora em alguns dias.

Caminhei lentamente pela chuva fina, lembrando-me da noite em que contamos a ele...

Ao ouvir a viatura de Charlie anunciando sua volta, de repente a aliança passou a pesar cinquenta quilos em meu dedo. Eu queria enfiar a mão esquerda num bolso, ou talvez sentar sobre ela, mas o aperto firme e frio de Edward a mantinha à mostra.

— Fique quieta, Bella. Por favor, lembre-se de que não vai confessar nenhum assassinato.

— Para você é fácil falar.

Ouvi o som agourento das botas de meu pai batendo na calçada. A chave chacoalhou na porta já aberta. O som me lembrou daquela cena dos filmes de terror em que a vítima percebe que esqueceu de passar a tranca na porta.

— Acalme-se, Bella — sussurrou Edward, ouvindo meu coração acelerar.

A porta bateu, e eu me encolhi como se tivesse levado um tiro.

— Oi, Charlie — disse Edward, inteiramente relaxado.

— Não! — protestei em voz baixa.

— Que foi? — sussurrou Edward.

— Espere até ele pendurar a arma!

Edward riu e passou a mão livre em seu cabelo desgrenhado cor de bronze.

Charlie virou no corredor, ainda de uniforme, ainda armado, e tentou não fazer uma careta quando nos viu sentados juntos no sofá. Ultimamente ele vinha se esforçando muito para gostar mais de Edward. É claro que aquela revelação daria um fim imediato e certo a esse esforço.

— Oi, meninos. Como estão as coisas?

— Gostaríamos de falar com você — disse Edward, muito sereno. — Temos uma boa notícia.

A expressão de Charlie foi da cordialidade forçada à desconfiança sombria em um segundo.

— Boa notícia? — resmungou Charlie, olhando diretamente para mim.

— Sente-se, pai.

Ele ergueu uma sobrancelha, fitando-me por uns cinco segundos, depois foi até a cadeira reclinável e se sentou na beira, as costas retas feito uma tábua.

— Não fique nervoso, pai — eu disse depois de um momento de silêncio pesado. — Está tudo bem.

Edward fez uma careta, e eu sabia que era em objeção às palavras *tudo bem*. Ele teria usado algo como *maravilhoso*, *perfeito* ou *glorioso*.

— Claro que está, Bella, claro que está. Se tudo está tão bem, por que você está suando em bicas?

— Eu não estou suando — menti.

Então me afastei de seu olhar zangado e me encolhi junto de Edward, e por instinto passei as costas da mão direita na testa para eliminar as provas.

— Você está grávida! — explodiu Charlie. — Está grávida, não é?

Embora a pergunta claramente fosse dirigida a mim, ele agora fuzilava Edward com os olhos e eu podia jurar ter visto a mão dele procurar a arma.

— Não! É claro que não! — Eu queria dar uma cotovelada nas costelas de Edward, mas sabia que essa atitude só me provocaria um hematoma. Eu *disse* a Edward que as pessoas logo chegariam a essa conclusão! Que outro motivo haveria para pessoas sãs se casarem aos 18 anos? (A resposta dele me fez revirar os olhos. *Amor*. Sei.)

O olhar de Charlie se iluminou um pouco. Em geral, ficava muito claro no meu rosto quando eu contava a verdade, e ele então acreditou em mim.

— Ah! Desculpe.

— Desculpas aceitas.

Houve uma longa pausa. Depois de algum tempo, percebi que todos esperavam que *eu* dissesse alguma coisa. Tomada de pânico, olhei para Edward. Não havia como eu conseguir pronunciar as palavras.

Ele sorriu para mim, endireitou os ombros e voltou-se para meu pai.

— Charlie, eu sei que neste caso mudei a ordem das coisas. Por tradição, eu devia lhe pedir primeiro. Não é minha intenção desrespeitá-lo, mas uma vez que Bella já disse sim e eu não quero minimizar sua decisão a esse respeito, em vez de lhe pedir a mão dela, estou lhe pedindo sua bênção. Nós vamos nos casar, Charlie. Eu a amo mais do que tudo no mundo, mais do que minha própria vida, e... por um milagre... ela me ama da mesma forma. Você nos daria sua bênção?

Ele parecia tão seguro, tão calmo! Por um segundo, ouvindo a confiança absoluta em sua voz, tive um raro momento de *insight*. Pude ver, fugazmente, como o mundo olhava para ele. No intervalo de uma batida do coração, aquela notícia fez todo sentido.

Então vi a expressão de Charlie, os olhos agora fixos na aliança.

Prendi a respiração enquanto sua pele mudava de cor — do branco ao vermelho, do vermelho ao roxo, do roxo ao azul. Comecei a me levantar — não sabia bem o que pretendia fazer; talvez usar a manobra de Heimlich para ter certeza de que ele não estava sufocando —, mas Edward apertou minha mão e murmurou "Dê-lhe um minuto" tão baixo que só eu pude ouvir.

O silêncio dessa vez foi mais prolongado. Depois, aos poucos, tom por tom, a cor de Charlie voltou ao normal. Seus lábios e sobrancelhas franziram; reconheci sua expressão de "imerso em pensamentos". Ele nos observou por um bom tempo, e senti Edward relaxar ao meu lado.

— Acho que não estou surpreso — grunhiu Charlie. — Sabia que logo teria de lidar com alguma coisa assim.

Eu expirei.

— Você tem certeza? — perguntou Charlie, olhando para mim.

— Estou cem por cento segura em relação a Edward — eu lhe disse, sem hesitar.

— Mas se casar? Por que a pressa? — Ele me olhou com desconfiança de novo.

A pressa se devia ao fato de que eu estava me aproximando do décimo nono aniversário a cada maldito dia, enquanto Edward permanecia paralisado em toda a perfeição de seus 17 anos, como acontecia havia mais de noventa anos. Não que esse fato significasse *casamento* em meu dicionário, mas a cerimônia era necessária em razão do acordo delicado e complicado que Edward e eu fizemos para finalmente chegar a esse ponto, à beira de minha transformação de mortal em imortal.

Não eram coisas que eu pudesse explicar a Charlie.

— Vamos juntos para Dartmouth no outono, Charlie — lembrou-lhe Edward. — Eu gostaria de fazer isso, bem, da maneira correta. Fui criado assim. — Ele deu de ombros.

Ele não estava exagerando; na época da Primeira Guerra Mundial, os costumes eram outros.

A boca de Charlie se retorceu. Procurando um ângulo de onde argumentar. Mas o que ele poderia dizer? *Prefiro que vocês vivam em pecado primeiro?* Ele era pai; suas mãos estavam atadas.

— Eu sabia que isso aconteceria — murmurou ele consigo mesmo, a testa franzida. Depois, de repente, seu rosto ficou perfeitamente vago e sereno.

— Pai? — perguntei com ansiedade. Olhei para Edward, mas tampouco consegui ler seu rosto enquanto ele observava Charlie.

— Rá! — Charlie explodiu. Eu estremeci no sofá. — Rá, rá, rá!

Fiquei olhando, incrédula, enquanto Charlie se dobrava de rir, o corpo todo sacudindo.

Olhei para Edward em busca de uma tradução, mas Edward estava com os lábios cerrados, como se ele mesmo tentasse reprimir o riso.

— Muito bem, então — disse Charlie, com a voz embargada. — Casem-se. — Mais uma gargalhada sacudiu seu corpo. — Mas...

— Mas o quê? — perguntei.

— Mas é *você* quem vai contar à sua mãe! Não vou dizer uma só palavra a Renée! Isso é com você! — E explodiu em gargalhadas novamente.

Parei com a mão na maçaneta, sorrindo. É evidente que, na ocasião, as palavras de Charlie me apavoraram. A condenação final: contar a Renée, para quem casar-se cedo era pior do que cozinhar filhotinhos de cachorro vivos.

Quem poderia prever a reação dela? Eu, não. Charlie, certamente, não. Talvez Alice, mas não pensei em perguntar a ela.

— Bem, Bella — dissera Renée depois de eu engasgar e gaguejar as palavras impossíveis: *Mãe, vou me casar com Edward.* — Estou um pouco chateada por você ter esperado tanto tempo para me contar. As passagens aéreas só vão ficando mais caras. Ooooh — choramingara ela. — Acha que até lá Phil já vai ter tirado o gesso? Vai estragar as fotos se ele não estiver de smoking...

— Espere um segundo, mãe — eu dissera, ofegante. — O que quer dizer com esperar tanto tempo? Eu só fiquei no-no... — Fui incapaz de dizer a palavra *noiva*. — As coisas se ajeitaram, sabe como é, hoje.

— Hoje? É mesmo? *Isto sim* é uma surpresa. Imaginei...

— O que você imaginou? *Quando* você imaginou?

— Bem, quando veio me visitar em abril, parecia que as coisas estavam bem costuradas, se é que me entende. Não é difícil ler seus pensamentos, meu amor. Mas eu não disse nada porque sabia que não faria nenhum bem. Você é igualzinha ao Charlie. — Ela havia suspirado, resignada. — Depois que toma uma decisão, não dá para argumentar com você. É claro que, exatamente como Charlie, você também se mantém firme em suas decisões.

E então ela dissera a última coisa que eu esperaria ouvir de minha mãe.

— Você não está cometendo o mesmo erro que eu, Bella. Você parece apavorada, e acho que é porque tem medo *de mim*. — Ela dera uma risadinha. — Do que eu vou pensar. E eu sei que disse muita coisa sobre casamento e estupidez... e não vou retirar o que disse... mas você precisa entender que aquelas coisas se aplicavam especificamente *a mim*. Você é uma pessoa totalmente diferente. Você comete seus próprios erros e tenho certeza de que terá sua quota de arrependimentos na vida. Mas comprometer-se nunca foi um problema para você, meu amor. Você tem mais chance de fazer com que isso dê certo do que a maioria das pessoas de 40 anos que eu conheço. — Renée rira de novo. — Minha filhinha de meia-idade. Felizmente, você parece ter encontrado outra alma velha.

— Você não está... zangada? Não acha que estou cometendo um erro imenso?

— Bem, é claro que eu queria que você esperasse mais alguns anos. Quer dizer, eu pareço velha o bastante para ser sogra? Não responda. Mas não se trata de mim. Trata-se de você. Você está feliz?

— Não sei. Agora estou tendo uma experiência extracorpórea.

Renée dera uma gargalhada.

— Ele a faz feliz, Bella?

— Sim, mas...

— Algum dia vai querer outra pessoa?

— Não, mas...

— Mas o quê?

— Mas você não vai dizer que estou falando como qualquer outra adolescente apaixonada desde a aurora dos tempos?

— Você nunca foi adolescente, meu bem. Sabe o que é melhor para *você*.

Nas últimas semanas, inesperadamente Renée havia mergulhado nos planos do casamento. Passara horas ao telefone com a mãe de Edward, Esme — eu não tinha nenhum motivo para me preocupar se as duas famílias se entenderiam. Renée *adorara* Esme, mas eu duvidava de que alguém pudesse reagir de outra maneira à minha adorável quase sogra.

Isso me tirou de uma situação difícil. A família de Edward e a minha estavam cuidando das núpcias sem que eu precisasse fazer, saber ou pensar muito no assunto.

É claro que Charlie ficou furioso, mas o bom foi que ele não ficou furioso *comigo*. A traidora era Renée. Ele contava que ela bancasse a durona. O que ele podia fazer agora, quando sua ameaça suprema — contar à mamãe — tinha se revelado completamente inútil? Ele não podia fazer nada, e sabia disso. Então ele andava desanimado pela casa, resmungando coisas sobre não se poder confiar em mais ninguém neste mundo...

— Pai — chamei enquanto abria a porta da frente. — Cheguei.

— Espere aí, Bells, fique onde está.

— Hein? — perguntei, parando automaticamente.

— Me dê um segundo. Ai, você me furou, Alice. Alice?

— Desculpe, Charlie — respondeu a voz vibrante de Alice. — Como está isso?

— Estou sangrando.

— Você está bem. Não rompeu a pele... Confie em mim.

— O que está acontecendo? — perguntei, hesitando à soleira da porta.

— Trinta segundos, Bella, por favor — disse-me Alice. — Sua paciência será recompensada.

— Humpf — acrescentou Charlie.

Bati o pé, contando cada batida. Antes que chegasse a trinta, Alice disse:

— Tudo bem, Bella, entre!

Andando com cautela, entrei na nossa sala de estar.

— Ah! — eu bufei. — Ai. Pai. Você está tão...

— Bobo? — interrompeu Charlie.

— Eu estava pensando mais em *garboso*.

Charlie corou. Alice o pegou pelo cotovelo e o fez girar lentamente, a fim de mostrar o smoking cinza-claro.

— Agora pare com isso, Alice. Eu pareço um idiota.

— Alguém vestido por mim *jamais* vai parecer um idiota.

— Ela tem razão, pai. Você está incrível! Qual é a ocasião?

Alice revirou os olhos.

— É a última prova da roupa. Para os dois.

Afastei os olhos de meu habitualmente deselegante Charlie e, pela primeira vez, vi a temida sacola com a roupa branca colocada com cuidado no sofá.

— Aaah.

— Vá para seu refúgio feliz, Bella. Não vou demorar.

Respirei fundo e fechei os olhos. Mantendo-os fechados, subi aos tropeços a escada para meu quarto. Tirei a roupa e estendi os braços.

— Parece que vou enfiar farpas de bambu debaixo de suas unhas — murmurou Alice consigo mesma, enquanto me seguia.

Não prestei atenção nela. Eu estava em meu refúgio feliz.

Em meu refúgio feliz, toda a confusão do casamento tinha acabado. Ficara para trás. Já subjugada e esquecida.

Estávamos sozinhos, só Edward e eu. O ambiente era vago e se alterava constantemente — metamorfoseava-se de uma floresta enevoada em uma cidade nublada, em uma noite ártica —, pois Edward mantinha o local de nossa lua de mel em segredo para me fazer uma surpresa. Mas eu não estava muito preocupada com a parte do *onde*.

Edward e eu estávamos juntos, e eu cumprira à perfeição minha parte no trato. Havia me casado com ele. Essa era a parte maior. Mas também aceitara todos os seus presentes afrontosos e estava matriculada, embora inutilmente, para frequentar Dartmouth no outono. Agora era a vez dele.

Antes que ele me transformasse em vampira — sua parte maior no trato —, havia mais uma cláusula a cumprir.

Edward tinha uma preocupação obsessiva com as coisas humanas de que eu estaria abrindo mão, as experiências que ele não queria que me fizessem falta. A maioria delas — como o baile de fim de ano na escola, por exemplo — parecia tola para mim. Havia uma única experiência humana cuja perda me preocupava. É claro que era a única que ele queria que eu esquecesse completamente.

Mas aí estava a questão. Eu sabia um pouco como seria quando não fosse mais humana. Vira em primeira mão vampiros recém-criados e ouvira todas as histórias de minha futura família sobre aqueles primeiros tempos turbulentos. Por vários anos, minha principal característica pessoal seria a *sede*. Levaria algum tempo para eu poder ser *eu* de novo. E mesmo quando tivesse o controle de mim mesma, nunca me sentiria exatamente como me sentia agora.

Humana... e amando profundamente.

Eu queria a experiência completa, antes de trocar meu corpo quente, frágil e cheio de feromônios por algo bonito, forte... e desconhecido. Eu queria uma lua de mel *de verdade* com Edward. E, apesar do perigo que ele temia que isso representasse para mim, ele concordara em tentar.

Eu só tinha uma vaga consciência de Alice e do cetim escorregando sobre meu corpo. Não me importava, naquele momento, que toda a cidade estivesse falando de mim. Eu não pensava no espetáculo que teria de estrelar muito em breve. Não me preocupava com tropeçar na cauda, rir na hora errada, ser nova demais, encarar os convidados, nem mesmo com o lugar vazio onde meu melhor amigo deveria estar.

Eu estava com Edward em meu refúgio feliz.

2. LONGA NOITE

— JÁ SINTO SUA FALTA.
— Eu não preciso partir. Posso ficar...
— Hmmm.

Fez-se silêncio por um longo momento: apenas o martelar de meu coração, o ritmo interrompido de nossa respiração irregular e o sussurro de nossos lábios movendo-se em sincronia.

Às vezes era fácil demais esquecer que eu estava beijando um vampiro. Não porque ele parecesse comum ou humano — eu jamais, nem por um segundo, poderia esquecer que tinha em meus braços alguém mais anjo do que homem —, mas porque ele fazia parecer que nada era igual a ter seus lábios nos meus, no meu rosto, no meu pescoço. Ele afirmava que já tinha superado havia muito a tentação que meu sangue exercia sobre ele, que a ideia de me perder o curara de qualquer desejo do sangue. Mas eu sabia que o cheiro do meu sangue ainda lhe causava dor — ainda queimava sua garganta como se ele estivesse inalando chamas.

Abri os olhos e encontrei os dele também abertos, fitando meu rosto. Não fazia sentido quando ele me olhava desse jeito. Como se eu fosse o prêmio, não a vencedora extremamente sortuda.

Nossos olhares se fixaram por um momento; seus olhos dourados eram tão profundos que imaginei que pudesse ver sua alma. Parecia tolice que esse fato — a existência de sua alma — fosse questionado, mesmo *sendo* ele um vampiro. Ele tinha a alma mais bela, mais linda que sua mente brilhante, seu rosto incomparável ou seu corpo maravilhoso.

Ele me olhava como se também pudesse ver minha alma, e como se gostasse do que via.

No entanto, ele não podia ler minha mente, como lia a dos outros. Deus sabe por quê — alguma falha estranha em meu cérebro, que o tornava imune a todas as coisas extraordinárias e assustadoras que os imortais podem fazer. (Só minha mente era imune; meu corpo ainda estava sujeito a vampiros com habilidades diferentes das de Edward.) Mas eu estava tremendamente agradecida a qualquer disfunção que mantivesse meus pensamentos em segredo. Era constrangedor demais imaginar a alternativa.

Puxei seu rosto para o meu mais uma vez.

— Sem dúvida, vou ficar — murmurou ele, um instante depois.

— Não, não. É sua despedida de solteiro. Você precisa ir.

Falei aquilo, mas os dedos de minha mão direita se fecharam em seu cabelo cor de bronze e minha mão esquerda apertou mais a base de suas costas. Suas mãos frias afagaram meu rosto.

— As despedidas de solteiro são feitas para aqueles que lamentam o fim de seus dias de solteiro. Eu não poderia estar mais ansioso para deixar para trás os meus. Então isso não faz sentido algum.

— É verdade. — Eu respirava contra a pele gélida e invernal de seu pescoço.

Aquilo era muito próximo de meu refúgio feliz. Charlie dormia em seu quarto, o que era quase tão bom quanto estar só. Estávamos enroscados em minha pequena cama, entrelaçados ao máximo, considerando o grosso cobertor em que eu me enrolara, como se fosse um casulo. Eu odiava a necessidade do cobertor, mas o clima de romance se perdia um pouco quando meus dentes começavam a bater. Charlie perceberia se eu ligasse o aquecedor em pleno verão...

Pelo menos, embora *eu* tivesse de me embrulhar, a camisa de Edward estava no chão. Jamais deixei de ficar chocada com a perfeição de seu corpo — branco, frio e polido como mármore. Passei então a mão por seu peito de pedra, acompanhando maravilhada a barriga lisa. Um leve tremor percorreu seu corpo, e sua boca encontrou a minha de novo. Com cuidado, deixei a ponta de minha língua pressionar seu lábio, de uma suavidade vítrea, e ele suspirou. Seu hálito doce — frio e delicioso — banhou meu rosto.

Ele começou a se afastar — essa era sua reação automática sempre que concluía que as coisas tinham ido longe demais, sua reação instintiva quando ele mais queria continuar. Edward passara a maior parte da vida rejeitando qualquer tipo de recompensa física. Eu sabia que para ele era apavorante tentar mudar esses hábitos agora.

— Espere — eu disse, agarrando seus ombros e me aninhando junto dele. Libertei uma perna do cobertor e a passei em volta de sua cintura. — A prática leva à perfeição.

Ele riu.

— Bem, a essa altura devemos estar bem perto da perfeição, então, não é? Você dormiu neste último mês?

— Mas este é o ensaio geral — lembrei a ele —, e só praticamos algumas cenas. Não é hora de tomar precauções.

Pensei que ele estivesse rindo, mas ele não respondeu, e seu corpo ficou imóvel com uma tensão repentina. O ouro em seus olhos pareceu passar de líquido a sólido.

Pensei em minhas palavras, percebendo o que ele teria ouvido nelas.

— Bella... — sussurrou ele.

— Não comece com isso de novo — eu disse. — Já fizemos o acordo.

— Não sei. É difícil demais me concentrar quando você está comigo dessa maneira. Eu... não consigo pensar direito. Não vou ser capaz de me controlar. Você vai se machucar.

— Eu vou ficar bem.

— Bella...

— Shhh! — Coloquei meus lábios nos dele para deter sua crise de pânico. Eu já ouvira aquilo antes.

Edward não ia romper o acordo. Não depois de insistir que eu me casasse com ele antes.

Ele me beijou por um momento, mas eu percebia que não estava concentrado como antes. Preocupado, estava sempre preocupado! Como seria quando ele não precisasse mais se preocupar comigo? O que ele faria com todo o tempo livre? Teria de arrumar um novo hobby.

— Está com um pé atrás? — ele perguntou.

Sabendo que ele não dizia literalmente isso, respondi:

— Muito à frente.

— É mesmo? Nenhuma dúvida? Não é tarde demais para mudar de ideia.

— Está tentando se livrar de mim?

Ele riu.

— Só estou me certificando. Não quero que você faça nada de que não esteja certa.

— Eu tenho certeza de você. O resto posso ir levando.

Ele hesitou, e eu me perguntei se tinha falado asneira de novo.

— Pode mesmo? — perguntou ele, em voz baixa. — Eu não me refiro à cerimônia do casamento... A essa tenho certeza de que você sobreviverá, apesar de seus escrúpulos... Mas, depois... E quanto a Renée, e a Charlie?

Eu suspirei.

— Vou sentir saudade deles. — Pior ainda, eles sentiriam saudade de mim, mas eu não queria lhe dar razão.

— Angela e Ben, Jessica e Mike.

— Vou sentir falta dos meus amigos também. — Eu sorri no escuro. — Especialmente de Mike. Ah, Mike! Como vou ficar sem ele?

Ele grunhiu.

Eu ri, mas depois fiquei séria.

— Edward, já falamos sobre tudo isso. Sei que será difícil, mas é o que quero. Eu quero você, e quero para sempre. Uma vida inteira simplesmente não é o bastante para mim.

— Paralisada para sempre aos 18 anos — sussurrou ele.

— A realização do sonho de toda mulher — brinquei.

— Sem mudar jamais... Jamais avançando.

— O que quer dizer?

Ele respondeu lentamente:

— Lembra-se de quando dissemos a Charlie que íamos nos casar? E ele pensou que você estivesse... grávida?

— E ele pensou em atirar em você — adivinhei com uma risada. — Admita... por um segundo, ele sinceramente pensou nessa hipótese.

Ele não respondeu.

— O que foi, Edward?

— Eu só queria... Bem, queria que ele tivesse razão.

— Dãa! — exclamei.

— Melhor, que houvesse uma maneira de ele *poder* ter razão. Que tivéssemos esse potencial. Eu *odeio* tirar isso de você também.

Precisei de um minuto.

— Sei o que estou fazendo.

— Como pode saber, Bella? Veja minha mãe, minha irmã; não é um sacrifício tão fácil quanto você imagina.

— Esme e Rosalie se saíram bem. Caso seja um problema mais tarde, podemos fazer o que Esme fez... Podemos adotar.

Ele suspirou, em seguida sua voz tornou-se enérgica.

— Isso não está *certo*! Não quero que você tenha de fazer sacrifícios por mim. Quero lhe dar coisas, não tirá-las de você. Não quero roubar seu futuro. Se eu fosse humano...

Pus a mão sobre seus lábios.

— Você é o meu futuro. Agora pare. Chega de choramingar, ou vou chamar seus irmãos para virem pegar você. Talvez você *precise mesmo* de uma despedida de solteiro.

— Desculpe. Eu estou reclamão, não é? Devem ser os nervos.

— Você está com um pé atrás?

— Não nesse sentido. Esperei um século para me casar com você, Srta. Swan. A cerimônia de casamento é o que eu mal posso... — Ele se interrompeu no meio do pensamento. — Ah, pelo amor de tudo o que é sagrado!

— Qual é o problema?

Ele trincou os dentes.

— Não precisa chamar meus irmãos. Ao que parece, Emmett e Jasper não vão me deixar escapar esta noite.

Eu o abracei mais forte por um segundo e então o soltei. Não tinha a pretensão de vencer um cabo-de-guerra com Emmett.

— Divirta-se.

Houve um ruído áspero na janela — alguém deliberadamente arranhando o vidro com as unhas de aço e fazendo aquele barulho horrível, que nos obriga a tapar os ouvidos e nos provoca arrepios nas costas. Eu tremi.

— Se você não mandar Edward sair — Emmett, ainda invisível na noite, sibilou ameaçadoramente —, vamos entrar para pegá-lo!

— Vá — eu ri. — *Antes* que eles arrombem minha casa.

Edward revirou os olhos, mas se colocou de pé num movimento ágil e, com outro, pôs de volta a camisa. Curvou-se e me deu um beijo na testa.

— Vá dormir. Terá um grande dia amanhã.

— Obrigada! Isso certamente vai me ajudar a relaxar.

— Vejo você no altar.

— Eu serei a mulher de branco. — Sorri diante do fato de eu parecer perfeitamente *blasé*.

Ele riu e disse:

— Muito convincente. — E de repente se agachou, os músculos retesados como uma mola. Ele desapareceu, lançando-se de minha janela com tamanha rapidez que meus olhos não acompanharam.

Do lado de fora, houve um baque surdo e ouvi Emmett xingar.

— Acho bom que não o façam se atrasar — murmurei, sabendo que eles podiam ouvir.

E então a cara de Jasper surgiu espiando em minha janela, o cabelo de mel prateado na luz fraca da lua que conseguia atravessar as nuvens.

— Não se preocupe, Bella. Vamos levá-lo para casa bem a tempo.

De repente fiquei muito calma e todos os meus receios pareceram sem importância. Jasper, à sua própria maneira, era tão talentoso quanto Alice com suas previsões misteriosamente precisas. O meio de Jasper era o estado de espírito, não o futuro, e era impossível resistir à sensação que ele queria que tivéssemos.

Eu me sentei sem graça, ainda enrolada no cobertor.

— Jasper? O que os vampiros fazem em despedidas de solteiro? Não vai levá-lo para uma boate de *strip-tease*, não é?

— Não conte nada a ela! — grunhiu Emmett, lá embaixo. Houve outro baque, e Edward riu baixinho.

— Relaxe — disse-me Jasper, e foi o que eu fiz. — Nós, os Cullen, temos uma versão própria. Só alguns leões da montanha, alguns ursos pardos. Uma noitada bem comum.

Imaginei se em algum momento eu conseguiria parecer tão despreocupada em relação à dieta "vegetariana" de vampiros.

— Obrigada, Jasper.

Ele piscou e desapareceu da vista.

Fez-se um silêncio completo do lado de fora. Os roncos abafados de Charlie atravessavam as paredes.

Voltei a me recostar no travesseiro, agora sonolenta. Olhei as paredes de meu pequeno quarto, descoradas à luz da lua, sob as pálpebras pesadas.

Minha última noite em meu quarto. Minha última noite como Isabella Swan. Na noite seguinte eu seria Bella Cullen. Embora toda a provação do casamento fosse um tormento para mim, tinha de confessar que gostava de como meu nome soava.

Deixei minha mente vagar à toa por um momento, esperando que o sono me envolvesse. Mas, depois de alguns minutos, estava mais alerta, a ansiedade esgueirando-se de volta a meu estômago, retorcendo-o em posições desagradáveis. A cama era macia demais, quente demais sem Edward. Jasper tinha ido embora e as sensações de relaxamento e paz foram com ele.

O dia seguinte seria muito longo.

Estava ciente de que a maior parte de meus medos era idiotice — eu só precisava lidar comigo mesma. A atenção era parte inevitável da vida. Eu nem sempre poderia me misturar com a mobília. Porém, eu tinha algumas preocupações específicas inteiramente válidas.

Primeiro, havia a cauda do vestido de noiva. Alice claramente deixara que seu senso artístico sobrepujasse os aspectos práticos nesse quesito. Andar pela escadaria dos Cullen de salto alto e com uma cauda parecia impossível. Eu deveria ter treinado.

E havia também a lista de convidados.

A família de Tanya, o clã dos Denali, chegaria um pouco antes da cerimônia.

Seria emocionante ver a família de Tanya no mesmo ambiente de nossos convidados da reserva quileute, o pai de Jacob e os Clearwater. Os Denali não eram fãs de lobisomens. Na realidade, a irmã de Tanya, Irina, não iria comparecer ao casamento. Ainda alimentava um sentimento de vingança contra os lobisomens, por eles terem matado seu amigo Laurent (quando ele estava prestes a me matar). Graças a esse rancor, os Denali abandonaram a família de Edward em sua hora de maior necessidade. Foi uma estranha aliança entre os lobos quileutes que salvou a vida de todos nós quando a horda de vampiros recém-criados atacou...

Edward me prometeu que não seria perigoso ter os Denali perto dos quileutes. Tanya e toda sua família — tirando Irina — sentiam-se terrivelmente culpados por aquele abandono. Uma trégua com os lobisomens era um preço pequeno para compensar parte daquela dívida, um preço que estavam dispostos a pagar.

Esse era o principal problema, mas havia uma questão menor também: minha frágil autoestima.

Eu nunca vira Tanya, mas tinha certeza de que conhecê-la não seria uma experiência agradável para o meu ego. Antigamente, talvez antes de eu nascer, ela tivera uma queda por Edward — não que eu a culpasse, ou qualquer outra pessoa, por querê-lo. Ainda assim, ela seria, na melhor das hipóteses, linda, e, na pior, magnífica. Apesar de Edward claramente — ainda que de modo inconcebível — preferir a mim, eu não conseguiria deixar de fazer comparações.

Eu tinha resmungado um pouco, até Edward, que sabia de minhas fraquezas, fazer com que me sentisse culpada.

— Somos o que há de mais próximo de uma família para elas, Bella — lembrou-me ele. — Entenda, elas ainda se sentem órfãs, mesmo depois de tanto tempo.

Então cedi, escondendo minha expressão zangada.

Tanya agora tinha uma grande família, quase tão grande quanto a dos Cullen. Eles eram cinco: Tanya, Kate e Irina agora tinham a companhia de Carmen e Eleazar, quase da mesma maneira como os Cullen haviam recebido Alice e Jasper, todos ligados por seu desejo de viver de forma mais compassiva que os vampiros normais.

Apesar de toda a companhia, porém, Tanya e as irmãs, de certo modo, ainda se sentiam solitárias. Ainda estavam de luto. Porque, havia muito tempo, elas também tiveram mãe.

Eu podia imaginar o vazio que essa perda deixava, mesmo depois de mil anos; tentei imaginar a família Cullen sem seu criador, seu centro e seu guia — o pai, Carlisle. Não consegui.

Carlisle contou a história de Tanya durante uma das muitas noites em que fiquei até tarde na casa dos Cullen, aprendendo tudo o que podia, preparando-me ao máximo para o futuro que escolhera. A história da mãe de Tanya era uma entre as muitas que ilustravam uma das regras que eu precisava respeitar quando me unisse ao mundo imortal. Só uma regra, na verdade — uma lei que se fragmentava em mil aspectos diferentes: *Guardar o segredo*.

Guardar o segredo significava muitas coisas — viver discretamente como os Cullen e mudar-se antes que os humanos pudessem suspeitar de que eles não estavam envelhecendo. Ou manter distância completa de humanos — a não ser no horário das refeições —, como faziam nômades como James e Victoria; como os amigos de Jasper, Peter e Charlotte, ainda viviam. Significava manter o controle sobre quaisquer vampiros novos que você criasse, como Jasper fez quando viveu com Maria. Como Victoria não conseguira fazer com seus recém-criados.

E significava, antes de tudo, não criar certas coisas, porque algumas criações eram incontroláveis.

— Não sei o nome da mãe de Tanya — admitira Carlisle, com os olhos dourados, quase do mesmo tom de seu cabelo louro, tristes ao se lembrarem da dor de Tanya. — Elas jamais falam dela; se puderem evitar, jamais pensam nela por vontade própria.

"A mulher que criou Tanya, Kate e Irina, que as amava, acredito, viveu muitos anos antes de eu nascer, em uma época de peste em nosso mundo, a peste das crianças imortais. Não consigo entender o que eles, os antigos, estavam pensando. Criaram vampiros a partir de humanos que mal passavam de bebês."

Tive de engolir a bile que subia por minha garganta enquanto imaginava o que ele descrevia.

— Eles eram muito bonitos — explicara Carlisle rapidamente, vendo minha reação. — Tão afetuosos, tão encantadores! Você nem imagina. Bastava ficar perto deles para amá-los; era uma reação automática.

"Mas não conseguiam aprender. Estavam paralisados naquele nível de desenvolvimento que alcançaram antes de ser mordidos. Adoráveis crianças de 2 anos com covinhas e ciciando, que podiam destruir metade de um vilarejo em um de seus acessos de raiva. Quando estavam com fome, alimentavam-se, e nenhuma advertência podia impedi-los. Os humanos os viram, as histórias circularam, o medo se espalhou como fogo em palha seca...

"A mãe de Tanya criou uma criança dessas. Como no caso dos outros antigos, não consigo entender os motivos."

Ele respirara fundo.

— Os Volturi se envolveram, é claro.

Encolhi-me, como sempre fazia diante desse nome, mas é claro que a legião de vampiros italianos — a realeza, segundo eles próprios — era fundamental nessa história. Não haveria lei se não houvesse punição; não poderia haver punição se não houvesse quem a aplicasse. Os antigos Aro, Caius e Marcus governavam as forças dos Volturi; eu só os vira uma vez, mas naquele breve encontro pareceu-me que Aro, com seu poderoso dom de ler a mente — bastava um toque, e ele sabia cada pensamento que a mente de alguém já teve em vida —, era o verdadeiro líder.

— Os Volturi analisaram as crianças imortais, em Volterra, seu lar, e em todo o mundo. Caius concluiu que os jovens eram incapazes de proteger nosso segredo. E, portanto, tinham de ser destruídos.

"Eu lhe disse que eles eram adoráveis. Bem, os bandos lutaram até o último homem — foram completamente dizimados — para protegê-los. A carnificina não foi tão disseminada como as guerras do sul deste continente, porém mais arrasadora, à sua maneira. Bandos, havia muito estabelecidos, antigas tradições, amigos... muita coisa se perdeu. No final, a prática foi completamente eliminada. As crianças imortais tornaram-se um tema que não se podia mencionar, um tabu.

"Quando morei com os Volturi, conheci duas crianças imortais, então eu sei por experiência própria o apelo que tinham. Aro estudou os pequenos por muitos anos depois de encerrada a catástrofe que eles provocaram. Você conhece sua disposição inquisitiva; ele tinha esperança de que eles pudessem ser domados; mas, no fim, a decisão foi unânime: as crianças imortais não podiam existir."

Eu já havia quase me esquecido da mãe das irmãs Denali quando a história voltou a ela.

— Não está precisamente claro o que aconteceu com a mãe de Tanya — contara Carlisle. — Tanya, Kate e Irina ignoravam inteiramente os fatos até o dia em que os Volturi as procuraram, sua mãe e sua criação ilegal já prisioneiras. Foi a ignorância que salvou a vida de Tanya e de suas irmãs. Aro as tocou e viu sua completa inocência, então elas não foram punidas com a mãe.

"Nenhuma delas tinha visto o menino, nem sonhavam com sua existência, até o dia em que o viram arder nos braços da mãe. Só posso deduzir que a mãe guardara o segredo para protegê-las dessas consequências. Mas por que ela o criara, para começo de conversa? Quem era ele e o que significava para ela, a ponto de levá-la a atravessar o mais intransponível dos limites? Tanya e as outras nunca tiveram resposta para nenhuma destas perguntas. Mas não podiam duvidar da culpa da mãe, e não acho que realmente a tenham perdoado.

"Mesmo com a garantia de Aro de que Tanya, Kate e Irina eram inocentes, Caius queria queimá-las. Culpadas por associação. Tiveram sorte por Aro sentir-se piedoso naquele dia. Tanya e as irmãs foram perdoadas, mas ficaram com o coração eternamente ferido e um profundo respeito pela lei..."

Não tenho certeza de onde exatamente a recordação se transformou em sonho. Em um momento parecia que eu estava ouvindo Carlisle em minha lembrança, olhando seu rosto, e depois, no momento seguinte, olhava um campo árido e cinzento, sentia o cheiro espesso de incenso queimando. Eu não estava sozinha ali.

O amontoado de vultos no meio do campo, todos com mantos cinza, deveria ter me apavorado — só podiam ser os Volturi, e eu, contrariando o que eles haviam decretado em nosso último encontro, ainda era humana. Mas sabia que estava invisível para eles, como às vezes acontece nos sonhos.

À minha volta estavam montes fumacentos. Reconheci o cheiro doce no ar e não os examinei muito de perto. Não desejava ver os rostos dos vampiros que eles executaram, temerosa de que pudesse reconhecer alguém nas piras em brasa.

Os soldados Volturi estavam parados em círculo em volta de alguma coisa, ou de alguém, e ouvi suas vozes sussurrantes elevadas em meio à agitação.

Aproximei-me um pouco dos mantos, impelida em sonho para ver a coisa, ou pessoa, que examinavam com tanta intensidade. Esgueirando-me com cuidado entre dois dos mantos altos e sibilantes, finalmente vi o objeto de seu debate, no alto de um pequeno monte, acima deles.

Ele era lindo, adorável, como Carlisle descrevera. O menino ainda era quase um bebê, tinha talvez uns 2 anos. Cachos castanho-claros emolduravam o rosto de querubim com as bochechas redondas e os lábios carnudos. E ele tremia, os olhos fechados como se estivesse assustado demais para sentir a morte se aproximando a cada segundo.

Fui tomada de uma necessidade tão forte de salvar a criança linda e apavorada que os Volturi, apesar de toda sua ameaça arrasadora, não me preocupavam mais. Passei por eles, sem me importar que detectassem minha presença. Deixando-os para trás, disparei para o menino.

Somente para me deter, cambaleando, ao ter uma visão clara do monte em que ele se encontrava. Não era terra nem pedra, mas uma pilha de corpos humanos, drenados e sem vida. Tarde demais para não ver aqueles rostos. Eu conhecia todos eles: Angela, Ben, Jessica, Mike... E logo abaixo do menino adorável estavam os corpos de meu pai e de minha mãe.

A criança, então, abriu os olhos brilhantes e injetados de sangue.

3. O GRANDE DIA

MEUS OLHOS SE ABRIRAM.

Trêmula e ofegante, fiquei deitada em minha cama quente por vários minutos, tentando me livrar do sonho. O céu que via pela janela se acinzentava e assumia um tom rosa pálido enquanto eu esperava que meu coração desacelerasse.

Quando voltei plenamente à realidade de meu quarto bagunçado e conhecido, fiquei um pouco irritada comigo mesma. Que sonho para ter na véspera de meu casamento! Era isso que eu conseguia por ficar pensando em histórias perturbadoras no meio da noite.

Ansiosa para me livrar do pesadelo, eu me vesti e desci à cozinha muito antes da hora necessária. Primeiro limpei os cômodos já arrumados e, depois, quando Charlie acordou, preparei panquecas para ele. Eu estava agitada demais para ter algum interesse em tomar eu mesma o café da manhã — fiquei me balançando na cadeira enquanto ele comia.

— Você tem de pegar o Sr. Weber às três horas — lembrei a ele.

— Não tenho tanta coisa para fazer hoje além de pegar o pastor, Bells. Não é provável que eu vá me esquecer de minha única tarefa. — Charlie havia tirado o dia de folga por causa do casamento e, definitivamente, não tinha o que fazer. De vez em quando, seus olhos disparavam furtivamente para o armário sob a escada, onde guardava a vara de pesca.

— Não é sua única tarefa. Você também tem de se vestir e ficar apresentável.

Ele franziu o cenho para a tigela de cereais e murmurou as palavras "fantasia de pinguim" à meia-voz.

Houve uma batida animada na porta da frente.

— E você acha que está mal — eu disse, fazendo uma careta enquanto me levantava. — Alice vai trabalhar comigo o dia todo.

Charlie assentiu, solidário, concordando que a provação dele era menor. Abaixei-me para dar um beijo em sua cabeça enquanto passava — ele corou e pigarreou —, e então fui abrir a porta para minha melhor amiga e em breve cunhada.

O cabelo curto de Alice não estava espetado, como sempre — caía em cachos macios e brilhantes em torno do rosto de fada, que por contraste trazia uma expressão pragmática. Ela me arrastou da casa mal dizendo um "Oi, Charlie" sobre o ombro.

Alice me avaliou enquanto eu entrava em seu Porsche.

— Ah, mas que droga, veja os seus olhos! — Fez um muxoxo de reprovação. — O que foi que você *fez*? Ficou acordada a noite toda?

— Quase.

Ela fechou a cara.

— Reservei tanto tempo para deixá-la estonteante, Bella... Você podia ter cuidado melhor da minha matéria-prima.

— Ninguém espera que eu esteja estonteante. Acho que o maior problema é que eu posso cair no sono durante a cerimônia e não conseguir dizer o "Sim" na parte certa, e então Edward vai aproveitar para fugir.

Ela riu.

— Vou atirar meu buquê em você quando chegar a hora.

— Obrigada.

— Pelo menos você terá muito tempo para dormir no avião amanhã.

Ergui uma sobrancelha. *Amanhã*, refleti. Se íamos partir naquela noite, depois da recepção, e ainda estaríamos no avião amanhã... Bom, não íamos para Boise, em Idaho. Edward não tinha deixado passar nem uma dica. Eu não estava preocupada demais com o mistério, mas *era* estranho não saber onde iria dormir na noite seguinte. Ou, assim eu esperava, *não* dormir...

Alice percebeu que tinha deixado escapar alguma coisa e franziu a testa.

— Suas malas estão arrumadas e prontas — disse, para me distrair.

Funcionou.

— Alice, eu queria que você me deixasse fazer minhas malas!

— Isso teria lhe dado muitas pistas.

— E negaria a você a oportunidade de fazer compras.

— Você será oficialmente minha irmã em menos de dez horas... Está na hora de superar essa aversão a roupas novas.

Fiquei olhando, grogue, para o para-brisa até quase chegarmos à casa.

— Ele já voltou? — perguntei.

— Não se preocupe, ele estará lá antes que a música comece. Mas você não vai vê-lo, não importa a hora que ele volte. Vamos fazer isso da forma tradicional.

Eu bufei.

— Tradicional!

— Tudo bem, exceto pela noiva e o noivo.

— Você sabe que ele já espionou.

— Ah, não... Por isso mesmo sou a única que viu você com o vestido. Estou tomando muito cuidado para não pensar nisso quando ele está por perto.

— Bom — eu disse quando chegávamos à entrada da casa —, vejo que você reaproveitou sua decoração de formatura.

Os quase cinco quilômetros de estrada até a casa estavam mais uma vez enrolados em centenas de milhares de pisca-piscas. Dessa vez, ela acrescentara arcos de cetim branco.

— Quem poupa tem. Vá desfrutando, porque só poderá ver a decoração do interior quando chegar a hora. — Ela parou na garagem cavernosa ao norte da casa principal; o enorme Jeep de Emmett ainda não estava lá.

— Desde quando a noiva não pode ver a decoração? — protestei.

— Desde que ela me encarregou disso. Quero que você tenha todo o impacto ao descer a escada.

Ela cobriu meus olhos com as mãos antes de me levar para a cozinha. Imediatamente, fui atingida pelo cheiro.

— O que é *isso*? — perguntei enquanto ela me guiava casa adentro.

— Está exagerado? — De repente a voz de Alice soou preocupada. — Você é a primeira humana aqui; espero que eu tenha feito tudo certo.

— O cheiro é maravilhoso! — garanti a ela. Quase inebriante, mas não opressivo, o equilíbrio entre as diferentes fragrâncias era sutil e impecável. — Flores de laranjeira... lilases... e outra coisa... estou certa?

— Muito bom, Bella. Só esqueceu a frésia e as rosas.

Ela só descobriu meus olhos quando estávamos em seu imenso banheiro. Olhei a longa bancada, coberta com toda a parafernália de um salão de beleza, e comecei a sentir os efeitos da noite insone.

— Isso é mesmo necessário? Independentemente do que você fizer, vou parecer muito simples ao lado dele.

Ela me empurrou para uma cadeira cor-de-rosa baixa.

— Ninguém se atreverá a dizer que você é muito simples quando eu tiver terminado.

— Só porque eles têm medo de que você chupe seu sangue — murmurei. Recostei-me na cadeira e fechei os olhos, esperando poder tirar uma soneca. De fato, cochilei um pouco enquanto ela aplicava máscara de beleza, polia e refinava cada centímetro de meu corpo.

Passava da hora do almoço quando Rosalie entrou deslizando pela porta do banheiro com um vestido prata cintilante e o cabelo dourado penteado no alto em uma suave coroa. Ela era tão linda que me constrangia. Que sentido tinha me produzir, com Rosalie por perto?

— Eles voltaram — disse Rosalie; e meu ataque infantil de desespero passou imediatamente. Edward estava em casa.

— Mantenha-o longe daqui! — disse Alice.

— Ele não vai cruzar seu caminho hoje — Rosalie a tranquilizou. — Ele valoriza demais a própria vida. Esme os levou para terminar as coisas lá fora. Quer alguma ajuda? Eu posso fazer o cabelo dela.

Fiquei de boca aberta. Eu me debati mentalmente, tentando lembrar de como fechá-la.

Nunca fui a pessoa mais querida no mundo por Rosalie. E depois, para tornar as coisas ainda mais tensas entre nós, ela se sentiu pessoalmente ofendida com a decisão que eu estava tomando. Embora tivesse sua beleza irreal, a família amorosa e a alma gêmea em Emmett, teria desistido de tudo isso para ser humana. E aqui estava eu, insensivelmente jogando fora tudo o que ela queria na vida, como se fosse lixo. Isso não fazia de mim uma pessoa exatamente simpática aos olhos dela.

— Claro — disse Alice com tranquilidade. — Pode começar pelas tranças. Quero que fiquem bem rebuscadas. O véu vai ficar aqui, por baixo. — Suas mãos começaram a pentear meu cabelo, girando-o, ilustrando em detalhes o que ela queria. Quando terminou, as mãos de Rosalie substituíram as dela, modelando meu cabelo com um toque de pluma. Alice voltou a meu rosto.

Depois de ser elogiada por Alice pelo trabalho em meu cabelo, Rosalie foi pegar meu vestido e localizar Jasper, que tinha sido despachado para apanhar minha mãe e o marido dela, Phil, no hotel. No primeiro andar, eu podia ouvir de longe a porta se abrir e se fechar sem parar. Vozes começaram a chegar até nós.

Alice me fez ficar de pé, para que pudesse deslizar meu vestido sobre o cabelo e a maquiagem. Meus joelhos tremiam tanto enquanto ela fechava a longa fila de botões de pérola nas costas que o cetim tremia em pequenas ondas até o chão.

— Respire fundo, Bella — disse Alice. — E procure diminuir o batimento cardíaco. Você vai desmanchar seu rosto novo.

Dirigi-lhe minha melhor expressão de sarcasmo.

— Isso eu posso fazer muito bem.

— Agora tenho de me vestir. Pode se manter sozinha por dois minutos?

— Hmmm... Quem sabe?

Ela revirou os olhos e disparou porta afora.

Concentrei-me na respiração, contando cada movimento dos pulmões, e observei os padrões que a luz do banheiro produzia no tecido reluzente de minha saia. Eu tinha medo de olhar no espelho — medo de que minha imagem no vestido de noiva me deixasse à beira de uma crise de pânico.

Alice voltou antes que eu tivesse contado duzentas inspirações, com um vestido que fluía sobre seu corpo magro como uma cascata prateada.

— Alice... Minha nossa.

— Isso não é nada. Hoje ninguém vai olhar para mim. Não enquanto você estiver na sala.

— Rá-rá.

— Olhe, você está controlada ou terei de trazer Jasper aqui?

— Eles chegaram? Minha mãe está aqui?

— Ela acaba de passar pela porta. Está subindo.

Renée tinha chegado de avião dois dias antes, e eu passara cada minuto que pudera com ela — isto é, cada minuto que pudera arrancá-la de Esme e da decoração. Até onde dava para ver, ela estava se divertindo com aquilo mais do que uma criança trancada na Disneylândia a noite toda. De certo modo, eu me sentia quase tão traída quanto Charlie. Todo aquele pavor inútil com a reação que ela teria...

— Ah, Bella! — ela gritou, efusiva, antes de passar completamente pela porta. — Ah, querida, você está tão linda! Ai, eu vou chorar! Alice, você é incrível! Você e Esme deviam abrir um serviço de cerimonial. Onde encontrou esse vestido? É lindo! Tão gracioso, tão elegante. Bella, você parece ter acabado de sair de um filme de Jane Austen. — A voz de minha mãe parecia um pouco distante e tudo no ambiente estava meio borrado. — Que ideia criativa, planejar o tema em torno da aliança de Bella. Tão romântico! E pensar que está na família de Edward desde o século XIX!

Alice e eu trocamos um olhar conspirador. Minha mãe errou no estilo do vestido em mais de cem anos! O casamento não estava centrado na aliança, mas no próprio Edward.

Ouviu-se um pigarro alto e áspero à porta.

— Renée, Esme disse que está na hora de você se acomodar lá embaixo — disse Charlie.

— Ora, Charlie, como você está elegante! — disse Renée num tom quase chocado. Isso pode ter explicado a rudeza na resposta de Charlie.

— Alice comprou para mim.

— Já está mesmo na hora? — falou Renée consigo mesma, parecendo quase tão nervosa quanto eu. — Tudo passou tão rápido. Estou meio tonta.

Então éramos duas.

— Me dê um abraço antes de eu descer — insistiu Renée. — Agora, com cuidado, não rasgue nada.

Minha mãe me apertou delicadamente pela cintura, depois girou para a porta, só para voltar-se novamente e me olhar.

— Ah, meu Deus, quase me esqueci! Charlie, onde está a caixa?

Meu pai vasculhou os bolsos por um minuto e pegou uma caixinha branca, que entregou a Renée. Ela ergueu a tampa e a estendeu para mim.

— Uma coisa azul — disse ela.

— Uma coisa antiga também. Eram de sua avó Swan — acrescentou Charlie. — Pedimos ao joalheiro que substituísse as pedras falsas por safiras.

Dentro da caixa estavam duas travessas pesadas de prata. Safiras azul-escuras incrustavam-se em um padrão floral complexo no alto dos dentes.

Um nó surgiu em minha garganta.

— Mãe, pai... Não deviam ter feito isso.

— Alice não ia nos deixar fazer mais nada — disse Renée. — Sempre que tentávamos, ela quase cortava nossa garganta.

Uma risada explodiu de meus lábios.

Alice se aproximou e rapidamente colocou as duas travessas em meu cabelo, no começo das tranças grossas.

— Uma coisa antiga e uma coisa azul — refletiu Alice, dando alguns passos para trás para me admirar. — E seu vestido é novo... Então aqui...

Ela sacudiu alguma coisa para mim. Estendi a mão automaticamente e a liga fina e branca pousou em minha palma.

— É minha e a quero de volta — disse-me Alice.

Eu corei.

— Pronto — disse Alice com satisfação. — Um pouco de cor... Era só isso de que precisava. Você está oficialmente perfeita. — Com um sorriso de autocongratulação, ela se virou para meus pais. — Renée, você precisa descer.

— Sim, senhora. — Renée me soprou um beijo e correu para a porta.

— Charlie, pode ir pegar as flores, por favor?

Enquanto Charlie saía do cômodo, Alice pegou a liga em minhas mãos e se enfiou debaixo da minha saia. Eu arfei e estremeci quando sua mão fria segurou meu tornozelo; ela colocou a liga no lugar.

Ela estava novamente de pé antes de Charlie voltar com dois buquês de flores brancas. O cheiro de rosas, flores de laranjeira e frésias me envolveu numa névoa suave.

Rosalie — a melhor musicista na família, depois de Edward — começou a tocar o piano. O cânone de Pachelbel. Comecei a ofegar.

— Calma, Bells — disse Charlie. Ele se virou para Alice, nervoso. — Ela parece um pouco enjoada. Acha que vai conseguir?

A voz dele parecia distante. Eu mal sentia as pernas.

— É melhor que consiga.

Alice se colocou na minha frente, na ponta dos pés, para melhor olhar meus olhos, e pegou meus pulsos nas mãos duras.

— Foco, Bela. Edward está esperando você lá embaixo.

Respirei fundo, tentando me recompor.

A música lentamente se metamorfoseou em outra. Charlie me cutucou.

— Bells, é nossa vez.

— Bella? — perguntou Alice, ainda sustentando meu olhar.

— Sim — guinchei. — Edward. Tudo bem. — Deixei que ela me puxasse, com Charlie segurando meu cotovelo.

A música estava mais alta no corredor. Flutuava escada acima junto com a fragrância de um milhão de flores. Concentrei-me na ideia de Edward esperando lá embaixo para que meus pés avançassem.

A música era conhecida, a tradicional marcha de Wagner com um arranjo bem mais floreado.

— É minha vez — disse Alice. — Conte até cinco e me siga. — Ela começou uma dança lenta e graciosa pela escada. Eu devia ter percebido que era um erro ter Alice como única dama de honra. Eu ficaria muito mais descoordenada aparecendo depois dela.

Uma súbita fanfarra vibrou pela música que crescia. Reconheci minha deixa.

— Não me deixe cair, pai — cochichei. Charlie passou minha mão por seu braço e a apertou.

Um passo de cada vez, disse a mim mesma enquanto começávamos a descer no ritmo lento da marcha. Só ergui os olhos quando meus pés estavam seguros no piso plano, embora eu pudesse ouvir os murmúrios e sussurros dos convidados à medida que entrava em seu campo de visão. O sangue inundou meu rosto com esse som; é claro que eu tinha de ser a noiva ruborizada.

Assim que meus pés passaram pela traiçoeira escada, procurei por ele. Por um breve segundo, fui distraída pela profusão de flores brancas que pendiam em guirlandas de tudo o que não estivesse vivo na sala, caindo com longas fitas diáfanas e brancas. Mas desviei os olhos do dossel frondoso e procurei pelas filas de cadeiras forradas de cetim — corando ainda mais ao ver a multiplicidade de rostos, todos concentrados em mim —, até que enfim o vi, parado diante de um arco que transbordava com mais flores e mais tecido transparente.

Mal percebi que Carlisle estava ao seu lado, e que o pai de Angela se encontrava atrás dos dois. Não vi minha mãe onde ela devia estar sentada, na fila da frente, nem minha nova família, nem nenhum dos convidados — eles teriam de esperar até mais tarde.

Só o que eu via era o rosto de Edward; ele enchia minha visão e dominava minha mente. Seus olhos eram de um ouro amanteigado e ardente; o rosto perfeito estava quase severo com a profundidade de sua emoção. E depois, quando encontrou meu olhar surpreso, ele abriu um exultante sorriso de tirar o fôlego.

De repente, só a pressão da mão de Charlie na minha me impediu de disparar direto pelo corredor.

A marcha agora era lenta demais enquanto eu lutava para que meus passos acompanhassem o ritmo. Felizmente, a passarela era muito curta. E depois, finalmente, *finalmente*, eu estava lá. Edward estendeu a mão. Charlie pegou a minha mão e, num símbolo tão antigo quanto o mundo, colocou-a na de Edward. Eu toquei o milagre frio de sua pele e me senti em casa.

Nossos votos foram as palavras simples e tradicionais já pronunciadas um milhão de vezes, embora nunca por um casal como nós. Só pedimos uma pequena alteração ao Sr. Weber. Ele concordou em trocar a frase "Até que a morte nos separe" pela mais adequada "Enquanto ambos estivermos vivos".

Naquele momento, enquanto o ministro pronunciava aquelas palavras, meu mundo, que fazia tanto tempo estava de pernas para o ar, pareceu se acomodar em sua posição correta. Vi como tinha sido tola por temer aquilo — como se fosse um presente de aniversário indesejado ou uma exibição constrangedora, como o baile da escola. Olhei nos olhos brilhantes e triunfantes de Edward e entendi que eu também estava ganhando. Porque nada mais importava além de ficar com ele.

Só me dei conta de que estava chorando quando chegou a hora de dizer as palavras definitivas.

— Sim — consegui dizer de forma sufocada, num sussurro quase ininteligível, piscando para poder ver seu rosto.

Quando chegou a vez de Edward, a palavra soou clara e vitoriosa.

— Sim — prometeu ele.

O Sr. Weber nos declarou marido e mulher, e depois as mãos de Edward se estenderam para afagar meu rosto, com cuidado, como se fosse delicado como as pétalas brancas que balançavam acima de nossas cabeças. Embora a cortina de lágrimas me cegasse, tentei compreender o fato surreal de que aquela pessoa incrível era *minha*. Seus olhos dourados davam a impressão de que também teriam lágrimas, se isso não fosse impossível. Ele inclinou a cabeça na direção da minha e eu me estiquei na ponta dos pés, atirando os braços — com buquê e tudo — em volta de seu pescoço.

Ele me beijou com ternura, com adoração; esqueci-me da multidão, do lugar, do momento, do motivo... só me lembrando de que ele me amava, ele me queria, eu era dele.

Ele começou o beijo, e teve de terminá-lo; eu me agarrava a ele, ignorando os risos e os pigarros dos convidados. Por fim, suas mãos seguraram meu rosto e ele se afastou — cedo demais — para me olhar. Na superfície, seu sorriso repentino era quase de diversão, quase malicioso. Mas por baixo essa diversão momentânea para exibição pública era uma alegria profunda que ecoava meu próprio júbilo.

A multidão explodiu em aplausos, e ele nos virou para ficarmos de frente para nossos amigos e familiares. Eu não conseguia tirar os olhos dele para vê-los.

Os braços de minha mãe foram os primeiros a me encontrar, o rosto banhado de lágrimas foi a primeira coisa que vi quando finalmente desviei os olhos do rosto de Edward, com relutância. E depois fui passada pela multidão, de abraço em abraço, vagamente ciente de quem me envolvia, minha atenção centrada na mão de Edward apertando a minha. Reconheci a diferença entre os abraços macios e quentes de meus amigos humanos e os abraços gentis e frios de minha nova família.

Um abraço abrasador destacou-se entre todos os outros — Seth Clearwater enfrentara o grupo de vampiros para representar meu amigo lobisomem desaparecido.

4. GESTO

O CASAMENTO PROSSEGUIU, COM SUAVIDADE, PARA A FESTA DE RECEPÇÃO — prova do planejamento impecável de Alice. Era a hora do crepúsculo sobre o rio; a cerimônia tinha durado o tempo exato, permitindo que o sol se pusesse atrás das árvores. Enquanto Edward me conduzia pelas portas de vidro dos fundos, as luzes nas árvores cintilavam, conferindo brilho às flores brancas. Havia mais dez mil flores ali, servindo como tenda fragrante e etérea à pista de dança montada no gramado sob dois velhos cedros.

Os acontecimentos desaceleraram, relaxaram, à medida que a noite branda de agosto nos cercava. As pessoas se espalharam sob o brilho suave das luzes, e fomos recebidos novamente pelos amigos que tínhamos acabado de abraçar. Agora havia tempo para conversar, para rir.

— Meus parabéns — disse-nos Seth Clearwater, abaixando a cabeça sob a borda de uma guirlanda de flores.

A mãe de Seth, Sue, estava bem junto dele, olhando os convidados com uma intensidade cautelosa. Seu rosto era fino e feroz, expressão acentuada pelo corte de cabelo curto e austero; tão curto quanto o da filha Leah — e eu me perguntei se ela o havia cortado da mesma maneira para demonstrar solidariedade. Billy Black, do outro lado de Seth, não estava tão tenso quanto Sue.

Quando eu olhava o pai de Jacob, sempre tinha a impressão de estar vendo duas pessoas, em vez de apenas uma. Havia o velho na cadeira de rodas, com o rosto enrugado e o sorriso branco que todos os outros viam, e havia o descendente direto de uma longa linhagem de chefes poderosos e mágicos, envolto na autoridade com que nascera. Embora a magia — na ausência de um catalisador — tivesse saltado sua geração, Billy ainda fazia parte do poder e da lenda. Fluía por ele. Fluiu para seu filho, o herdeiro da magia, que deu as costas para ela. Isso permitiu que Sam Uley agora agisse como chefe das lendas e da magia...

Billy parecia estranhamente à vontade, considerando a companhia e o evento — seus olhos escuros cintilavam como se ele tivesse acabado de receber boas notícias. Fiquei impressionada com seu comportamento. Aos olhos de Billy, meu casamento deveria parecer algo muito ruim, o pior que poderia acontecer com a filha de seu melhor amigo.

Sabia que não era fácil para ele conter seus sentimentos, considerando o desafio que o evento representava para o antigo tratado entre os Cullen e os quileutes — o tratado que proibia os Cullen de criar outro vampiro. Os lobos sabiam que estava prestes a ocorrer uma transgressão, mas os Cullen não faziam ideia de como eles reagiriam. Antes da aliança, isso teria significado um ataque imediato. Uma guerra. Mas, agora que eles se conheciam melhor, será que haveria perdão?

Como em resposta a esse pensamento, Seth inclinou-se para Edward, de braços estendidos. Edward retribuiu com o braço livre.

Vi Sue tremer delicadamente.

— É bom ver as coisas dando certo para você, cara — disse Seth. — Fico feliz por você.

— Obrigado, Seth. Isso significa muito para mim. — Edward se afastou de Seth e olhou para Sue e Billy. — Agradeço a vocês também. Por deixarem Seth vir. Por oferecerem seu apoio a Bella hoje.

— Não há de quê — disse Billy com a voz grave e profunda, e fiquei surpresa com o otimismo de seu tom. Talvez uma trégua mais duradoura estivesse no horizonte.

Uma pequena fila estava se formando, então Seth acenou um adeus e conduziu a cadeira de Billy na direção da comida. Sue mantinha uma das mãos em cada um deles.

Angela e Ben foram os próximos a nos cumprimentar, seguidos pelos pais de Angela e, depois, Mike e Jessica — que, para minha surpresa, estavam de mãos dadas. Eu não sabia que estavam juntos de novo. Isso era bom.

Atrás de meus amigos humanos estavam meus novos primos por afinidade, o clã de vampiros Denali. Percebi que prendi a respiração quando a vampira da frente — Tanya, pressupus, pelo matiz arruivado dos cabelos louros — adiantou-se para abraçar Edward. Ao lado dela, havia outras vampiras de olhos dourados me fitando com franca curiosidade. Uma delas tinha cabelos louro-claros e lisos como palha de milho. A outra e o homem ao lado dela tinham cabelos pretos, com um tom ligeiramente escuro na pele de giz.

E todos os quatro eram tão bonitos que faziam meu estômago doer.

Tanya ainda abraçava Edward.

— Ah, Edward — disse ela. — Senti saudades de você.

Edward riu e se desvencilhou com habilidade do abraço, colocando a mão de leve em seu ombro e recuando um passo, como que para olhá-la melhor.

— Faz muito tempo, Tanya. Você está ótima.

— E você também.

— Deixe-me apresentar minha esposa. — Era a primeira vez que Edward dizia esta palavra desde que ela se tornou oficialmente verdadeira; ele dava a impressão de que ia explodir de satisfação pronunciando-a agora. Os Denali riram de leve. — Tanya, esta é minha Bella.

Tanya era, em todos os aspectos, tão linda quanto previram meus piores pesadelos. Ela me olhou com uma expressão muito mais especulativa do que resignada, depois estendeu o braço para apertar minha mão.

— Bem-vinda à família, Bella. — Ela sorriu, um tanto pesarosa. — Nós nos consideramos parte da família de Carlisle, e eu *lamento* pelo, hã, incidente recente, quando não nos comportamos de acordo. Devíamos ter conhecido você mais cedo. Pode nos perdoar?

— Claro — eu disse, sem fôlego. — É muito bom conhecer vocês.

— Os Cullen agora estão em número par. Talvez seja nossa vez, hein, Kate? — Ela sorriu para a loura.

— Os sonhos não devem morrer — disse Kate, revirando os olhos dourados. Ela tirou minha mão da de Tanya e a apertou gentilmente. — Bem-vinda, Bella.

A mulher de cabelos escuros pôs a mão por cima da de Kate.

— Meu nome é Carmen, e este é Eleazar. Todos estamos muito satisfeitos por finalmente conhecer você.

— E-eu também — gaguejei.

Tanya olhou as pessoas que esperavam atrás dela — o auxiliar de Charlie, Mark, e sua esposa. Seus olhos se arregalaram ao perceberem o clã dos Denali.

— Vamos nos conhecer melhor mais tarde. Teremos *eras* para isso! — Tanya riu enquanto ela e a família se afastavam.

Todas as tradições de praxe foram seguidas. Mal conseguia enxergar por conta dos flashes das câmeras enquanto segurava a faca sobre o bolo espetacular — grande demais, pensei, para nosso grupo relativamente pequeno de amigos e familiares. Nós nos revezamos oferecendo o bolo um ao outro; Edward engoliu sua parte corajosamente, enquanto eu observava, incrédula. Atirei meu buquê, com uma habilidade atípica, direto nas mãos surpresas de Angela. Emmett e Jasper uivaram de rir com meu rubor enquanto Edward retirava com os dentes minha liga emprestada — que eu tinha descido quase ao tornozelo —, *com muito* cuidado. Com uma piscadela rápida para mim, ele a atirou direto na cara de Mike Newton.

E quando a música começou, Edward me tomou nos braços para a costumeira primeira dança; eu fui de boa vontade, apesar de meu medo de dançar — em especial diante de uma plateia —, feliz por tê-lo me abraçando. Ele fez todo o trabalho e eu girei sem esforço sob o brilho do dossel de luzes e os flashes das câmeras.

— Apreciando a festa, Sra. Cullen? — sussurrou ele em meu ouvido.

Eu ri.

— Vai levar algum tempo para me acostumar.

— Temos tempo — ele me lembrou, a voz exultante, e se inclinou para me beijar enquanto dançávamos.

As câmeras clicaram febrilmente.

A música mudou e Charlie bateu no ombro de Edward.

Não era assim tão fácil dançar com Charlie. Ele não era melhor do que eu, então nos movemos com segurança lateralmente, como numa coreografia de quadrilha. Edward e Esme giravam à nossa volta como Fred Astaire e Ginger Rogers.

— Vou sentir sua falta em casa, Bella. Já me sinto sozinho.

Eu falei através de um nó na garganta, tentando fazer piada daquilo.

— Eu me sinto péssima, deixando você cozinhar para si mesmo... É praticamente negligência criminosa. Você podia me prender.

Ele sorriu.

— Acho que vou sobreviver à comida. Mas me ligue sempre que puder.

— Eu prometo.

Parecia que eu tinha dançado com todo mundo. Era bom ver todos os meus velhos amigos, mas eu realmente queria estar com Edward mais do que qualquer outra coisa. Fiquei feliz quando ele finalmente se impôs, meio minuto depois de uma nova dança começar.

— Ainda não gosta de Mike, hein? — comentei enquanto Edward me girava para longe dele.

— Não quando tenho de ouvir os pensamentos dele. Ele tem sorte por eu não lhe dar um murro. Ou coisa pior.

— É, tá legal.

— Já teve a oportunidade de se olhar?

— Hmmmm. Não, acho que não. Por quê?

— Então imagino que não perceba quanto está total e incrivelmente linda esta noite. Não me surpreende que Mike esteja tendo problemas com pensamentos inadequados em relação a uma mulher casada. Estou decepcionado que Alice não a tenha obrigado a se olhar no espelho.

— Você é muito tendencioso, sabe disso.

Ele suspirou e parou, girando-me de frente para a casa. A parede de vidro refletia a festa como um longo espelho. Edward apontou o casal no espelho diretamente à nossa frente.

— Tendencioso, eu?

Tive um vislumbre do reflexo de Edward — uma duplicata perfeita de seu rosto perfeito — com uma beldade de cabelos escuros ao lado dele. A pele dela era rosada, seus olhos estavam imensos pela empolgação e emoldurados por cílios espessos. O vestido branco e cintilante abria-se sutilmente na cauda, quase como um copo-de-leite invertido, cortado com tanta habilidade que o corpo parecia elegante e gracioso — pelo menos enquanto estava imóvel.

Antes que eu pudesse piscar e fazer a beldade voltar a se transformar em mim, Edward de repente retesou-se e virou-se automaticamente para o outro lado, como se alguém tivesse chamado seu nome.

— Oh! — disse ele. Sua testa franziu por um instante e depois relaxou com a mesma rapidez.

— O que foi? — perguntei.

— Um presente de casamento surpresa.

— Hein?

Ele não respondeu; apenas voltou a dançar, girando-me para a direção oposta à que íamos antes, para longe das luzes e, então, para o manto fundo da noite, que cercava a pista iluminada.

Só parou quando chegamos ao lado sombreado de um dos imensos cedros. Depois Edward olhou diretamente a sombra mais escura.

— Obrigado — disse Edward para a escuridão. — É muito... gentil de sua parte.

— Gentileza é o meu nome — uma voz rouca e familiar respondeu da noite escura. — Posso ter esta dança?

Minha mão voou para o pescoço e, se Edward não me segurasse, eu teria desmaiado.

— Jacob! — exclamei, sufocada, assim que consegui respirar. — Jacob!

— Olá, Bells.

Cambaleei na direção do som de sua voz. Edward manteve a mão firme em meu cotovelo, até que outro par de mãos fortes me pegou no escuro. O calor da pele de Jacob ardeu através do vestido de cetim fino enquanto ele me puxava para mais perto. Ele não fez questão de dançar; simplesmente me abraçou enquanto eu enterrava o rosto em seu peito. Inclinou-se, colando o rosto no alto de minha cabeça.

— Rosalie não me perdoaria se não tivesse sua vez na pista — murmurou Edward, e eu sabia que ele estava nos deixando, dando-me seu próprio presente: aquele momento com Jacob.

— Ah, Jacob! — Agora eu chorava; não conseguia pronunciar as palavras com clareza. — Obrigada.

— Pare de choramingar, Bella. Vai estragar seu vestido. Sou eu, só isso.

— Só? Ah, Jake! Agora tudo está perfeito.

Ele bufou.

— É... A festa pode começar. O padrinho finalmente chegou.

— Agora *todo mundo* que eu amo está aqui.

Senti seus lábios roçando meu cabelo.

— Desculpe-me o atraso, querida.

— Estou tão feliz por você ter vindo!

— A ideia era essa.

Olhei os convidados, mas não consegui enxergar por entre os dançarinos o lugar onde vira o pai de Jacob pela última vez. Eu não sabia se ele ainda estava ali.

— Billy sabe que você está aqui? — Assim que perguntei, entendi que ele devia saber: era a única explicação para sua expressão de êxtase mais cedo.

— Sei que Sam contou a ele. Vou vê-lo quando... quando a festa acabar.

— Ele vai ficar feliz por tê-lo em casa.

Jacob me afastou um pouquinho e se endireitou. Deixou uma das mãos nas minhas costas e pegou minha mão direita com a outra. Aninhou nossas mãos em seu peito; eu podia sentir seu coração batendo sob a palma de minha mão e deduzi que ele não a colocara ali por acaso.

— Não sei se posso ter mais do que esta dança — disse ele, e começou a me puxar em um círculo lento que não se ajustava ao ritmo da música que vinha de trás. — É melhor eu aproveitar o máximo.

Nós nos movíamos no ritmo de seu coração sob minha mão.

— Estou feliz por ter vindo — disse Jacob baixinho depois de um instante. — Não pensei que me sentiria assim. Mas é bom ver você... mais uma vez. Não é tão triste como imaginei que seria.

— Não quero que fique triste.

— Eu sei. E não vim aqui hoje para fazer você se sentir culpada.

— Não... Estou muito feliz por você ter vindo. É o melhor presente que poderia ter me dado.

Ele riu.

— Isso é bom, porque não tive tempo para comprar um presente de verdade.

Meus olhos estavam se adaptando e agora eu podia ver seu rosto, mais alto do que eu esperava. Seria possível que ele ainda estivesse crescendo? Estava mais perto de dois metros do que de um e oitenta. Era um alívio ver suas feições familiares novamente, depois de todo aquele tempo — os olhos fundos sob as sobrancelhas pretas e cheias, as maçãs altas do rosto, os lábios grossos esticados sobre os dentes brilhantes, sorrindo com ironia, que combinava com seu tom de voz. Seus olhos eram estreitos — cuidadosos; eu podia ver que ele estava sendo *muito* cuidadoso aquela noite. Estava fazendo de tudo para me deixar feliz, para não demonstrar quanto aquilo custava a ele.

Nunca fiz nada bom o suficiente para merecer um amigo como Jacob.

— Quando decidiu voltar?

— Consciente ou subconscientemente? — Ele respirou fundo antes de responder à própria pergunta. — Não sei bem. Acho que andei vagando nesta direção por um tempo, talvez porque estivesse vindo para cá. Mas foi só hoje de manhã que eu realmente comecei a *correr*. Não sabia se ia conseguir.

— Ele riu. — Você não acreditaria em como isso é estranho... Andar sobre duas pernas de novo. E roupas! E é mais bizarro *porque* parece estranho. Eu não esperava isso. Estou sem prática com toda a coisa humana.

Nós girávamos num ritmo constante.

— Teria sido uma pena deixar de ver você assim. Isso vale a viagem até aqui. Você está inacreditável, Bella. Tão linda!

— Alice investiu muito tempo em mim hoje. A escuridão também ajuda.

— Não está tão escuro para mim, você sabe.

— É verdade. — Sentidos de lobisomens. Era fácil esquecer todas as coisas que ele podia fazer; ele parecia tão humano! Em especial naquele momento.

— Você cortou o cabelo — observei.

— É. É mais fácil, sabe como é. Pensei que seria melhor tirar vantagem das mãos.

— Ficou bom — menti.

Ele bufou.

— Tá legal. Eu mesmo fiz, com tesoura enferrujada de cozinha. — Ele abriu um largo sorriso por um momento, depois o sorriso desapareceu. Sua expressão ficou grave. — Você está feliz, Bella?

— Estou.

— Ótimo. — Senti que ele dava de ombros. — Acho que é isso que importa.

— Como você está, Jacob? De verdade.

— Estou bem, Bella, de verdade. Não precisa mais se preocupar comigo. Pode parar de importunar Seth.

— Eu não o importuno só por sua causa. Eu *gosto* do Seth.

— Ele é um bom garoto. Melhor companhia do que alguns. Quer saber, se eu conseguisse me livrar de todas as vozes em minha cabeça seria quase perfeito ser um lobo.

Eu ri de suas palavras.

— É, eu também não consigo calar a minha.

— No seu caso, isso significaria que você é louca. É claro que eu já sabia que você era maluca — brincou ele.

— Obrigada.

— A insanidade talvez seja mais fácil do que compartilhar uma mente de bando. As vozes dos loucos não mandam babás para observá-los.

— Hein?

— Sam está lá fora. E alguns dos outros. Só por segurança, sabe como é.

— Por segurança contra o quê?

— Para o caso de eu não conseguir me comportar, algo assim. Para o caso de eu decidir acabar com a festa. — Ele abriu um rápido sorriso para o que provavelmente era uma ideia atraente para ele. — Mas não estou aqui para arruinar seu casamento, Bella. Estou aqui para... — Ele se interrompeu.

— Deixá-lo perfeito.

— Essa é uma missão de alta importância.

— Ainda bem que você também é alto.

Ele gemeu com minha piada ruim e suspirou.

— Só estou aqui para ser seu amigo. Seu melhor amigo, uma última vez.

— Sam devia lhe dar mais crédito.

— Bom, talvez eu esteja sendo sensível demais. Podem estar aqui para ficar de olho em Seth. Há *muitos* vampiros aqui. Seth não leva isso tão a sério quanto deveria.

— Seth sabe que não corre nenhum risco. Ele entende os Cullen melhor do que Sam.

— Claro, claro — disse Jacob, estabelecendo a paz antes que aquilo se transformasse numa briga.

Era estranho vê-lo sendo o diplomata.

— Lamento por essas vozes — eu disse. — Eu queria poder melhorar isso. — De muitas maneiras.

— Não é tão ruim assim. Só estou choramingando um pouco.

— Você está... feliz?

— Quase. Mas chega de falar de mim. Hoje a estrela é você. — Ele riu. — Aposto que você está *adorando* isso. Ser o centro das atenções.

— É. Não me canso de receber atenção.

Ele riu e olhou por cima da minha cabeça. Com os lábios franzidos, examinou o brilho da festa, o giro gracioso dos dançarinos, as pétalas tremulantes caindo das guirlandas; olhei com ele. Tudo parecia muito distante visto daquele espaço escuro e silencioso. Era quase como ver os flocos se agitando dentro de um globo de neve.

— Tenho de admitir — disse ele. — Eles sabem dar uma festa.

— Alice é uma força irreprimível da natureza.

Ele suspirou.

— A música acabou. Acha que posso dançar outra? Ou é pedir demais?

Apertei minha mão em torno da dele.

— Pode ter quantas danças quiser.

Ele riu.

— Isso seria interessante. Mas acho melhor me limitar a duas. Não quero que comecem a falar.

Giramos em mais um círculo.

— É de pensar que a essa altura eu já estivesse acostumado a me despedir de você — ele murmurou.

Tentei engolir o nó em minha garganta, mas não consegui forçá-lo para baixo.

Jacob me olhou e franziu a testa. Passou os dedos em meu rosto, pegando as lágrimas.

— Não era você que devia estar chorando, Bella.
— Todo mundo chora em casamentos — eu disse, com a voz embargada.
— É isso que você quer, não é?
— É.
— Então sorria.

Eu tentei. Ele riu da minha careta.

— Vou tentar me lembrar de você assim. Fingir que...
— Que o quê? Que eu morri?

Ele trincou os dentes. Estava lutando consigo mesmo — com sua decisão de fazer de sua presença ali um presente, não uma crítica. Eu podia adivinhar o que ele queria dizer.

— Não — ele respondeu por fim. — Mas verei você assim em minha mente: bochechas rosadas, coração batendo, dois pés esquerdos. Tudo isso!

Pisei deliberadamente em seu pé com a maior força que pude.

Ele sorriu.

— Esta é a minha garota.

Ele começou a falar outra coisa, mas fechou a boca de repente. Lutando de novo, os dentes trincados contra as palavras que não queria dizer.

Minha relação com Jacob costumava ser fácil. Tão natural quanto respirar. Mas desde que Edward voltara para minha vida era uma tensão constante. Porque — aos olhos de Jacob —, ao escolher Edward, eu estava escolhendo um destino pior do que a morte, ou pelo menos equivalente a ela.

— O que foi, Jake? Pode me dizer. Pode me falar qualquer coisa.
— E-eu... eu não tenho nada para dizer a você.
— Ah, por favor. Fale de uma vez.
— É verdade. Não é... é... é uma pergunta. Uma coisa que eu quero que *você me* diga.
— Pergunte.

Ele lutou por mais um minuto, depois suspirou.

— Eu não devia. Não tem importância. É só curiosidade mórbida.

Porque o conhecia tão bem, eu entendi.

— Não será esta noite, Jacob — sussurrei.

Jacob era ainda mais obcecado com minha condição de humana que Edward. Ele valorizava cada batida de meu coração, sabendo que estavam contadas.

— Ah! — disse ele, tentando esconder o alívio. — Ah!

Uma nova música começou a tocar, mas ele não percebeu a mudança dessa vez.

— Quando? — sussurrou ele.

— Não sei bem. Daqui a uma ou duas semanas, talvez.

Sua voz mudou, assumiu um tom defensivo e zombeteiro.

— Por que o adiamento?

— Eu só não queria passar minha lua de mel me retorcendo de dor.

— Prefere passá-la como? Jogando xadrez? Rá-rá.

— Muito engraçado.

— Brincadeirinha, Bells. Mas, sinceramente, não vejo o sentido disso. Você não pode ter uma lua de mel de verdade com um vampiro, então, por que passar por tudo isso? Não é a primeira vez que você protela. Mas isso é *bom* — disse ele, sério de repente. — Não fique constrangida.

— Não estou protelando nada — rebati. — E, *sim*, eu *posso* ter uma lua de mel de verdade! Posso fazer o que eu quiser! Não se meta!

Jake parou nosso lento rodopio de repente. Por um momento, imaginei se ele finalmente teria percebido que a música mudara e procurei em minha mente um modo de superar nosso pequeno desentendimento antes que ele se despedisse de mim. Não devíamos nos separar daquele jeito.

E então seus olhos se arregalaram com uma estranha espécie de pavor confuso.

— Como é? — ele ofegou. — O que você disse?

— Sobre o quê...? Jake? Qual é o problema?

— Como assim? Ter uma lua de mel de verdade? Enquanto você ainda é *humana*? Está brincando? É uma piada de mau gosto, Bella!

Eu o fuzilei com os olhos.

— Eu disse para não se meter, Jake. Isso *não* é da sua conta. Eu nem devia... A gente nem devia estar falando disso. É particular...

Suas mãos enormes seguraram meus braços no alto, envolvendo-os completamente.

— Ai, Jake, me solte!

Ele me sacudiu.

— Bella! Você perdeu o juízo? Não pode ser tão idiota! Diga que está brincando!

Ele me sacudiu de novo. Suas mãos, apertadas como torniquetes, tremiam, enviando vibrações até meus ossos.

— Jake... pare!

De repente, havia muita gente na escuridão.

— Tire as mãos dela! — A voz de Edward era fria como gelo, afiada como uma navalha.

Atrás de Jacob, houve um rosnado baixo vindo da noite escura, depois outro, sobrepondo-se ao primeiro.

— Jake, mano, afaste-se — ouvi Seth Clearwater. — Você está perdendo o controle.

Jacob parecia paralisado, os olhos apavorados me fitando, arregalados.

— Você vai machucá-la — sussurrou Seth. — Solte-a.

— Agora! — rosnou Edward.

As mãos de Jacob caíram de lado, e o súbito jorro de sangue por minhas veias ansiosas foi quase doloroso. Antes que eu pudesse registrar mais do que isso, mãos frias substituíram as quentes e o ar de repente passou sibilando por mim.

Pisquei e estava a mais de um metro de onde estivera parada. Edward, tenso, diante de mim. Havia dois lobos imensos posicionados entre ele e Jacob, mas não me pareceram agressivos. Era mais como se estivessem tentando evitar a briga.

E Seth — o desajeitado Seth de 15 anos — tinha os braços compridos em volta do corpo trêmulo de Jake, puxando-o para longe. Se Jacob se metamorfoseasse com Seth tão perto dele...

— Vamos, Jake. Vamos embora.

— Eu vou matar você — disse Jacob, a voz tão sufocada de raiva que era quase um sussurro. Seus olhos, focados em Edward, ardiam de fúria. — Eu mesmo vou matar você! Vou fazer isso agora! — Ele tremia convulsivamente.

O lobo maior, o preto, grunhiu asperamente.

— Seth, saia do caminho — sibilou Edward.

Seth puxou Jacob de novo. Jacob estava tão perturbado pela raiva que Seth conseguiu arrastá-lo alguns passos para trás.

— Não faça isso, Jake. Vá embora. Venha.

Sam — o lobo maior, o preto — uniu-se a Seth. Pôs a cabeça imensa contra o peito de Jacob e o empurrou.

Os três — Seth puxando, Jake tremendo, Sam empurrando — desapareceram rapidamente na escuridão.

O outro lobo ficou parado, vendo-os se afastar. Eu não tinha certeza, à luz fraca, da cor de seu pelo — chocolate, talvez? Seria o Quil, então?

— Desculpe — sussurrei ao lobo.

— Está tudo bem agora, Bella — murmurou Edward.

O lobo olhou para Edward. Seu olhar não era amistoso. Edward assentiu friamente para ele. O lobo bufou e se virou para seguir os outros, desaparecendo também.

— Tudo bem — disse Edward para si mesmo, depois olhou para mim.
— Vamos voltar.
— Mas Jake...
— Sam o tem sob controle. Ele se foi.
— Edward, eu sinto tanto. Fui idiota...
— Você não fez nada de errado...
— Eu falo demais! Por que eu... eu não devia deixar que ele me afetasse desse jeito. O que eu estava pensando?
— Não se preocupe. — Ele tocou meu rosto. — Precisamos voltar para a recepção antes que alguém perceba nossa ausência.
Sacudi a cabeça, tentando me reorientar. Antes que alguém percebesse? Alguém teria *perdido* aquilo?
Depois, enquanto pensava, compreendi que o confronto que me parecera tão catastrófico na realidade fora muito silencioso e breve, ali nas sombras.
— Me dê dois segundos — pedi.
Eu estava um caos por dentro, de pânico e tristeza, mas isso não importava — naquele momento, a única coisa importante era a aparência. Fingir um bom espetáculo era algo que eu sabia que tinha de fazer.
— Meu vestido?
— Você está ótima. Nem um fio de cabelo fora do lugar.
Respirei fundo duas vezes.
— Tudo bem. Vamos.
Ele pôs os braços ao meu redor e me levou de volta à luz. Quando passamos sob as luzes, ele me girou gentilmente na pista. Nós nos misturamos com os outros dançarinos como se nossa dança não tivesse sido interrompida.
Corri os olhos pelos convidados, mas ninguém parecia chocado ou assustado. Só os rostos mais pálidos demonstravam algum sinal de estresse, e eles dissimularam isso bem. Jasper e Emmett estavam na beira da pista, juntos, e adivinhei que estivessem por perto durante o confronto.
— Você está...
— Estou bem — garanti. — Nem acredito que fiz aquilo. O que há de errado comigo?
— Não há nada de errado com *você*.
Eu tinha ficado tão feliz ao ver Jacob ali. Sabia do sacrifício que aquilo representava para ele. E, então, estraguei tudo, transformei o presente dele em um desastre. Eu precisava ser impedida de fazer mais besteira.

Mas minha idiotice não estragaria mais nada naquela noite. Eu afastaria o episódio, enfiaria numa gaveta e trancaria, para enfrentá-lo mais tarde. Eu teria muito tempo para me flagelar por aquilo, e não havia nada que pudesse fazer naquele momento.

— Acabou — eu disse. — Não vamos pensar mais nisso hoje.

Esperei um assentimento rápido de Edward, mas ele estava em silêncio.

— Edward?

Ele fechou os olhos e encostou a testa na minha.

— Jacob está certo — sussurrou ele. — O que eu *estou* pensando?

— Ele não está. — Tentei manter meu rosto inalterado para o grupo de amigos que observava. — Jacob tem preconceitos demais para ver algo com clareza.

Ele murmurou alguma coisa que parecia quase um *"devia* deixar que ele me matasse por sequer pensar..."*.

— Pare — eu disse, incisiva. Peguei seu rosto e esperei até que ele abrisse os olhos. — Você e eu. Essa é a única coisa que importa. A única coisa em que você pode pensar agora. Está me ouvindo?

— Sim — ele suspirou.

— Esqueça que Jacob veio. — Eu podia fazer isso. Eu *faria* isso. — Por mim. Prometa que vai deixar isso de lado.

Ele me fitou nos olhos por um momento antes de responder.

— Prometo.

— Obrigada. Edward, eu não estou com medo.

— Eu estou — sussurrou ele.

— Não fique. — Respirei fundo e sorri. — A propósito, eu amo você.

Ele sorriu só um pouquinho.

— É por isso que estamos aqui.

— Você está monopolizando a noiva — disse Emmett, surgindo por trás do ombro de Edward. — Deixe-me dançar com minha irmã mais nova. Pode ser minha última chance de fazê-la corar. — Ele riu alto, alheio, como sempre, a qualquer clima sério.

No fim, havia muita gente com quem eu ainda não tinha dançado, e isso me deu a oportunidade de me recompor por completo. Quando Edward me reclamou de novo, descobri que o episódio Jacob estava totalmente superado. No momento em que ele me abraçou, consegui fazer ressurgir minha alegria anterior, a certeza de que tudo na minha vida estava no lugar certo naquela noite. Sorri e deitei a cabeça em seu peito. Seus braços me apertaram.

— Posso me acostumar com isso — eu disse.

— Não me diga que superou seus problemas com a dança.

— Dançar não é tão ruim... com você. Mas eu estava pensando mais nisso... — e me apertei ainda mais contra ele — ...em nunca ter de deixar você.

— Nunca — prometeu ele, e se inclinou para me beijar.

Foi um beijo sério — intenso, lento, mas crescente...

Eu tinha me esquecido completamente de onde estava quando ouvi Alice chamar.

— Bella! Está na hora!

Fiquei um pouco irritada com minha nova irmã pela interrupção.

Edward a ignorou; seus lábios pressionaram os meus com força, mais urgentes do que antes. Meu coração disparou e as palmas de minhas mãos ficaram escorregadias em seu pescoço marmóreo.

— Querem perder o avião? — perguntou Alice, bem a meu lado agora. — Certamente terão uma linda lua de mel acampados no aeroporto, esperando outro voo.

Edward virou o rosto para murmurar:

— Vá embora, Alice. — E voltou a colar os lábios nos meus.

— Bella, quer usar esse vestido no avião? — ela perguntou.

Eu não estava prestando muita atenção. No momento, simplesmente não me importava.

Alice grunhiu baixo:

— Vou dizer a ela aonde vai levá-la, Edward. Estou falando sério: eu vou contar. Portanto, me ajude.

Ele parou. Então levantou o rosto do meu e fuzilou com os olhos a irmã favorita.

— Você é pequena demais para ser tão irritante.

— Não escolhi o vestido de viagem perfeito para vê-lo desperdiçado — ela respondeu, pegando minha mão. — Venha comigo, Bella.

Resistindo ao puxão dela, fiquei na ponta dos pés para beijá-lo mais uma vez. Ela me levava pelo braço com impaciência, arrastando-me para longe dele. Alguns convidados, que olhavam, riram. Então desisti e deixei que me levasse para a casa vazia.

Ela parecia aborrecida.

— Desculpe, Alice — falei.

— Não culpo você, Bella. — Ela suspirou. — Você não parece capaz de se conter.

Eu ri para sua expressão de martírio, e ela fechou a cara.

— Obrigada, Alice. Foi o casamento mais lindo que o mundo já viu — eu lhe disse com sinceridade. — Tudo foi tão perfeito. Você é a melhor, a irmã mais inteligente e mais talentosa do mundo.

Isso a fez relaxar; ela abriu um sorriso imenso.

— Que bom que você gostou.

Renée e Esme esperavam no segundo andar. As três rapidamente tiraram meu vestido e colocaram em mim o conjunto azul-escuro escolhido por Alice. Fiquei agradecida quando alguém tirou os grampos de meus cabelos e deixou que eles caíssem em minhas costas, ondulados por causa das tranças, poupando-me de uma dor de cabeça mais tarde. As lágrimas de minha mãe escorriam sem parar.

— Ligo quando souber para onde estou indo — prometi enquanto lhe dava um abraço de despedida. Eu sabia que o segredo da lua de mel devia estar deixando minha mãe louca; ela odiava segredos, a não ser que estivesse por dentro deles.

— Eu vou dizer assim que ela estiver seguramente longe — Alice tomou a frente, sorrindo de minha expressão magoada. Que injustiça, eu ser a última a saber!

— Você tem de me visitar e ao Phil logo. É sua vez de ir ao sul... ver o sol uma vez na vida — disse Renée.

— Hoje não choveu — lembrei a ela, esquivando-me de seu pedido.

— Um milagre.

— Está tudo pronto — disse Alice. — Suas malas estão no carro... Jasper vai trazê-lo até a entrada. — Ela me puxou para a escada com Renée me seguindo, ainda no meio de um abraço.

— Eu amo você, mãe — sussurrei enquanto descíamos. — Estou muito feliz por você ter o Phil. Cuidem um do outro.

— Eu também amo você, Bella, querida.

— Adeus, mãe. Amo você — repeti, minha garganta se fechando.

Edward esperava ao pé da escada. Peguei sua mão estendida mas me inclinei, examinando o grupo que esperava para nos ver partir.

— Pai? — perguntei, meus olhos procurando.

— Bem ali — murmurou Edward. Ele me puxou em meio aos convidados, que abriram caminho para nós. Encontramos Charlie encostado sem jeito na parede, atrás de todos, dando a impressão de que estava se escondendo. O contorno vermelho dos olhos explicava por quê.

— Ah, pai!

Eu o abracei pela cintura, as lágrimas jorrando de novo — eu estava chorando demais naquela noite. Ele afagou minhas costas.

— Pronto, pronto. Não vai querer perder seu avião.

Era difícil falar de amor com Charlie — éramos tão parecidos, sempre voltados para coisas banais a fim de evitar exibições constrangedoras de emoção. Mas aquela não era hora de ficar constrangida.

— Eu amo você para sempre, pai — eu disse a ele. — Não se esqueça disso.

— Você também, Bells. Sempre amei, sempre amarei.

Eu lhe dei um beijo no rosto ao mesmo tempo que ele beijava o meu.

— Me ligue — disse ele.

— Logo — prometi, sabendo que era *só* o que eu podia prometer. Só um telefonema. Meu pai e minha mãe não poderiam me ver novamente; eu seria diferente demais e muito, muito perigosa.

— Vá, então — grunhiu ele. — Não queira se atrasar.

Os convidados fizeram outro corredor para nós. Edward me apertava ao lado do seu corpo enquanto escapávamos.

— Está pronta? — perguntou ele.

— Estou — eu disse, e sabia que era verdade.

Todos aplaudiram quando Edward me beijou na soleira da porta. Depois ele me levou correndo para o carro enquanto começava a tempestade de arroz. A maior parte dela passou longe, mas alguém, provavelmente Emmett, atirou com uma precisão fantástica e recebi muitos ricochetes das costas de Edward.

O carro estava decorado com mais flores, que se arrastavam como bandeirolas por todo o seu comprimento, e com longas fitas de tecido amarradas a uma dúzia de sapatos — sapatos de grife que pareciam novos em folha —, pendurados no para-choque.

Edward me protegeu do arroz quando entrei no carro, depois partimos enquanto eu dava adeus pela janela e gritava "Eu amo vocês" para a varanda, onde meus familiares acenavam para mim.

A última imagem que registrei foi a dos meus pais. Phil tinha os braços ternamente em volta de Renée, que passava um braço na cintura dele, mas estendia a mão livre para segurar a de Charlie. Tantos tipos diferentes de amor, harmoniosos naquele momento único. Pareceu-me uma imagem muito promissora.

Edward apertou minha mão.

— Eu amo você — ele disse.

Deitei a cabeça em seu braço.

— É por isso que estamos aqui. — Repeti o que ele dissera.

Ele beijou meu cabelo.

Quando alcançamos a estrada escura e Edward pisou fundo no acelerador, ouvi um ruído acima do zumbido do motor, vindo da floresta atrás de nós. Se eu consegui ouvir, ele certamente também ouviu. Mas ele não disse nada, e o som foi desaparecendo devagar na distância. Eu também não disse nada.

O uivo penetrante e inconsolável ficou cada vez mais fraco e então desapareceu por completo.

5. ILHA DE ESME

— HOUSTON? — PERGUNTEI, ERGUENDO AS SOBRANCELHAS QUANdo chegamos ao portão em Seattle.

— Só uma escala — garantiu-me Edward com um sorriso.

Parecia-me que eu mal tinha dormido quando ele me acordou. Estava grogue enquanto ele me puxava pelos terminais, lutando para me lembrar como abrir os olhos a cada vez que piscava. Precisei de alguns minutos para perceber o que estava acontecendo quando paramos no balcão internacional para fazer o check-in de nosso próximo voo.

— Rio de Janeiro? — perguntei com um leve tremor.

— Outra escala — disse-me ele.

O voo para a América do Sul foi longo, mas confortável, no amplo assento da primeira classe, com os braços de Edward à minha volta. Dormi e acordei incomumente alerta enquanto fazíamos um contorno para o aeroporto com a luz do sol se pondo através das janelas do avião.

Não ficamos no aeroporto para pegar uma conexão, como eu esperava. Em vez disso, pegamos um táxi pelas ruas escuras, apinhadas e vivas do Rio. Incapaz de entender uma palavra das instruções em português que Edward dava ao taxista, imaginei que eram para encontrar um hotel antes da próxima parte da viagem. Uma pontada aguda de alguma coisa muito parecida com o pânico da estreia contorceu a boca de meu estômago enquanto eu pensava nisso. O táxi prosseguiu em meio ao enxame de gente até que de algum modo este se tornou menos denso, e nos aproximamos do mar.

Paramos em uma marina.

Edward seguiu na frente pela longa fila de iates ancorados na água escurecida pela noite. O barco diante do qual ele havia parado era menor do que os outros, mais estreito, obviamente construído para ser veloz, e não espaçoso. Ele saltou para o barco com agilidade, apesar das malas pesadas que carregava. Largou-as no convés e virou-se para me ajudar a transpor a borda.

Observei em silêncio enquanto ele preparava o barco para a partida, surpresa com a habilidade que demonstrava, pois ele nunca mencionara qualquer interesse em barcos. No entanto, ele era bom em quase tudo.

Enquanto seguíamos para o leste em mar aberto, analisei a geografia básica em minha mente. Pelo que eu podia me lembrar, não havia muito a leste do Brasil... até que se chegasse à África.

Mas Edward acelerava enquanto as luzes do Rio diminuíam, e por fim sumiram atrás de nós. Em seu rosto havia um sorriso de extrema felicidade que eu conhecia, aquele produzido por qualquer forma de velocidade. O barco mergulhava nas ondas e eu era borrifada com a água do mar.

Por fim a curiosidade que reprimi por tanto tempo me venceu.

— Vamos muito mais longe? — perguntei.

Não era próprio dele se esquecer de que eu era humana, mas me perguntei se pretendia que morássemos naquele pequeno barco por algum tempo.

— Mais quatro horas. — Seus olhos pousaram em minhas mãos, agarradas no banco, e ele sorriu.

Ah, bem, pensei comigo mesma. Ele era um vampiro, afinal. Talvez estivéssemos indo para a Atlântida.

Algum tempo depois, ele chamou meu nome acima do rugido do motor.

— Bella, olhe lá. — E apontou à frente.

De início, vi apenas escuridão e a trilha da lua branca na água. Mas procurei no espaço para onde ele apontava até que encontrei uma forma escura interrompendo o luar nas ondas. Enquanto eu semicerrava os olhos no escuro, a silhueta se tornava mais detalhada. A forma cresceu num triângulo irregular e achatado, com um lado estendendo-se mais do que o outro antes de mergulhar nas ondas. Chegamos mais perto e pude ver que o contorno oscilava na brisa leve.

E então meus olhos focalizaram de novo e as partes fizeram sentido: uma pequena ilha se elevava na água à nossa frente, ondulando com palmeiras, uma praia clara à luz da lua.

— Onde estamos? — murmurei pasma enquanto ele mudava de curso, indo para o extremo norte da ilha.

Ele me ouviu, apesar do barulho do motor, e deu um sorriso largo que cintilou no luar.

— Esta é a Ilha de Esme.

A velocidade do barco foi reduzida drasticamente, e ele foi precisamente posicionado contra um píer curto de pranchas de madeira, embranquecidas pela lua. O motor foi desligado e o silêncio que se seguiu foi profundo. Não havia nada a não ser as ondas batendo de leve no barco e o farfalhar da brisa nas palmeiras. O ar era quente, úmido e fragrante — como o vapor que fica de um banho quente.

— Ilha de *Esme*? — Minha voz era baixa, mas ainda parecia alta demais ao romper a noite silenciosa.

— Um presente de Carlisle... Esme se ofereceu para nos emprestar.

Um presente. Quem dá uma ilha de presente? Franzi a testa. Não tinha percebido que a generosidade extrema de Edward era um comportamento aprendido.

Ele colocou as malas no píer e se virou, abrindo seu sorriso perfeito enquanto estendia a mão para mim. Em vez de pegar minha mão, ele me puxou direto para seus braços.

— Não devia esperar pelo momento de passar pela soleira da porta? — perguntei, sem fôlego, enquanto ele saltava agilmente do barco.

Ele sorriu.

— Tudo o que faço tem de ser completo.

Pegando as alças das malas imensas em uma das mãos e me aninhando com o outro braço, ele me carregou pelo píer até uma trilha de areia clara em meio à vegetação escura.

Por um instante a vegetação densa tornou-se um breu, depois pude ver uma luz à frente. Foi mais ou menos a essa altura, quando percebi que a luz era uma casa — os dois quadrados brilhantes e perfeitos eram janelas amplas emoldurando uma porta de entrada —, que o pânico de estreia atacou de novo, mais forte que antes, pior do que quando pensei que íamos para um hotel.

Meu coração martelava audivelmente em minhas costelas, e minha respiração pareceu ficar presa na garganta. Senti os olhos de Edward em meu rosto, mas me recusei a olhá-lo. Olhava para a frente, sem nada ver.

Ele não perguntou o que eu estava pensando, o que era incomum nele. Imaginei que isso queria dizer que ele estava tão nervoso quanto eu acabara de ficar.

Pousou as malas na varanda para abrir as portas — estavam destrancadas.

Olhou para mim, esperando até que eu o olhasse, antes de passar pela soleira.

Ele me carregou pela casa, nós dois em silêncio, acendendo as luzes ao passar. Minha vaga impressão da casa era de que era muito grande para uma ilha tão pequena, e estranhamente familiar. Eu havia me acostumado com o esquema de tons claros preferido dos Cullen; e me senti em casa. Mas não conseguia me concentrar em nenhum detalhe. A pulsação violenta por trás de meus ouvidos toldava tudo.

Depois Edward parou e acendeu a última luz.

O quarto era grande e branco, e a parede do fundo era quase toda de vidro — a decoração padrão de meus vampiros. Lá fora, a lua brilhava na areia branca, e a alguns metros da casa as ondas reluziam, mas eu mal percebi essa parte. Estava mais concentrada na cama branca absolutamente *imensa* no meio do quarto, com um mosquiteiro, como uma nuvem ondulante, pendendo do teto.

Edward me colocou de pé.

— Eu vou... pegar a bagagem.

O quarto era quente demais, mais abafado do que a noite tropical do lado de fora. Uma gota de suor surgiu em minha nuca. Avancei lentamente até poder estender a mão e tocar a tela que lembrava uma espuma. Por algum motivo, senti necessidade de me certificar de que tudo era real.

Não ouvi Edward voltar. De repente, seu dedo gélido acariciou minha nuca, limpando a gota de suor.

— Está meio quente aqui — disse ele, desculpando-se. — Pensei que... seria melhor.

— Perfeito — murmurei à meia-voz, e ele riu. Foi um som nervoso, raro para Edward.

— Tentei pensar em tudo o que pudesse tornar isso... mais fácil — admitiu ele.

Engoli em seco, com um ruído, ainda sem olhar para ele. Será que algum dia tinha havido uma lua de mel como aquela?

Eu sabia a resposta. Não. Nunca houve.

— Seria maravilhoso — disse Edward lentamente — se... primeiro... talvez quem sabe você não quisesse dar um mergulho noturno comigo? — Ele respirou fundo e sua voz estava mais tranquila quando falou novamente. — A água é muito quente. Esse é o tipo de praia que você aprova.

— Parece bom. — Minha voz falhou.

— Sei que você gostaria de um ou dois minutos como humana... Foi uma longa viagem.

Balancei a cabeça, sem jeito. Mal me sentia humana; talvez alguns minutos sozinha ajudasse.

Seus lábios roçaram meu pescoço, pouco abaixo da orelha. Ele riu uma vez e seu hálito frio fez cócegas em minha pele quente demais.

— Não demore *muito*, Sra. Cullen.

Tive um leve sobressalto ao ouvir meu próprio nome.

Os lábios dele contornaram meu pescoço até a ponta do ombro.

— Vou esperar por você na água.

Ele passou por mim até as portas de madeira com frestas, que se abriam diretamente para a praia. No caminho, livrou-se da camisa, largando-a no chão; depois passou pela porta para a noite enluarada. O ar salgado e abafado entrou no quarto, girando atrás dele.

Será que minha pele estava em chamas? Precisei olhar para saber. Não, nada estava queimando. Pelo menos, não visivelmente.

Lembrei a mim mesma de que devia respirar, depois cambaleei até a mala gigantesca que Edward abrira no alto de uma cômoda branca e baixa. Devia ser minha, porque minha familiar nécessaire estava por cima, e havia muita coisa rosa ali, mas não reconheci nenhuma peça de roupa. Enquanto vasculhava as pilhas organizadas — procurando alguma coisa conhecida e confortável, um moletom velho, talvez —, chamou minha atenção que havia muita renda e pouco cetim em minhas mãos. Lingerie. Uma lingerie *muito* lingerie, com etiquetas francesas.

Eu não sabia como nem quando, mas um dia faria Alice pagar por aquilo.

Desisti. Fui ao banheiro e espiei pelas longas janelas que se abriam para a mesma praia que via pelas portas do quarto. Não conseguia enxergá-lo; imaginei que estivesse embaixo d'água, sem se incomodar em subir para respirar. No céu, a lua estava torta, quase cheia, e a areia reluzia branca sob sua luz. Um pequeno movimento atraiu meus olhos — pendurado numa parte curva de uma das palmeiras que margeavam a praia, o resto de suas roupas balançava na brisa leve.

Uma lufada de calor percorreu minha pele novamente.

Respirei fundo algumas vezes e fui até o espelho acima da longa bancada. Eu tinha mesmo a aparência de alguém que dormira num avião o dia todo. Encontrei minha escova e a passei pelos nós em minha nuca até que se desfizeram, e as cerdas ficaram cheias de cabelo. Escovei os dentes meticulosamente, duas vezes. Depois lavei o rosto e borrifei água em minha nuca, que parecia febril. A sensação era tão boa que lavei os braços também, e finalmente desisti e decidi tomar um banho. Eu sabia que era ridículo tomar banho antes de nadar, mas eu precisava me acalmar, e a água quente era uma forma segura de conseguir isso.

Além de tudo, parecia uma boa ideia depilar minhas pernas mais uma vez.

Quando terminei, peguei uma toalha branca imensa na bancada e a enrolei sob os braços.

Então me vi diante de um dilema que não tinha considerado. O que eu devia vestir? Não um maiô, naturalmente. Mas parecia tolice também colocar a roupa de volta; eu não queria nem pensar nas coisas que Alice pusera na mala para mim.

Minha respiração começou a se acelerar de novo, e minhas mãos tremiam — aquilo era muito para o efeito calmante do chuveiro. Comecei a me sentir meio tonta. Ao que parecia, uma crise de pânico estava a caminho. Sentei-me no chão de ladrilhos frios com minha toalha grande e pus a cabeça entre os joelhos. Rezei para que ele não decidisse voltar para me procurar antes que eu conseguisse me recompor. Podia imaginar o que ele pensaria se me visse naquele estado de choque. Não seria difícil para ele se convencer de que estávamos cometendo um erro.

E eu não estava em pânico porque pensava que tínhamos cometido um erro. De forma alguma. Estava em pânico porque não tinha ideia de como fazer aquilo, e tinha medo de sair do quarto e enfrentar o desconhecido. Ainda mais de lingerie francesa! Eu sabia que ainda não estava pronta para *aquilo*.

A sensação era exatamente a mesma de andar pelo palco de um teatro cheio de gente sem ter ideia de quais eram as minhas falas.

Como as pessoas faziam isso — engoliam todos os medos e confiavam tão implicitamente em alguém, com toda a imperfeição e o medo que tinham —, com menos do que o compromisso absoluto que Edward me dera? Se não fosse Edward lá fora, se eu não soubesse em cada célula de meu corpo que ele me amava tanto quanto eu o amava — incondicional e irrevogavelmente e, para ser franca, de forma irracional —, eu nunca seria capaz de me levantar daquele chão.

Mas *era* Edward lá fora, então sussurrei as palavras "Não seja covarde" e com dificuldade me coloquei de pé. Prendi a toalha com firmeza sob os braços e marchei decidida para fora do banheiro, passando sem olhar pela mala cheia de renda e a grande cama. Pela porta de vidro aberta e pela areia fina como pó.

Tudo estava em preto e branco, descorado pela lua. Andei devagar pela areia quente, parando ao lado da árvore curva onde ele tinha deixado as roupas. Pousei a mão no tronco áspero e verifiquei minha respiração para ter certeza de que estava regular. Ou regular o suficiente.

Olhei pelas ondas baixas, escuras na noite, procurando por ele.

Não foi difícil encontrá-lo. Estava de pé, de costas para mim, com a água na altura da cintura, fitando a lua oval. O luar pálido transformava sua pele num branco perfeito, como a areia, como a própria lua, e deixava escuro como o oceano seu cabelo molhado. Ele estava imóvel, as mãos com as palmas repousando na água; as ondas baixas quebravam em torno dele como se ele fosse uma pedra. Olhei as linhas suaves de suas costas, os ombros, os braços, o pescoço, sua forma impecável...

O fogo não era mais de chamas ardendo por minha pele — agora era lento e profundo; e derreteu todo o meu constrangimento, minha tímida incerteza. Tirei a toalha sem hesitar, deixando-a na árvore com as roupas dele, e andei em direção à luz branca; ela também me deixou pálida como a areia alva.

Eu não ouvia o som de meus passos enquanto andava até a beira d'água, mas sabia que ele tinha ouvido. Edward não se virou. Deixei que as ondas delicadas quebrassem nos dedos de meus pés e descobri que ele tinha razão sobre a temperatura — era bem quente, como a água de um banho. Avancei, andando com cuidado pelo solo invisível do mar, mas meu cuidado era desnecessário; a areia continuava perfeitamente lisa, inclinando-se delicadamente até Edward. Atravessei a fraca correnteza até estar ao lado dele e coloquei a mão de leve em sua mão fria, mergulhada na água.

— Lindo — eu disse, olhando a lua também.

— Está tudo perfeito — respondeu ele, sem se impressionar.

Então ele se virou devagar para me olhar; seu movimento criou pequenas marolas, que quebraram em minha pele. Seus olhos pareciam prateados no rosto cor de gelo. Ele virou a mão para cima para entrelaçarmos os dedos sob a água, quente o bastante para que sua pele fria não me provocasse arrepios.

— Mas eu não usaria a palavra *lindo* — continuou ele. — Não com você aqui para comparar.

Abri um meio sorriso, depois ergui a mão livre — que agora não tremia — e a coloquei sobre seu coração. Branco no branco; combinávamos, dessa vez. Ele estremeceu um pouquinho com meu toque quente. Sua respiração agora era mais irregular.

— Prometi que iríamos *tentar* — sussurrou ele, tenso de repente. — Se... se eu fizer alguma coisa errada, se eu machucá-la, você deve me dizer na hora.

Assenti solenemente, mantendo os olhos nos dele. Dei outro passo pelas ondas e deitei a cabeça em seu peito.

— Não tenha medo — murmurei. — Nós pertencemos um ao outro.

De repente fui dominada pela verdade de minhas palavras. Aquele momento era tão perfeito, tão correto, que não havia dúvidas.

Seus braços me envolveram, apertando-me contra ele, verão e inverno. Eu tinha a sensação de que cada terminação nervosa do meu corpo era um fio desencapado.

— Para sempre — concordou ele, depois me levou com delicadeza para águas mais profundas.

O sol quente na pele nua de minhas costas me despertou de manhã. Era o fim da manhã, talvez já tivesse passado do meio-dia, eu não tinha certeza. Mas tudo a meu lado estava claro; eu sabia exatamente onde estava — o quarto iluminado com a cama grande e branca, a luz radiante entrando pelas portas abertas. A nuvem do mosquiteiro atenuava o brilho.

Não abri os olhos. Estava feliz demais para mudar alguma coisa, por menor que fosse. Os únicos sons eram as ondas do lado de fora, nossa respiração, meu coração batendo...

Eu estava à vontade, mesmo com o sol escaldante. Sua pele fria era o antídoto perfeito para o calor. A sensação de deitar atravessada em seu peito gélido, os braços dele me envolvendo, era muito confortável e natural. Perguntei-me preguiçosamente por que tinha sentido tanto medo da noite anterior. Ali todos os meus temores pareciam tolos.

Seus dedos acompanhavam com suavidade os contornos de minha coluna e eu sabia que ele sabia que eu estava acordada. Mantive os olhos fechados e envolvi seu pescoço com os braços, aproximando-me mais dele.

Ele não falou; seus dedos subiam e desciam por minhas costas, mal me tocando enquanto traçavam padrões leves em minha pele.

Eu teria ficado feliz se permanecesse ali para sempre, se jamais perturbasse aquele momento, mas meu corpo tinha outras ideias. Ri de meu estômago impaciente. Parecia um pouco sem sentido ter fome depois de tudo o que acontecera à noite. Era como ser trazida de volta à terra, de uma grande altitude.

— Qual é a graça? — ele murmurou, ainda afagando minhas costas. O som de sua voz, séria e rouca, trouxe um dilúvio de lembranças da noite anterior, e senti meu rosto e meu pescoço corando.

Em resposta à pergunta dele, meu estômago roncou. Eu ri de novo.

— Não se pode fugir de ser humana por muito tempo.

Esperei, mas ele não riu comigo. Devagar, através das muitas camadas de êxtase que toldavam minha mente, veio a percepção de um clima diferente do lado de fora de minha esfera de felicidade.

Abri os olhos. A primeira coisa que vi foi a pele pálida e quase prateada de seu pescoço, o arco do queixo acima de meu rosto. Seu queixo estava rígido. Apoiei-me no cotovelo para ver seu rosto.

Ele fitava o dossel no alto, e não olhou para mim enquanto eu examinava suas feições graves. Sua expressão foi um choque — e provocou um tremor por meu corpo.

— Edward — eu disse, com um travo estranho na garganta —, o que foi? Qual é o problema?

— Precisa perguntar? — Sua voz era dura e cínica.

Meu primeiro instinto, o produto de uma vida inteira de inseguranças, foi imaginar o que eu tinha feito de errado. Pensei em tudo o que havia acontecido, mas não consegui encontrar na memória uma nota amarga que fosse. Tinha sido tudo mais simples do que eu esperava: nós nos encaixamos como peças que se complementam, feitas uma para a outra. Isso me deu uma satisfação secreta — éramos fisicamente compatíveis, assim como em todos os outros aspectos. Fogo e gelo, de certo modo, existindo juntos, sem se destruir. Mais provas de que eu pertencia a ele.

Não conseguia pensar em nada que pudesse tê-lo deixado daquele jeito — tão severo e frio. O que eu havia deixado passar?

Seu dedo alisou as rugas de preocupação em minha testa.

— Em que está pensando? — sussurrou ele.

— Você está aborrecido. Não entendo. Será que eu...? — Não consegui terminar.

Seus olhos se estreitaram.

— Qual a extensão de seus machucados, Bella? A verdade... Não tente atenuá-la.

— Machucados? — repeti; minha voz saiu mais alta que o habitual porque a palavra me pegou de surpresa.

Ele ergueu uma sobrancelha, os lábios formando uma linha fina.

Fiz uma avaliação rápida, esticando o corpo automaticamente, contraindo e flexionando os músculos. Havia um pouco de rigidez e estava dolorido, era verdade, mas principalmente havia a estranha sensação de que todos os meus ossos tinham se separado das articulações e eu estava a meio caminho da consistência de uma gelatina. Não era uma sensação desagradável.

E depois fiquei com um pouco de raiva, porque ele estava manchando a mais perfeita das manhãs com suas suposições pessimistas.

— Por que chegou a essa conclusão? Estou melhor do que nunca.

Seus olhos se fecharam.

— Pare com isso.

— Parar com *o quê*?

— Pare de agir como se eu não fosse um monstro por ter concordado com isso.

— Edward! — sussurrei, agora verdadeiramente aborrecida. Ele estava empurrando minhas lembranças luminosas para a escuridão, maculando-as. — Não diga uma coisa dessas.

Ele não abriu os olhos; era como se não quisesse me ver.

— Olhe para si mesma, Bella. Depois me diga se não sou um monstro.

Magoada, chocada, segui suas instruções sem pensar e arfei.

O que havia acontecido comigo? Eu não conseguia entender a camada branca e penugenta que se grudava em minha pele. Sacudi a cabeça, e uma cascata branca caiu de meu cabelo.

Peguei um pedaço macio e branco entre os dedos. Era uma pluma.

— Por que estou coberta de plumas? — perguntei, confusa.

Ele suspirou, com impaciência.

— Eu mordi um travesseiro. Ou dois. Mas não é disso que estou falando.

— Você... mordeu um travesseiro? *Por quê?*

— Olhe, Bella! — ele quase rosnou. Então pegou minha mão, com muito cuidado, e estendeu meu braço. — Olhe *isto*.

Dessa vez, vi do que ele falava.

Sob a poeira de plumas, grandes hematomas arroxeados começavam a brotar na pele clara de meu braço. Meus olhos seguiram a trilha que formavam até meu ombro, descendo depois por minhas costelas. Puxei a mão livre para cutucar uma descoloração no braço esquerdo, observando-a sumir onde eu tocava e depois reaparecer. Latejava um pouco.

Com tanta suavidade que mal me tocava, Edward colocou a mão sobre os hematomas de meu braço, um de cada vez, acompanhando com seus dedos longos o desenho na pele.

— Ah! — eu disse.

Tentei me lembrar daquilo — lembrar da dor —, mas não consegui. Não me recordava de nenhum momento em que seu abraço tivesse sido apertado demais, as mãos duras demais em mim. Só me lembrava de querer que ele me abraçasse com mais força e de ficar satisfeita quando ele o fazia...

— Eu... Me desculpe, Bella — sussurrou ele enquanto eu olhava os hematomas. — Eu devia saber. Não devia ter... — Ele emitiu um som baixo e revoltado no fundo da garganta. — Lamento mais do que posso dizer.

Ele escondeu o rosto com o braço e ficou completamente imóvel.

Permaneci sentada por um longo tempo em total perplexidade, tentando confrontar — agora que compreendia — a infelicidade dele. Era tão contrária ao modo como me sentia, que era difícil de entender.

O choque cedeu aos poucos, sem nada deixar em sua ausência. Vazio. Minha mente estava oca. Não conseguia pensar no que dizer. Como poderia explicar a ele do jeito certo? Como poderia fazê-lo feliz como eu estava — ou *estivera*, um minuto antes?

Toquei seu braço, e ele não reagiu. Segurei seu pulso e tentei afastar o braço do rosto, mas teria dado na mesma se eu estivesse puxando uma estátua.

— Edward.

Ele não se mexeu.

— Edward?

Nada. Então, seria um monólogo.

— *Eu não* lamento nada, Edward. Eu... nem posso lhe dizer. Estou *tão* feliz. Esta palavra não abrange tudo. Não fique com raiva. Não fique. Eu estou realmente b...

— Não diga a palavra *bem*. — Sua voz era fria como gelo. — Se valoriza minha sanidade, não diga que está bem.

— Mas eu *estou* — sussurrei.

— Bella — ele quase gemia. — Não faça isso.

— Não. Não faça *você*, Edward.

Ele mexeu o braço; seus olhos dourados me observavam com cautela.

— Não estrague isso — eu disse a ele. — Eu. Estou. Feliz.

— Eu já estraguei tudo — sussurrou ele.

— Sem essa — rebati.

Ouvi seus dentes trincarem.

— Argh! — gemi. — Por que não pode ler minha mente agora? É tão *inconveniente*!

Seus olhos se abriram um pouco, distraídos, contra a sua vontade.

— Essa é nova. Você adora o fato de eu não poder ler sua mente.

— Hoje não.

Ele me fitou.

— Por quê?

Joguei as mãos para cima, num gesto de frustração, sentindo no ombro uma dor que ignorei. Minhas palmas caíram em seu peito com um estalo agudo.

— Porque toda essa angústia seria completamente desnecessária se você pudesse ver como me sinto agora! Cinco minutos atrás, melhor dizendo. Eu *estava* perfeitamente feliz. Em um êxtase total e completo. Agora... bem, estou meio irritada, na verdade.

— Você *devia* estar com raiva de mim.

— E estou. Isso faz com que se sinta melhor?

Ele suspirou.

— Não. Não acho que alguma coisa vá fazer com que eu me sinta melhor agora.

— *Aí está* — rebati. — É exatamente por isso que estou com raiva. Você está acabando com *minha felicidade*, Edward.

Ele revirou os olhos e sacudiu a cabeça.

Respirei fundo. Agora sentia mais a dor, mas não era tão ruim. Uma sensação parecida com a do dia seguinte a uma malhação pesada. Fiz isso com Renée durante uma de suas obsessões com a forma física. Sessenta e cinco séries com cinco quilos em cada mão. Eu não conseguia andar no dia seguinte. O que eu sentia agora não era nem a metade daquela dor.

Engoli minha irritação e tentei suavizar a voz.

— Nós sabíamos que seria difícil. Pensei que isso estivesse claro. E depois... Bom, foi muito mais fácil do que pensei. E isso não é realmente nada. — Passei os dedos pelo braço. — Acho que para uma primeira vez, sem saber o que esperar, foi maravilhoso. Com alguma prática...

Sua expressão de repente ficou tão lívida, que parei no meio da frase.

— Claro. Você esperava por *isso*, Bella? Estava prevendo que eu ia machucá-la? Estava pensando que seria pior? Você considera a experiência um sucesso porque pode sair dela andando? Nenhum osso quebrado... isso corresponde à vitória?

Esperei, deixando que ele desabafasse. Depois esperei mais um pouco, para que a respiração dele voltasse ao normal. Quando seus olhos estavam calmos, respondi, falando com uma calma precisão:

— Não sei o que esperava... Mas, sem dúvida, não esperava que fosse... que fosse... tão maravilhoso e perfeito. — Minha voz tornou-se um sussurro, meus olhos baixaram de seu rosto para minhas mãos. — Quer dizer, não sei como foi para você, mas foi assim para mim.

Um dedo frio puxou meu queixo para cima.

— É com isso que está preocupada? — disse ele entre os dentes. — Que eu não tenha *gostado*?

Mantive a cabeça baixa.

— Sei que não foi a mesma coisa. Você não é humano. Só estava tentando explicar que, para uma humana, bom, não imagino que a vida possa ser melhor do que isso.

Ele ficou em silêncio por tanto tempo que, por fim, tive de olhar. Seu rosto agora era mais suave, pensativo.

— Parece que tenho mais motivos para me desculpar. — Ele franziu o cenho. — Nem imaginei que você pudesse achar que o que sinto quanto ao que lhe fiz signifique que a noite passada não tenha sido... bem, a melhor noite de minha existência. Mas não quero pensar dessa maneira, não quando você estava...

Meus lábios se curvaram um pouco.

— É mesmo? A melhor? — perguntei em voz baixa.

Ele pegou meu rosto entre as mãos, ainda introspectivo.

— Conversei com Carlisle depois de fazermos nosso trato, na esperança de que ele pudesse me ajudar. É claro que ele me alertou que seria muito perigoso para você. — Uma sombra cruzou o seu rosto. — Mas ele tinha fé em mim... Uma fé que eu não merecia.

Comecei a protestar, e ele pôs dois dedos em meus lábios antes que eu pudesse comentar.

— Também perguntei a ele o que *eu* devia esperar. Eu não sabia como seria para mim... Sendo eu um vampiro. — Ele abriu um sorriso desanimado. — Carlisle me disse que era uma coisa muito poderosa, diferente de tudo. Disse-me que o amor físico era algo que eu não devia tratar com leviandade. Com nosso temperamento que raras vezes muda, as emoções fortes podem nos alterar de maneira permanente. Mas ele disse que eu não precisava me preocupar com essa parte... Você já havia me alterado completamente. — Dessa vez seu sorriso foi mais autêntico.

— Falei com meus irmãos também. Eles me disseram que era um imenso prazer. Só perdia para beber sangue humano. — Uma ruga vincou sua testa. — Mas eu provei seu sangue, e não pode haver sangue mais poderoso do que *esse*... Não acho que eles estivessem errados. É só que foi diferente para nós. Teve um algo a mais.

— *Foi* mais. Foi tudo.

— Isso não muda o fato de que foi errado. Mesmo que seja possível que você realmente se sinta assim.

— O que *isso* significa? Acha que estou inventando? Por quê?

— Para atenuar minha culpa. Não posso ignorar as provas, Bella. Ou seu histórico de tentar me desculpar quando cometo erros.

Peguei seu queixo e inclinei-me para a frente, de modo que nossos rostos ficaram a centímetros de distância.

— Agora me escute, Edward Cullen, não estou fingindo nada para o seu bem, está certo? Eu nem sabia que havia um motivo para fazer você se sentir melhor até você começar a ficar todo infeliz. *Eu* nunca fui tão feliz em toda a minha vida... Nem quando você decidiu que me amava mais do que queria me matar, ou na primeira manhã em que acordei e você estava lá esperando por mim... Nem quando ouvi sua voz no estúdio de balé. — Ele se encolheu com a velha lembrança de meu encontro quase fatal com um vampiro caçador, mas eu não parei. — Ou quando você disse "Sim" e eu percebi que, sabe-se lá como, teria você para sempre. Essas são as lembranças mais felizes que tenho, e isso é melhor do que qualquer uma delas. Então trate de aceitar.

Ele tocou a ruga entre minhas sobrancelhas.

— Estou deixando você infeliz agora. E não quero fazer isso.

— Então não fique *você* infeliz. É a única coisa errada aqui.

Seus olhos se estreitaram, depois ele respirou fundo e assentiu.

— Tem razão. O que passou, passou e não posso fazer nada para mudá-lo. Não tem sentido deixar que meu humor estrague seu momento. Vou fazer o que puder para deixá-la feliz agora.

Examinei seu rosto com desconfiança, e ele me abriu um sorriso sereno.

— Qualquer coisa que me faça feliz?

Meu estômago roncou ao mesmo tempo que eu falava.

— Você está com fome — disse ele.

Então saltou da cama, levantando uma nuvem de plumas. E isso me lembrou de uma coisa.

— Mas por que exatamente você decidiu arruinar os travesseiros de Esme? — perguntei, agitando o cabelo e liberando mais plumas.

Ele já tinha vestido uma calça cáqui larga e estava na porta, sacudindo o cabelo e tirando dele algumas penas.

— Não sei se eu *decidi* fazer alguma coisa ontem à noite — murmurou. — Tivemos sorte por serem os travesseiros, e não você.

Ele respirou fundo e balançou a cabeça, como se tentasse expulsar a ideia sombria. Um sorriso que parecia autêntico abriu-se em seu rosto, mas acho que foi preciso muito esforço para colocá-lo ali.

Deslizei com cuidado da cama alta e me espreguicei, mais ciente, agora, das dores e dos hematomas. Ouvi-o ofegar. Ele desviou os olhos de mim e suas mãos se fecharam, contraindo-se e deixando as articulações pálidas.

— Estou assim tão horrível? — perguntei, esforçando-me para manter o tom leve. Sua respiração voltou ao normal, mas ele não se virou, provavelmente para esconder de mim sua expressão. Fui até o banheiro me olhar.

Fitei-me nua no espelho de corpo inteiro atrás da porta.

Não estava tão mal assim. Havia uma leve sombra em uma das bochechas e meus lábios estavam meio inchados, mas, tirando isso, meu rosto estava bem. O restante de mim estava decorado com manchas azuis e roxas. Concentrei-me nos hematomas que seriam mais difíceis de esconder — nos braços e nos ombros. Não estavam tão ruins. Minha pele ficava marcada com facilidade. Quando surgia um hematoma, em geral eu já havia me esquecido de como o conseguira. É claro que aqueles ainda estavam se formando. Estariam piores no dia seguinte. E isso não tornaria as coisas mais fáceis.

Olhei meu cabelo e gemi.

— Bella? — Ele estava bem atrás de mim assim que emiti o som.

— Eu *nunca* vou conseguir tirar tudo isso do meu cabelo! — Apontei para minha cabeça, onde parecia que uma galinha estava aninhada. Comecei a tirar as penas.

— *Tinha* de ficar preocupada com o cabelo — murmurou ele, mas veio se colocar atrás de mim, pegando as penas com muito mais rapidez.

— Como conseguiu não rir disso? Eu estou ridícula.

Ele não respondeu; só continuou puxando-as. E eu sabia a resposta — não havia nada engraçado para ele, com aquele humor.

— Isso não vai dar certo — suspirei depois de um minuto. — Está tudo ressecado. Vou ter de lavar. — Eu me virei, passando os braços em sua cintura fria. — Quer me ajudar?

— É melhor encontrar alguma coisa para você comer — disse ele em voz baixa, e gentilmente soltou-se de meus braços.

Suspirei enquanto ele desaparecia, rápido demais.

Parecia que minha lua de mel tinha chegado ao fim. Esse pensamento formou um nó imenso em minha garganta.

Quando estava quase totalmente livre das plumas e com um vestido de algodão branco desconhecido que escondia o pior das manchas violeta, segui descalça para o local de onde vinha o cheiro de ovos, bacon e queijo cheddar.

Edward estava parado diante do fogão de aço inox, deslizando uma omelete para o prato azul-claro que aguardava na bancada. O cheiro da comida me dominou. Achei que seria capaz de comer também o prato e a frigideira; meu estômago rosnou.

— Pronto — disse ele. Edward se virou com um sorriso e pôs o prato na pequena mesa ladrilhada.

Sentei-me em uma das duas cadeiras de metal e comecei a engolir os ovos quentes. Queimavam minha garganta, mas não me importei.

Edward se sentou de frente para mim.

— Não a estou alimentando com frequência suficiente.

Eu engoli e lembrei a ele:

— Eu dormi. Isso está muito bom, aliás. É impressionante para alguém que não come.

— Programas de culinária na tevê — disse ele, abrindo meu sorriso torto preferido.

Fiquei feliz por ele parecer mais normal.

— De onde vieram os ovos?

— Pedi aos empregados que abastecessem a cozinha. O que é fundamental neste lugar. Vou ter de pedir que cuidem das plumas... — Ele se interrompeu, o olhar fixo num espaço acima de minha cabeça. Não respondi, não querendo dizer nada que o aborrecesse novamente.

Devorei tudo, embora ele tivesse preparado comida o bastante para dois.

— Obrigada — disse a ele. Inclinei-me sobre a mesa para lhe dar um beijo. Ele retribuiu automaticamente, depois de repente se retesou e voltou a se recostar.

Trinquei os dentes e a pergunta que quis fazer saiu parecendo uma acusação.

— Não vai me tocar novamente enquanto estivermos aqui, não é?

Ele hesitou, depois abriu um meio sorriso e ergueu a mão para afagar meu rosto. Seus dedos tocaram suavemente minha pele, e não consegui deixar de inclinar a cabeça para sua mão.

— Você sabe que não foi isso que eu quis dizer.

Ele suspirou e baixou a mão.

— Eu sei. E você tem razão. — Ele parou, levantando o queixo ligeiramente. Em seguida falou, com firme convicção: — Não vou fazer amor com você antes que esteja transformada. Nunca mais voltarei a machucá-la.

6. DISTRAÇÕES

MINHA DIVERSÃO TORNOU-SE A PRIORIDADE MÁXIMA NA ILHA DE Esme. Nós nadamos com snorkel (bom, eu nadei com snorkel, enquanto ele ostentou a capacidade de se manter indefinidamente sem oxigênio). Exploramos a pequena floresta que margeava o pico pequeno e rochoso. Visitamos os papagaios que moravam na mata do extremo sul da ilha. Vimos o sol se pôr da angra rochosa a oeste. Nadamos com os botos que brincavam nas águas quentes e rasas de lá. Ou pelo menos eu nadei; quando Edward estava na água, os botos desapareciam, como se houvesse um tubarão por perto.

Eu sabia o que estava acontecendo. Ele tentava me manter ocupada, distraída, para que eu não continuasse a incomodá-lo com a história de sexo. Sempre que eu tentava falar com ele para relaxarmos com um dos milhões de DVDs sob a imensa tevê de plasma, ele me atraía para fora da casa com palavras mágicas como *recifes de coral*, *cavernas submersas* e *tartarugas marinhas*. Ficávamos fora, fora, fora o dia todo; então eu me via completamente faminta e exausta quando o sol finalmente se punha.

Eu me debruçava sobre o prato depois de terminado o jantar todas as noites; certa vez caí no sono ali mesmo sobre a mesa, e ele teve de me levar para a cama. Parte disso era que Edward sempre fazia comida demais para uma pessoa, mas eu ficava tão *faminta* depois de nadar e escalar o dia todo que comia a maior parte dela. E depois, saciada e cansada, mal conseguia manter os olhos abertos. Tudo parte do plano, sem dúvida.

A exaustão não ajudava muito com minhas tentativas de persuasão. Mas eu não desisti. Tentei argumentar, pedir e resmungar, tudo em vão. Em geral eu estava inconsciente antes de conseguir levar meu caso adiante. E depois meus sonhos pareciam tão reais — pesadelos, em sua maior parte, mais nítidos, imagino, pelo fato de as cores na ilha serem tão vivas — que eu acordava cansada, por mais que tivesse dormido.

Mais ou menos uma semana depois de chegarmos à ilha, decidi tentar um acordo. Tinha funcionado conosco no passado.

Estávamos dormindo no quarto azul. Os empregados só viriam no dia seguinte, então o quarto branco ainda tinha uma manta branca de penas. O quarto azul era menor, a cama, de proporções mais razoáveis. As paredes eram escuras, revestidas de madeira clara, e os acessórios eram todos de uma luxuriosa seda azul.

Havia me acostumado a usar parte da coleção de lingerie de Alice para dormir à noite — que não era tão reveladora, comparada com os biquínis mínimos que ela colocara em minha mala. Perguntei-me se ela tivera uma visão do motivo de eu querer aquelas coisas, e então estremeci, constrangida com a ideia.

Comecei devagar por inocentes cetins marfim, preocupada com o fato de que revelar muito de minha pele tivesse o efeito contrário ao que eu procurava, mas disposta a tentar de tudo. Edward pareceu nem perceber, como se eu estivesse usando os mesmos moletons velhos e puídos que usava em casa.

Os hematomas tinham melhorado muito — amarelando em alguns pontos e desaparecendo completamente em outros —, então naquela noite vesti uma das peças mais assustadoras no banheiro revestido de madeira. Era preta, de renda, e constrangedora de olhar até fora do corpo. Tive o cuidado de não me olhar no espelho antes de voltar ao quarto. Eu não queria perder a coragem.

Tive a satisfação de ver os olhos de Edward se arregalando por um segundo antes de ele disfarçar a expressão.

— O que você acha? — perguntei, dando uma pirueta para que ele pudesse ver cada ângulo.

Ele pigarreou.

— Você está linda. Sempre está.

— Obrigada — eu disse, meio azeda.

Estava cansada demais para resistir a subir rapidamente na cama macia. Ele me abraçou e me puxou para seu peito, mas aquilo era rotina — fazia muito calor para dormir sem seu corpo frio junto ao meu.

— Quero fazer um acordo com você — eu disse, sonolenta.

— Não farei mais acordos com você — respondeu ele.

— Ainda nem ouviu o que tenho a propor.

— Não importa.

Suspirei.

— Droga. E eu, na verdade, queria... Ah, deixa pra lá.

Ele revirou os olhos.

Fechei os meus e deixei a isca pairando no ar. Bocejei.

Levou só um minuto — tempo insuficiente para eu apagar.

— Tudo bem. O que você quer?

Trinquei os dentes por um segundo, reprimindo um sorriso. Se havia uma coisa a que ele não resistia era a oportunidade de me dar algo.

— Bom, eu estava pensando... Sei que toda essa história de Dartmouth era só para ser um disfarce, mas, sinceramente, um semestre de faculdade não iria me matar — eu disse, fazendo eco a suas palavras de um ano antes, quando ele tentou me convencer a adiar minha transformação em vampira. — Charlie vai ficar emocionado com histórias de Dartmouth, aposto. É claro que pode ser constrangedor se eu não conseguir acompanhar todos os nerds. Ainda assim... 18, 19 anos. Não faz muita diferença. Afinal, eu não vou estar com pés de galinha no ano que vem.

Ele ficou em silêncio por um longo tempo. Depois, em voz baixa, disse:

— Você esperaria. Você continuaria humana.

Eu segurei a língua, deixando que ele absorvesse a proposta.

— Por que está *fazendo* isso comigo? — disse ele entredentes, o tom de voz de repente irritado. — Já não é bem difícil sem isso? — Ele pegou um babadinho de renda em minha coxa. Por um momento, pensei que fosse arrancá-lo da costura. Depois sua mão relaxou. — Não importa. Não vou fazer nenhum acordo com você.

— Quero ir para a faculdade.

— Não quer, não. E não há nada que valha arriscar sua vida de novo. Que valha machucar você.

— Mas eu *quero* ir. Bom, não é tanto a faculdade que eu quero... Quero ser humana por mais um tempinho.

Ele fechou os olhos e expirou pelo nariz.

— Você está me deixando louco, Bella. Já não tivemos essa discussão umas mil vezes, você sempre pedindo para ser logo vampira?

— Sim, mas... Bom, eu tenho um motivo para ser humana que não tinha antes.

— E qual é?

— Adivinhe — eu disse, e me arrastei dos travesseiros para beijá-lo.

Ele retribuiu o beijo, mas não com intensidade suficiente para me fazer pensar que eu tinha vencido. Era mais como se ele estivesse tendo o cuidado de não ferir meus sentimentos; ele estava completa e enlouquecedoramente controlado. Com delicadeza, me afastou depois de um instante e me aninhou em seu peito.

— Você é humana *demais*, Bella. Regida por seus hormônios. — Ele riu.

— Aí é que está, Edward. Gosto dessa parte de ser humana. Ainda não quero abrir mão disso. Não quero esperar durante anos como uma recém-criada louca por sangue, para que parte disso volte à minha vida.

Bocejei e ele sorriu.

— Você está cansada. Durma, amor. — Ele começou a cantarolar a cantiga de ninar que compôs para mim quando nos conhecemos.

— Fico me perguntando por que estou tão cansada — murmurei com sarcasmo. — Isso não pode ser parte de seu esquema, nem nada, não é?

Ele se limitou a rir e voltou a cantarolar.

— Porque, do jeito que ando cansada, era para eu dormir melhor.

A música parou.

— Você dorme feito uma pedra, Bella. Não disse uma palavra sequer dormindo desde que viemos para cá. Se não fosse pelos roncos, eu pensaria que estava em coma.

Ignorei a piada sobre os roncos; eu não roncava.

— Eu não fico agitada? Que estranho. Em geral rolo por toda a cama quando tenho pesadelos. E grito.

— Você anda tendo pesadelos?

— Nítidos. Eles me deixam tão cansada! — Bocejei. — Nem acredito que não fico falando a noite toda.

— Sobre o que são?

— Coisas diferentes... E iguais, você sabe, por causa das cores.

— Cores?

— É tudo brilhante e real. Em geral, quando estou sonhando, sei que estou. Nesses, não tenho consciência de que estou dormindo. Isso os torna mais apavorantes.

Ele pareceu perturbado quando falou novamente.

— O que a apavora?

Eu tremi um pouco.

— Principalmente... — Hesitei.

— Principalmente? — insistiu ele.

Eu não sabia bem por quê, mas não queria contar a ele sobre a criança em meu pesadelo recorrente; havia alguma coisa íntima naquele pavor em particular. Então, em vez de lhe dar uma descrição completa, só falei de um elemento. Certamente o suficiente para me assustar, ou qualquer outra pessoa.

— Os Volturi — sussurrei.

Ele me abraçou com mais força.

— Eles não vão mais nos incomodar. Você será imortal em breve, e eles não terão motivos.

Deixei que ele me reconfortasse, sentindo-me um pouco culpada por ele ter entendido mal. Os pesadelos não eram assim, não exatamente. Não era que eu tivesse medo por mim — temia pelo menino.

Não era o mesmo menino do primeiro sonho — a criança vampira com os olhos injetados, sentada numa pilha de pessoas que eu amava e que estavam mortas. O menino com quem sonhei quatro vezes na última semana, sem dúvida, era humano; seu rosto era corado e os olhos grandes, de um verde suave. Mas, como a outra criança, ele tremia de medo e desespero enquanto os Volturi se aproximavam de nós.

Nesse sonho, que era ao mesmo tempo novo e antigo, eu simplesmente *tinha* de proteger a criança desconhecida. Não havia alternativa. Ao mesmo tempo, eu sabia que fracassaria.

Ele viu a desolação em meu rosto.

— O que posso fazer para ajudar?

Eu descartei a oferta.

— São só sonhos, Edward.

— Quer que eu cante para você? Vou cantar a noite toda, se isso afugentar os sonhos ruins.

— Não são assim tão ruins. Alguns são bons. Tão... coloridos. Debaixo da água, com os peixes e os corais. Tudo parece que está acontecendo de verdade... Não tenho consciência de que estou sonhando. Talvez esta ilha seja o problema. Aqui tem *muita* luz.

— Quer ir para casa?

— Não. Não, ainda não. Podemos ficar mais tempo?

— Podemos ficar o tempo que você quiser, Bella — ele me prometeu.

— Quando o semestre começa? Eu não estava prestando atenção antes.

Ele suspirou. Talvez tenha começado a cantarolar também, mas dormi antes de poder ter certeza.

* * *

Mais tarde, quando acordei no escuro, foi com um choque. O sonho tinha sido real demais... Tão nítido, tão sensorial... Eu arfava, desorientada no quarto escuro. Só um segundo antes, parecia, eu estava sob um sol forte.

— Bella? — sussurrou Edward, os braços firmes ao meu redor, sacudindo-me com gentileza. — Está tudo bem, meu amor?

— Ah! — arfei novamente. Só um sonho. Não era real. Para minha completa perplexidade, as lágrimas transbordaram de meus olhos de repente, escorrendo pelo rosto.

— Bella! — ele disse, agora mais alto, alarmado. — Qual é o problema? — Ele enxugava as lágrimas de minha face quente com dedos frios e frenéticos, mas outras se seguiam.

— Foi só um sonho. — Não pude conter o soluço baixo que cortou minha voz. As lágrimas sem sentido eram perturbadoras, mas eu não conseguia controlar a profunda tristeza que me tomou. Eu queria tanto que o sonho fosse real!

— Está tudo bem, amor, está tudo bem. Eu estou aqui. — Ele me embalou, um pouco rápido demais para que eu me tranquilizasse. — Teve outro pesadelo? Não era real, não era real.

— Não foi um pesadelo. — Sacudi a cabeça, passando as costas das mãos nos olhos. — Foi um sonho *bom*. — Minha voz falhou novamente.

— Então, por que está chorando? — perguntou ele, confuso.

— Porque acordei — gemi, passando os braços em volta de seu pescoço num abraço sufocante e chorando.

Ele riu de minha lógica, mas parecia tenso de preocupação.

— Está tudo bem, Bella. Respire fundo.

— Foi tão real! — chorei. — Eu *queria* que fosse real.

— Fale-me dele — insistiu Edward. — Talvez isso possa ajudar.

— Estávamos na praia... — Minha voz falhou e eu me afastei para fitar com os olhos cheios de lágrimas seu rosto ansioso de anjo, sombrio no escuro. Eu o olhava pensativa enquanto a tristeza irracional começava a ceder.

— E...? — instigou ele por fim.

Pisquei para afugentar as lágrimas de meus olhos.

— Ah, Edward...

— Conte-me, Bella — pediu ele, os olhos loucos de preocupação com a dor em minha voz.

Mas não consegui. Em vez disso, tornei a passar os braços por seu pescoço e pressionei febrilmente a boca contra a dele. Não era desejo — era necessidade, intensa, a ponto de doer. A resposta dele foi imediata, mas rapidamente seguida por sua rejeição.

Ele lutou comigo com a maior gentileza que pôde em sua surpresa, mantendo-me afastada, segurando meus ombros.

— Não, Bella — insistiu Edward, olhando para mim como se estivesse preocupado com minha possível insanidade.

Meus braços caíram de lado, derrotados, as lágrimas estranhas derramando uma torrente fresca por meu rosto, um novo soluço subindo por minha garganta. Ele tinha razão — eu devia estar louca.

Ele me fitou com olhos confusos e angustiados.

— Me d-d-d-desculpe — murmurei.

Mas ele me puxou, abraçando-me com força contra seu peito de mármore.

— Não posso, Bella, não posso! — Seu gemido era agoniado.

— Por favor — eu disse, meu pedido abafado em sua pele. — Por favor, Edward.

Não sei se ele ficou comovido com minha voz trêmula, com as lágrimas, ou se estava despreparado para lidar com a surpresa de meu ataque, ou se naquele momento a necessidade dele era simplesmente tão insuportável quanto a minha. Qualquer que fosse o motivo, ele puxou minha boca para a dele, rendendo-se com um gemido.

E começamos onde meu sonho tinha parado.

Fiquei imóvel quando acordei pela manhã, e tentei estabilizar minha respiração. Tive medo de abrir os olhos.

Eu estava deitada no peito de Edward, mas ele estava completamente parado e seus braços não me envolviam. Mau sinal. Tive medo de admitir que estava acordada e enfrentar sua fúria — independentemente de quem fosse o alvo hoje.

Com cuidado, espiei pelas pálpebras. Ele olhava fixamente o teto escuro, os braços atrás da cabeça. Eu me apoiei no cotovelo para ver melhor seu rosto. Era suave, sem expressão.

— Estou muito encrencada? — perguntei em voz baixa.

— Muito — disse ele, mas virou a cabeça e sorriu maliciosamente para mim.

Soltei um suspiro de alívio.

— Eu *lamento* muito — disse. — Não queria... Bom, não sei exatamente o que *aconteceu* ontem à noite. — Sacudi a cabeça com a lembrança do choro irracional, o pesar esmagador.

— Você não me contou de que se tratava o sonho.

— Acho que não... Mas eu, de certa maneira, *mostrei* a você de que se tratava. — Eu ri, nervosa.

— Ah! — disse ele. Seus olhos se arregalaram, depois ele piscou. — Interessante.

— Foi um sonho muito bom — murmurei.

Ele não fez nenhum comentário, então, alguns segundos depois, perguntei:

— Estou perdoada?

— Estou pensando nisso.

Eu me sentei, pretendendo me examinar — não parecia haver nenhuma pluma, pelo menos. Mas, enquanto eu me mexia, uma estranha pontada de vertigem me atingiu. Eu oscilei e caí nos travesseiros.

— Caramba... fiquei tonta.

Seus braços então me envolveram.

— Você dormiu por muito tempo. Doze horas.

— *Doze?* — Que estranho.

Dei uma rápida olhada em meu corpo enquanto falava, tentando ser discreta. Parecia bem. Os hematomas nos braços ainda eram os de uma semana atrás, amarelados. Espreguicei-me, experimentando. Também me sentia bem. Quer dizer, na verdade mais do que bem.

— Está tudo no lugar?

Assenti timidamente.

— Todos os travesseiros parecem ter sobrevivido.

— Infelizmente, não posso dizer o mesmo de sua, hã, camisola. — Ele fez um gesto de cabeça na direção do pé da cama, onde vários pedaços de renda preta estavam espalhados sobre os lençóis de seda.

— Isso é péssimo — eu disse. — Eu gostava dessa.

— Eu também.

— Mais alguma baixa? — perguntei timidamente.

— Terei de comprar uma cama nova para Esme — confessou ele, olhando sobre o ombro. Segui seu olhar e fiquei chocada ao ver que grandes nacos de madeira aparentemente tinham sido arrancados do lado esquerdo da cabeceira.

— Hmmmm. — Franzi a testa. — Acho que eu teria ouvido isso.

— Você parece ficar extraordinariamente alienada quando sua atenção está em outra parte.

— Fiquei meio absorta — admiti, ganhando um rubor vermelho forte.

Ele tocou meu rosto em brasa e suspirou.

— Vou sentir muita falta disso.

Eu o encarei, procurando qualquer sinal de raiva ou remorso, que eu temia. Ele retribuiu meu olhar tranquilamente, a expressão calma mas indecifrável.

— Como está se sentindo?

Ele riu.

— Que foi? — perguntei.

— Você parece tão culpada... Como se tivesse cometido um crime.

— Eu *me sinto* culpada — murmurei.

— Então você seduziu seu marido louco para ser seduzido. Isso não é um pecado capital.

Ele parecia estar brincando.

Meu rosto ficou mais quente.

— A palavra *seduziu* implica certo nível de premeditação.

— Talvez essa fosse a palavra errada — admitiu ele.

— Não está com raiva?

Ele sorriu pesaroso.

— Não estou com raiva.

— E por que não?

— Bom... — ele se interrompeu. — Eu não a machuquei, para começar. Foi mais fácil, desta vez, me controlar, canalizar os excessos. — Seus olhos passaram para a guarda da cama novamente. — Talvez porque eu tivesse uma ideia melhor do que esperar.

Um sorriso esperançoso começou a se abrir em meu rosto.

— Eu *disse* que era uma questão de prática.

Ele revirou os olhos.

Meu estômago roncou e ele riu.

— Hora do café da manhã da humana? — perguntou ele.

— Por favor — eu disse, pulando da cama. Mas me mexi rápido demais e tive de cambalear como bêbada para recuperar o controle. Ele me pegou antes que eu tropeçasse na cômoda.

— Está tudo bem?

— Se eu não tiver um senso de equilíbrio melhor em minha próxima vida, vou exigir reembolso.

Naquela manhã, fui para a cozinha e fritei alguns ovos — faminta demais para fazer algo mais elaborado. Impaciente, eu os virei num prato depois de poucos minutos.

— Desde quando você come ovos fritos de um só lado? — perguntou ele.

— Desde agora.

— Sabe quantos ovos você comeu na última semana? — Ele pegou uma lixeira embaixo da pia: estava cheia de embalagens vazias.

— Que estranho — eu disse, depois de engolir um pedaço escaldante. — Este lugar está mexendo com o meu apetite. — E meus sonhos, e meu equilíbrio já duvidoso, pensei. — Mas gosto daqui. Provavelmente vamos embora logo, para chegar a Dartmouth a tempo, não é? Acho que precisamos encontrar um lugar para morar e outras coisas também.

Ele se sentou ao meu lado.

— Pode desistir dessa história falsa de faculdade... Você já conseguiu o que queria. E não fizemos um acordo; então, não existem pendências.

Bufei.

— Eu não estava fingindo, Edward. Não passo o *meu* tempo livre tramando, como algumas pessoas fazem. *O que posso fazer para esgotar a Bella hoje?* — eu disse numa imitação ruim de sua voz. Ele riu, descarado. — Eu realmente quero um pouco mais de tempo como humana. — Inclinei-me para passar a mão em seu peito nu. — Ainda não tive o bastante.

Ele me olhou de forma dúbia.

— Para *isso*? — perguntou ele, pegando minha mão, que descia por sua barriga. — O sexo era a chave o tempo todo? — Ele revirou os olhos. — Por que não pensei nisso? — murmurou ele com sarcasmo. — Podia ter me poupado muitas discussões.

Eu ri.

— É, talvez pudesse mesmo.

— Você é *tão* humana! — repetiu ele.

— Eu sei.

Uma sugestão de sorriso apareceu em seus lábios.

— Vamos para Dartmouth? De verdade?

— Provavelmente vou tomar bomba no primeiro semestre.

— Vou ser seu professor particular. — O sorriso dele agora era amplo. — Você vai adorar a faculdade.

— Acha que podemos encontrar um apartamento assim tão em cima da hora?

Ele fez uma careta, parecendo culpado.

— Bom, nós já temos uma casa lá. Sabe como é, só por precaução.

— Você comprou uma casa?

— Os imóveis são um bom investimento.

Ergui uma sobrancelha e deixei passar.

— Então estamos preparados.

— Terei de ver se podemos manter seu carro de "antes" por mais tempo...

— Sim, Deus me livre de não estar protegida contra tanques.

Ele sorriu.

— Quanto tempo ainda podemos ficar aqui? — perguntei.

— Estamos bem de tempo. Mais algumas semanas, se você quiser. E depois podemos visitar Charlie antes de irmos para New Hampshire. Podemos passar o Natal com Renée...

Suas palavras pintaram um futuro imediato muito feliz, um futuro sem sofrimento para todos os envolvidos. O incidente Jacob, quase esquecido, chocalhou e eu corrigi o pensamento — para *quase* todos.

Aquilo não estava ficando mais fácil. Agora que eu havia descoberto *exatamente* como era bom ser humana, era tentador deixar o barco correr. Dezoito ou 19, 19 ou 20 anos... Que diferença faria? Eu não ia mudar tanto em um ano. E ser humana com Edward... A decisão se tornava mais complicada a cada dia.

— Algumas semanas — concordei. E depois, porque nunca parecia haver tempo suficiente, acrescentei: — Então, eu estava pensando... Sabe o que eu disse antes sobre a prática?

Ele riu.

— Podemos voltar a esse assunto depois? Estou ouvindo um barco. Os empregados devem estar aqui.

Ele queria que conversássemos sobre isso depois. Então isso significava que ele não ia me criar mais problemas com a prática? Sorri.

— Deixe-me explicar a bagunça com o quarto branco ao Gustavo, e depois podemos sair. Há um lugar na mata ao sul...

— Não quero sair. Não vou andar pela ilha toda hoje. Quero ficar aqui e ver um filme.

Ele franziu os lábios, tentando não rir de meu tom de voz desapontado.

— Tudo bem, o que você quiser. Por que não escolhe um DVD enquanto atendo à porta?

— Não ouvi ninguém bater.

Ele inclinou a cabeça de lado, escutando. Meio segundo depois, uma batida fraca e tímida soou na porta. Ele sorriu e se virou para o corredor.

Fui até as prateleiras sob a grande tevê e comecei a percorrer os títulos. Era difícil decidir por onde começar. Eles tinham mais DVDs do que uma locadora.

Pude ouvir a voz baixa e aveludada de Edward voltando pelo corredor, conversando fluentemente no que eu supus ser um português perfeito. Outra voz humana, mais rude, respondeu na mesma língua.

Edward os levou até o quarto, apontando para a cozinha no caminho. Os dois brasileiros pareciam incrivelmente baixos ao lado dele. Eram um homem roliço e uma mulher magra, o rosto de ambos vincados de rugas, um tom de pele escuro. Edward gesticulou para mim com um sorriso de orgulho, e ouvi meu nome misturado numa lufada de palavras desconhecidas. Corei um pouco enquanto pensava na bagunça de penas no quarto branco, que eles logo encontrariam. O baixinho sorriu para mim com educação.

Mas a mulher não sorriu. Encarou-me com um misto de choque, preocupação e, acima de tudo, muito *medo*. Antes que eu pudesse reagir, Edward indicou que o seguissem para a gaiola de penas, e eles se foram.

Quando reapareceu, Edward estava sozinho. Andou rapidamente até mim e me abraçou.

— O que há com ela? — sussurrei com urgência, lembrando-me de sua expressão de pânico.

Ele deu de ombros, sem se perturbar.

— Kaure é, em parte, indígena do povo Ticuna. Foi criada para ser mais supersticiosa... ou você pode chamar mais consciente... do que a maioria das pessoas. Ela desconfia do que eu sou, ou chega bem perto. — Ele ainda não parecia preocupado. — Eles têm suas próprias histórias por aqui. O *lobisomem*... um demônio bebedor de sangue que ataca exclusivamente mulheres bonitas. — Ele me olhou de lado.

Só mulheres bonitas? Bom, isso era meio lisonjeiro.

— Ela parece apavorada — eu disse.

— E está... Mas está mais preocupada com você.

— Comigo?

— Ela teme o motivo de estarmos aqui, a sós. — Ele riu sombriamente e depois olhou a parede de filmes. — Ah, bem, por que não escolhe alguma coisa para assistirmos? Isso é algo humano e aceitável a fazer.

— Sei, como se um filme fosse convencê-la de que você é humano. — Eu ri e abracei com firmeza seu pescoço, ficando na ponta dos pés. Ele se curvou para que eu pudesse beijá-lo, depois seus braços me apertaram, erguendo-me do chão para que ele não tivesse de se curvar.

— Então, que seja um filme — murmurei, enroscando meus dedos em seus cabelos de bronze, enquanto seus lábios desciam por meu pescoço.

Em seguida ouvi um arquejo e ele me baixou abruptamente. Kaure estava paralisada na soleira da porta, com penas no cabelo preto, um saco enorme cheio de penas nos braços, uma expressão de pavor no rosto. Ela me fitou de olhos arregalados enquanto eu corava e baixava a cabeça. Então se recuperou e murmurou alguma coisa que, mesmo em uma língua desconhecida, era claramente um pedido de desculpas. Edward sorriu e respondeu num tom simpático. Ela desviou os olhos escuros e seguiu pelo corredor.

— Ela estava pensando o que eu acho que ela estava pensando, não é? — murmurei.

Ele riu de minha frase enrolada.

— Está.

— Tome — eu disse, pegando um filme aleatoriamente e passando a ele. — Coloque este, e podemos fingir que estamos vendo.

Era um antigo musical com rostos sorridentes e vestidos esvoaçantes.

— Bem de lua de mel — Edward aprovou.

Enquanto atores na tela dançavam uma animada música de abertura, eu me refestelei no sofá, aninhada nos braços dele.

— Depois vamos voltar para o quarto branco? — perguntei preguiçosamente.

— Não sei... Já estraguei demais o outro quarto... Talvez, se nos limitarmos à destruição de apenas uma área da casa, Esme possa nos convidar a voltar.

Eu dei um sorriso largo.

— Então haverá mais destruição?

Ele riu de minha expressão.

— Acho que pode ser mais seguro se for premeditado, em vez de eu esperar que você me ataque novamente.

— Seria só uma questão de tempo — concordei, num tom despreocupado, mas minha pulsação estava disparada.

— Algum problema com seu coração?

— Não. Saudável como um cavalo. — Fiz uma pausa. — Quer fazer um levantamento da zona de destruição agora?

— Talvez fosse mais sensato esperar que fiquemos a sós. *Você* pode não perceber quando estou destruindo a mobília, mas isso provavelmente iria assustá-los.

Na verdade, eu já me esquecera das pessoas no outro cômodo.

— É verdade. Droga.

Gustavo e Kaure moviam-se rapidamente pela casa enquanto eu esperava com impaciência que terminassem e tentava prestar atenção no felizes-para-sempre da tela. Estava começando a ficar com sono — embora, segundo Edward, tivesse dormido metade do dia — quando uma voz rude me sobressaltou. Edward se sentou, mantendo-me aninhada nele, e respondeu a Gustavo num português fluente. Gustavo assentiu e dirigiu-se rapidamente para a porta da frente.

— Eles terminaram — disse-me Edward.

— Então isso quer dizer que agora estamos sozinhos?

— Que tal almoçar primeiro? — ele sugeriu.

Mordi o lábio, dividida pelo dilema. Eu estava *mesmo* com fome.

Com um sorriso, ele pegou minha mão e me levou à cozinha. Conhecia meu rosto tão bem, que não importava que não conseguisse ler minha mente.

— Isso está fugindo do controle — eu me queixei quando finalmente me senti satisfeita.

— Quer nadar com os golfinhos esta tarde... queimar as calorias? — perguntou ele.

— Talvez depois. Tenho outra ideia para queimar calorias.

— E qual seria?

— Bom, ainda resta muito da cabeceira da cama...

Mas não terminei. Ele já havia me pegado nos braços, e seus lábios me silenciaram enquanto eu era carregada para o quarto azul a uma velocidade inumana.

7. INESPERADO

A FILA DE PRETO AVANÇAVA PARA MIM ATRAVÉS DO MANTO DE NÉvoa. Eu podia ver escuros olhos rubi cintilando de desejo, desejando matar. Lábios repuxados por sobre os dentes afiados — alguns para rosnar, outros, para sorrir.

Ouvi a criança atrás de mim choramingar, mas não consegui me virar para olhá-la. Embora estivesse desesperada para ter certeza de que ela estava segura, não podia perder o foco naquele momento.

Eles se aproximavam como fantasmas, os mantos pretos ondulando de leve com o movimento. Vi as mãos se curvarem como garras cor de osso. Começaram a se separar, e vinham de todos os lados. Estávamos cercados. Íamos morrer.

E, então, como o clarão de um flash, a cena toda ficou diferente. Sem, no entanto, que nada mudasse — os Volturi ainda nos vigiavam, preparados para matar. Só o que mudou de fato foi minha percepção do que estava acontecendo. De repente, eu ansiava por aquilo. Eu *queria* que eles atacassem. O pânico deu lugar ao desejo de sangue, enquanto eu me agachava para a frente, um sorriso no rosto, e um rosnado escapou entre os meus dentes expostos.

Sentei-me de repente, escapando em choque do sonho.

O quarto estava escuro. E também quente como uma sauna. O suor colava meu cabelo nas têmporas e escorria pelo pescoço.

Apalpei os lençóis quentes e os encontrei vazios.

— Edward?

Nesse momento, meus dedos encontraram alguma coisa lisa, plana e firme. Uma folha de papel, dobrada ao meio. Peguei o bilhete e tateei até encontrar o interruptor do quarto.

O bilhete estava endereçado na parte externa à Sra. Cullen.

*Espero que não acorde e perceba minha ausência,
mas, se acordar, voltarei logo. Fui caçar no continente.
Volte a dormir e estarei aí quando acordar novamente.
Eu amo você.*

Suspirei. Estávamos ali havia duas semanas, então eu devia esperar que ele tivesse de partir, mas não tinha pensado quando. Parecíamos estar fora do tempo naquela ilha, à deriva, num estado de perfeição.

Enxuguei o suor da testa. Sentia-me absolutamente desperta, embora o relógio na cômoda mostrasse que passava da uma hora da manhã. Eu sabia que não conseguiria dormir com tanto calor e pegajosa como estava. Para não mencionar o fato de que, se eu apagasse a luz e fechasse os olhos, certamente veria aquelas figuras de preto à espreita em minha cabeça.

Levantei-me e vaguei sem rumo pela casa escura, acendendo as luzes. Parecia muito grande e vazia sem Edward. Diferente.

Terminei na cozinha e concluí que talvez precisasse de uma comida caseira para me reconfortar.

Remexi na geladeira até encontrar todos os ingredientes para um frango frito. Os estalos e chiados na panela eram um som bom, agradável; eu me senti menos nervosa enquanto aquilo quebrava o silêncio.

O cheiro estava tão bom que comecei a comer direto da panela, e queimei a língua. Na quinta ou sexta mordida, porém, tinha esfriado o suficiente para que eu saboreasse. Mastiguei mais devagar. Havia algo estranho no sabor. Verifiquei a carne, e estava completamente branca, mas me perguntei se estava bem cozida. Experimentei outro pedaço; mastiguei duas vezes. Argh — sem dúvida estava ruim. Dei um salto para cuspir na pia. De repente, o cheiro de frango e óleo era repugnante. Peguei o prato e despejei aquilo no lixo, depois abri as janelas para me livrar do cheiro. Uma brisa fresca soprava. Dava uma sensação boa em minha pele.

De repente, eu me senti exausta, mas não queria voltar para o quarto quente. Então abri mais janelas na sala de tevê e me deitei no sofá embaixo delas. Botei o mesmo filme que tínhamos visto outro dia e rapidamente caí no sono com a música animada de abertura.

Quando abri os olhos de novo, o sol estava alto no céu, mas não foi a luz que me acordou. Braços frios me envolviam, puxando-me para si. Ao mesmo tempo, uma dor repentina retorcia meu estômago, quase como o choque depois de levar um soco na barriga.

— Desculpe — murmurava Edward enquanto passava a mão gélida por minha testa suada. — Tanto cuidado que tive! Não pensei em como você ficaria quente sem mim. Terei de instalar um ar-condicionado antes de sair de novo.

Eu não conseguia me concentrar no que ele dizia.

— Com licença! — arfei, lutando para me libertar de seus braços.

Ele me soltou automaticamente.

— Bella?

Disparei para o banheiro com a mão cobrindo a boca. Sentia-me tão mal que nem me importei — de início — que ele estivesse comigo enquanto eu me agachava diante da privada e vomitava violentamente.

— Bella? Qual é o problema?

Eu ainda não conseguia responder. Ele me segurava, ansioso, mantendo meu cabelo longe do rosto, esperando até que eu pudesse respirar de novo.

— Droga de frango estragado — gemi.

— Você está bem? — A voz dele era tensa.

— Estou — respondi, ofegante. — É só uma intoxicação alimentar. Você não precisa ver isso. Saia daqui.

— Nem pense nisso, Bella.

— Vá embora — tornei a gemer, lutando para me levantar e poder lavar a boca. Ele me ajudou delicadamente, ignorando os fracos empurrões com que eu tentava afastá-lo.

Depois que minha boca estava limpa, ele me carregou para a cama e me sentou com cuidado, escorando-me com os braços.

— Intoxicação alimentar?

— É — resmunguei. — Fiz um frango ontem à noite. O gosto estava ruim, então o joguei fora. Mas antes havia comido uns pedaços.

Ele pôs a mão fria em minha testa. A sensação era boa.

— Como se sente agora?

Pensei por um momento. A náusea tinha passado com a mesma rapidez com que surgira e eu me sentia como em qualquer outra manhã.

— Bem normal. Na verdade, com um pouco de fome.

Ele me fez esperar uma hora e beber um grande copo de água antes de fritar uns ovos para mim. Eu me sentia perfeitamente normal, só um pouco cansada por ter ficado acordada no meio da noite. Ele ligou a tevê no noticiário — estávamos tão desligados do mundo que se a Terceira Guerra Mundial tivesse estourado não saberíamos — e eu deitei sonolenta em seu colo.

Fiquei entediada com o noticiário e me virei para beijá-lo. Como pela manhã, uma dor aguda atingiu meu estômago quando me mexi. Eu me afastei de repente dele, a mão apertada sobre a boca. Sabia que não conseguiria chegar ao banheiro, então corri para a pia da cozinha.

Edward segurou meu cabelo de novo.

— Talvez devamos voltar ao Rio e procurar um médico — ele sugeriu, ansioso, enquanto eu lavava a boca depois de vomitar.

Sacudi a cabeça e fui para o corredor. Médicos significam agulhas.

— Vou ficar bem depois de escovar os dentes.

Quando minha boca estava com um gosto melhor, procurei em minha mala um kit de primeiros socorros que Alice preparara para mim, cheio de coisas humanas, como ataduras, analgésicos e — meu objetivo naquele momento — um antiácido. Talvez eu pudesse aquietar meu estômago e acalmar Edward.

Mas, antes que encontrasse o remédio, deparei com outra coisa que Alice empacotara para mim. Peguei a caixinha azul e a observei nas mãos por um longo tempo, esquecendo todo o resto.

Depois comecei a contar mentalmente. Uma. Duas vezes. De novo.

A batida me sobressaltou; a caixinha caiu na mala.

— Você está bem? — perguntou Edward através da porta. — Está enjoada de novo?

— Sim e não — eu disse, mas minha voz soou estrangulada.

— Bella? Posso entrar, por favor? — Agora ele estava preocupado.

— Tu... tudo bem.

Ele entrou e avaliou minha posição, sentada de pernas cruzadas no chão ao lado da mala, e minha expressão, vazia e fixa. Ele se sentou do meu lado, a mão indo imediatamente para minha testa.

— O que foi?

— Há quantos dias foi o casamento? — sussurrei.

— Dezessete — respondeu ele automaticamente. — Bella, o que foi?

Eu agora estava contando. Levantei um dedo, alertando-o para que esperasse, e murmurei os números comigo mesma. Eu me enganara em relação aos dias. Estávamos ali havia mais tempo do que eu pensava. Recomecei a contar.

— Bella! — ele sussurrou, insistindo. — Você está me deixando maluco.

Tentei engolir. Não funcionou. Então estendi a mão para a mala e vasculhei até encontrar de novo a caixinha azul de absorventes. Eu a ergui em silêncio.

Ele me fitou, confuso.

— O que é? Está achando que esse mal-estar é TPM?

— Não — consegui dizer, sufocada. — Não, Edward. Estou tentando dizer que minha menstruação está cinco dias atrasada.

Sua expressão não se alterou. Era como se eu não tivesse falado.

— Não acho que o que tenho seja intoxicação alimentar — acrescentei.

Ele não respondeu. Tinha se transformado numa escultura.

— Os sonhos — murmurei comigo mesma em uma voz monocórdia. — O sono excessivo. O choro. Toda essa comida. Ah! Ah! *Ah!*

O olhar de Edward parecia vidrado, como se ele não conseguisse mais me ver.

Por reflexo, quase involuntariamente, minha mão baixou para minha barriga.

— Ah! — exclamei novamente.

Levantei-me, escapulindo das mãos imóveis de Edward. Eu não havia tirado o short de seda e a camisola que vestira para dormir. Puxei o tecido azul e olhei minha barriga.

— Impossível — sussurrei.

Eu não tinha absolutamente nenhuma experiência com gravidez, bebês nem qualquer outra coisa do tipo, mas não era idiota. Vi muitos filmes e programas de tevê para saber que não era assim que funcionava. Só estava cinco dias atrasada. Se eu *estivesse* grávida, meu corpo ainda não teria registrado esse fato. Não teria enjoo matinal. Eu não teria mudado meus hábitos de sono e alimentação.

E eu, definitivamente, não teria um volume pequeno mas definido entre meus quadris.

Girei o tronco de um lado para o outro, examinando-o de cada ângulo, como se ele pudesse desaparecer na luz certa. Passei os dedos pela protuberância sutil, surpresa com a firmeza que sentia sob a pele.

— Impossível — repeti, porque, com ou sem volume na barriga, com ou sem menstruação (e não houve menstruação nenhuma, embora eu nunca tivesse atrasado um só dia na vida), não era possível eu estar *grávida*. A única pessoa com quem fiz sexo foi um vampiro, pelo amor de Deus!

Um vampiro que ainda estava paralisado no chão, sem dar sinais de que voltaria a se mexer.

Então, devia haver outra explicação. Algum problema comigo. Alguma doença da região com todos os sinais de gravidez, só que acelerados...

E nesse momento me lembrei de uma coisa — uma manhã que passei fazendo pesquisas na internet e que pareceu ter acontecido uma vida atrás. Sentada na velha mesa de meu quarto na casa de Charlie, com a claridade cinzenta brilhando fosca pela janela, olhando para meu computador velho e cheio de chiados, lendo avidamente um site chamado "Vampiros de A-Z". Menos de vinte e quatro horas haviam se passado desde que Jacob Black, tentando me divertir com as lendas quileutes em que ele ainda não acreditava, me contara que Edward era um vampiro. Percorri ansiosa as primeiras entradas do site, dedicado a mitos de vampiros de todo o mundo. O *Danag* filipino, o *Estrie* hebraico, os *Varacolaci* romenos, os *Stregoni benefici* italianos (uma lenda na verdade baseada nas primeiras façanhas de meu novo sogro com os Volturi, mas na época eu não sabia de nada disso)... À medida que as histórias iam se tornando mais implausíveis, eu prestava cada vez menos atenção. Elas pareciam, principalmente, justificativas imaginadas para explicar coisas como taxas de mortalidade infantil — e infidelidade. *Não, querida, eu não estou tendo um caso! Essa mulher sensual que você viu entrando de mansinho na casa era um súcubo do mal. Tenho sorte por ter escapado com vida!* (É claro que, com o que agora eu sabia sobre Tanya e suas irmãs, suspeitava de que algumas daquelas justificativas fossem nada mais do que a realidade.) Havia uma para as mulheres também. *Como pode me acusar de trair você — só porque chegou em casa de uma viagem de dois anos no mar e me encontrou grávida? Foi um íncubo. Ele me hipnotizou com seus poderes místicos de vampiro...*

Essa tinha sido parte da definição de íncubo — a capacidade de gerar filhos com sua presa indefesa.

Sacudi a cabeça, confusa. Mas...

Pensei em Esme e especialmente em Rosalie. Os vampiros não podiam ter filhos. Se isso fosse possível, a essa altura Rosalie teria encontrado um jeito. O mito do íncubo não passava de uma fábula.

A não ser que... Bom, *havia* uma diferença. É claro que Rosalie não podia conceber um filho porque ela estava paralisada no estado em que passara de humana para inumana. Totalmente imutável. E o corpo das mulheres humanas tinha de *mudar* para gerar filhos. Primeiro, a mudança constante de um ciclo menstrual e, depois, as grandes mudanças necessárias para acomodar uma criança em crescimento. O corpo de Rosalie não podia mudar.

Mas o meu podia. O meu mudava. Toquei o volume em minha barriga que não estava ali na véspera.

E os homens humanos — bom, eles permaneciam praticamente os mesmos da puberdade até a morte. Lembrei-me de uma informação banal, saída de Deus sabe onde: Charlie Chaplin estava com mais de 70 anos quando foi pai de seu filho caçula. Os homens não tinham coisas como anos férteis ou ciclos de fertilidade.

Evidentemente, como alguém saberia se um homem vampiro podia ser pai, se as parceiras deles não são capazes disso? Que vampiro na Terra teria o autocontrole necessário para testar a teoria com uma mulher humana? Ou a vontade?

Eu só conseguia pensar em um.

Parte de minha mente estava analisando informações, lembranças e especulações, enquanto outra — a parte que controlava a habilidade de mover até os menores músculos — estava estarrecida a ponto de não ser capaz de executar operações normais. Eu não conseguia mover os lábios para falar, embora quisesse pedir a Edward que explicasse, *por favor*, o que estava acontecendo. Eu precisava voltar ao lugar em que ele estava sentado, tocá-lo, mas meu corpo não obedecia às instruções. Eu só conseguia ver meus olhos chocados no espelho, meus dedos comprimindo com cuidado o volume em meu ventre.

E depois, como no vívido pesadelo que tivera na noite anterior, a cena de repente se transformou. Tudo o que vi no espelho parecia totalmente diferente, embora nada tivesse mudado *de fato*.

O que aconteceu para transformar tudo foi que um pequeno e suave toque atingiu minha mão — vindo de dentro do meu corpo.

No mesmo instante, o telefone de Edward tocou, estridente e exigente. Nenhum de nós se moveu. O aparelho tocava sem parar. Tentei me abstrair dele enquanto pressionava os dedos sobre a barriga, esperando. No espelho, minha expressão não era mais confusa — era agora maravilhada! Mal percebi quando as lágrimas estranhas e silenciosas começaram a descer por meu rosto.

O telefone ainda tocava. Eu queria que Edward atendesse — eu estava em um momento especial. Possivelmente, o maior de minha vida.

Trim! Trim! Triiim!

Por fim a irritação venceu todo o resto. Ajoelhei-me ao lado de Edward — vi-me agindo com mais cuidado, umas mil vezes mais consciente de cada movimento — e tateei seus bolsos até encontrar o telefone. De certa maneira, esperava que ele o pegasse para atender, mas ele continuou completamente imóvel.

Reconheci o número e pude adivinhar com facilidade por que ela estava ligando.

— Oi, Alice — eu disse. Minha voz não estava muito melhor do que antes. Pigarreei.

— Bella? Bella, você está bem?

— Estou. Hã. Carlisle está aí?

— Está. Qual é o problema?

— Eu não... tenho certeza... absoluta.

— Edward está bem? — perguntou ela, preocupada. Chamou Carlisle e indagou, antes que eu pudesse responder à primeira pergunta: — Por que ele não atendeu ao telefone?

— Não sei bem.

— Bella, o que está havendo? Eu acabo de ver...

— O que você viu?

Houve silêncio.

— Carlisle está aqui — disse ela por fim.

Senti como se água gelada tivesse sido injetada em minhas veias. Se Alice tivesse tido uma visão minha com uma criança de olhos verdes e cara de anjo nos braços, ela teria me respondido, não teria?

Enquanto eu esperava pela fração de segundo que Carlisle levou para falar, a visão que imaginei para Alice dançou atrás de minhas pálpebras. Um bebezinho lindo, ainda mais bonito do que o menino de meus sonhos — uma miniatura de Edward em meus braços. O calor voltou às minhas veias, afugentando o gelo.

— Bella, é Carlisle. O que está acontecendo?

— Eu... — Não sabia o que responder. Será que ele iria rir de minhas conclusões, dizer-me que eu estava louca? Que eu só estava tendo outro sonho? — Estou preocupada com Edward... Os vampiros podem entrar em estado de choque?

— Ele foi ferido? — A voz de Carlisle de repente era urgente.

— Não, não — eu o tranquilizei. — Só... pego de surpresa.

— Não estou entendendo, Bella.

— Eu acho... Bom, acho que... talvez... eu esteja... — respirei fundo. — Grávida.

Como se fosse para me reafirmar, houve outra cutucada muito sutil em meu abdome. Minha mão disparou para a barriga.

Depois de uma longa pausa, a formação médica de Carlisle entrou em cena.

— Quando foi o primeiro dia de seu último ciclo menstrual?

— Dezesseis dias antes do casamento. — Eu já havia feito as contas mentalmente muitas vezes, e podia responder com certeza.

— Como está se sentindo?

— Estranha — disse a ele, e minha voz falhou. Outra lágrima escorreu por meu rosto. — Vai parecer loucura... Olhe, eu sei que é meio cedo para isso. Talvez eu *esteja mesmo* louca. Mas estou tendo sonhos estranhos, comendo o tempo todo, chorando, vomitando e... e... Eu juro que alguma coisa *se mexeu* dentro de mim agora mesmo.

A cabeça de Edward se ergueu repentinamente.

Suspirei de alívio.

Edward estendeu a mão para o telefone, o rosto lívido e rígido.

— Hã, acho que Edward quer falar com você.

— Coloque-o na linha — disse Carlisle com a voz tensa.

Sem ter certeza de que Edward *pudesse* falar, pus-lhe o telefone na mão estendida.

Ele o comprimiu contra a orelha.

— Isso é possível? — sussurrou ele.

Então ouviu por um bom tempo, fitando o vazio.

— E Bella? — perguntou ele. Seu braço me envolveu enquanto ele falava, puxando-me para mais perto.

Ele escutou durante o que pareceu um longo tempo e depois disse:

— Sim. Sim, farei isso.

Edward afastou o fone da orelha e encerrou a ligação. Imediatamente discou outro número.

— O que Carlisle disse? — perguntei, impaciente.

Edward respondeu numa voz sem vida.

— Ele acha que você está grávida.

As palavras provocaram um tremor quente por minha coluna. O pequeno cutucador se agitou dentro de mim.

— Para quem está ligando agora? — perguntei enquanto ele colocava o telefone na orelha outra vez.

— Para o aeroporto. Vamos para casa.

Edward ficou ao telefone por mais de uma hora, sem intervalo. Imaginei que estivesse fazendo os preparativos para nosso voo para casa, mas não podia ter certeza, porque ele não falava inglês. Parecia que estava discutindo; ele falava entredentes.

Enquanto argumentava, ele fazia as malas. Girava pelo quarto feito um tornado furioso, deixando ordem e não destruição pelo caminho. Atirou uma muda de minhas roupas na cama sem olhar para elas — então pressupus que era hora de me vestir. Ele continuou com sua discussão enquanto eu trocava de roupa, gesticulando com movimentos súbitos e agitados.

Quando não consegui mais suportar a energia violenta que irradiava dele, saí em silêncio do quarto. Sua concentração maníaca me deixava enjoada — não como o enjoo matinal, mas era desagradável. Ia esperar em outro lugar até que aquele estado de espírito dele passasse. Eu não podia falar com aquele Edward gélido e concentrado que, sinceramente, me apavorava um pouco.

Mais uma vez, terminei na cozinha. Havia um saco de biscoitos na bancada. Comecei a comer distraidamente, olhando pela janela a areia, as pedras, as árvores e o mar, tudo brilhando ao sol.

Alguém me cutucou.

— Eu sei — eu disse. — Eu também não quero ir.

Olhei pela janela por um momento, mas o cutucador não respondeu.

— Não entendo — sussurrei. — O que há de *errado* aqui?

Surpreendente, é claro. Assombroso até; mas, *errado*?

Não.

Então, por que Edward estava tão *furioso*? Foi ele quem confessou que chegou a desejar um casamento forçado por uma gravidez.

Tentei raciocinar.

Talvez não fosse tão estranho que Edward quisesse que fôssemos para casa agora. Ele queria que Carlisle me examinasse, para ter certeza de que minha suposição era correta — embora àquela altura não houvesse nenhuma dúvida em minha mente. Talvez eles quisessem descobrir por que eu já estava *tão* grávida, com o volume, os cutucões e tudo mais. Isso não era normal.

Após pensar no assunto, tive certeza. Ele devia estar muito preocupado com o bebê. Eu não tinha chegado ao pânico ainda. Meu cérebro trabalhava mais lentamente que o dele — ainda estava maravilhado com o quadro que conjurara antes: o bebezinho com os olhos de Edward, verdes como eram quando ele era humano, deitado, perfeito e lindo, em meus braços. Eu esperava que ele tivesse exatamente o rosto de Edward, sem nenhuma interferência minha.

Era estranho como essa visão havia se tornado tão repentina e inteiramente necessária. A partir daquele pequeno toque, o mundo inteiro mudou. Onde antes havia só uma coisa sem a qual eu não poderia viver, agora eram duas. Não havia divisão — meu amor não estava dividido entre eles; não era assim. Era mais como se meu coração tivesse crescido, inchado até duas vezes seu tamanho. Todo o espaço extra já preenchido. O aumento era quase vertiginoso.

Eu nunca entendera realmente a dor e o ressentimento de Rosalie. Nunca me imaginara mãe; jamais quisera isso. Tinha sido fácil prometer a Edward que eu não me importava de abrir mão de filhos por ele, porque eu verdadeiramente não ligava. As crianças, em teoria, nunca tiveram apelo para mim. Pareciam criaturas barulhentas, quase sempre soltando alguma forma de gosma. Nunca tive muita ligação com elas. Quando sonhava que Renée me daria um irmão, sempre imaginava um irmão *mais velho*, alguém para cuidar de mim, não o contrário.

Essa criança, o filho de Edward, era uma história totalmente diferente.

Eu o queria como queria o ar para respirar. Não era uma opção — era uma necessidade.

Talvez eu simplesmente tivesse pouca imaginação. Talvez, por isso, tivesse sido incapaz de imaginar *como* eu gostaria de estar casada até depois de estar de fato — incapaz de ver que queria um filho até que um estivesse a caminho...

Enquanto colocava a mão na barriga, esperando pelo próximo cutucão, as lágrimas se derramaram de novo por meu rosto.

— Bella?

Eu me virei, preocupada com o tom de voz dele. Era frio demais, cuidadoso demais. Seu rosto combinava com a voz, vazio e rígido.

E, então, ele viu que eu estava chorando.

— Bella! — Ele atravessou o aposento num segundo e pôs as mãos em meu rosto. — Está sentindo dor?

— Não, não...

Ele me puxou para seu peito.

— Não tenha medo. Vamos estar em casa daqui a dezesseis horas. Você vai ficar bem. Carlisle estará preparado quando chegarmos lá. Vamos cuidar disso e você vai ficar bem, você vai ficar bem.

— Cuidar disso? O que quer dizer?

Ele se afastou e me olhou nos olhos.

— Vamos tirar essa coisa antes que possa ferir você. Não tenha medo. Eu *não* vou deixar que isso a machuque.

— Essa *coisa*? — repeti, ofegante.

Edward desviou os olhos rapidamente, fitando a porta da frente.

— Que droga! Esqueci que Gustavo vinha aqui hoje. Vou me livrar dele e volto logo.

Ele saiu em disparada da cozinha.

Agarrei a bancada para me apoiar. Meus joelhos tremiam.

Edward tinha chamado meu pequeno cutucador de *coisa*. E disse que Carlisle iria se livrar dele.

— Não — sussurrei.

Eu havia entendido tudo errado. Ele não se importava com o bebê. Queria *feri-lo*. A linda imagem em minha mente mudou de repente, transformada em algo sombrio. Meu bebê lindo chorando, meus braços sem força não bastavam para protegê-lo...

O que eu podia fazer? Conseguiria argumentar com eles? E se não conseguisse? Isso explicaria o estranho silêncio de Alice ao telefone? Seria isso o que ela vira? Edward e Carlisle matando a criança pálida e perfeita antes que ela pudesse viver?

— Não — sussurrei novamente, minha voz mais forte. Aquilo *não* poderia acontecer. Eu não permitiria.

Ouvi Edward falando em português de novo. Discutindo novamente. Sua voz ficou mais próxima e o ouvi grunhir, exasperado. Depois ouvi outra voz, baixa e tímida. Uma voz de mulher.

Ele entrou na cozinha antes dela e veio direto até mim. Enxugou minhas lágrimas e murmurou em meu ouvido através dos lábios finos que formavam uma linha rígida.

— Ela insiste em deixar a comida que trouxe... Ela fez nosso jantar. — Se ele estivesse menos tenso, menos furioso, eu sabia que teria revirado os olhos. — É uma desculpa... Ela quer ter certeza de que eu ainda não matei você. — Sua voz ficou fria como gelo no fim.

Kaure, com um prato coberto nas mãos, contornou, nervosa, a bancada. Eu queria poder falar português, ou que meu espanhol não fosse tão rudimentar, para tentar agradecer àquela mulher que se atreveu a irritar um vampiro só para ver como eu estava.

Seus olhos moviam-se rapidamente entre nós dois. Eu a vi avaliando a cor de meu rosto, a umidade nos olhos. Murmurando algo que não entendi, ela pôs o prato na bancada.

Edward disse-lhe alguma coisa; nunca o vira ser tão grosseiro. Ela se virou para se retirar e o movimento de sua saia comprida lançou o cheiro da comida em meu rosto. Era forte — cebola e peixe. A ânsia de vômito me fez correr para a pia. Senti as mãos de Edward em minha testa e ouvi seu murmúrio tranquilizador em meio ao rugido em meus ouvidos. Suas mãos desapareceram por um segundo e ouvi a porta da geladeira bater. Misericordiosamente, o cheiro desapareceu com o som, e as mãos de Edward estavam de novo frias em meu rosto pegajoso. Passou rapidamente.

Lavei a boca na torneira enquanto ele acariciava meu rosto.

Houve um cutucão vacilante em meu útero.

Está tudo bem. Nós estamos bem, disse em pensamento para o volume.

Edward me virou, puxando-me para seus braços. Pousei a cabeça em seu ombro. Minhas mãos, por instinto, cruzaram-se sobre minha barriga.

Ouvi um pequeno arquejo e ergui o olhar.

A mulher ainda estava ali, hesitando na soleira da porta com as mãos meio estendidas, como se estivesse procurando um modo de ajudar. Seus olhos estavam fixos em minhas mãos, esbugalhados pelo choque. Sua boca pendia escancarada.

Então Edward também arfou e em seguida virou-se para encarar a mulher, empurrando-me um pouco para trás de seu corpo. Seu braço envolveu meu tronco, como se ele estivesse me abraçando de costas.

De repente, Kaure estava gritando com ele — alto e furiosamente, as palavras ininteligíveis voando pela cozinha como facas. Ela ergueu o punho minúsculo no ar e avançou dois passos, agitando-o para ele. Apesar de sua ferocidade, era fácil ver o terror em seus olhos.

Edward também avançou, e eu agarrei seu braço, temendo pela mulher. Quando ele a interrompeu, porém, sua voz me pegou de surpresa, especialmente considerando a aspereza que ele havia demonstrado quando ela *não estava* gritando com ele. Agora a voz era baixa; suplicante. Não só isso, mas o som era diferente, mais gutural, sem cadência. Não me pareceu que ele ainda estivesse falando português.

Por um momento a mulher o fitou, surpresa; depois seus olhos se estreitaram enquanto ela gritava uma longa pergunta na mesma língua.

Vi o rosto dele ficar mais triste e sério, e ele assentiu. Ela recuou um passo e fez o sinal da cruz.

Ele estendeu a mão para ela, gesticulando em minha direção, e então pôs a mão em meu rosto. Ela respondeu com raiva novamente, agitando as mãos de modo acusador para Edward. Quando terminou, ele lhe suplicou novamente com a mesma voz baixa e urgente.

Sua expressão mudou — ela o fitava com dúvida enquanto ele falava, seus olhos repetidamente disparando para meu rosto confuso. Ele parou de falar e ela parecia estar pensando. Então, olhou de um lado para o outro, entre mim e ele, e, inconscientemente, ao que parecia, avançou um passo.

Ela fez um movimento com as mãos, imitando a forma de um balão inchando em sua barriga. Eu me assustei — será que suas lendas de predadores que bebiam sangue incluíam *isso*? Seria possível que ela soubesse alguma coisa sobre o que crescia dentro de mim?

Dessa vez ela avançou alguns passos decididos e fez algumas perguntas curtas, que ele respondeu tenso. Depois foi a vez de Edward fazer as perguntas — um interrogatório rápido. Ela hesitou e lentamente sacudiu a cabeça. Quando ele falou de novo, sua voz tinha tanta agonia que eu o olhei, chocada. Seu rosto estava exaurido de dor.

Em resposta, ela se aproximou lentamente até estar perto o bastante para colocar a pequena mão em cima da minha, sobre meu ventre. Então falou uma palavra em português.

— *Morte* — suspirou. Depois se virou, os ombros curvados como se a conversa a tivesse envelhecido, e saiu da cozinha.

Eu sabia espanhol o suficiente para entender essa palavra.

Edward estava paralisado de novo, vendo-a afastar-se com a expressão torturada fixa no rosto. Alguns segundos depois, ouvi o barulho de um motor de barco, que desapareceu na distância.

Edward só se mexeu quando fiz menção de ir para o banheiro. Depois sua mão pegou meu ombro.

— Aonde você vai? — A voz dele era um sussurro de dor.

— Escovar os dentes de novo.

— Não se preocupe com o que ela disse. São apenas lendas, mentiras antigas que só servem para distrair.

— Eu não entendi nada — disse a ele, embora não fosse inteiramente verdade. Como se eu pudesse desprezar qualquer coisa por ser só uma lenda. Minha vida estava cercada de lendas, e todas eram verdadeiras.

— Guardei sua escova de dentes. Vou pegar para você.

Ele foi na minha frente até o quarto.

— Vamos embora logo? — perguntei atrás dele.

— Assim que você terminar.

Ele esperou para guardar novamente minha escova, andando em silêncio pelo quarto. Entreguei-a a ele quando terminei.

— Vou levar as malas para o barco.

— Edward...

Ele se virou.

— Sim?

Hesitei, tentando pensar numa maneira de ficar alguns segundos sozinha.

— Poderia... levar alguma comida? Sabe como é, para o caso de eu sentir fome novamente.

— Claro — disse ele, os olhos suavizando-se de repente. — Não se preocupe com nada. Vamos encontrar Carlisle daqui a algumas horas. Isso tudo vai acabar logo.

Sem confiar em minha voz, apenas acenei com a cabeça.

Ele se virou e saiu do quarto, com uma mala grande em cada mão.

Eu girei e peguei o telefone que ele deixara na bancada. Era muito atípico de Edward esquecer coisas — esquecer que Gustavo estaria chegando, deixar o telefone ali. Ele estava tão estressado que parecia fora de si.

Abri o aparelho e percorri os números da agenda. Fiquei feliz por ele ter desligado o som, com medo de que me pegasse. Será que agora ele estaria no barco? Ou já estaria de volta? Ele me ouviria da cozinha se eu sussurrasse?

Encontrei o número que queria, um número para o qual nunca ligara na vida. Disquei e cruzei os dedos.

— Alô? — atendeu a voz de sinos de vento dourados.

— Rosalie? — sussurrei. — É Bella. Por favor. Você precisa me ajudar.

LIVRO DOIS

⋠ ⋡

jacob

SUMÁRIO

PRÓLOGO — 119

8. À ESPERA DE QUE A PORCARIA DA BRIGA COMECE — 120
9. MAS É CLARO QUE NÃO VI O QUE IA ACONTECER — 134
10. POR QUE EU NÃO DEI O FORA? AH, SIM, PORQUE SOU UM IDIOTA — 149
11. OS DOIS PRIMEIROS ITENS NA MINHA LISTA DE "COISAS QUE JAMAIS QUERO FAZER" — 165
12. ALGUMAS PESSOAS SIMPLESMENTE NÃO ENTENDEM O CONCEITO DE "INDESEJADO" — 178
13. AINDA BEM QUE EU TENHO ESTÔMAGO FORTE — 192
14. VOCÊ SABE QUE AS COISAS VÃO MAL QUANDO SE SENTE CULPADO POR SER GROSSEIRO COM VAMPIROS — 209
15. TIQUE-TAQUE, TIQUE-TAQUE, TIQUE-TAQUE — 222
16. PERIGO: EXCESSO DE INFORMAÇÃO — 238
17. EU TENHO CARA DE QUÊ? MÁGICO DE OZ? VOCÊ PRECISA DE UM CÉREBRO? PRECISA DE UM CORAÇÃO? PODE VIR. PEGUE O MEU. LEVE TUDO O QUE TENHO — 254
18. NÃO EXISTEM PALAVRAS PARA ISSO — 268

No entanto, para dizer a verdade, hoje em dia a razão e o amor quase não andam juntos.

William Shakespeare
Sonho de uma noite de verão
Ato III, Cena I

PRÓLOGO

A VIDA É UMA DROGA, E DEPOIS VOCÊ MORRE.

É, tivesse eu essa sorte...

8. À ESPERA DE QUE A PORCARIA DA BRIGA COMECE

— MEUS DEUS, PAUL, VOCÊ NÃO TEM A DROGA DA *SUA* CASA?

Paul, esticado no *meu* sofá, vendo algum jogo idiota de beisebol na porcaria da *minha* tevê, sorriu e depois — bem devagar — pegou um Doritos do saco em seu colo e colocou na boca.

— É melhor que você tenha trazido isso.

Mastiga.

— Não — disse ele enquanto comia. — Sua irmã disse para eu me servir do que eu quisesse.

Tentei fazer uma voz de quem não estava prestes a lhe dar um murro.

— Rachel está aqui agora?

Não deu certo. Ele percebeu aonde eu queria chegar e pôs o saco atrás das costas. O saco estalou enquanto era esmagado contra a almofada. Os salgados se despedaçaram. As mãos de Paul se fecharam em punhos, perto do rosto, como um boxeador.

— Pode vir, garoto, não preciso de Rachel para me proteger.

Eu bufei.

— Sei. Como se você não fosse gritar por ela na primeira oportunidade.

Ele riu e relaxou no sofá, baixando as mãos.

— Não vou fazer queixa para uma garota. Se você me acertasse, seria só entre nós dois. E vice-versa, certo?

Legal da parte dele me fazer o convite. Deixei meu corpo arriar, como se tivesse desistido.

— Certo.

Os olhos dele passaram para a tevê.

Ataquei.

Seu nariz produziu um som muito satisfatório de algo se quebrando quando meu punho fez contato. Ele tentou me agarrar, mas me desviei antes que conseguisse, o saco destruído de Doritos na minha mão esquerda.

— Você quebrou meu nariz, seu idiota.

— Só entre nós, não é, Paul?

Fui jogar os salgadinhos no lixo. Quando me virei, Paul estava pondo o nariz no lugar antes que pudesse ficar torto. O sangue já havia estancado; parecia que não tinha origem enquanto escorria pela boca e caía pelo queixo. Ele xingou, estremecendo ao puxar a cartilagem.

— Você é um saco, Jacob. Eu juro que prefiro ficar com Leah.

— Ai. Caramba, aposto que Leah vai adorar saber que você quer passar um tempo de qualidade com ela. Isso vai tirar as teias de seu coração.

— Você vai esquecer que eu disse isso.

— Claro. Tenho certeza de que não vou deixar escapulir.

— Argh! — ele grunhiu, e depois voltou a se acomodar no sofá, limpando o sangue que restava na gola da camiseta. — Você é rápido, garoto. Isso eu tenho de reconhecer. — Ele voltou a atenção para o jogo indistinto.

Fiquei parado ali por um segundo, depois fui para o meu quarto, murmurando algo sobre abduções alienígenas.

Antigamente, podia-se contar com Paul para uma boa briga o tempo todo. Na época, não era preciso bater nele — qualquer insulto brando daria resultado. Não era preciso grande coisa para fazê-lo perder o controle. Agora, é claro, quando eu realmente *queria* uma boa briga, com grunhidos, rasgões e árvores derrubadas, ele ficava todo meloso.

Já não era ruim o bastante que outro membro do bando tivesse sofrido *imprinting*? Francamente, agora eram quatro em dez! Quando é que aquilo ia parar? Mito idiota que devia ser *raro*, pelo amor de Deus! Toda essa história de amor-à-primeira-vista obrigatório era de dar náuseas!

Tinha de ser *minha* irmã? Tinha de ser *Paul*?

Quando Rachel voltou da Washington State no fim do semestre de verão — formou-se mais cedo, a nerd —, minha maior preocupação tinha sido a dificuldade que teria em guardar dela o segredo. Eu não estava acostumado a disfarçar as coisas em minha própria casa. Isso fizera com que eu me sentisse solidário com garotos como Embry e Collin, cujos pais não sabiam que eles eram lobisomens. A mãe de Embry pensava que ele estivesse passando por uma fase de rebeldia. Ele ficava permanentemente de castigo pelas fugas frequentes, mas é claro que não havia muito que ele pudesse fazer. Ela olhava o quarto dele toda noite, e toda noite o encontrava vazio. Ela gritava e ele ouvia em silêncio, depois tudo se repetia no dia seguinte. Tentamos conversar com Sam sobre dar uma folga a Embry e contar tudo à mãe dele, mas Embry disse que não se importava. O segredo era importante demais.

Eu estava preparado para guardar esse segredo. E, então, dois dias depois de Rachel vir para casa, Paul esbarrou com ela na praia. E, *bum!* — o amor verdadeiro. Nenhum segredo é necessário quando se encontra sua cara-metade, e toda aquela porcaria de *imprinting* de lobos.

Rachel soube da história toda. E eu terminei com Paul como cunhado. Sabia que Billy também não tinha gostado muito disso. Mas ele encarou o fato melhor do que eu. É claro, ele agora escapulia para a casa dos Clearwater com mais frequência que de costume. Eu não via como isso podia ser melhor. Nada de Paul, mas Leah demais.

Eu me perguntava: será que uma bala atravessando minha têmpora realmente me mataria, ou só deixaria uma sujeira danada para eu limpar?

Atirei-me na cama. Estava cansado — não dormia desde minha última patrulha —, mas sabia que não ia conseguir pegar no sono. Minha cabeça estava louca demais. Os pensamentos quicavam dentro de meu crânio como um enxame desordenado de abelhas. Barulhentas. De vez em quando, davam uma ferroada. Deviam ser vespas, não abelhas. As abelhas morrem depois de picar. E os mesmos pensamentos ficavam me picando sem parar.

A espera estava me deixando maluco. Já haviam se passado quase quatro semanas. Eu imaginava que de uma maneira ou de outra a notícia já teria chegado a essa altura. Ficava sentado à noite imaginando de que forma viria.

Charlie chorando ao telefone — Bella e o marido mortos em um acidente. Uma queda de avião? Isso seria difícil fingir. A não ser que os sanguessugas não se importassem de matar um monte de espectadores para dar autenticidade, e por que se importariam? Quem sabe um avião pequeno. Eles, provavelmente, tinham um desses sobrando.

Ou o assassino voltaria para casa sozinho, sem ter conseguido realizar sua tentativa de fazer dela um deles? Ou nem mesmo chegando a tentar. Talvez ele a tivesse esmagado como um saco de fritas no ímpeto de pegar algumas. Porque a vida dela era menos importante para ele do que o próprio prazer...

A história seria trágica — Bella perdida num acidente horrível. Vítima de um assalto que fugiu do controle. Sufocada com a comida do jantar. Um acidente de carro, como o de minha mãe. Tão comum. Acontecia o tempo todo.

Será que ele a traria para casa? Para enterrá-la aqui, por Charlie? Uma cerimônia de caixão lacrado, é claro. O caixão da minha mãe foi fechado com pregos...

Eu só podia esperar que ele voltasse para cá, ao meu alcance.

Talvez não houvesse história nenhuma. Talvez Charlie ligasse para perguntar ao meu pai se ele sabia de alguma coisa sobre o Dr. Cullen, que certo dia não apareceu para trabalhar. A casa abandonada. Nenhuma resposta em qualquer dos telefones dos Cullen. O mistério narrado em um noticiário de segunda classe, a suspeita de um golpe...

Talvez a grande casa branca fosse completamente queimada, com todos presos lá dentro. É claro que eles precisariam de cadáveres para essa opção. Oito humanos mais ou menos do tamanho certo. Carbonizados, sem que pudessem ser reconhecidos — nem com a ajuda de registros odontológicos.

Qualquer uma dessas hipóteses seria complicada — isto é, para mim. Seria difícil encontrá-los se eles não quisessem ser encontrados. É claro que eu tinha a eternidade para procurar. Quando se tem a eternidade, é possível verificar cada pedacinho de palha no palheiro, um por um, para ver se há uma agulha.

Naquele exato momento, eu não me importaria de desmantelar um palheiro. Pelo menos seria algo para *fazer*. Odiava saber que podia estar perdendo minha chance. Dando aos sanguessugas tempo para escapar, se fosse esse o plano deles.

Podíamos ir naquela noite. Podíamos matar cada um deles que encontrássemos.

Eu gostava desse plano porque conhecia Edward bem o bastante para saber que, se eu matasse alguém do bando dele, teria minha chance com ele também. Ele viria para se vingar. E eu o enfrentaria — não deixaria que meus irmãos o pegassem como uma alcateia. Seríamos só ele e eu. E que o melhor vencesse.

Mas Sam não queria ouvir falar disso. *Não vamos quebrar o tratado. Eles que o rompam*. Só porque não tínhamos provas de que os Cullen tinham feito algo errado. Ainda. Era preciso acrescentar o ainda, porque todos nós sabíamos que era inevitável. Bella ou ia voltar como um deles, ou não voltaria. De qualquer maneira, uma vida humana estaria perdida. E isso significava o início do jogo.

No outro cômodo, Paul gargalhava feito uma mula. Talvez ele tivesse mudado para uma comédia. Talvez o comercial fosse engraçado. Tanto fazia. Aquilo me dava nos nervos.

Pensei em quebrar o nariz dele de novo. Mas não era com Paul que eu queria brigar. Não mesmo.

Tentei ouvir os outros sons, o vento nas árvores. Não era a mesma coisa, não com ouvidos humanos. Havia um milhão de vozes no vento que eu não podia ouvir nesse corpo.

Mas esses ouvidos eram muito sensíveis. Eu podia ouvir além das árvores, na estrada, o som dos carros fazendo a última curva, onde por fim é possível ver a praia — a vista das ilhas, das rochas e do grande mar azul se estendendo até o horizonte. Os policiais de La Push gostavam de ficar por ali. Os turistas nunca viam a placa de redução do limite de velocidade do outro lado da estrada.

Eu podia ouvir as vozes do lado de fora da loja de presentes na praia. Podia ouvir o sino tocando quando a porta se abria e fechava. Podia ouvir a mãe de Embry no caixa, imprimindo um recibo.

Podia ouvir a maré contra as pedras da praia. Podia ouvir as crianças gritando quando a água gelada vinha rápido demais e elas não conseguiam fugir. Podia ouvir as mães reclamando das roupas molhadas. E podia ouvir uma voz conhecida...

Eu estava escutando com tanta atenção que a explosão súbita da gargalhada imbecil de Paul me fez pular da cama.

— Saia da minha casa — grunhi. Sabendo que ele não daria nenhuma atenção, segui meu próprio conselho. Abri a janela e pulei para os fundos, para não vê-lo de novo. Seria tentador demais. Eu sabia que bateria nele outra vez, e Rachel já ia ficar bastante irritada. Ela ia ver o sangue na camisa dele e me culparia na mesma hora, sem esperar pelas provas. É claro que ela estaria certa, mas ainda assim...

Andei até a praia com as mãos nos bolsos. Ninguém prestou atenção em mim quando passei pelo estacionamento sujo da First Beach. Essa era uma coisa boa do verão — ninguém se importava que você só estivesse de short.

Segui a voz conhecida que tinha ouvido e encontrei Quil com facilidade: estava no extremo sul do crescente, evitando a maior parte da multidão de turistas. Ele derramava um fluxo constante de advertências.

— Saia da água, Claire. Vamos. Não, isso não. Ah! *Que ótimo*, garota. É sério, quer que Emily grite comigo? Não vou trazer você para a praia de novo se você não... Ah, é? Não... ah! Acha que isso é engraçado, não é? Rá! Quem está rindo agora, hein?

Ele segurava a criança risonha pelo tornozelo quando os alcancei. Ela estava com um balde em uma das mãos e seu jeans estava ensopado. A camisa dele tinha uma enorme mancha molhada na frente.

— Cinco pratas pela menininha — eu disse.

— Oi, Jake.

Claire gritou e atirou o balde nos joelhos de Quil.

— Chão, chão!

Ele a colocou com cuidado de pé e ela correu para mim, abraçando minha perna.

— Tio Jay!

— Como é que está, Claire?

Ela riu.

— O Cuil tá *toooodo* moiado.

— Estou vendo. Onde está sua mãe?

— Foi boia, boia, boia — cantou Claire. — Caire bincou cum Cuil o dia toooodo. Caire num vai pa casa. — Ela me soltou e correu para Quil. Ele a pegou e a pendurou nos ombros.

— Parece que alguém chegou aos terríveis dois anos.

— Na verdade, três — corrigiu Quil. — Você perdeu a festa. Tema de princesa. Ela me obrigou a usar uma coroa, depois Emily sugeriu que todos experimentassem o novo kit de maquiagem em mim.

— Caramba, eu *lamento* mesmo não ter estado lá para ver.

— Não se preocupe, Emily tirou fotos. Na verdade, eu fiquei uma gata.

— Você é um otário.

Quil deu de ombros.

— Claire se divertiu. É isso o que interessa.

Eu revirei os olhos. Era difícil estar perto de gente *imprinted*. Independentemente da fase — prestes a colocar a aliança, como Sam, ou só uma babá maltratada, como Quil —, a paz e a certeza que eles sempre irradiavam eram de vomitar.

Claire gritou nos ombros dele e apontou para o chão.

— Pega peda, Cuil! Pa mim, pa mim!

— Qual, bebê? A vermelha?

— Vemeia não!

Quil se ajoelhou — Claire gritou e puxou os cabelos dele como se fossem as rédeas de um cavalo.

— A azul?

— Não, não, não... — cantarolou a menina, animada com o jogo novo.

O estranho era que Quil estava se divertindo tanto quanto ela. Ele não tinha aquela cara que se via em tantos pais e mães turistas — a cara de quando-será-a-hora-da-soneca? Eu nunca via um pai de verdade tão animado para brincar de qualquer coisa idiota que seu pestinha pudesse inventar. Já tinha visto Quil brincar de esconde-esconde por uma hora seguida sem se entediar.

E eu não conseguia gozar com a cara dele por isso — eu o invejava demais.

Mas pensava que era chato que ele tivesse uns bons catorze anos de vida de monge pela frente antes que Claire tivesse a idade dele — para Quil, pelo menos, era bom que os lobisomens não envelhecessem. Mas nem esse tempo todo parecia aborrecê-lo muito.

— Quil, você já pensou em namorar? — perguntei.

— Hein?

— Não, malela não! — gritou Claire.

— Você sabe. Uma garota de verdade. Quer dizer, só por enquanto, né? Nas suas noites de folga como babá.

Quil me encarou com a boca escancarada.

— Peda! Peda! — Claire gritou quando ele não lhe deu escolha. Ela bateu na cabeça dele com o punho pequenino.

— Desculpe, Clairzinha. Que tal essa roxa linda?

— Não — ela riu. — Loxa não.

— Me dê uma dica. Estou pedindo, menina.

Claire pensou.

— Vede — disse ela, por fim.

Quil olhou as pedras, examinando-as. Pegou quatro pedras de diferentes tons de verde e as estendeu para ela.

— Acertei?

— Ééé!

— Qual delas?

— *Toooooodinhas!*

Ela pôs as mãos em concha e ele colocou as quatro pedrinhas nelas. Claire riu e de imediato bateu na cabeça dele com as pedras. Ele encolheu-se teatralmente, ficou de pé e começou a voltar para o estacionamento. Provavelmente temendo que ela se resfriasse com as roupas molhadas. Ele era pior do que qualquer mãe paranoica e superprotetora.

— Desculpe se eu estava pressionando demais antes, cara, sobre a história da garota — eu disse.

— Não, tudo bem — disse Quil. — É que me pegou de surpresa. Eu não tinha pensado nisso.

— Aposto que ela iria entender. Sabe como é, quando estiver adulta. Não iria ficar zangada por você ter vivido um pouco enquanto ela estava de fraldas.

— Não, eu sei. Tenho certeza de que entenderia isso.

Ele não disse mais nada.

— Mas você não vai fazer, vai? — supus.

— Eu não vejo — disse ele em voz baixa. — Nem consigo imaginar. Eu simplesmente não... vejo ninguém dessa maneira. Não percebo mais as garotas, sabia? Não vejo mais os rostos delas.

— Junte isso à tiara e à maquiagem e talvez Claire vá ter um tipo diferente de competição com que se preocupar.

Quil riu e mandou beijos para mim.

— Está disponível na sexta, Jacob?

— Vai esperando — eu disse, depois fiz uma careta. — É, acho que estou.

Ele hesitou por um segundo e disse:

— Já pensou em namorar?

Suspirei. Acho que mereci essa.

— Sabe de uma coisa, Jake? Talvez você devesse pensar em viver um pouco.

Ele não disse isso como piada. A voz era solidária. O que piorava tudo.

— Eu também não as vejo, Quil. Não vejo os rostos delas.

Quil também suspirou.

Longe, baixo demais para que alguém além de nós dois ouvisse acima das ondas, um uivo se elevou na floresta.

— Droga, é Sam — disse Quil. As mãos dele voaram para tocar Claire, como para se assegurar de que ainda estivesse ali. — Não sei onde está a mãe dela!

— Vou ver o que é. Se precisarmos de você, eu chamo. — Eu atropelei as palavras, que pareceram ininteligíveis juntas. — Ei, por que não leva Claire para a casa dos Clearwater? Sue e Billy podem cuidar dela, se for preciso. Eles podem saber o que está acontecendo, de qualquer forma.

— Tudo bem... Dê o fora daqui, Jake!

Saí correndo, não pela trilha de terra que atravessava a cerca viva, mas na linha mais curta para a floresta. Saltei a primeira fila de madeira na areia e disparei pelas urzes, ainda correndo. Senti as pequenas fisgadas enquanto os espinhos cortavam minha pele, mas as ignorei. As feridas estariam curadas antes que eu chegasse às árvores.

Cortei caminho atrás da loja e disparei pela estrada. Alguém buzinou para mim. Uma vez na segurança das árvores, corri mais rápido, dando passadas mais longas. As pessoas ficariam olhando se eu estivesse em campo aberto. Pessoas normais não corriam daquele jeito. Às vezes, eu achava que seria divertido entrar numa corrida — sabe, como os Jogos Olímpicos ou coisa assim. Seria legal ver a expressão daqueles astros do atletismo quando eu passasse voando por eles. Só que eu tinha certeza de que os exames que faziam para se certificar de que você não usa esteroides provavelmente mostrariam algo assustadoramente estranho em meu sangue.

Assim que me vi na floresta de verdade, sem estradas ou casas beirando-a, parei e tirei o short. Com movimentos rápidos e treinados, enrolei-o e o amarrei na corda de couro no meu tornozelo. Ainda estava puxando as pontas quando comecei a me transformar. O fogo descia por minha coluna, provocando espasmos em meus braços e pernas. Só levou um segundo. O calor tomou conta de mim e senti o tremor silencioso que me transformava em outra coisa. As patas pesadas foram de encontro à terra e estiquei o dorso, comprido e ondulante.

A metamorfose era muito fácil quando eu estava concentrado assim. Eu não tinha mais problemas com meu temperamento. A não ser quando era provocado.

Por meio segundo lembrei do momento horrível naquela abominável piada de casamento. Tinha ficado tão louco de fúria que não consegui controlar meu corpo. Eu fora apanhado numa armadilha, tremendo e ardendo, incapaz de me transformar e matar o monstro a pouca distância de mim. Fora muito perturbador. Morto de vontade de matá-lo. Com medo de machucá-la. Meus amigos no meio do caminho. E depois, quando finalmente consegui assumir a forma que eu queria, a ordem de meu líder. O edito do alfa. Se fossem só Embry e Quil ali naquela noite, sem Sam... Será que eu teria conseguido matar o assassino, então?

Eu odiava quando Sam impunha a lei daquele jeito. Odiava o sentimento de não ter alternativa. Ou de ter de obedecer.

E depois tomei consciência da plateia. Eu não estava sozinho em meus pensamentos.

Tão absorto em si mesmo o tempo todo, pensou Leah.

É, sem hipocrisia, Leah, pensei.

Chega, meninos, disse-nos Sam.

Ficamos em silêncio, e senti que Leah estremecia com a palavra *meninos*. Sensível, como sempre.

Sam fingiu não perceber. *Onde estão Quil e Jared?*

Quil está com Claire, foi levá-la para a casa dos Clearwater.
Ótimo. Sue vai cuidar dela.
Jared foi para a casa de Kim, pensou Embry. *É provável que não tenha ouvido você.*

Um gemido baixo percorreu o bando. Eu gemi junto com eles. Quando Jared finalmente aparecesse, sem dúvida ainda estaria pensando em Kim. E naquele momento ninguém queria uma reprise do que eles estavam prestes a fazer.

Sam sentou-se nas patas traseiras e soltou outro uivo dilacerante no ar. Era ao mesmo tempo um sinal e uma ordem.

O bando estava reunido a poucos quilômetros a leste de onde eu estava. Saltei pela floresta densa na direção deles. Leah, Embry e Paul também seguiam para lá. Leah estava perto — logo pude ouvir seus passos não muito longe no bosque. Continuamos em linha paralela, preferindo não correr juntos.

Bom, não vamos esperar o dia todo por ele. Ele terá de nos alcançar depois.
Que foi, chefe?, Paul queria saber.
Precisamos conversar. Aconteceu uma coisa.

Senti os pensamentos de Sam dispararem para mim — e não só os de Sam, mas também os de Seth, Collin e Brady. Collin e Brady — os garotos novos — estiveram correndo em patrulha com Sam naquele dia, então eles sabiam o mesmo que Sam. Eu não sabia por que Seth já estava ali, e informado. Não era a vez dele.

Seth, conte a eles o que você soube.

Eu acelerei, querendo chegar lá. Ouvi Leah se mover mais rápido também. Ela odiava ser ultrapassada. Ser a mais rápida era a única vantagem que podia alegar.

Alegue isso, idiota, sibilou ela, e depois realmente acelerou. Eu cravei minhas unhas na terra e me lancei para a frente.

Sam não parecia estar com humor para aturar nossas bobagens de sempre.
Jake, Leah, deem um tempo.

Nenhum dos dois desacelerou.

Sam grunhiu, mas deixou passar. *Seth?*
Charlie andou ligando até encontrar Billy na minha casa.
É, eu falei com ele, acrescentou Paul.

Senti um choque percorrer meu corpo quando Seth pensou no nome de Charlie. Chegara a hora. A espera terminara. Corri mais rápido, obrigando-me a respirar, embora meus pulmões de repente parecessem contraídos.

Qual seria a história?

Ele está todo agitado. Acho que Edward e Bella voltaram para casa na semana passada e...

Meu peito se aliviou.

Ela estava viva. Ou pelo menos não estava morta *morta*.

Eu não tinha percebido como isso faria diferença para mim. Estive pensando nela como morta o tempo todo, e só vi isso ali. Vi que nunca tinha acreditado que ele a traria de volta viva. Não devia importar, porque eu sabia o que viria a seguir.

É, mano, e aqui está a má notícia. Charlie falou com ela, disse que ela parecia mal. Ela disse a ele que estava doente. Carlisle pegou o telefone e falou que Bella tinha contraído uma doença rara durante a lua de mel. Falou que estava de quarentena. Charlie ficou louco, porque nem ele podia vê-la. Disse que não ligava que ela estivesse doente, mas Carlisle não cedeu. Nada de visitas. Disse a Charlie que é muito grave, mas que ele está fazendo tudo o que é possível. Charlie ficou remoendo isso por dias, mas só ligou para Billy agora. Disse que a voz dela parecia pior hoje.

Quando Seth terminou, o silêncio mental foi profundo. Todos nós entendemos.

Então ela ia morrer dessa doença, pelo que Charlie sabia. Será que deixariam que ele visse o cadáver? O corpo branco, lívido, completamente imóvel, sem respirar? Eles não podiam deixar que ele tocasse a pele fria — ele podia perceber como era dura. Eles teriam de esperar até que ela pudesse se controlar, para não matar Charlie e os outros no velório. Mas quanto tempo isso levaria?

Será que a enterrariam? Ela conseguiria cavar para sair ou os sanguessugas iriam buscá-la?

Os outros ouviam minhas especulações em silêncio. Eu pensara muito mais no assunto do que qualquer um deles.

Leah e eu entramos na clareira quase ao mesmo tempo. Mas ela estava certa de que tinha chegado na frente. Ela caiu sobre as patas traseiras ao lado do irmão enquanto eu segui em frente, para ficar do lado direito de Sam. Paul contornou e abriu espaço para mim.

Venci de novo, pensou Leah, mas eu mal a ouvia.

Perguntei-me por que eu era o único de pé. Meu pelo estava eriçado nos ombros, arrepiado de impaciência.

Bom, o que estamos esperando?, perguntei.

Ninguém disse nada, mas ouvi seus sentimentos de hesitação.

Ah, tenha dó! O tratado foi rompido!

Não temos prova... Talvez ela esteja mesmo doente.

AH, FRANCAMENTE!

Tudo bem, então as evidências circunstanciais são muito fortes; ainda assim... Jacob. O pensamento de Sam chegou lento e hesitante. *Tem certeza de que é isso o que você quer? É realmente a coisa certa? Todos sabemos o que ela queria.*

O tratado não menciona nada sobre a vontade da vítima, Sam!

Ela é mesmo uma vítima? Você a rotularia dessa maneira?

Sim!

Jake, pensou Seth, *eles não são nossos inimigos.*

Cale a boca, garoto! Só porque você tem uma espécie de veneração doentia por aquele sanguessuga, isso não muda a lei. Eles são nossos inimigos. Eles estão em nosso território. Vamos acabar com eles. Não ligo se você se divertiu lutando junto com Edward Cullen uma vez.

Então, o que você vai fazer quando Bella lutar com eles, Jacob? Hein?, perguntou Seth.

Ela não é mais a Bella.

E é você que vai acabar com ela?

Não consegui deixar de tremer.

Não, você não. E aí? Vai obrigar um de nós a fazer isso? E depois guardar rancor dele para sempre?

Eu não ia...

Claro que não. Você não está preparado para essa briga, Jacob.

O instinto me dominou e eu me agachei, rosnando para o lobo desajeitado e cor de areia do outro lado da roda.

Jacob!, alertou Sam. *Seth, cale a boca por um segundo.*

Seth assentiu com a cabeça grande.

Droga, o que foi que eu perdi?, pensou Quil. Ele estava correndo à toda para o lugar de reunião. *Ouvi sobre o telefonema de Charlie...*

Estamos nos preparando para ir, eu disse a ele. *Por que não passa na casa de Kim e arrasta Jared de lá com os dentes? Vamos precisar de todos.*

Venha direto para cá, Quil, ordenou Sam. *Ainda não decidimos nada.*

Eu grunhi.

Jacob, tenho de pensar no que é melhor para este bando. Tenho de decidir pelo curso que proteja melhor todos vocês. Os tempos mudaram desde que nossos ancestrais fizeram esse tratado. Eu... bem, sinceramente não acredito que os Cullen sejam um perigo para nós. E sabemos que eles não ficarão aqui por muito tempo. Certamente, depois que contarem sua história, vão desaparecer. Nossa vida pode voltar ao normal.

Normal?

Se nós os desafiarmos, Jacob, eles se defenderão muito bem.

Está com medo?

Você está pronto para perder um irmão? Ele parou. *Ou uma irmã?*, acrescentou.

Não tenho medo de morrer.

Eu sei disso, Jacob. É um motivo para eu questionar sua capacidade de julgamento nesse caso.

Fitei seus olhos escuros. *Você pretende honrar o tratado de nossos pais ou não?*

Eu honro meu bando. Faço o que é melhor para eles.

Covarde.

Seu focinho se contraiu, recuando sobre os dentes.

Chega, Jacob. Você é minoria. A voz mental de Sam mudou, assumiu um timbre estranho e duplo que não podíamos desobedecer. A voz do alfa. Ele olhou nos olhos de todos os lobos na roda.

O bando não vai atacar os Cullen sem um motivo. O espírito do tratado permanece. Eles não são um perigo para nosso povo, nem para o povo de Forks. Bella Swan tomou uma decisão consciente, e não vamos punir nossos antigos aliados por sua decisão.

Apoiado, apoiado, pensou Seth com entusiasmo.

Pensei ter dito que se calasse, Seth.

Epa, desculpe, Sam.

Jacob, aonde pensa que vai?

Deixei o círculo, movendo-me para oeste a fim de ficar de costas para Sam. *Vou me despedir de meu pai. Ao que parece, não tem sentido continuar por aqui.*

Ah, Jake... Não faça isso de novo!

Cale a boca, Seth, pensaram várias vozes juntas.

Não queremos que você vá embora, disse-me Sam, o pensamento mais suave do que antes.

Então me obrigue a ficar, Sam. Tire de mim minha vontade. Me torne um escravizado.

Sabe que não vou fazer isso.

Então, não há mais nada a dizer.

Corri para longe deles, tentando ao máximo não pensar no que faria a seguir. Em vez disso, concentrei-me na lembrança dos longos meses como lobo, de ter deixado que a humanidade saísse de mim até que me tornasse mais animal que humano. Vivendo o momento, comendo quando tinha fome, dormindo quando estava cansado, bebendo quando tinha sede, e correndo — correndo só por correr. Desejos simples, respostas simples para esses desejos. A dor vinha em formas mais fáceis de administrar. A dor da fome. A dor do gelo sob as patas. A dor das garras cortantes quando a presa lutava. Cada dor tinha uma resposta simples, uma ação simples para interrompê-la.

Não era como ser humano.

No entanto, assim que estava bem próximo para correr normalmente, passei para meu corpo humano. Precisava poder pensar com privacidade.

Desamarrei o short e o vesti, já correndo para casa.

Eu tinha conseguido. Escondera o que estava pensando e agora era tarde demais para que Sam me impedisse. Agora ele não podia me ouvir.

Sam tinha deixado a ordem muito clara. O bando não atacaria os Cullen. Tudo bem.

Não mencionou alguém agindo sozinho.

Não, o bando não ia atacar ninguém naquele dia.

Mas eu, sim.

9. MAS É CLARO QUE NÃO VI O QUE IA ACONTECER

EU NÃO PRETENDIA REALMENTE ME DESPEDIR DE MEU PAI.

Afinal, uma rápida ligação para Sam, e o jogo estaria terminado. Eles me interceptariam e me obrigariam a voltar. Provavelmente, tentariam me deixar com raiva, ou até me ferir — de algum modo me obrigariam a me transformar para que Sam pudesse decretar uma nova lei.

Mas Billy esperava por mim, sabia que eu estaria um pouco desnorteado. Estava no jardim, sentado em sua cadeira de rodas, com os olhos fixos bem no ponto onde eu surgi entre as árvores. Vi-o avaliar a direção que eu tomava — passando direto pela casa até minha oficina.

— Tem um minuto, Jake?

Parei. Olhei para ele e depois para a oficina.

— Venha, garoto. Pelo menos me ajude a entrar.

Trinquei os dentes, mas concluí que era mais provável que ele me causasse problemas com Sam se eu não o enrolasse por alguns minutos.

— Desde quando você precisa de ajuda, velho?

Ele deu sua risada de trovão.

— Meus braços estão cansados. Vim na cadeira da casa de Sue até aqui.

— É uma descida. Você deslizou o caminho todo.

Empurrei a cadeira pela pequena rampa que fiz para ele, até a sala de estar.

— Você me pegou. Acho que cheguei a 50 por hora. Foi ótimo.

— Vai acabar estragando essa cadeira. E depois vai ficar se arrastando por aí pelos cotovelos.

— De jeito nenhum. Será sua tarefa me carregar.

— Então você não irá a muitos lugares.

Billy pôs as mãos nas rodas e girou o tronco para a geladeira.

— Sobrou alguma comida?

— Agora me pegou. Paul ficou o dia todo aqui, então é provável que não.

Billy suspirou.

— Temos de começar a esconder as compras, se não quisermos passar fome.

— Diga a Rachel que fique na casa dele.

O tom de piada de Billy desapareceu e seus olhos se suavizaram.

— Só a temos em casa há algumas semanas. É a primeira vez que ela vem aqui em muito tempo. É difícil... As meninas eram mais velhas do que você quando sua mãe morreu. Elas têm mais dificuldade de ficar nesta casa.

— Eu sei.

Rebecca não aparecia em casa desde que se casara, embora tivesse uma boa desculpa. As passagens de avião do Havaí eram muito caras. A Washington State ficava bem perto para Rachel não ter a mesma desculpa. Ela fez cursos em todos os semestres de verão, trabalhou dois turnos nas férias em uma lanchonete no *campus*. Se não fosse por Paul, era provável que novamente tivesse ido logo embora. Talvez por isso Billy não o expulsava.

— Bem, vou trabalhar numas coisas... — E segui para a porta da frente.

— Espere, Jake. Vai me contar o que aconteceu? Ou eu tenho de ligar para Sam para me informar?

Fiquei parado de costas para ele, escondendo meu rosto.

— Não aconteceu nada. Sam deixou passar. Acho que agora todos somos um bando de amiguinhos de sanguessugas.

— Jake...

— Não quero falar sobre isso.

— Você vai embora, filho?

A sala ficou em silêncio por um bom tempo enquanto eu decidia como dizer aquilo.

— Rachel pode ter o quarto dela de volta. Eu sei que ela odeia aquele colchão de ar.

— Ela prefere dormir no chão a perder você. E eu também.

Eu bufei.

— Jacob, por favor. Se você precisa de... um tempo, bem, tire-o. Mas não tão longo de novo. Volte.

— Talvez. Talvez minha deixa sejam os casamentos. Uma aparição especial no de Sam, depois no de Rachel. Mas Jared e Kim podem vir primeiro. Provavelmente, seria melhor eu ter um terno ou coisa assim.

— Jake, olhe para mim.

Virei-me devagar.

— O que foi?

Ele me fitou nos olhos por um longo minuto.

— Para onde você vai?

— Não tenho um lugar específico em mente.

Inclinou a cabeça e seus olhos se estreitaram.

— Não tem?

Nós nos encaramos. Os segundos passavam.

— Jacob — disse ele. Sua voz era tensa. — Jacob, não. Não vale a pena.

— Não sei do que você está falando.

— Deixe Bella e os Cullen em paz. Sam tem razão.

Olhei em seus olhos por um segundo, depois atravessei a sala em duas passadas longas. Peguei o telefone e desconectei o cabo da tomada. Enrolei o cabo cinza na palma da mão.

— Tchau, pai.

— Jake, espere... — gritou ele, mas eu já estava do lado de fora, correndo.

A moto não era tão rápida quanto correr, mas era mais discreta. Imaginei quanto tempo levaria para Billy ir em sua cadeira até a loja e ligar para alguém que mandasse um recado a Sam. Apostava que Sam ainda estaria na forma de lobo. O problema seria se Paul voltasse para nossa casa logo. Ele poderia se transformar em um segundo e informar a Sam o que eu ia fazer...

Não ia me preocupar com aquilo. Eu iria o mais rápido possível, e se eles me pegassem, resolveria o problema quando chegasse a hora.

Dei a partida na moto e logo seguia disparado pela rua enlameada. Não olhei para trás quando passei pela casa.

A estrada estava movimentada com o trânsito de turistas; costurei entre os carros, ganhando um monte de buzinadas e alguns dedos do meio. Peguei a entrada para a 101 a mais de 110km/h, sem me incomodar em olhar. Tive de seguir pela contramão por um minuto para não ser atingido por uma minivan. Não que isso fosse me matar, mas me atrasaria. Ossos quebrados — os grandes, pelo menos — levam *dias* para curar completamente, e eu tinha boas razões para saber disso.

A via expressa estava um pouco mais vazia, e acelerei a moto para 130km/h. Não toquei o freio até me aproximar da entrada estreita; imaginei que então estivesse seguro. Sam não iria tão longe para me impedir. Era tarde demais.

Foi só nesse momento — quando tive certeza de que conseguira — que comecei a pensar no que exatamente iria fazer. Reduzi para 30km/h, contornando pelas árvores com mais cuidado do que precisava.

Sabia que eles me ouviriam chegando, com ou sem moto, então o fator surpresa estava fora de cogitação. Não havia como disfarçar minhas intenções. Edward ouviria meus planos assim que eu estivesse perto. Talvez ele já pudesse ouvir. Mas pensei que ainda assim funcionaria, porque eu tinha seu ego a meu favor. Ele iria *querer* lutar comigo sozinho.

Assim, eu simplesmente chegaria, veria eu mesmo a preciosa prova de Sam, e então desafiaria Edward para um duelo.

Bufei. O parasita, provavelmente, se divertiria com a dramaticidade daquilo.

Quando acabasse com ele, pegaria tantos deles quantos pudesse, antes de eles me pegarem. Hmmm — imaginei se Sam consideraria minha morte uma *provocação*. Provavelmente diria que tive o que merecia. Não iria querer ofender a droga de seus grandes amigos sanguessugas.

O caminho se abria na campina, e o cheiro me atingiu como um tomate podre na cara. Vampiros fedorentos. Meu estômago começou a revirar. Seria difícil suportar o fedor daquele jeito — sem estar diluído pelo cheiro de humanos, como aconteceu na outra vez em que fora ali —, embora não fosse tão ruim quanto poderia ser com meu olfato de lobo.

Eu não tinha certeza do que esperar, mas não havia sinal de vida na grande cripta branca. É claro que eles sabiam que eu estava ali.

Desliguei o motor e escutei o silêncio. Agora eu podia ouvir murmúrios tensos e coléricos logo do outro lado das grandes portas duplas. Alguém estava em casa. Ouvi meu nome e sorri, feliz por pensar que estava lhes causando algum estresse.

Tomei uma grande golfada de ar — seria ainda pior lá dentro — e subi a escada da varanda em um só pulo.

A porta se abriu antes que meu punho a tocasse, e o médico ficou parado na soleira, os olhos graves.

— Olá, Jacob — disse ele, mais calmo do que eu teria esperado. — Como vai você?

Respirei fundo pela boca. O fedor que saía pela porta era opressor.

Fiquei decepcionado que Carlisle tivesse atendido. Preferiria que Edward fosse à porta, de presas expostas. Carlisle era tão... *humano* ou algo parecido. Talvez fossem as visitas domiciliares que ele me fez na primavera anterior, quando me arrebentei. Mas me deixou pouco à vontade olhá-lo no rosto e saber que, se possível, pretendia matá-lo.

— Soube que Bella voltou viva — eu disse.

— Ah! Jacob, esta não é a melhor hora para isso. — O médico também parecia pouco à vontade, mas não como eu esperava. — Podemos deixar isso para mais tarde?

Eu o encarei, desnorteado. Ele estava pedindo para adiar a luta mortal para uma hora mais conveniente?

E depois ouvi a voz de Bella, falhando e rouca, e não consegui pensar em mais nada.

— Por que não? — ela perguntava a alguém. — Vamos guardar segredo de Jacob também? Que sentido tem?

Sua voz não era o que eu esperava. Tentei me lembrar da voz dos vampiros jovens com quem tínhamos lutado na primavera, mas só o que eu registrara foram rosnados. Talvez aqueles recém-criados também não tivessem o som penetrante e claro dos mais velhos. Talvez todos os vampiros novos soassem roucos.

— Entre, por favor, Jacob — disse Bella, mais alto.

Os olhos de Carlisle se estreitaram.

Imaginei se Bella estaria com sede. Meus olhos se estreitaram também.

— Com licença — eu disse ao médico ao passar por ele. Foi difícil; dar as costas a um deles contrariava todos os meus instintos. Mas não era impossível. Se havia um vampiro confiável, era aquele líder estranhamente gentil.

Eu ficaria longe de Carlisle quando a luta começasse. Havia um número suficiente deles para matar sem incluí-lo.

Entrei na casa andando de lado, mantendo as costas na parede. Meus olhos percorreram a sala — estava diferente. Da última vez em que fora ali, estava inteiramente decorada para uma festa. Agora tudo era claro e pálido. Inclusive os seis vampiros agrupados de pé perto do sofá branco.

Estavam todos ali, todos juntos, mas não foi isso o que me deixou paralisado e fez meu queixo cair.

Foi Edward. Foi a expressão em seu rosto.

Eu já o vira com raiva, já o vira arrogante e, uma vez, o vira sofrendo. Mas aquilo — aquilo estava além da agonia. Seu olhar estava quase enlouquecido.

Ele não ergueu a cabeça para me fuzilar com os olhos. Fitava o sofá ao lado com a expressão de alguém em quem se houvesse ateado fogo. Suas mãos eram garras rígidas ao lado do corpo.

Nem consegui desfrutar a angústia dele. Só conseguia pensar em uma coisa que o faria ficar daquele jeito, e meus olhos seguiram os dele.

Eu a vi no mesmo momento em que senti seu cheiro.

Seu cheiro quente, limpo e humano.

Bella estava meio escondida por trás do braço do sofá, enroscada em posição fetal, os braços ao redor dos joelhos. Por um longo segundo não consegui enxergar nada além de que ela ainda era a Bella que eu amava, a pele ainda de pêssego-claro e macia, os olhos ainda cor de chocolate. Meu coração martelou uma batida estranha e irregular, e me perguntei se aquilo era algum devaneio do qual estava prestes a acordar.

Então eu a vi realmente.

Havia olheiras fundas, círculos escuros em torno dos olhos que se destacavam porque o rosto estava completamente exausto. Será que estava mais magra? Sua pele parecia esticada — como se as maçãs do rosto pudessem rompê-la. A maior parte do cabelo escuro estava afastada do rosto e presa em um nó desarrumado, mas algumas mechas grudavam em sua testa e no pescoço, na camada de suor que lhe cobria a pele. Havia algo em seus dedos e nos pulsos que os fazia parecer assustadoramente frágeis.

Ela *estava mesmo* doente. Muito doente.

Não era mentira. A história que Charlie contara a Billy não era invenção. Enquanto eu olhava, de olhos arregalados, sua pele assumiu um tom verde pálido.

A sanguessuga loura — a exibida, Rosalie — curvou-se, bloqueando minha visão, pairando sobre ela de uma forma estranha e protetora.

Aquilo estava errado. Eu sabia como Bella se sentia com relação a quase tudo — seus pensamentos eram óbvios demais; às vezes, era como se estivessem impressos em sua testa. Então ela não precisava me contar todos os detalhes de uma situação para me fazer entender. Eu sabia que Bella não gostava de Rosalie. Vira isso nos seus lábios quando falava dela. Bella não só não gostava de Rosalie. Ela tinha *medo* de Rosalie. Pelo menos antes.

Não havia medo quando Bella olhou para ela, ali. Sua expressão era... de quem se desculpava ou coisa assim. Então Rosalie pegou uma bacia no chão e a segurou sob o queixo de Bella bem a tempo para que ela vomitasse ruidosamente.

Edward caiu de joelhos ao lado de Bella — os olhos completamente torturados — e Rosalie ergueu a mão, advertindo-o para que se afastasse.

Nada daquilo fazia sentido.

Quando conseguiu levantar a cabeça, Bella me dirigiu um sorriso fraco, meio constrangido.

— Me desculpe por isso — ela sussurrou.

Edward gemeu muito baixo. Sua cabeça tombou nos joelhos de Bella. Ela pôs uma das mãos em seu rosto. Como se *o* estivesse reconfortando.

Não percebi que minhas pernas haviam me levado para a frente até que Rosalie sibilou, surgindo de repente entre mim e o sofá. Ela era como uma pessoa numa tela de tevê. Eu não me importava que estivesse ali. Ela não parecia real.

— Rose, não — sussurrou Bella. — Está tudo bem.

A loura saiu do meu caminho, embora eu soubesse que odiara ter de fazer aquilo. Lançando-me um olhar mal-humorado, agachou-se junto à cabeça de Bella, pronta para saltar. Ela era mais fácil de ignorar do que eu jamais teria imaginado.

— Bella, qual é o problema? — sussurrei. E, sem pensar, estava de joelhos também, inclinando-me sobre as costas do sofá e diante do... marido dela. Ele não pareceu dar por minha presença, e eu mal olhei para ele. Estendi o braço para a mão livre de Bella, pegando-a nas minhas. Sua pele estava gelada. — Está tudo bem?

Era uma pergunta idiota. Ela não respondeu.

— Estou tão feliz por você ter vindo me ver hoje, Jacob — disse ela.

Embora eu soubesse que Edward não podia ouvir os pensamentos dela, ele pareceu ouvir alguma nuance que eu não consegui. Ele tornou a gemer, afundando o rosto na manta que a cobria, e ela afagou-lhe o rosto.

— O que é, Bella? — insisti, envolvendo seus dedos frios e frágeis com as minhas mãos.

Em vez de responder, ela olhou em torno da sala como se procurasse alguma coisa, com um olhar ao mesmo tempo de súplica e advertência. Seis pares de olhos amarelos e ansiosos a fitaram. Por fim, ela se virou para Rosalie.

— Ajude-me a levantar, Rose — pediu ela.

Os lábios de Rosalie se repuxaram sobre os dentes, e ela me fuzilou com os olhos como se quisesse cortar minha garganta. Eu tinha certeza de que esse era exatamente o caso.

— Por favor, Rose.

A loura fez uma careta, mas inclinou-se sobre ela novamente, ao lado de Edward, que não se moveu um centímetro sequer. Ela pôs o braço com cuidado nas costas de Bella.

— Não — sussurrei. — Não se levante...

Ela parecia muito fraca.

— Estou respondendo à sua pergunta — rebateu ela, e isso pareceu um pouco mais com o modo como costumava falar comigo.

Rosalie puxou Bella do sofá. Edward ficou onde estava, vergando-se para a frente até enterrar o rosto nas almofadas. A manta caiu aos pés de Bella.

O corpo dela estava inchado; o tronco parecia um balão, de uma forma estranha e doentia. Deixava esticado o moletom cinza desbotado que era grande demais para seus ombros e braços. O restante do corpo parecia mais magro, como se o grande volume tivesse tomado forma a partir do que sugou dela. Precisei de um segundo para perceber o que era a parte deformada — só entendi quando ela cruzou as mãos ternamente sobre a barriga inchada, uma acima e outra abaixo. Como se a estivesse ninando.

E então eu vi, mas ainda não conseguia acreditar. Eu a tinha visto havia apenas um mês. Não era possível que estivesse grávida. Não grávida *daquele jeito*.

Só que ela estava.

Eu não queria ver, não queria pensar naquilo. Não queria imaginá-lo dentro dela. Não queria saber que uma coisa que eu odiava tanto tinha criado raízes no corpo que eu amava. Meu estômago se revirou e tive de engolir o vômito.

Mas era pior do que isso, muito pior. Seu corpo distorcido, os ossos salientes sob a pele do rosto. Eu só podia imaginar que sua aparência fosse aquela — tão grávida, tão doente — porque o que quer que estivesse dentro dela estava usando sua vida para se alimentar...

Porque era um monstro. Exatamente como o pai.

Eu sempre soube que ele a mataria.

A cabeça dele se ergueu de repente enquanto ele ouvia as palavras dentro da minha. Em um segundo estávamos os dois de joelhos, no outro ele estava de pé, assomando acima de mim. Seus olhos eram de uma escuridão inexpressiva, os círculos sob eles de um roxo escuro.

— Lá fora, Jacob — rosnou ele.

Eu também me pus de pé. Olhando-o de cima. Era por isso que eu estava ali.

— Vamos resolver isso — concordei.

O grandão, Emmett, avançou do outro lado de Edward, com o de aparência faminta, Jasper, bem atrás dele. Eu não ligava. Talvez meu bando pudesse limpar a sujeira quando eles terminassem comigo. Talvez não. Isso não importava.

Por uma mínima fração de segundo meus olhos pousaram nas duas de pé ao fundo. Esme. Alice. Pequenas e perturbadoramente femininas. Bem, eu tinha certeza de que os outros me matariam antes que eu tivesse de fazer alguma coisa a elas. Eu não queria matar mulheres... mesmo que fossem vampiras.

Mas eu podia abrir uma exceção para a loura.

— Não — disse Bella, ofegante, e cambaleou para a frente, sem equilíbrio, para agarrar o braço de Edward. Rosalie se moveu com ela, como se uma corrente as unisse.

— Eu só preciso conversar com ele, Bella — disse Edward em voz baixa, falando somente com ela. Ele tocou seu rosto e o afagou.

Aquilo tingiu a sala de vermelho, me fez ver fogo — depois de tudo o que fizera a ela, ainda tinha permissão para tocá-la daquela maneira.

— Não se canse — continuou ele, suplicante. — Repouse, por favor. Estaremos os dois de volta daqui a alguns minutos.

Ela olhou seu rosto, lendo-o com cuidado. Depois assentiu e se deixou cair no sofá. Rosalie a ajudou a se recostar nas almofadas. Bella me fitava, tentando prender meu olhar.

— Comportem-se — insistiu ela. — E depois voltem.

Não respondi. Naquele dia eu não estava fazendo nenhuma promessa. Desviei os olhos e segui Edward, saindo pela porta da frente.

Uma voz fortuita e deslocada em minha cabeça observou que separá-lo do bando não tinha sido tão difícil, tinha?

Ele continuou andando, sem em nenhum momento checar se eu estava prestes a saltar sobre suas costas desprotegidas. Supus que ele não precisava olhar. Saberia quando eu decidisse atacar. O que significava que eu tinha de tomar a decisão com muita rapidez.

— Ainda não estou pronto para você me matar, Jacob Black — sussurrou ele enquanto se afastava rapidamente da casa. — Terá de ter um pouco de paciência.

Como se eu me importasse com seu cronograma. Grunhi baixo.

— A paciência não é o meu forte.

Ele continuou andando, talvez uns duzentos metros pelo caminho que levava a casa, e eu o segui de perto. Meu corpo inteiro fervia e meus dedos tremiam. Tenso, pronto e à espera.

Ele parou de repente e virou-se de frente para mim. Sua expressão me paralisou de novo.

Por um segundo eu era só um garoto — um garoto que tinha morado a vida toda na mesma cidadezinha. Só uma criança. Porque eu sabia que teria de viver muito mais, sofrer muito mais, para chegar a entender a agonia abrasadora nos olhos de Edward.

Ele ergueu a mão como se fosse enxugar o suor da testa, mas seus dedos arranharam o rosto como se quisessem arrancar a pele de granito. Seus olhos ardiam nas órbitas, fora de foco, ou vendo coisas que não estavam ali. Sua boca se abriu como se ele estivesse prestes a gritar, mas nada saiu dela.

Aquele era o rosto que teria um homem que estivesse ardendo na fogueira.

Por um momento, não consegui falar; aquele rosto era real demais — eu vira uma sombra dele na casa, vira nos olhos de Bella e nos dele, mas aquilo tornava tudo definitivo. O último prego no caixão dela.

— Aquilo a está matando, não está? Ela está morrendo.

E eu sabia, quando falei, que meu rosto era um eco enfraquecido do dele. Mais brando, diferente, porque eu ainda estava em choque. Ainda não absorvera o que tinha acontecido — era tudo rápido demais. Ele tivera tempo para entender. E era diferente, pois eu já a perdera tantas vezes, de tantas maneiras, em minha mente. E diferente porque ela nunca foi realmente minha, para que eu a pudesse perder.

E diferente porque aquilo não era minha culpa.

— Minha culpa — sussurrou Edward, e seus joelhos cederam. Ele se curvou na minha frente, vulnerável, o alvo mais fácil que se podia imaginar.

Mas eu me senti frio feito neve — não havia fogo em mim.

— Sim — gemeu ele para a terra, como se estivesse confessando para o chão. — Sim, aquilo a está matando.

Sua impotência me irritou. Eu queria uma luta, não uma execução. Onde estava a superioridade presunçosa dele agora?

— Então por que Carlisle não faz nada? — rosnei. — Ele é médico, não é? Tirem aquilo dela.

Ele me olhou e respondeu, numa voz cansada. Como se estivesse explicando algo pela décima vez a uma criança de jardim de infância.

— Ela não vai permitir.

Precisei de um minuto para absorver as palavras. Meu Deus, não se podia esperar outra coisa dela. É claro, morrer pelo filho do monstro. Aquilo era tão *Bella*...

— Você a conhece bem — sussurrou ele. — Você viu com rapidez... o que eu não vi. Não a tempo. Ela não falou comigo a caminho de casa, não mesmo. Pensei que estivesse com medo... Isso seria natural. Pensei que estivesse com raiva de mim por fazê-la passar por isso, por arriscar sua vida. De novo. Nunca imaginei o que ela realmente estava pensando, o que estava *planejando*. Não até minha família nos encontrar no aeroporto e ela correr diretamente para os braços de Rosalie. De Rosalie! E então ouvi o que Rosalie estava pensando. Só entendi quando ouvi aquilo. E no entanto *você* entendeu depois de um segundo...

Ele meio suspirava, meio gemia.

— Espere aí um segundo. Ela não vai *permitir*? — O sarcasmo era ácido em minha língua. — Já percebeu que ela é tão forte quanto qualquer menina humana normal de cinquenta quilos? Vocês, vampiros, são idiotas? Segurem-na e a derrubem com drogas.

— Eu quis fazer isso — sussurrou ele. — Carlisle teria...

O quê, são nobres demais para isso?

— Não. Nobres, não. A guarda-costas dela complicou as coisas.

Ah! A história dele não tinha feito muito sentido antes, mas agora tudo se encaixava. Então era o que a Loura estava aprontando. Mas que interesse ela teria naquilo? Será que a rainha da beleza queria tanto assim que Bella morresse?

— Talvez — disse ele. — Rosalie não parece ver as coisas dessa forma.

— Então pegue a loura primeiro. Sua gente pode se recompor, não é? Façam ela em pedaços e cuidem de Bella.

— Emmett e Esme a estão apoiando. Emmett nunca nos deixaria... Carlisle não vai me ajudar se Esme estiver contra...

A voz dele falhou, foi sumindo.

— Devia ter deixado Bella comigo.

— Sim.

Mas era tarde para isso. Talvez ele devesse ter pensado em tudo *antes* de tê-la engravidado do monstro sugador de vida.

Ele me olhou de dentro de seu inferno pessoal e pude ver que concordava comigo.

— Não sabíamos — disse ele, as palavras baixas como um suspiro. — Eu nunca imaginei. Nunca houve nada como Bella e eu antes. Como poderíamos saber que uma humana seria capaz de conceber o filho de um de nós?

— Já que a humana deveria ser dilacerada no processo?

— Sim — ele concordou num sussurro tenso. — Eles estão por aí, os sádicos, o íncubo, o súcubo. Existem. Mas a sedução é apenas um prelúdio para o banquete. Ninguém *sobrevive*. — Ele sacudiu a cabeça como se a ideia o revoltasse. Como se ele fosse diferente.

— Não sabia que tinham um nome especial para o que você é — cuspi.

Ele me fitou com um rosto que parecia ter mil anos.

— Nem você, Jacob Black, pode me odiar tanto quanto eu me odeio.

Errado, pensei, furioso demais para falar.

— Matar-me agora não irá salvá-la — disse ele em voz baixa.

— E o que a salvará?

— Jacob, você precisa fazer algo por mim.

— Uma *ova* que vou fazer, parasita!

Ele continuou me fitando com os olhos meio cansados, meio loucos.

— Por ela?

Trinquei os dentes com força.

— Fiz tudo o que pude para mantê-la longe de você. Tudo. É tarde demais.

— Você a conhece, Jacob. Vocês se conectam num nível que eu nem sequer compreendo. Você faz parte dela e ela faz parte de você. Ela não me ouve, porque acha que a estou subestimando. Pensa que é bastante forte para isso... — Ele engasgou, e depois engoliu. — Talvez ouça você.

— Por que ouviria?

Ele se levantou, os olhos ardendo mais do que antes, mais desvairados. Imaginei se ele realmente estava ficando louco. Os vampiros podiam perder o juízo?

— Talvez — ele respondeu ao meu pensamento. — Não sei. Parece que sim. — Ele sacudiu a cabeça. — Tenho de tentar esconder isso na frente dela, porque o estresse a deixa mais doente. Ela já não consegue manter nada no estômago. Tenho de ficar calmo; não posso dificultar tudo. Mas agora isso não importa. Ela precisa ouvir você!

— Não há nada que eu possa dizer a ela, que você não tenha dito. O que quer que eu faça? Dizer que ela é idiota? Ela provavelmente já sabe disso. Dizer que vai morrer? Aposto que ela sabe também.

— Você pode oferecer o que ela quer.

O que ele dizia não fazia sentido nenhum. Seria parte da loucura?

— Não me importo com nada, a não ser mantê-la viva — disse ele, de repente concentrado. — Se é um filho o que ela quer, ela pode ter. Pode ter meia dúzia de bebês. Qualquer coisa. — Ele parou por um instante. — Ela pode ter cachorrinhos, se for preciso.

Ele encontrou meu olhar por um momento, e seu rosto estava frenético sob a fina camada de controle. Minha expressão de mau humor se desfez enquanto eu processava aquelas palavras, e senti que minha boca se abria em choque.

— Mas não assim! — sibilou ele antes que eu pudesse me recuperar. — Não essa *coisa* que está sugando a vida dela enquanto eu fico ali, impotente! Vendo-a adoecer e definhar. Vendo que aquilo a está *machucando*. — Ele respirou fundo, rápido, como se alguém tivesse lhe dado um soco na barriga. — Você *precisa* fazê-la ver a razão, Jacob. Ela não me ouve mais. Rosalie sempre está ali, alimentando sua insanidade... encorajando-a. Protegendo-a. Não: protegendo a *coisa*. A vida de Bella não significa nada para ela.

O ruído que veio da minha garganta deu a impressão de que eu estava sufocando.

O que ele estava dizendo? Que Bella devia o quê? Ter um filho? *Comigo?* O quê? Como? Ele estava abrindo mão dela? Ou achava que ela não se importaria de ser partilhada?

— Tanto faz. Desde que a mantenha viva.

— Essa é a coisa mais doida que você já disse — murmurei.

— Ela ama você.

— Não o bastante.

— Está pronta para morrer para ter um filho. Talvez aceite algo menos radical.

— Você não a conhece mesmo?

— Eu sei, eu sei. Será preciso muita persuasão. É por isso que preciso de você. Você sabe como ela pensa. Faça com que veja a razão.

Eu não conseguia pensar no que ele estava sugerindo. Era demais. Impossível. Errado. Doentio. Pegar Bella emprestada nos fins de semana e devolver na segunda de manhã, como um filme alugado? Totalmente insano.

Tão tentador!

Eu não queria cogitar a hipótese, não queria imaginar, mas as imagens vinham, de qualquer forma. Eu tivera esse tipo de fantasia com Bella tantas vezes, na época em que havia a possibilidade de um *nós*, e ainda muito depois de ter ficado claro que as fantasias só deixariam feridas inflamadas porque não havia possibilidade, nem a mais remota. Eu não fora capaz de me reprimir na época. Não conseguiria me deter agora. Bella em *meus* braços, Bella suspirando o *meu* nome...

Pior ainda, essa nova imagem que eu nunca tivera, uma imagem que de modo algum deveria existir para mim. Ainda não. Uma imagem pela qual eu sabia que não iria sofrer *anos a fio* se ele não a tivesse colocado na minha mente. Mas ela se prendeu ali, lançando fios pelo meu cérebro como erva daninha — venenosa e impossível de matar. Bella, saudável e radiante, tão diferente de agora, mas de certo modo a mesma: seu corpo nada distorcido, modificado de uma forma natural. Redondo com *meu* filho.

Tentei escapar do veneno em minha mente.

— Fazer *Bella* ver a razão? Em que universo você vive?

— Ao menos tente.

Sacudi a cabeça com rapidez. Ele esperou, ignorando a resposta negativa, pois podia ouvir o conflito em meus pensamentos.

— De onde veio essa besteira psicótica? Você está inventando enquanto fala?

— Não tenho pensado em nada que não sejam maneiras de salvá-la desde que percebi o que ela planejava fazer. O que ela morreria para fazer. Mas eu não sabia como entrar em contato com você. Sabia que você não me ouviria se telefonasse. Teria de encontrar você logo, se não viesse hoje. Mas é difícil deixá-la, mesmo que por alguns minutos. O estado dela... muda rápido demais. A coisa está... crescendo. Rapidamente. Não posso ficar longe agora.

— O que *é* a coisa?

— Nenhum de nós tem a menor ideia. Mas é mais forte do que ela. Já é assim.

De repente eu podia ver — ver o monstro inchando em minha mente, rompendo-a de dentro para fora.

— Me ajude a impedir — sussurrou ele. — Me ajude a evitar que isso aconteça.

— *Como?* Oferecendo meus serviços de garanhão? — Ele nem piscou quando falei isso, mas eu sim. — Você é mesmo doente. Ela jamais dará ouvidos a isso.

— Tente. Não há nada a perder agora. Que mal isso fará?

Fará mal a mim. Já não fui bastante rejeitado por Bella sem isso?

— Um pouco de dor para salvá-la? É um custo tão alto assim?

— Mas não vai dar certo.

— Talvez não. Mas talvez a deixe confusa. Talvez ela vacile em sua decisão. Um momento de dúvida é tudo de que preciso.

— E depois você puxa o tapete sob a oferta? "É brincadeirinha, Bella"?

— Se ela quiser um filho, é o que terá. Não vou desistir.

Eu nem acreditava que estivesse pensando naquilo. Bella ia me socar — não que eu me importasse com isso, mas provavelmente quebraria a mão dela de novo. Eu não deveria deixar que ele falasse comigo, que me confundisse. Deveria matá-lo ali.

— Agora não — sussurrou ele. — Ainda não. Certo ou errado, isso a destruiria, e você sabe disso. Não precisa ter pressa. Se ela não lhe der ouvidos, você terá sua chance. No momento em que o coração de Bella parar de bater, vou implorar que me mate.

— Não será preciso pedir por muito tempo.

A sugestão de um sorriso cansado repuxou o canto de sua boca.

— Estou contando com isso.

— Então, temos um acordo.

Ele assentiu e estendeu a fria mão de pedra.

Engolindo minha repulsa, peguei-a. Meus dedos se fecharam em volta da rocha e sacudi a mão uma vez.

— Fechado — aquiesci.

10. POR QUE EU NÃO DEI O FORA? AH, SIM, PORQUE SOU UM IDIOTA

EU ME SENTIA... NÃO SEI COMO ME SENTIA. NÃO PARECIA REAL. Como se eu estivesse numa versão gótica de um seriado de tevê ruim. Em vez de ser o atleta prestes a convidar a chefe de torcida para o baile, eu era o lobisomem que tinha perdido o jogo pronto para chamar a mulher do vampiro para fazer sexo e procriar. Que legal!

Não, eu não faria isso. Era degradante, e era errado. Iria me esquecer de tudo o que ele disse.

Mas eu conversaria com ela. Tentaria fazê-la me ouvir.

E ela não ouviria. Como sempre.

Edward não respondeu nem comentou meus pensamentos enquanto seguia na minha frente de volta à casa. Fiquei pensando sobre o lugar onde ele escolhera parar. Seria bastante longe da casa para que os outros não pudessem ouvir seus sussurros? O motivo era esse?

Talvez. Quando passamos pela porta, os olhos dos outros Cullen estavam desconfiados e confusos. Ninguém parecia enojado ou revoltado. Então, eles não deviam ter ouvido nenhum dos favores que Edward me pedira.

Hesitei na porta aberta, sem saber o que fazer. Ali estava melhor, com um pouco de ar respirável vindo de fora.

Edward foi para o meio do grupo, os ombros rígidos. Bella o olhava com ansiedade e seus olhos desviaram-se para mim por um segundo. Depois ela o observou novamente.

O rosto dela adquiriu uma palidez cinzenta, e pude ver o que ele quis dizer sobre o estresse fazê-la sentir-se pior.

— Vamos deixar que Bella e Jacob conversem em particular — disse Edward. Não havia inflexão nenhuma na voz dele. Como um robô.

— Só sobre minhas cinzas — sibilou Rosalie.

Ela ainda pairava sobre a cabeça de Bella, com uma das mãos frias pousada possessivamente no rosto encovado de Bella.

Edward não olhou para ela.

— Bella — disse ele no mesmo tom vazio. — Jacob quer conversar com você. Tem medo de ficar sozinha com ele?

Bella me olhou, confusa. Depois olhou para Rosalie.

— Rose, está tudo bem. Jake não vai nos machucar. Vá com Edward.

— Pode ser um truque — alertou a loura.

— Não vejo como — disse Bella.

— Carlisle e eu ficaremos o tempo todo em seu campo de visão, Rosalie — disse Edward. A voz sem emoção falhava, demonstrando raiva. — É de nós que ela tem medo.

— Não — sussurrou Bella. Seus olhos brilhavam, as pálpebras molhadas. — Não, Edward, eu não...

Ele sacudiu a cabeça, sorrindo um pouco. O sorriso era doloroso de ver.

— Eu não quis dizer dessa maneira, Bella. Estou bem. Não se preocupe comigo.

Repugnante. Ele tinha razão — ela se martirizava por magoar os sentimentos dele. A garota era uma mártir clássica. Tinha mesmo nascido no século errado. Deveria ter vivido no passado, quando poderia ter se atirado aos leões por uma boa causa.

— Todos — disse Edward, a mão rigidamente indicando a porta. — Por favor.

A compostura que ele tentava manter para Bella era instável. Eu podia ver quanto ele estava perto do homem ardendo em chamas que tinha sido lá fora. Os outros viram isso também. Em silêncio, passaram pela porta enquanto eu saía do caminho. Eles andavam rápido; com duas batidas do meu coração a sala estava vazia, exceto por Rosalie, que hesitava, e Edward, que ainda esperava à porta.

— Rose — disse Bella baixinho. — Eu quero que você vá.

A loura fuzilou Edward com os olhos e gesticulou para que ele saísse primeiro. Ele desapareceu pela porta e ela me lançou um longo olhar de alerta, depois desapareceu também.

Quando ficamos a sós, atravessei a sala e me sentei no chão ao lado de Bella. Peguei suas mãos frias, esfregando-as com cuidado.

— Obrigada, Jake. Isso é bom.

— Não vou mentir, Bells. Você está horrível.

— Eu sei. — Ela suspirou. — Estou de dar medo.

— Como o monstro do pântano — concordei.

Ela riu.

— É tão bom ter você aqui. É bom sorrir. Não sei quanto drama mais eu posso suportar.

Revirei os olhos.

— Eu sei, eu sei — ela concordou. — Eu mesma provoquei isso.

— É, provocou mesmo. O que está pensando, Bells? Fale sério!

— Ele pediu a você para gritar comigo?

— Mais ou menos. Mas nem imagino por que ele acha que você me ouviria. Você nunca me ouviu.

Ela suspirou.

— Eu te disse... — comecei.

— Você não sabe que "Eu te disse" tem um irmão, Jacob? — perguntou ela, interrompendo-me. — O nome dele é "Cala essa boca".

— Essa é boa.

Ela sorriu para mim. A pele se esticou sobre os ossos.

— Não posso ficar com o crédito... Tirei de uma reprise dos *Simpsons*.

— Perdi esse.

— Foi engraçado.

Não falamos nada por um minuto. As mãos dela começavam a se aquecer um pouco.

— Ele realmente pediu que você conversasse comigo?

Fiz que sim.

— Para colocar algum juízo na sua cabeça. *Está aí* uma batalha que já começa perdida.

— Então, por que você concordou?

Não respondi. Eu não sabia bem por quê.

Mas de uma coisa eu sabia: cada segundo que eu passava com ela só iria aumentar a dor que eu sentiria depois. Como um viciado com seu suprimento limitado, o dia do ajuste de contas estava chegando. Quanto mais doses eu tomasse agora, mais difícil seria quando meu estoque acabasse.

— Vai dar certo, você sabe? — disse ela depois de um minuto em silêncio. — Eu acredito nisso.

Isso me fez ver vermelho de novo.

— A burrice é um dos sintomas? — rebati.

Ela riu, embora minha raiva fosse tão real que minhas mãos tremiam em torno das dela.

— Talvez — respondeu ela. — Não estou dizendo que as coisas vão se resolver *facilmente*, Jake. Mas como eu poderia ter vivido tudo o que vivi e, a essa altura, não acreditar em magia?

— *Magia?*

— Especialmente para você — disse. Ela sorria. Livrou uma das mãos e a colocou em meu rosto. Mais quente que antes, mas ainda fria em minha pele, como a maioria das coisas. — Mais do que qualquer outro, você tem uma magia esperando para tornar sua vida certa.

— De que bobagem está falando?

Ela continuava sorrindo.

— Edward uma vez me contou como era... a história do *imprinting*. Ele disse que era como em *Sonho de uma noite de verão*, como magia. Você vai encontrar quem procura de fato, Jacob, e talvez, então, tudo isso vá fazer sentido.

Se ela não parecesse tão frágil, eu estaria rosnando.

Naquela situação, o que fiz *foi* grunhir.

— Se acha que o *imprinting* pode dar algum sentido a essa *insanidade*... — Eu lutava para encontrar as palavras. — Você acha realmente que só porque um dia eu posso ter *imprinting* com uma estranha isso passaria a ser certo? — Apontei para seu corpo inchado. — Me diga que sentido tem, Bella! Que sentido tem eu amar você? Que sentido tem *você* amar *a ele*? Quando você morrer — as palavras eram um rosnado —, como é que vai ficar tudo certo? Que sentido tem toda essa dor? A minha, a sua, a dele! Você o está matando também, não que eu me importe com isso. — Ela se encolheu, mas eu continuei. — Então, que sentido tem sua história de amor distorcida, no fim das contas? Se há *algum* sentido, mostre, por favor, Bella, porque eu não o vejo.

Ela suspirou.

— Eu ainda não sei, Jake. Mas eu só... sinto... que isso vai acabar em algo bom, que é difícil de ver agora. Acho que pode chamar isso de *fé*.

— Você está morrendo a troco de *nada*, Bella! Nada!

A mão dela foi do meu rosto para a barriga estufada, acariciando-a. Ela não precisava falar para que eu soubesse o que estava pensando. Estava morrendo por *aquilo*.

— Eu não vou morrer — disse ela entre os dentes, e eu sabia que ela estava repetindo coisas que já falara antes. — Eu *vou* fazer meu coração continuar batendo. Sou bastante forte para isso.

— Quanto papo furado, Bella. Você tem tentado viver com o sobrenatural há tempo demais. Nenhuma pessoa normal pode fazer isso. Você *não* é forte o bastante.

Peguei seu rosto em minhas mãos. Não precisei lembrar a mim mesmo que fosse gentil. Tudo nela parecia gritar *frágil*.

— Eu vou conseguir. Eu posso — murmurou ela, parecendo o personagem teimoso de um livro infantil.

— Não é o que parece. Qual é o seu plano? Espero que tenha um.

Ela fez que sim, sem olhar nos meus olhos.

— Sabia que Esme pulou de um penhasco? Quer dizer, quando era humana.

— E daí?

— Daí que ela chegou tão perto da morte que nem se incomodaram em levá-la para um hospital... Eles a levaram direto para o necrotério. Mas seu coração ainda batia quando Carlisle a encontrou...

Então foi a isso que ela se referiu antes, em relação a continuar com o coração batendo.

— Não está planejando sobreviver a isso como humana — afirmei estupidamente.

— Não. Eu não sou idiota. — Ela agora me olhava. — Mas acho que você deve ter sua opinião sobre isso.

— Vampirização de emergência — murmurei.

— Deu certo para Esme. E Emmett, e Rosalie e até Edward. Nenhum deles estava em ótima forma. Carlisle só os transformou porque estavam à beira da morte. Ele não tira vidas... ele as salva.

Senti de repente uma pontada de culpa em relação ao bom vampiro médico, como antes. Afugentei o pensamento e comecei a implorar.

— Escute, Bells. Não faça assim. — Como antes, quando surgiu a ligação de Charlie, eu podia ver quanta diferença aquilo realmente fazia para mim. Percebi que precisava que ela ficasse viva, de alguma forma. De qualquer forma. Respirei fundo. — Não espere até que seja tarde demais, Bella. Não desse jeito. Viva. Está bem? Apenas viva. Não faça isso comigo. Não faça isso com ele. — Minha voz ficou mais dura e mais alta. — Você sabe o que ele vai fazer quando você morrer. Já vi isso antes. Quer que ele volte para aqueles assassinos italianos? — Ela se encolheu no sofá.

Deixei de fora a parte sobre isso não ser necessário dessa vez.

Lutando para suavizar o tom de voz, perguntei:

— Lembra quando aqueles recém-criados me estropiaram? O que foi que você me disse?

Esperei, mas ela não respondeu. Ela comprimia os lábios.

— Você me disse para ser bonzinho e ouvir Carlisle — lembrei a ela. — E o que foi que eu fiz? Ouvi o vampiro. Por você.

— Você ouviu porque era a coisa certa a fazer.

— Tudo bem... Escolha o motivo que quiser.

Ela respirou fundo.

— Não é a coisa certa agora. — Seu olhar tocou a barriga grande e redonda e ela sussurrou: — Eu não vou matá-lo.

Minhas mãos tremeram de novo.

— Ah, eu não sabia da grande novidade! Um meninão, hein? Eu deveria ter trazido alguns balões azuis.

O rosto dela ficou rosa. A cor era tão bonita! Retorcia em meu estômago como uma faca — uma faca de serra, enferrujada e rombuda.

Eu ia perder aquilo. De novo.

— Não sei se é um menino — admitiu ela, meio tímida. — O ultrassom não funcionou. A membrana em volta do bebê é dura demais... Como a pele deles. Assim, ele é um pequeno mistério. Mas sempre vejo um menino em minha mente.

— Não é um bebezinho lindo que está aí dentro, Bella.

— Veremos — disse ela, quase presunçosa.

— *Você* não vai ver — rosnei.

— Você é muito pessimista, Jacob. Sem dúvida, há uma chance de eu sair dessa.

Não pude responder. Baixei a cabeça e respirei fundo e lentamente, tentando controlar minha fúria.

— Jake — disse ela, e afagou meu cabelo, e acariciou meu rosto. — Vai ficar tudo bem. Shhhh. Está tudo bem.

Não levantei a cabeça.

— Não. Não vai ficar tudo bem.

Ela enxugou alguma coisa em meu rosto.

— Shhh.

— Qual é a jogada, Bella? — Eu olhava para o carpete claro. Meus pés descalços estavam sujos, deixando manchas. Que ótimo. — Pensei que você quisesse o seu vampiro mais que qualquer outra coisa. E agora está desistindo dele? Isso não faz sentido nenhum. Desde quando você é tão desesperada para ser mãe? Se queria tanto isso, por que se casou com um vampiro?

Eu estava perigosamente perto daquela oferta que ele queria que eu fizesse. Podia ver as palavras me conduzindo, mas não conseguia mudar de rumo.

Ela suspirou.

— Não é assim. Eu realmente não ligava para ter um filho. Nem pensava nisso. Não é só ter um filho. É... bem... *este* bebê.

— É um assassino, Bella. Olhe para si mesma.

— Não é. O problema sou eu. Eu sou fraca e humana. Mas posso passar por essa, Jake, eu posso...

— Ah, *pare com isso*! Cale a boca, Bella. Você pode despejar essa porcaria em cima do seu sanguessuga, mas a mim você não engana. Você sabe que não vai conseguir.

Ela me olhou, feroz.

— Eu não *sei* disso. Estou preocupada, claro.

— *Preocupada* — repeti entredentes.

Ela então arfou e abraçou a barriga. Minha fúria desapareceu em um piscar de olhos.

— Eu estou bem — disse ela, ofegante. — Não é nada.

Mas eu não a ouvia; suas mãos tinham repuxado o moletom e eu vi, horrorizado, a pele exposta. A barriga parecia ter grandes manchas de tinta roxa.

Bella viu meu olhar e puxou de volta o moletom.

— Ele é forte, só isso — disse ela, na defensiva.

As manchas de tinta eram hematomas.

Eu quase vomitei, e entendi o que ele dissera, sobre ver a coisa machucá-la. De repente, eu mesmo me sentia meio louco.

— Bella — eu disse.

Ela ouviu meu tom de voz mudar; olhou para mim, ainda com a respiração pesada, os olhos confusos.

— Bella, não faça isso.

— Jake...

— Escute. Não fique irritada. Está bem? Só escute. E se...?

— E se o quê?

— E se essa não for sua única chance? E se não for tudo ou nada? E se você desse ouvidos a Carlisle, como uma boa menina, e continuasse viva?

— Eu não vou...

— Ainda não terminei. Então você fica viva. Então pode recomeçar. Essa não deu certo. Tente novamente.

Ela franziu a testa. Ergueu uma das mãos e tocou o lugar onde minhas sobrancelhas se uniam. Seus dedos afagaram minha testa por um momento enquanto ela tentava compreender.

— Não entendo... O que quer dizer com tentar de novo? Não está pensando que Edward me deixaria...? E que diferença faria? Tenho certeza de que qualquer bebê...

— Sim — cortei. — Qualquer criança *dele* seria igual.

Seu rosto exaurido ficou ainda mais confuso.

— Como é?

Mas não consegui dizer mais nada. Não fazia sentido. Eu nunca seria capaz de salvá-la de si mesma. Jamais conseguiria fazer isso.

Depois ela piscou, e pude ver que havia entendido.

— Ah! Urgh. *Francamente*, Jacob. Acha que eu deveria matar meu filho e substituí-lo por um genérico? Inseminação artificial? — Ela agora estava irritada. — Por que eu iria querer o filho de um estranho? Imagino que daria no mesmo? Que qualquer bebê serviria?

— Eu não quis dizer isso — murmurei. — Não de um estranho.

Ela se inclinou para a frente.

— Então, o que está dizendo?

— Nada. Não estou dizendo nada. Como sempre.

— De onde isso saiu?

— Esqueça, Bella.

Ela franziu o cenho, desconfiada.

— *Ele* falou para você dizer isso?

Hesitei, surpreso que ela tivesse chegado a essa conclusão tão rapidamente.

— Não.

— Foi ele, não foi?

— Não, é sério. Ele não disse nada sobre sei lá o que artificial.

Seu rosto relaxou e ela afundou nos travesseiros, visivelmente exausta. Então, olhou para o lado, não estava mais falando comigo.

— Ele faria qualquer coisa por mim. E eu o estou magoando tanto... Mas o que ele está pensando? Que eu trocaria esse... — sua mão deslizou sobre a barriga — pelo de um estranho... — Ela murmurou a última parte, depois a voz falhou. Seus olhos estavam úmidos.

— Não precisa magoá-lo — sussurrei. Pedir por ele ardia como veneno em minha boca, mas eu sabia que essa atitude era provavelmente minha melhor chance de mantê-la viva. Ainda assim, era uma em um milhão. — Você pode fazê-lo feliz de novo, Bella. E eu realmente acho que ele está enlouquecendo. Com sinceridade, é o que penso.

Ela não parecia estar me ouvindo; sua mão traçava pequenos círculos na barriga maltratada enquanto ela mordia o lábio. Fez-se silêncio por um bom tempo. Imaginei se os Cullen estariam bem longe. Será que estavam ouvindo minhas tentativas patéticas de argumentar com ela?

— Se não for um estranho... — murmurou ela consigo mesma. Eu me encolhi. — O que exatamente Edward disse a você? — perguntou ela em voz baixa.

— Nada. Ele só pensou que você me ouviria.

— Isso não. Sobre tentar novamente.

Seus olhos se fixaram nos meus e pude ver que eu já havia falado demais.

— Nada.

Sua boca se abriu um pouco.

— Caramba.

O silêncio durou algumas batidas do coração. Baixei a cabeça para meus pés de novo, incapaz de encará-la.

— Ele realmente faria *qualquer coisa*, não é? — sussurrou ela.

— Eu lhe disse que ele está ficando louco. Literalmente, Bells.

— Estou surpresa de você não o ter denunciado imediatamente. Para deixá-lo mal.

Quando olhei, ela estava sorrindo.

— Pensei nisso. — Tentei retribuir, mas pude sentir o sorriso desfigurado em meu rosto.

Bella sabia o que eu estava propondo, e não ia pensar duas vezes. Eu já sabia que ela não aceitaria. Mas ainda me doía.

— Não há muito que você não fizesse por mim também, não é? — sussurrou ela. — Eu realmente não sei por que vocês se incomodam. Não mereço nenhum dos dois.

— Mas não faz diferença, faz?

— Desta vez, não. — Ela suspirou. — Queria poder explicar a você de modo que entendesse. Não posso machucá-lo — ela apontou a barriga —, como não poderia pegar uma arma e dar um tiro em você. Eu o amo.

— Por que você sempre precisa amar as coisas erradas, Bella?

— Não acho que eu faça isso.

Pigarreei, desfazendo o nó na garganta, para deixar minha voz dura, como eu queria.

— Confie em mim.

Comecei a me levantar.

— Aonde você vai?

— Não estou fazendo nenhum progresso aqui.

Ela estendeu a mão fina, implorando.

— Não vá.

Pude sentir o vício me tragando, tentando me manter ao lado dela.

— Meu lugar não é aqui. Preciso voltar.

— Por que você veio hoje? — perguntou ela, ainda com a mão estendida.

— Só para ver se você realmente estava viva. Eu não acreditava que estivesse doente, como Charlie disse.

Não deu para saber, pela expressão dela, se tinha engolido aquilo ou não.

— Vai voltar? Antes...

— Não vou ficar por aqui vendo você morrer, Bella.

Ela se retraiu.

— Tem razão, tem razão. Você *deve* ir.

Segui para a porta.

— Tchau — ela sussurrou às minhas costas. — Eu amo você, Jake.

Eu quase voltei. Quase me virei, caí de joelhos e comecei a implorar novamente. Mas sabia que precisava deixar Bella, parar com as crises de abstinência de Bella, antes que ela me matasse, como ia matá-lo.

— Claro, claro — murmurei ao sair.

Não vi nenhum dos vampiros. Ignorei minha moto, solitária no meio da campina. Não era mais rápida o bastante para mim. Meu pai devia estar em pânico... Sam também. O que o bando tinha pensado do fato de não ter ouvido minha metamorfose? Será que pensariam que os Cullen tinham me pegado primeiro? Tirei a roupa, sem me importar que alguém estivesse vendo, e comecei a correr. Enquanto corria, indistintamente eu me transformei em lobo.

Eles estavam esperando. É claro que estavam.

Jacob, Jake, oito vozes num coro de alívio.

Venha para casa agora, ordenou a voz do alfa. Sam estava furioso.

Senti Paul sumir, e eu sabia que Billy e Rachel esperavam para saber o que tinha acontecido comigo. Paul estava ansioso demais por lhes dar as boas-novas — de que eu não havia virado comida de vampiro —, e não conseguiu ouvir a história toda.

Não tive de contar ao bando que estava a caminho — eles podiam ver a floresta passar por mim como um borrão enquanto eu disparava para casa. Não precisei dizer a eles que eu também estava meio ensandecido. A náusea em minha mente era evidente.

Eles viram todo o horror — a barriga machucada de Bella; sua voz áspera: *ele é forte, é só isso*; o homem ardendo no rosto de Edward: *vendo-a adoecer e definhar*; Rosalie agachada sobre o corpo de Bella: *a vida de Bella não significa nada para ela* — e, pela primeira vez, ninguém tinha nada a dizer.

O choque de todos eles era como um grito silencioso em minha cabeça. Sem palavras.

!!!!

Eu já estava a meio caminho de casa antes que alguém se recuperasse. Depois todos começaram a correr ao meu encontro.

Estava quase escuro — as nuvens cobriam completamente o sol que se punha. Arrisquei-me a atravessar a via expressa — e o fiz sem ser visto.

Nós nos encontramos a cerca de quinze quilômetros de La Push, em uma clareira abandonada por lenhadores. Era afastada, espremida entre dois contrafortes da montanha, onde ninguém nos veria. Paul os encontrou ao mesmo tempo que eu cheguei, então, o bando estava completo.

O falatório em minha cabeça era um caos completo. Todos gritavam ao mesmo tempo.

Os pelos da nuca de Sam estavam eriçados e ele rosnava num fluxo ininterrupto ao andar de um lado para o outro no alto do círculo. Paul e Jared moviam-se como sombras atrás dele, as orelhas achatadas nas laterais da cabeça. O círculo todo estava agitado, de pé e soltando rosnados baixos.

De início sua raiva era indefinida, e pensei que o motivo fosse eu. Estava desnorteado demais para me importar com isso. Eles podiam fazer o que quisessem comigo por burlar as ordens.

E depois a confusão sem foco de pensamentos começou a se encaixar.

Como pode ser? O que isso significa? O que acontecerá?
Não é seguro. Não é direito. Perigoso.
Não é natural. É monstruoso. Uma abominação.
Não podemos permitir isso.

O bando agora andava em sincronia, pensando em sincronia, todos, exceto eu e um outro. Sentei-me ao lado de um dos irmãos, confuso demais para olhar, fosse com os olhos, fosse com a mente, e ver quem estava ao meu lado, enquanto o bando nos cercava.

O tratado não abrange isso.

Isso coloca todos em perigo.

Tentei entender as vozes que subiam e desciam; tentei seguir o caminho retorcido que os pensamentos faziam, e ver aonde levavam, mas nada tinha sentido. As imagens no centro dos pensamentos eram as *minhas* — as piores imagens. Os hematomas de Bella, o rosto de Edward enquanto ardia.

Eles também têm medo disso.

Mas eles não vão fazer nada a respeito.

Protegendo Bella Swan.

Não podemos deixar que isso nos influencie.

A segurança de nossas famílias, de todos aqui, é mais importante que uma humana.

Se eles não o matarem, nós teremos de matar.

Proteger nosso povo.

Proteger nossas famílias.

Temos de matar aquilo antes que seja tarde demais.

Outra de minhas lembranças, dessa vez as palavras de Edward: *A coisa está crescendo. Rapidamente.*

Esforcei-me para me concentrar, para ouvir vozes individuais.

Não há tempo a perder, pensou Jared.

Isso significará uma luta, alertou Embry. *Das feias.*

Estamos preparados, insistiu Paul.

Vamos precisar do fator surpresa a nosso favor, pensou Sam.

Se os pegarmos divididos, poderemos derrubá-los separadamente. Isso aumentará nossas chances de vitória, pensou Jared, começando a montar a estratégia.

Sacudi a cabeça, levantando-me devagar. Eu me sentia sem equilíbrio — como se os lobos em círculo estivessem me deixando tonto. O lobo ao meu lado também se levantou. Seu ombro empurrou o meu, impelindo-me para cima.

Esperem, pensei.

O círculo parou de repente, depois recomeçou a andar.

O tempo é curto, disse Sam.

Mas... o que vocês estão pensando? Não os atacariam por quebrar o tratado esta tarde. Agora estão planejando uma emboscada, quando o tratado ainda se mantém intacto?

Isso não é algo que nosso tratado tenha previsto, disse Sam. *É um perigo para todos os humanos na região. Não sabemos que tipo de criatura os Cullen geraram, mas sabemos que é forte e cresce rapidamente. E será jovem demais para seguir algum tratado. Lembra os vampiros recém-criados contra os quais lutamos? Loucos, violentos, além da razão ou do limite. Imagine um assim, mas protegido pelos Cullen.*

Não sabemos... tentei interromper.

Nós não *sabemos,* concordou ele. *E, nesse caso, não podemos nos arriscar com o desconhecido. Só podemos permitir que os Cullen existam enquanto tivermos certeza absoluta de que podemos acreditar que eles não causarão danos. Essa... coisa não merece confiança.*

Eles não gostam dela mais do que nós.

Sam puxou de minha mente o rosto de Rosalie, agachada em posição protetora, e o exibiu para todos.

Alguém está pronto para lutar por ele, independentemente do que seja.

É só um bebê, *pelo amor de Deus.*

Não por muito tempo, sussurrou Leah.

Jake, amigão, este é um grande problema, disse Quil. *Não podemos ignorá-lo.*

Vocês estão transformando isso numa coisa maior do que é, argumentei. *Só quem está em perigo é Bella.*

Mais uma vez por opção dela, disse Sam. *Mas dessa vez a opção dela afeta todos nós.*

Não acho isso.

Não podemos nos arriscar. Não vamos permitir que um bebedor de sangue cace em nossas terras.

Então diga a eles para irem embora, disse o lobo que ainda me apoiava. Era Seth. É claro.

E infligir a ameaça a outros? Quando bebedores de sangue cruzam nossas terras, nós os destruímos, independentemente de onde pretendam caçar. Protegemos todos os que podemos.

Isso é loucura, eu disse. *Hoje à tarde vocês temiam colocar o bando em perigo.*

Hoje à tarde eu não sabia que nossas famílias corriam risco.

Não acredito nisso! Como vão matar essa criatura sem matar Bella?

Não houve palavras, mas o silêncio era cheio de significado.

Eu uivei. *Ela também é humana! Nossa proteção não se aplica a ela?*

Ela está morrendo de qualquer forma, pensou Leah. *Nós só vamos encurtar o processo.*

Foi o que bastou. Saltei para longe de Seth, na direção da irmã dele, com os dentes à mostra. Estava prestes a pegá-la pela perna traseira esquerda quando senti os dentes de Sam cortando meu flanco, arrastando-me para trás.

Gemi de dor e raiva e voltei-me para ele.

Pare!, ordenou ele na voz dual do alfa.

Minhas pernas pareceram vergar debaixo de mim. Parei bruscamente, só conseguindo me manter de pé por pura força de vontade.

Ele desviou os olhos de mim. *Não seja cruel com ele, Leah*, ordenou. *O sacrifício de Bella é um preço alto, e* todos *vamos reconhecer isso. Tirar uma vida humana contraria tudo o que defendemos. Abrir uma exceção a esse código é algo triste. Todos vamos lamentar o que fizermos esta noite.*

Esta noite?, repetiu Seth, chocado. *Sam... acho que deveríamos conversar mais um pouco. Consultar os Anciãos, pelo menos. Não pode estar falando sério que nós...*

Não podemos nos dar ao luxo de aceitar sua tolerância com os Cullen agora. Não há tempo para o debate. Você fará o que lhe for ordenado, Seth.

Os joelhos dianteiros de Seth se dobraram e sua cabeça caiu sob o peso do comando do alfa.

Sam andava num círculo fechado em volta de nós dois.

Precisamos de todo o bando para isso. Jacob, você é nosso combatente mais forte. Você lutará *conosco hoje. Entendo que isso é difícil para você, então se concentrará nos lutadores deles — Emmett e Jasper Cullen. Não precisa se envolver com... a outra parte. Quil e Embry lutarão com você.*

Meus joelhos tremeram; esforcei-me para me manter de pé enquanto a voz do alfa açoitava minha vontade.

Paul, Jared e eu cuidaremos de Edward e Rosalie. Pelas informações que Jacob nos trouxe, acho que eles estarão guardando Bella. Carlisle e Alice também estarão por perto, possivelmente, Esme. Brady, Collin, Seth e Leah se concentrarão neles. Quem tiver caminho livre para — todos o ouvimos gaguejar mentalmente o nome de Bella *— a criatura cuidará dela. Destruir a criatura é nossa prioridade.*

O bando ressoou uma aquiescência nervosa. A tensão eriçava os pelos de todos. As passadas tornaram-se mais rápidas, e o som das patas no chão áspero era mais forte, as garras rasgando o solo.

Só Seth e eu nos mantínhamos imóveis, o olho de um furacão de presas expostas e orelhas achatadas. O focinho de Seth quase tocava o chão, curvado sob os comandos de Sam. Senti sua dor com a deslealdade que viria. Para ele, era uma traição — naquele único dia de aliança, lutando ao lado de Edward Cullen, Seth havia verdadeiramente se tornado amigo do vampiro.

Apesar disso, ele não resistia. Seth obedeceria, por mais que isso o machucasse. Não tinha escolha.

E que alternativa eu tinha? Quando o alfa falava, o bando obedecia.

Sam nunca havia levado sua autoridade tão longe; eu sabia que ele odiava sinceramente ver Seth ajoelhando-se diante dele como um escravizado aos pés de seu senhor. Não o obrigaria a isso se não acreditasse que não tinha outra opção. Não podia mentir para nós quando estávamos mentalmente conectados daquele jeito. Ele, de fato, acreditava ser nosso dever destruir Bella e o monstro que ela carregava. Acreditava que não tínhamos tempo a perder. Acreditava que era justo morrer por isso.

Vi que ele próprio enfrentaria Edward; para Sam, a capacidade de Edward de ler nossos pensamentos fazia dele a ameaça maior. Sam não deixaria que outro assumisse esse risco.

Ele via Jasper como o segundo maior adversário, e por isso o destinou a mim. Sabia que, do bando, eu tinha mais probabilidade de vencer essa luta. Sam deixou os alvos mais fáceis para os lobos mais jovens e para Leah. A pequena Alice não era perigo sem sua visão do futuro para orientá-la, e nós sabíamos, por nossa época de aliança, que Esme não era uma lutadora. Carlisle seria um desafio maior, mas seu ódio à violência o atrapalharia.

Eu me sentia pior do que Seth enquanto via Sam desenvolver seu plano, tentando analisar todos os ângulos para dar a cada membro do bando a melhor possibilidade de sobrevivência.

Tudo estava às avessas. Naquela tarde, eu estivera prestes a atacá-los. Mas Seth tinha razão — eu não estava preparado para aquela luta. Havia me deixado levar pelo ódio. Não tinha me permitido analisar tudo com cuidado — porque eu devia saber o que veria, se o fizesse.

Carlisle Cullen. Olhando para ele sem aquele ódio que me toldava a visão, eu não podia negar que matá-lo era assassinato. Ele era bom. Bom como qualquer ser humano que protegíamos. Talvez melhor. Os outros também, imagino, mas eu não sentia tanto por eles. Não os conhecia tão bem. Era Carlisle que odiaria lutar, mesmo para salvar a própria vida. Por isso, conseguiríamos matá-lo — porque ele não iria querer que *nós*, seus inimigos, morrêssemos.

Aquilo era um erro.

E não só porque matar Bella era como *me* matar, como cometer suicídio.

Acalme-se, Jacob, ordenou Sam. *Nosso povo vem em primeiro lugar.*

Eu estava enganado hoje, Sam.

Seus motivos estavam errados então. Mas agora temos um dever a cumprir.

Criei coragem. *Não.*

Sam rosnou e parou de andar na minha frente. Fitou meus olhos e um grunhido profundo deslizou entre os seus dentes.

Sim, decretou o alfa, a voz dual virulenta com o calor de sua autoridade. *Não haverá escapatórias esta noite. Você, Jacob, vai lutar conosco contra os Cullen. Você, Quil e Embry cuidarão de Jasper e Emmett. Você é obrigado a proteger nosso povo. É por isso que você existe. Você vai cumprir essa obrigação.*

Meus ombros arriaram à medida que o edito me esmagava. Minhas pernas desabaram, eu estava caído de bruços debaixo dele.

Nenhum membro do bando podia se opor ao alfa.

11. OS DOIS PRIMEIROS ITENS NA MINHA LISTA DE "COISAS QUE JAMAIS QUERO FAZER"

SAM COMEÇOU A ORGANIZAR OS OUTROS EM FORMAÇÃO, ENQUANto eu ainda estava no chão. Embry e Quil, um de cada lado, esperavam que eu me recuperasse e tomasse a frente.

Eu podia sentir o ímpeto, a necessidade de me levantar e liderá-los. A compulsão crescia e eu lutava contra ela inutilmente, encolhendo-me no chão.

Embry gemeu baixinho em meu ouvido. Ele não queria pensar as palavras, com medo de novamente chamar a atenção de Sam para mim. Senti sua súplica muda para que eu me erguesse, acabasse com aquilo de uma vez por todas.

Havia medo nos membros da matilha — não tanto por si mesmos, mas pelo grupo. Não podíamos acreditar que todos sairiam vivos naquela noite. Que irmãos perderíamos? Que mentes nos deixariam para sempre? Que famílias de luto estaríamos consolando pela manhã?

Minha mente começou a trabalhar com a deles, a pensar em uníssono, enquanto lidávamos com esses medos. Automaticamente, levantei-me e sacudi o pelo.

Embry e Quil bufaram de alívio. Quil tocou o focinho na lateral do meu corpo.

Suas mentes estavam tomadas por nosso desafio, nossa missão. Lembramos juntos as noites em que vimos os Cullen treinando para a luta com os recém-criados. Emmett Cullen era o mais forte, mas Jasper seria o maior problema. Ele se movimentava como um raio — poder, velocidade e morte em um só corpo. Quantos séculos de experiência ele tinha? O suficiente para que todos os outros Cullen procurassem sua orientação.

Ficarei à frente, se quiser flanquear, propôs Quil. Havia mais agitação em sua mente que na dos outros. Quando vira as instruções de Jasper naquelas noites, Quil havia ficado morrendo de vontade de testar sua habilidade contra os vampiros. Para ele, aquilo seria uma competição. Mesmo sabendo que era sua vida que estava em jogo, ele via dessa maneira. Paul também via assim, e ainda os garotos que nunca estiveram em batalha: Collin e Brady. Seth, provavelmente, teria sentido o mesmo — se os adversários não fossem seus amigos.

Jake?, Quil me cutucou. *Como quer fazer?*

Eu apenas sacudi a cabeça. Não conseguia me concentrar — a compulsão de seguir ordens dava a sensação de cordões de marionete enganchados em todos os meus músculos. Um pé para a frente, agora outro.

Seth se arrastava atrás de Collin e Brady — Leah tinha assumido a dianteira. Ela ignorava Seth enquanto planejava com os outros, e pude ver que teria preferido deixá-lo fora da luta. Havia um viés maternal em seus sentimentos pelo irmão mais novo. Ela queria que Sam o mandasse para casa. Seth não registrava as dúvidas de Leah. Também estava se adaptando aos cordões de marionete.

Talvez, se você parasse de resistir..., sussurrou Embry.

Simplesmente concentre-se em nossa parte. Os grandões. Podemos derrubá-los. Eles são nossos! Quil estava se animando — como numa preleção antes de um grande jogo.

Eu via como poderia ser fácil — não pensar em nada, a não ser na minha parte. Não era difícil visualizar o ataque a Jasper e Emmett. Já havíamos estado perto disso antes. Por muito tempo eu pensara neles como inimigos. Poderia fazer isso de novo.

Eu só devia esquecer que eles estavam protegendo o que eu também protegeria. Devia esquecer o motivo de eu talvez desejar que eles vencessem...

Jake, alertou Embry. *Mantenha a cabeça no jogo.*

Meus pés se arrastavam, resistindo ao puxar das cordinhas.

Não tem sentido resistir, sussurrou Embry de novo.

Ele tinha razão. Eu acabaria fazendo o que Sam queria, se ele estivesse disposto a me forçar. E ele estava. Era evidente.

Havia um bom motivo para a autoridade do alfa. Até uma matilha forte como a nossa não era de muito valor sem um líder. Precisávamos nos movimentar juntos, pensar juntos, para sermos eficazes. E isso exigia que o corpo tivesse uma cabeça.

E se Sam estivesse errado? Não havia nada que pudéssemos fazer. Ninguém podia contestar sua decisão.

A não ser...

E lá estava — uma ideia que eu nunca, jamais, quisera ter. Mas ali, com minhas pernas presas a cordões, reconheci a exceção com alívio — mais do que alívio: com uma alegria feroz.

Ninguém podia contestar as decisões do alfa — a não ser *eu*.

Eu não havia conquistado nada. Mas algumas coisas nasceram comigo, coisas que nunca reivindicara.

Jamais quisera ser o líder da matilha. Não queria ser naquela hora. Não queria que meus ombros carregassem a responsabilidade pelo destino de todos. Sam era melhor nisso do que eu jamais seria.

Mas, naquela noite, ele estava errado.

E eu não tinha nascido para me ajoelhar diante dele.

As amarras caíram de meu corpo no segundo em que assumi meu direito de nascença.

Eu podia senti-los crescendo em mim, tanto a liberdade quanto um poder estranho e vazio. Vazio porque o poder de um alfa vem de sua matilha, e eu não tinha nenhuma. Por um segundo, a solidão me sufocou.

Eu não tinha mais matilha.

Mas fui decidido e forte ao me dirigir até onde estava Sam, traçando planos com Paul e Jared. Ele se virou quando me ouviu avançar, e seus olhos escuros se estreitaram.

Não, eu disse a ele de novo.

Ele ouviu no mesmo instante — ouviu a decisão que eu tinha tomado na voz de alfa em meus pensamentos.

Então, saltou meio passo para trás, com um ganido chocado.

Jacob? O que você fez?

Não vou seguir você, Sam. Não por um motivo tão errado.

Ele me encarou, atordoado. *Você... preferiria seus inimigos à sua família?*

Eles não são — sacudi a cabeça, clareando a mente —, *eles não são nossos inimigos. Nunca foram. Até eu realmente pensar em destruí-los, até refletir sobre o assunto, eu não via isso.*

Não se trata deles, Sam rosnou para mim. *Trata-se de Bella. Ela nunca foi certa para você, nunca o escolheu, mas você continua a destruir sua vida por ela!*

Eram palavras duras, mas verdadeiras. Inspirei profundamente, e assimilei-as junto com o ar.

Talvez você tenha razão. Mas vai destruir a matilha por causa dela, Sam. Não importa quantos sobrevivam esta noite, sempre terão a morte nas mãos.

Precisamos proteger nossas famílias!

Sei o que você decidiu, Sam. Mas você não decide por mim, não mais.

Jacob — não pode dar as costas para o seu povo.

Ouvi o eco dual de seu comando de alfa, mas dessa vez não tinha peso. Não se aplicava mais a mim. Ele trincou a mandíbula, tentando me *obrigar* a reagir a suas palavras.

Fitei seus olhos furiosos. *O filho de Ephraim Black não nasceu para seguir o filho de Levi Uley.*

Então é isso, Jacob Black? Seus pelos se eriçaram e o focinho recuou acima dos dentes. Paul e Jared rosnaram e se eriçaram ao lado dele. *Mesmo que possa me derrotar, a matilha jamais seguirá você!*

Agora *eu* saltei para trás com um ganido de surpresa escapando de minha garganta.

Derrotar você? Não vou lutar com você, Sam.

Então, qual é seu plano? Não vou abrir caminho para você proteger o filhote de vampiro às custas do nosso povo.

Eu não estou lhe dizendo que saia do caminho.

Se você ordenar a eles que o sigam...

Eu nunca *tirarei a vontade de ninguém.*

A cauda de Sam chicoteava de um lado para outro enquanto ele recuava com a crítica das minhas palavras. Em seguida, ele deu um passo adiante, de modo que ficamos frente a frente, seus dentes expostos a centímetros dos meus. Até esse momento eu não tinha percebido que ficara mais alto do que ele.

Não pode haver mais de um alfa. A matilha me escolheu. Vai nos separar esta noite? Vai se voltar contra seus irmãos? Ou vai parar com essa insanidade e se juntar a nós? Cada palavra vinha carregada de comando, mas dessa vez não me atingiam. O sangue do alfa corria puro em minhas veias.

Eu podia ver por que nunca havia mais de um macho alfa em uma matilha. Meu corpo reagia ao desafio. Eu conseguia sentir o instinto de defender meus direitos crescendo em mim. A essência primitiva de minha identidade de lobo se preparava para a batalha da supremacia.

Concentrei minha energia em controlar essa reação. Eu não entraria numa briga inútil e destrutiva com Sam. Ele ainda era meu irmão, embora eu o estivesse rejeitando.

Só há um alfa nesta matilha. Não estou contestando isso. Só estou decidindo seguir meu próprio caminho.

Seu grupo agora são os vampiros, Jacob?

Eu me encolhi.

Não sei, Sam. Mas sei de uma coisa...

Ele se retraiu ao sentir o peso do alfa em meu tom. Isso o afetava mais do que as palavras dele a mim. Porque eu *tinha* nascido para liderá-lo.

Eu vou ficar entre vocês e os Cullen. Não vou simplesmente assistir enquanto a matilha mata pessoas inocentes — era difícil aplicar essa palavra a vampiros, mas era a verdade. *A matilha é melhor do que isso. Lidere-a na direção certa, Sam.*

Dei as costas a ele e um coro de uivos rasgou o ar à minha volta.

Cravando as garras na terra, afastei-me correndo do alvoroço que causara. Eu não tinha muito tempo. Pelo menos Leah era a única que podia me vencer na velocidade, e eu tinha uma boa dianteira.

O uivo desaparecia com a distância, e eu me reconfortei enquanto o som continuava a romper o silêncio da noite. Eles ainda não estavam atrás de mim.

Eu precisava alertar os Cullen antes que a matilha pudesse se reorganizar e me impedir. Se os Cullen estivessem preparados, Sam teria um motivo para repensar, antes que fosse tarde demais. Disparei para a casa branca que ainda odiava, deixando meu lar para trás. O lar que não era mais meu. Eu lhe voltara as costas.

O dia tinha começado como qualquer outro: eu fiz minha patrulha durante o amanhecer chuvoso, houve o café da manhã com Billy e Rachel, programas ruins na tevê, a implicância com Paul... Como foi que mudou tanto, que ficou tão surreal? Como tudo ficou fora de lugar e distorcido a ponto de eu estar ali, completamente só, um alfa contra a minha vontade, separado dos irmãos, escolhendo os vampiros em vez deles?

O som que eu temia interrompeu meus pensamentos confusos — o impacto suave de patas grandes no chão, perseguindo-me. Lancei-me para a frente, disparando como um foguete pela floresta escura. Eu só precisava chegar perto o suficiente para que Edward ouvisse o alerta em minha mente. Leah não seria capaz de me deter sozinha.

E, então, captei a disposição dos pensamentos atrás de mim. Não era raiva, mas entusiasmo. Não me caçava... me seguia.

Perdi o passo. Cambaleei duas passadas antes de retomar o ritmo.

Espere. Minhas pernas não são tão compridas quanto as suas.

Seth! O que pensa que está fazendo? Vá para casa!

Ele não respondeu, mas pude sentir sua empolgação enquanto se mantinha bem atrás mim. Eu podia ver por seus olhos e ele podia ver pelos meus. A cena noturna era triste para mim — cheia de desespero. Para ele, era cheia de esperança.

Não percebi que tinha desacelerado, mas, de repente, ele estava no meu flanco, correndo ao meu lado.

Não estou brincando, Seth! Isto não é lugar para você. Saia daqui.

O lobo caramelo e desajeitado resfolegou. *Estou do seu lado, Jacob. Acho que tem razão. Não vou apoiar Sam se...*

Ah, sim, você vai apoiar Sam, sim! Volte com essa sua bunda peluda para La Push e faça o que Sam mandar.

Não.

Vá, Seth!

Isso é uma ordem, *Jacob?*

A pergunta dele me fez parar. Derrapei no chão, minhas garras cavando sulcos na lama.

Não estou ordenando que ninguém faça nada. Só estou dizendo o que você já sabe.

Ele se sentou sobre as patas traseiras ao meu lado. *Vou dizer o que eu sei: eu sei que está um silêncio horroroso. Não percebeu?*

Pisquei. Minha cauda cortava o ar nervosamente à medida que eu percebia o que ele estava querendo dizer. Em um sentido, não havia silêncio. Os uivos ainda enchiam o ar, longe, a oeste.

Eles não se transformaram de volta, disse Seth.

Eu sabia disso. A matilha agora estaria em alerta vermelho. Eles estariam usando o elo mental para ver todos os lados com clareza. Mas eu não conseguia ouvir o que estavam pensando. Só podia ouvir Seth. Mais ninguém.

Parece que matilhas separadas não têm vínculo. Hum. Acho que não houve motivo para nossos pais saberem isso. Porque não houve motivo para separar matilhas. Nunca houve lobos suficientes para duas. Caramba. Está muito *silencioso. É meio sinistro. Mas também é bom, não acha? Aposto que era mais fácil assim, para Ephraim, Quil e Levi. Bem menos falatório, só com três. Ou só dois.*

Cale a boca, Seth.

Sim, senhor.

Pare com isso! Não existem duas matilhas. Só existe a *matilha, e eu. É só isso. Agora pode ir para casa.*

Se não existem duas matilhas, então por que podemos nos ouvir, mas não ouvimos os outros? Acho que o fato de você dar as costas para Sam foi uma atitude muito significativa. Uma mudança. E quando eu segui você, acho que foi significativo também.

Você tem razão, cedi. *Mas o que pode mudar, também pode reverter.*

Ele se levantou e começou a trotar para o leste. *Não há tempo para discutir sobre isso. Precisamos continuar antes que Sam...*

Ele tinha razão sobre essa parte. Não havia tempo para aquela discussão. Voltei a correr, sem acelerar tanto. Seth ficou nos meus calcanhares, ocupando o tradicional lugar do Segundo em meu flanco direito.

Posso correr em qualquer outro lugar, ele pensou, o focinho baixando um pouco. *Não segui você porque queria uma promoção.*

Corra onde quiser. Não faz diferença para mim.

Não havia som de perseguição, mas nós dois aceleramos um pouco ao mesmo tempo. Agora eu estava preocupado. Se eu não pudesse entrar na mente da matilha, as coisas ficariam mais difíceis. Minha capacidade de antecipar o ataque não seria melhor que a dos Cullen.

Vamos correr em patrulhas, sugeriu Seth.

E o que faremos se a matilha os desafiar? Meus olhos se estreitaram. *Atacar nossos irmãos? Sua irmã?*

Não — soamos o alarme e recuamos.

Boa resposta. Mas e depois? Não acho...

Eu sei, concordou ele, agora menos confiante. *Também não acho que eu possa lutar com eles. Mas eles não estarão mais felizes com a ideia de nos atacar do que nós com a de atacá-los. Isso pode bastar para detê-los onde estiverem. Além disso, agora eles são apenas oito.*

Pare de ser tão... Precisei de um minuto para escolher a palavra certa. *Otimista. Isso me dá nos nervos.*

Tudo bem. Quer que eu fique para baixo e desanimado, ou que só cale a boca?

Só cale a boca.

Posso fazer isso.

É mesmo? Não parece.

Ele finalmente ficou em silêncio.

E então estávamos do outro lado da estrada, passando pelo bosque que circundava a casa dos Cullen. Será que Edward já podia nos ouvir?

Talvez devêssemos pensar em algo como: "Viemos em paz."

Vai nessa.

Edward? Ele chamou o nome, inseguro. *Edward, está aí? Tudo bem, agora eu me sinto meio idiota.*

E parece um idiota.

Acha que ele pode nos ouvir?

Estávamos a menos de um quilômetro e meio. *Acho que sim. Ei, Edward. Se puder me ouvir... Levante as barricadas, sanguessuga. Você tem um problema.*

Nós *temos um problema*, corrigiu Seth.

Depois saímos das árvores para o grande gramado. A casa estava escura, mas não vazia. Edward estava de pé na varanda, entre Emmett e Jasper. Brancos como a neve, na luz pálida.

— Jacob? Seth? O que está havendo?

Reduzi o passo e avancei um pouco. O cheiro era tão forte com aquele focinho que, sinceramente, parecia queimar. Seth resmungou baixo, hesitando, e de repente recuou para trás de mim.

Para responder à pergunta de Edward, deixei minha mente repassar o confronto com Sam, indo de trás para a frente. Seth pensou comigo, preenchendo as lacunas, mostrando a cena de outro ângulo. Paramos quando chegamos à parte sobre a "abominação", pois Edward sibilou furioso e saltou da varanda.

— Eles querem matar Bella? — rosnou, sem entonação.

Emmett e Jasper, sem ter ouvido a primeira parte da conversa, tomaram a falta de inflexão de Edward como uma declaração. No mesmo segundo estavam ao lado dele, os dentes à mostra ao avançarem em nossa direção.

Ei, espere aí, pensou Seth, recuando.

— Em, Jazz... *eles* não! Os outros. A matilha está vindo.

Emmett e Jasper se assustaram. Emmett virou-se para Edward enquanto Jasper ficava de olho em nós.

— Qual é o problema *deles*? — perguntou Emmett.

— O mesmo que eu tenho — sibilou Edward. — Mas eles têm seus próprios planos para lidar com isso. Fale com os outros. Ligue para Carlisle! Ele e Esme precisam voltar para cá agora.

Gemi, inquieto. Eles *estavam* separados.

— Eles não estão longe — falou Edward na voz sem vida que usara antes.

Vou sair para dar uma olhada, disse Seth. *Correr o perímetro oeste.*

— Estará em perigo, Seth? — perguntou Edward.

Seth e eu trocamos um olhar.

Não acredito nisso, pensamos juntos. E, então, acrescentei: *Mas talvez eu devesse ir. Só por precaução...*

É menos provável que eles me desafiem, observou Seth. *Eu sou só um garoto para eles.*

É um garoto para mim também, garoto.

Vou sair daqui. Você precisa se organizar com os Cullen.

Ele girou e disparou para a escuridão. Eu não ia ordenar que Seth voltasse, então deixei que partisse.

Edward e eu ficamos nos encarando na campina escura. Eu podia ouvir Emmett murmurando ao telefone. Jasper estava observando o lugar onde Seth desaparecera no bosque. Alice apareceu na varanda e então, depois de me fitar com olhos ansiosos por um bom tempo, seguiu rapidamente para o lado de Jasper. Imaginei que Rosalie estivesse lá dentro com Bella. Ainda protegendo-a... dos perigos errados.

— Esta não é a primeira vez que lhe devo minha gratidão, Jacob — sussurrou Edward. — Eu nunca teria pedido isso a você.

Pensei no que ele me pedira mais cedo. Quando se tratava de Bella, não havia limites que ele não ultrapassasse. *Sim, você teria.*

Ele pensou um pouco e assentiu.

— Creio que você tenha razão.

Soltei um suspiro pesado. *Bem, essa não é a primeira vez que faço algo e não é por você.*

— Certo — murmurou ele.

Lamento não ter conseguido nada hoje. Eu lhe disse que ela não me daria ouvidos.

— Eu sei. Não acreditei mesmo que ela daria. Mas...

Você precisava tentar. Eu sei. Ela está melhor?

Sua voz e seus olhos ficaram vazios.

— Pior — sussurrou ele.

Eu não queria aceitar essa palavra. Fiquei grato quando Alice falou.

— Jacob, importa-se de mudar de forma? — perguntou ela. — Quero saber o que está acontecendo.

Sacudi a cabeça ao mesmo tempo que Edward respondeu.

— Ele precisa ficar sintonizado com Seth.

— Bom, então *você* faria a gentileza de me contar o que está havendo?

Ele explicou em frases entrecortadas e sem emoção.

— A matilha acha que Bella se tornou um problema. Eles preveem um risco potencial com... com o que ela está carregando. Sentem que é dever deles eliminar o perigo. Jacob e Seth se separaram da matilha para nos alertar. Os outros estão planejando atacar esta noite.

Alice sibilou, inclinando-se para longe de mim. Emmett e Jasper trocaram um olhar; em seguida seus olhos percorreram as árvores.

Não há ninguém lá fora, reportou Seth. *Tudo está tranquilo no front ocidental.*

Eles podem dar a volta.

Vou fechar o círculo.

— Carlisle e Esme estão a caminho — disse Emmett. — Vinte minutos, no máximo.

— Precisamos estudar uma posição defensiva — disse Jasper.

Edward assentiu.

— Vamos entrar.

Vou percorrer o perímetro com Seth. Se eu estiver longe demais para ouvir meus pensamentos, fique atento ao meu uivo.

— Combinado.

Eles voltaram para a casa, os olhos disparando para todos os lados. Antes que entrassem, virei-me e corri para o oeste.

Ainda não estou encontrando nada, disse-me Seth.

Vou fazer metade do círculo. Ande rápido — eles não podem ter a oportunidade de passar sem ser notados.

Seth avançou numa explosão repentina de velocidade.

Corremos em silêncio, e os minutos se passaram. Eu ouvia os ruídos em volta dele, certificando-me de sua avaliação.

Ei — alguma coisa vem vindo rápido!, alertou ele depois de quinze minutos de silêncio.

Na minha direção!

Mantenha posição — não acho que seja a matilha. Parece diferente.

Seth...

Mas ele captou o cheiro que se aproximava na brisa, e eu li sua mente.

Vampiro. Aposto que é Carlisle.

Seth, recue. Pode ser outro.

Não, são eles. Eu reconheço o cheiro. Espere aí, vou me transformar para explicar a eles.

Seth, não acho...

Mas eu o tinha perdido.

Ansioso, corri ao longo da margem oeste. Não seria simplesmente esplêndido se eu não conseguisse cuidar de Seth pela droga de uma noite? E se alguma coisa acontecesse a ele sob minha supervisão? Leah faria picadinho de mim.

Pelo menos o garoto foi rápido. Não se passaram nem dois minutos e o senti em minha mente de novo.

É. Carlisle e Esme. Rapaz, eles ficaram surpresos quando me viram! Devem estar lá dentro agora. Carlisle agradeceu.

Ele é um bom sujeito.

É. Esse é um dos motivos por que temos razão nesta história.

Espero que sim.

Por que está tão deprimido, Jake? Aposto que Sam não vai trazer a matilha esta noite. Ele não vai se lançar numa missão suicida.

Suspirei. *De qualquer forma, aquilo não parecia importar.*

Ah! Então não é tanto por Sam, não é?

Fiz a volta no fim de minha patrulha. Captei o cheiro de Seth onde ele havia virado. Não estávamos deixando nenhum hiato.

Você acha que, de qualquer jeito, Bella vai morrer, sussurrou Seth.

É, ela vai.

Coitado do Edward. Ele deve estar louco.

Literalmente.

O nome de Edward trouxe outras lembranças fervilhantes à superfície. Seth as leu, estupefato.

E então começou a uivar. *Ah, cara! De jeito nenhum! Você não fez isso! Isso é uma bobagem sem tamanho, Jacob! E você sabe disso! Não acredito que disse que o mataria. Por quê? Precisa dizer a ele que não.*

Cale a boca, cale a boca, seu idiota! Eles vão pensar que a matilha está vindo.

Epa! Ele se interrompeu no meio do uivo.

Girei e comecei a me dirigir para a casa. *Fique fora disso, Seth. Patrulhe o perímetro todo agora.*

Seth estava fervendo de raiva e eu o ignorei.

Alarme falso, alarme falso, eu pensava à medida que me aproximava correndo. *Desculpe. Seth é jovem. Ele se esquece das coisas. Ninguém está atacando. Alarme falso.*

Quando cheguei à campina, pude ver Edward olhando de uma janela escura. Eu corri, querendo me certificar de que ele tinha entendido a mensagem.

Não há nada lá fora... Entendeu?

Ele assentiu uma vez.

Seria muito mais fácil se a comunicação não fosse de mão única. Mas, por outro lado, eu me sentia feliz por não estar na cabeça *dele*.

Ele olhou por cima do ombro, para dentro da casa, e vi um tremor percorrer seu corpo. Ele me dispensou com um gesto, sem voltar a olhar para mim, e saiu do meu campo de visão.

O que está havendo?

Como se eu fosse obter uma resposta.

Sentei-me completamente imóvel na campina e fiquei ouvindo. Com aqueles ouvidos, eu quase podia ouvir os passos suaves de Seth a quilômetros na floresta. Era fácil ouvir qualquer som dentro da casa escura.

— Foi um alarme falso — explicava Edward naquela voz morta, repetindo o que eu dissera a ele. — Seth ficou aborrecido com alguma coisa e se esqueceu de que estávamos esperando por um sinal. Ele é muito jovem.

— Que ótimo ter bebês guardando o forte — grunhiu uma voz grave. Emmett, pensei.

— Eles nos prestaram um grande serviço hoje, Emmett — disse Carlisle. — À custa de um grande sacrifício pessoal.

— É, eu sei. Só estou com inveja. Queria estar lá fora.

— Seth não acha que Sam vá nos atacar agora — disse Edward mecanicamente. — Não se estamos de sobreaviso, e eles sem dois membros da matilha.

— O que Jacob acha? — perguntou Carlisle.

— Ele não é tão otimista.

Ninguém falou. Eu ouvia um gotejar baixo que não consegui identificar. Ouvi a respiração baixa deles — e pude distinguir a respiração de Bella das demais. Era mais áspera, mais difícil. Disparava e se interrompia em ritmos estranhos. Eu podia ouvir seu coração. Parecia... rápido demais. Tentei comparar o batimento cardíaco com o meu, mas não sabia se servia de parâmetro. Eu não era lá muito normal.

— Não toque nela! Vai acordá-la — sussurrou Rosalie.

Alguém suspirou.

— Rosalie — murmurou Carlisle.

— Não comece, Carlisle. Deixamos que você tentasse de seu jeito mais cedo, mas aquilo foi a única concessão.

Parecia que Rosalie e Bella agora falavam no plural. Como se formassem um clã só delas.

Andei em silêncio na frente da casa. Cada passo me deixava mais perto. As janelas escuras eram como aparelhos de tevê em alguma sala de espera idiota — era impossível tirar os olhos dali por muito tempo.

Mais alguns minutos, mais alguns passos, e meu pelo estava roçando a lateral da varanda.

Eu podia ver pelas janelas — o alto das paredes e o teto, o lustre pendente apagado. Eu era tão alto que tudo o que precisaria fazer era esticar um pouco o pescoço... e talvez colocar uma pata na beira da varanda...

Espiei pela grande porta da frente, aberta, esperando ver algo semelhante à cena da tarde. Mas tudo estava tão diferente que a princípio fiquei confuso. Por um segundo pensei que estivesse olhando a sala errada.

A parede de vidro não estava mais ali — agora parecia de metal, e a mobília fora toda arrastada. Bella estava enroscada de uma forma estranha em uma cama estreita no meio do espaço aberto. Não uma cama comum — uma com grades, como um leito de hospital. Também como num hospital, havia monitores ligados a seu corpo, tubos enfiados em sua pele. As luzes nos monitores piscavam, mas não havia som. O gotejar que eu tinha ouvido vinha do tubo intravenoso preso a seu braço — algum fluido espesso e branco, opaco.

Bella engasgou levemente, em seu sono inquieto, e tanto Edward quanto Rosalie se aproximaram para observá-la. Seu corpo sacudiu e ela gemeu. Rosalie passou a mão na testa de Bella. O corpo de Edward enrijeceu — ele estava de costas para mim, mas sua expressão deve ter chamado a atenção, porque Emmett se pôs entre os dois num piscar de olhos. Ele ergueu as mãos para Edward.

— Esta noite não, Edward. Temos outras coisas com que nos preocupar.

Edward se afastou deles, e era de novo o homem em chamas. Seus olhos encontraram os meus por um momento e eu voltei a ficar em pé.

Corri de volta para a floresta escura, para me juntar a Seth, fugindo do que ficou atrás de mim.

Pior. Sim, ela estava pior.

12. ALGUMAS PESSOAS SIMPLESMENTE NÃO ENTENDEM O CONCEITO DE "INDESEJADO"

EU ESTAVA PRESTES A CAIR NO SONO.

O sol se erguera por trás das nuvens havia uma hora — a floresta agora estava cinzenta, não escura. Seth tinha se enroscado e desmaiado por volta da uma hora, e eu o acordara ao amanhecer para trocar de turno. Mesmo depois de ter corrido a noite toda, estava difícil fazer minha mente emudecer por tempo suficiente para que eu dormisse, mas a corrida ritmada de Seth ajudava. Um, dois-três, quatro, um, dois-três, quatro — *pum pum-pum pum* — batidas abafadas das patas na terra molhada, ininterruptas, enquanto ele descrevia o amplo traçado que contornava a terra dos Cullen. Já estávamos marcando uma trilha no chão. Os pensamentos de Seth eram vazios, só um borrão de verde e cinza à medida que a mata passava voando por ele. Era repousante. Ajudava ocupar minha cabeça com o que ele via, em vez de deixar que minhas imagens fossem o centro das atenções.

E, então, o uivo penetrante de Seth rompeu o silêncio da manhã.

Levantei cambaleando, as pernas dianteiras começando a correr antes que as traseiras tivessem se erguido. Disparei para o lugar onde Seth estava paralisado, ouvindo com ele a marcha de patas que corriam em nossa direção.

Bom dia, meninos.

Um gemido de choque escapou pelos dentes de Seth. E então nós dois rosnamos ao ler mais a fundo os novos pensamentos.

Ah, cara! Vá embora, Leah!, grunhiu Seth.

Parei quando alcancei Seth, que jogava a cabeça para trás, pronto para uivar novamente — desta vez numa queixa.

Chega de barulho, Seth.

Certo. Argh! Argh! Argh! Ele choramingava e batia as patas no chão, cavando fundo na terra.

Leah surgiu trotando em nosso campo de visão, o pequeno corpo cinza abrindo caminho entre os arbustos.

Pare de resmungar, Seth. Parece um bebezinho.

Eu grunhi para ela, minhas orelhas achatadas contra o crânio. Ela recuou um passo, automaticamente.

O que acha que está fazendo, Leah?

Ela bufou um suspiro pesado. *É bem óbvio, não é? Estou me juntando à porcaria da sua matilhazinha de renegados. Os cães de guarda dos vampiros.* Ela ladrou uma risada baixa e sarcástica.

Não está, não. Volte antes que eu arranque um de seus tendões.

Até parece que consegue me pegar. Ela arreganhou os dentes e retraiu o corpo para saltar. *Quer apostar corrida, ó destemido líder?*

Respirei fundo, enchendo os pulmões até as laterais de meu corpo incharem. Depois, quando tive certeza de que não ia gritar, expirei em uma lufada.

Seth, vá dizer aos Cullen que é só a idiota da sua irmã, pensei com a maior aspereza possível. *Eu cuido disso.*

É pra já! Seth estava feliz em partir. Ele desapareceu na direção da casa.

Leah gemeu e se inclinou na direção dele, com o pelo dos ombros se eriçando. *Vai ficar aí e deixar que ele vá até os vampiros* sozinho*?*

Tenho certeza absoluta de que ele prefere que o peguem, a passar mais um minuto que seja com você.

Cale a boca, Jacob. Epa, desculpe... Eu quis dizer, cale a boca, alfa supremo.

O que diabos *você está fazendo aqui?*

Acha que vou ficar sentada em casa enquanto meu irmão mais novo se oferece para virar chiclete de vampiro?

Seth não quer nem precisa de sua proteção. Na verdade, ninguém quer você aqui.

Aaah, ai, essa vai deixar uma marca imensa*. Rá,* ladrou ela. *Me diga quem* me *quer* por perto*, e eu saio daqui.*

Então não se trata de Seth, afinal?

É claro que sim. Só estou dizendo que ser indesejada não é novidade para mim. Não é bem um fator motivador, se é que me entende.

Trinquei os dentes e tentei organizar minha cabeça.

Sam mandou você?

Se eu estivesse aqui a mando de Sam, você não seria capaz de me ouvir. Minha lealdade não está mais com ele.

Ouvi com atenção os pensamentos misturados às palavras. Se o intuito fosse desviar nossa atenção ou se aquilo fosse uma tramoia, eu precisaria ficar bastante atento para perceber. Mas não havia nada. A declaração dela não passava da verdade. Uma verdade indesejada e quase desesperadora.

Agora você é leal a mim?, perguntei com profundo sarcasmo. *Arrã. Sei.*

Minhas opções são limitadas. Estou trabalhando com as alternativas que tenho. Acredite em mim: não estou gostando disso mais do que você.

Não era verdade. Havia uma agitação irritadiça em sua mente. Não estava satisfeita com a situação, mas ao mesmo tempo estava com um ânimo um tanto estranho. Procurei em sua mente, tentando entender.

Ela se eriçou, ressentindo-se da invasão. Em geral, eu tentava me desligar de Leah — nunca antes tentara encontrar sentido nela.

Fomos interrompidos por Seth, pensando a explicação para Edward. Leah gemeu de ansiedade. A expressão de Edward, emoldurada na mesma janela da noite anterior, não demonstrou reação à notícia. Era um rosto vazio e morto.

Nossa, ele parece mal, murmurou Seth consigo mesmo. O vampiro tampouco mostrou reação a esse pensamento. Desapareceu dentro da casa. Seth deu meia-volta e retornou. Leah relaxou um pouco.

O que está havendo?, perguntou Leah. *Pode me informar rapidamente.*

Não é preciso. Você não vai ficar.

Na verdade, Sr. Alfa, eu vou. Porque, como aparentemente tenho de pertencer a alguém — e não pense que não tentei ficar por conta própria, você sabe muito bem que isso não dá certo —, escolho você.

Leah, você não gosta de mim. Eu não gosto de você.

Obrigada, capitão Obviedade. Isso não me importa. Vou ficar com Seth.

Você não gosta de vampiros. Não acha que há um pequeno conflito de interesses aqui?

Você também não gosta de vampiros.

Mas eu estou *comprometido nessa aliança. Você não está.*

Vou manter distância deles. Posso fazer patrulhas por aqui, como Seth.

E eu vou ter que confiar em você?

Ela esticou o pescoço, apoiando-se nas garras, tentando ficar tão alta quanto eu ao me olhar nos olhos. *Não vou trair minha matilha.*

Eu queria atirar a cabeça para trás e uivar, como Seth fizera antes. *Essa não é a sua matilha! Isso nem é uma* matilha. *Sou só eu, por minha própria conta! Qual é o problema dos Clearwater? Por que não podem me deixar em paz?*

Seth, chegando por trás de nós, gemeu; eu o ofendera. Que ótimo!

Estou sendo útil, não estou, Jake?

Você não está chateando muito, garoto, mas se você e Leah são um pacote... se a única maneira de me livrar dela é mandá-lo para casa... Bom, pode me culpar por querer que você se mande?

Argh, Leah, você estraga tudo!

É, eu sei, ela disse a ele, e o pensamento era carregado do peso de seu desespero.

Senti a dor naquelas três palavras, maior do que eu poderia imaginar. Eu não queria me sentir daquele jeito. Não queria me sentir mal por ela. É claro que a matilha era rude com Leah, mas ela provocava aquilo com a amargura que tingia todos os seus pensamentos e tornava um pesadelo estar em sua cabeça.

Seth também se sentia culpado. *Jake... Não vai me mandar de volta de verdade, vai? Leah não é tão ruim assim. É sério. Quer dizer, com ela aqui, podemos ampliar o perímetro. E isso reduz Sam a sete. De jeito nenhum ele vai partir para um ataque com tantas baixas. Provavelmente é bom...*

Você sabe que não quero liderar uma matilha, Seth.

Então não nos lidere, propôs Leah.

Bufei. *Para mim, está ótimo. Agora, então, voltem para casa.*

Jake, pensou Seth. *Meu lugar é aqui. Eu gosto dos vampiros. Dos Cullen, pelo menos. Para mim, eles são pessoas, e vou protegê-los, porque é o que devemos fazer.*

Talvez este seja seu lugar, garoto, mas não é o da sua irmã. E ela vai aonde você for...

Parei de repente, porque percebi algo quando disse isso. Uma coisa em que Leah estivera tentando não pensar.

Leah não iria a lugar nenhum.

Achei que fosse por causa de Seth, eu pensei, azedo.

Ela se encolheu. *É claro que estou aqui por causa de Seth.*

E para se afastar de Sam.

Seu queixo tensionou. *Não preciso me explicar para você. Só tenho que fazer o que me disserem. Eu pertenço à sua matilha, Jacob. Fim de papo.*

Caminhei para longe dela, grunhindo.

Droga. Eu nunca iria me livrar dela. Por mais que não gostasse de mim, por mais que odiasse os Cullen, por mais feliz que fosse ficar se matasse todos os vampiros naquele exato momento, por mais que a irritasse ter que, ao contrário, protegê-los — tudo isso não era *nada* se comparado com o que ela sentia por estar livre de Sam.

Leah não gostava de mim, então não era nenhum drama saber que eu preferiria que ela desaparecesse.

Ela amava Sam. Ainda. E vê-lo querendo que ela sumisse era mais doloroso do que podia suportar, agora que tinha uma escolha. Ela teria aceitado qualquer outra opção. Mesmo que isso significasse mudar-se para a casa dos Cullen como seu cãozinho de estimação.

Não sei se eu iria tão longe, pensou ela. Leah tentou tornar as palavras duras e agressivas, mas sua encenação estava muito fajuta. *Tenho certeza de que, primeiro, consideraria algumas tentativas de suicídio.*

Escute, Leah....

Não, escute você, Jacob. Pare de discutir comigo, porque isso não vai levar a nada. Não vou atrapalhá-lo, está bem? Vou fazer o que você quiser. Menos voltar para a matilha de Sam e ser a patética ex-namorada de quem ele não consegue se livrar. Se quer que eu vá embora — ela se sentou nas patas traseiras e olhou direto em meus olhos —, *terá de me obrigar a isso.*

Eu rosnei por um minuto longo e colérico. Estava começando a sentir alguma simpatia por Sam, apesar do que ele havia feito a mim e a Seth. Não era de admirar que ele estivesse sempre dando ordens à matilha. De que outra maneira se conseguiria que as coisas fossem feitas?

Seth, você vai ficar muito chateado comigo se eu matar sua irmã?

Ele fingiu pensar por um minuto. *Bom... É, acho que vou.*

Eu suspirei.

Tudo bem, então, Srta. Vou-Fazer-O-Que-Você-Quiser. Por que não se mostra útil nos contando o que sabe? O que aconteceu depois que os deixamos ontem à noite?

Muitos uivos. Mas vocês devem ter ouvido essa parte. Foi tão alto que levamos algum tempo para perceber que não podíamos mais ouvir vocês. Sam estava...

As palavras lhe faltaram, mas podíamos ver em sua cabeça o que acontecera. Tanto Seth quanto eu nos encolhemos.

Depois disso, ficou logo claro que teríamos de repensar as coisas. Sam pretendia falar com os outros Anciãos hoje de manhã cedo. Iríamos nos reunir e pensar num plano. Mas sei que ele não vai lançar outro ataque logo. A esta altura, seria suicídio, com você e Seth desertando e os sanguessugas avisados. Não sei o que eles vão fazer, mas, se eu fosse um sanguessuga, não ficaria zanzando pela floresta sozinho. Está aberta a temporada de caça aos vampiros.

Você decidiu faltar à reunião desta manhã?, perguntei.

Quando nos dividimos para patrulhar ontem à noite, pedi permissão para ir para casa, contar à minha mãe o que tinha acontecido...

Droga! Você contou à mamãe?, grunhiu Seth.

Seth, pare com essa história de irmãos por um segundo. Continue, Leah.

Depois que passei para a forma humana, parei um minuto para pensar nas coisas. Bom, na verdade, parei a noite toda. Aposto que os outros acham que eu caí no sono. Mas essa história de duas matilhas separadas, duas mentes de matilha distintas me deu muito em que pensar. No fim, pesei a segurança de Seth e os, hã, outros benefícios e a ideia de me tornar traidora e sentir fedor de vampiro por sei lá quanto tempo. Você sabe o que decidi. Deixei um bilhete para minha mãe. Estou contando que vamos escutar quando Sam descobrir...

Leah levantou uma orelha na direção oeste.

É, conto com isso, concordei.

E isso é tudo. O que vamos fazer agora?, perguntou ela.

Ela e Seth me olharam em expectativa.

Era exatamente esse tipo de coisa que eu não queria ter que fazer.

Acho que por enquanto só podemos ficar de olho. É tudo o que podemos fazer. Você deveria tirar um cochilo, Leah.

Você dormiu tanto quanto eu.

Pensei que fosse fazer o que mandassem.

Certo. Isso está ficando batido, ela grunhiu, depois bocejou. *Bom, tanto faz. Não me importo.*

Vou percorrer os limites da propriedade, Jake. Não estou nem um pouco cansado. Seth estava tão feliz por eu não os ter obrigado a ir para casa que quase saltitava de empolgação.

Claro, claro. Vou checar as coisas com os Cullen.

Seth partiu pela nova trilha marcada na terra úmida. Leah ficou observando-o, pensativa.

Talvez uma ou duas voltas antes de eu apagar... Ei, Seth, quer ver quantas vezes eu posso ultrapassar você?

NÃO!

Ladrando uma risada baixa, Leah se lançou no bosque atrás dele.

Grunhi inutilmente. Adeus paz e silêncio.

Leah estava tentando — do seu jeito. Ela fazia o mínimo de zombaria enquanto corria o perímetro, mas era impossível não notar seu humor arrogante. Pensei na história de "dois é bom". Não se aplicava ali, porque *um* já era muito para a minha cabeça. Mas, se *tínhamos* mesmo de ser três, era difícil pensar em alguém por quem eu não a trocaria.

Paul?, sugeriu Leah.

Talvez, admiti.

Ela riu para si mesma, ansiosa e agitada demais para ficar ofendida. Perguntei-me quanto tempo iria durar a empolgação por ter se livrado da misericórdia de Sam.

Então essa será a minha meta — ser menos irritante que Paul.

É, invista nisso.

Mudei de forma quando estava a alguns metros do gramado. Eu não pretendia passar muito tempo ali como humano. Tampouco pretendia ter Leah em minha mente. Vesti meu short esfarrapado e atravessei o gramado.

A porta se abriu antes que eu alcançasse os degraus, e fiquei surpreso ao ver Carlisle, não Edward, ali para me receber — seu rosto parecia exausto e derrotado. Por um segundo, meu coração parou. Cambaleei até me deter, incapaz de falar.

— Está tudo bem com você, Jacob? — perguntou Carlisle.

— É Bella? — perguntei, sufocado.

— Ela está... na mesma de ontem à noite. Eu o assustei? Desculpe-me. Edward disse que você estava chegando na forma humana e vim recebê-lo, já que ele não quer deixá-la. Ela está acordada.

E Edward não queria perder nenhum segundo que pudesse passar com ela, porque não lhe restava muito tempo. Carlisle não disse isso em voz alta, mas poderia muito bem ter falado.

Já fazia algum tempo que eu não dormia — desde antes da minha última patrulha. Agora eu sentia bastante a falta de sono. Avancei um passo, sentando-me nos degraus da varanda, e me escorei na grade.

Movimentando-se silenciosamente, como só um vampiro podia fazer, Carlisle sentou-se no mesmo degrau, encostado na outra grade.

— Não tive oportunidade de lhe agradecer ontem à noite, Jacob. Você não sabe quanto estou grato por sua... compaixão. Sei que seu objetivo era proteger Bella, mas lhe devo a segurança do restante de minha família também. Edward me contou o que você teve de fazer...

— Não vamos falar nisso — murmurei.

— Como preferir.

Ficamos sentados em silêncio. Eu podia ouvir os outros na casa. Emmett, Alice e Jasper, falando em voz baixa e séria no segundo andar, Esme cantarolando desafinada em outro cômodo. Rosalie e Edward respirando ali perto... Eu não conseguia distinguir quem era quem, mas dava para perceber a diferença no difícil arfar de Bella. Também podia ouvir seu coração batendo. Parecia... irregular.

Era como se o destino estivesse me obrigando a fazer tudo o que jurei que não faria, no curso de vinte e quatro horas. Ali estava eu, passando o tempo, esperando para vê-la morrer.

Eu não queria ouvir mais. Falar era melhor do que ouvir.

— Você a considera parte de sua família? — perguntei a Carlisle. Eu havia pensado no comentário antes, quando ele tinha dito que eu ajudara o *restante* de sua família também.

— Sim. Bella já é uma filha para mim. Uma filha amada.

— Mas vai deixar que ela morra.

Ele ficou em silêncio por tanto tempo que o olhei. Seu rosto estava muito, muito cansado. Eu sabia como ele se sentia.

— Posso imaginar o que pensa de mim por isso — disse ele por fim. — Mas não posso ignorar a vontade dela. Não seria certo tomar uma decisão dessas por ela, coagi-la.

Queria ter raiva dele, mas ele dificultava tudo. Era como se Carlisle estivesse jogando minhas próprias palavras na minha cara, só que embaralhadas. Elas pareciam certas antes, mas não podiam ser certas agora. Não com Bella morrendo. Ainda assim... Lembrei-me de como foi ser forçado por Sam — não ter opção senão ser envolvido no assassinato de alguém que eu amava. Mas não era a mesma coisa. Sam estava errado. E Bella amava aquilo que não devia.

— Acha que há alguma possibilidade de ela conseguir? Quer dizer, como vampira e tudo mais. Ela me falou de... de Esme.

— Eu diria que há uma chance de cinquenta por cento a essa altura — respondeu ele em voz baixa. — Tenho visto o veneno de vampiros operar milagres, mas há problemas que nem o veneno pode vencer. O coração dela está muito sobrecarregado agora; se falhar... não haverá nada que eu possa fazer.

O coração de Bella pulsou e falhou, dando uma ênfase dolorosa às palavras dele.

Talvez o planeta tivesse começado a andar para trás. Talvez isso explicasse por que tudo estava ao contrário do que tinha sido na véspera — como eu poderia estar ansiando pelo que antes parecia ser a pior coisa do mundo?

— O que essa coisa está fazendo com ela? — sussurrei. — Ela estava tão pior na noite passada. Eu vi... os tubos e tudo aquilo. Pela janela.

— O feto não é compatível com seu corpo. Forte demais, para começar, mas isso ela provavelmente poderia suportar por algum tempo. O maior problema é que a coisa não permite que ela se alimente como precisa. O corpo está rejeitando toda forma de nutrição. Estou tentando a alimentação intravenosa, mas ela não está absorvendo. Tudo com relação a seu estado está acelerado. Eu estou vendo Bella... e não só ela, mas também o feto... morrendo de inanição a cada hora. Não consigo impedir e não consigo desacelerar isso. Não consigo descobrir o que a coisa *quer*. — Sua voz cansada falhou no fim.

Eu me senti como na véspera, quando vira as manchas escuras em sua barriga — furioso e meio ensandecido.

Fechei as mãos com força para controlar o tremor. Eu odiava a coisa que a estava consumindo. Já não bastava que o monstro a espancasse de dentro para fora. Não, aquilo também a mataria de fome. Provavelmente, só estava procurando algo em que afundar os dentes — um pescoço para sugar. Como ainda não era bastante grande para matar mais ninguém, resignava-se a sugar a vida de Bella.

Eu podia lhes dizer exatamente o que a coisa queria: morte e sangue, sangue e morte.

Senti minha pele quente e formigando. Respirei devagar, concentrando-me, para me acalmar.

— Queria poder ter uma ideia melhor do que é aquilo exatamente — murmurou Carlisle. — Mas o feto está bem protegido. Não consegui uma imagem de ultrassom. Duvido que haja algum modo de penetrar uma agulha no saco amniótico, mas, de qualquer forma, Rosalie não me deixaria tentar.

— Uma agulha? — murmurei. — Que bem isso faria?

— Quanto mais souber sobre o feto, melhor posso estimar o que será capaz de fazer. O que eu não daria por um pouco do líquido amniótico. Se eu ao menos soubesse a contagem cromossômica...

— Está me deixando perdido, doutor. Pode descomplicar isso, por favor?

Ele riu. Até sua risada parecia exausta.

— Tudo bem. Quanto de biologia você estudou? Chegou aos pares de cromossomos?

— Acho que sim. Temos vinte e três, não é?

— Os humanos têm.

Eu pisquei.

— Quantos vocês têm?

— Vinte e cinco.

Franzi a testa, olhando para as minhas mãos, por um segundo.

— O que isso quer dizer?

— Pensei que significasse que nossas espécies fossem quase completamente diferentes. Menos aparentadas do que um leão e um gato doméstico. Mas essa nova vida... Bem, ela sugere que somos geneticamente mais compatíveis do que eu pensava. — Ele suspirou com tristeza. — Eu não sabia, e não pude alertá-los.

Eu também suspirei. Tinha sido fácil odiar Edward por também não saber isso. Eu ainda o odiava. Só que era difícil sentir o mesmo por Carlisle. Talvez por que eu não me rasgasse de ciúmes no caso de Carlisle.

— Poderia ser útil saber qual é a contagem... saber se o feto está mais próximo de nós ou dela. Saber o que esperar. — Ele deu de ombros. — E talvez não ajudasse em nada. Acho que eu só queria ter algo que estudar, algo que pudesse fazer.

— Imagino como são meus cromossomos — murmurei. Pensei de novo naqueles exames de esteroides dos Jogos Olímpicos. Será que eles fazem testes de DNA?

Carlisle tossiu, meio constrangido.

— Você tem vinte e quatro pares, Jacob.

Eu me virei devagar para olhá-lo, erguendo as sobrancelhas.

Ele pareceu sem graça.

— Eu fiquei... curioso. Tomei a liberdade quando tratei de você em junho passado.

Pensei por um segundo.

— Acho que isso deveria me deixar chateado. Mas, na realidade, não me importo.

— Desculpe. Eu devia ter pedido.

— Tudo bem, doutor. Não fez por mal.

— Não, juro que *não* queria lhe fazer mal nenhum. É só que... Acho sua espécie fascinante. Creio que os elementos da natureza vampírica passaram a ser lugar-comum para mim com o decorrer dos séculos. A diferença entre sua família e a humanidade é muito mais interessante. É quase mágica.

— Abracadabra, pé de cabra — resmunguei.

Ele era como Bella com toda aquela baboseira de magia.

Carlisle deu outra risada cansada.

Depois, ouvimos a voz de Edward dentro da casa e paramos para escutar.

— Eu voltarei logo, Bella. Quero falar com Carlisle por um momento. Na verdade, Rosalie, você se importaria de me acompanhar? — Edward parecia diferente. Havia um pouco de vida em sua voz morta. Uma centelha de alguma coisa. Não era exatamente esperança, mas talvez o *desejo* de ter esperança.

— O que é, Edward? — perguntou Bella com a voz rouca.

— Nada com que precise se preocupar, amor. Só vai levar um segundo. Por favor, Rose?

— Esme? — chamou Rosalie. — Pode cuidar de Bella por mim?

Ouvi o sussurro do ar enquanto Esme descia flutuando a escada.

— Claro — disse ela.

Carlisle mudou de posição, virando-se para olhar a porta, com expectativa. Edward saiu primeiro, com Rosalie logo atrás. Seu rosto, como a voz, não era mais de morto. Ele parecia intensamente concentrado. Rosalie parecia desconfiada.

— Carlisle — murmurou ele.

— O que foi, Edward?

— Talvez estejamos lidando com isso da maneira errada. Eu estava ouvindo você e Jacob agora mesmo, e quando você falou do que o... feto quer, Jacob teve um pensamento interessante.

Eu? O que *eu* pensei? Além de meu ódio evidente pela coisa? Pelo menos nisso eu não estava sozinho. Dava para ver que Edward tinha dificuldade em usar um termo ameno como *feto*.

— Na verdade não abordamos *desse* ângulo — continuou Edward. — Estivemos tentando dar a Bella aquilo de que ela precisa. E seu corpo está aceitando tanto quanto o corpo de qualquer um dos nossos. Talvez devamos primeiro cuidar das necessidades do... feto. Talvez, se pudermos satisfazê-lo, possamos ajudá-la.

— Não estou entendendo, Edward — disse Carlisle.

— Pense, Carlisle. Se essa criatura é mais vampira que humana, não consegue imaginar o que ela anseia... o que não está recebendo? Jacob conseguiu.

Eu? Repassei a conversa, tentando relembrar quais pensamentos guardei para mim mesmo. Lembrei na mesma hora em que Carlisle compreendeu.

— Ah! — disse ele num tom surpreso. — Acha que é... sede?

Rosalie sibilou. Não estava mais desconfiada. Seu rosto revoltantemente perfeito estava todo iluminado, os olhos arregalados de empolgação.

— Claro — murmurou ela. — Carlisle, temos todo aquele tipo O negativo reservado para Bella. É uma boa ideia — acrescentou ela, sem olhar para mim.

— Hummm. — Carlisle pôs a mão no queixo, perdido em pensamentos. — Será?... Além do mais, qual seria a melhor maneira de administrar...

Rosalie sacudia a cabeça.

— Não temos tempo para ser criativos. Eu diria que devíamos começar tentando da forma tradicional.

— Esperem um minuto — sussurrei. — Esperem aí. Vocês estão... Estão falando de fazer Bella beber *sangue*?

— A ideia foi sua, cachorro — disse Rosalie de cara feia, mas sem nem sequer olhar para mim.

Eu a ignorei e observei Carlisle. O mesmo espectro de esperança que estivera no rosto de Edward estava agora nos olhos do médico. Ele franziu os lábios, especulando.

— Isso simplesmente é... — Não consegui encontrar a palavra certa.

— Monstruoso? — sugeriu Edward. — Repulsivo?

— Demais.

— Mas e se ajudá-la? — sussurrou ele.

Sacudi a cabeça, com raiva.

— O que vai fazer? Enfiar um tubo pela goela dela?

— Pretendo perguntar o que ela acha. Eu só queria a opinião de Carlisle primeiro.

Rosalie assentiu.

— Se disser a ela que isso pode ajudar o bebê, ela vai se dispor a fazer qualquer coisa. Mesmo que tenhamos de alimentá-los com um tubo.

Então percebi — quando ouvi como sua voz ficou toda melosa quando ela disse a palavra *bebê* — que a Loura concordaria com o que quer que ajudasse o monstrinho sugador de vida. Era isso o que estava acontecendo, o fator misterioso que ligava as duas? Rosalie queria o garoto?

Pelo canto do olho vi Edward assentir uma vez, desatento, sem olhar para mim. Mas eu sabia que ele estava respondendo às minhas perguntas.

Hummm. Eu jamais imaginaria que a Barbie de gelo teria um lado maternal. Não tinha nenhuma relação com proteger Bella — Rosalie provavelmente enfiaria o tubo pela garganta de Bella ela mesma.

A boca de Edward formou uma linha rígida, e eu sabia que tinha razão de novo.

— Bem, não temos tempo para ficar sentados discutindo — disse Rosalie com impaciência. — O que você acha, Carlisle? Podemos tentar?

Carlisle respirou fundo e se levantou.

— Vamos perguntar a Bella.

A Loura sorriu presunçosa — certa de que, se cabia a Bella, iria conseguir o que queria.

Eu me arrastei da escada e os segui enquanto desapareciam na casa. Não sabia bem por quê. Só curiosidade mórbida, talvez. Era como um filme de terror. Monstros e sangue por toda parte.

Ou, talvez, eu simplesmente não conseguisse resistir a mais uma dose de minha droga, que chegava ao fim.

Bella estava deitada na cama de hospital, a barriga uma montanha sob o lençol. Ela parecia de cera — sem cor e meio transparente. Dava para pensar que já estivesse morta, a não ser pelo movimento mínimo de seu peito, a respiração fraca. E havia os olhos, seguindo nós quatro com uma desconfiança exaurida.

Os outros já estavam ao lado dela, andando pela sala com movimentos rápidos e repentinos. Era apavorante de ver. Eu andava num passo lento.

— O que está havendo? — perguntou Bella num sussurro áspero. Sua mão de cera se ergueu, retorcida, como se tentasse proteger a barriga em forma de balão.

— Jacob teve uma ideia que pode ajudá-la — disse Carlisle. Eu queria que ele me deixasse fora daquilo. Não havia sugerido nada. Dê o crédito ao marido sanguessuga, era ele que merecia. — Não vai ser... agradável, mas...

— Mas vai ajudar o bebê — interrompeu Rosalie, impaciente. — Pensamos numa forma melhor de alimentá-lo. Talvez.

As pálpebras de Bella tremeram. Depois ela tossiu, com uma risada fraca.

— Não é agradável? — sussurrou ela. — Nossa, que mudança. — Ela olhou o tubo enfiado em seu braço e tossiu de novo.

A Loura riu com ela.

A garota parecia que só tinha horas de vida e devia estar sentindo dor, mas fazia piada. Tão típico de Bella... Tentando aliviar a tensão, tornar tudo melhor para todos.

Edward contornou Rosalie, nenhuma sombra de humor em sua expressão intensa. Fiquei feliz por isso. Ajudava, só um pouquinho, que ele estivesse sofrendo mais do que eu. Ele pegou a mão dela, mas não a que ainda protegia a barriga estufada.

— Bella, amor, vamos lhe pedir que faça uma coisa monstruosa — disse ele, usando os mesmos adjetivos que havia me sugerido. — Repulsiva.

Bom, pelo menos ele era franco com ela.

Ela tomou fôlego de modo entrecortado, agitada.

— É muito ruim?

Carlisle respondeu.

— Achamos que o feto pode ter um apetite mais próximo do nosso que do seu. Acreditamos que esteja com sede.

Ela piscou.

— Ah. *Ah.*

— Seu estado... o estado dos dois... está se degradando rapidamente. Não temos tempo para perder, para pensar em formas mais palatáveis de fazer isso. A maneira mais rápida de testar essa teoria...

— Eu tenho de beber — sussurrou ela, fazendo que sim levemente, mal encontrando energia para um pequeno movimento de cabeça. — Posso fazer isso. É treinar para o futuro, não? — Seus lábios sem cor se esticaram num sorriso fraco enquanto ela olhava para Edward. Ele não sorriu.

Rosalie começou a bater o pé, impaciente. O som era verdadeiramente irritante. Perguntei-me o que ela faria se eu a atirasse pela parede bem naquele minuto.

— E, então, quem vai me trazer um urso-pardo? — sussurrou Bella.

Carlisle e Edward se entreolharam rapidamente. Rosalie parou de bater o pé.

— O que foi? — perguntou Bella.

— Será um teste mais eficaz se evitarmos subterfúgios, Bella — disse Carlisle.

— *Se* o feto deseja sangue — explicou Edward —, não é sangue de animal.

— Não vai fazer diferença para você, Bella. Não pense nisso — encorajou Rosalie.

Os olhos de Bella se arregalaram.

— Quem? — sussurrou ela, e seu olhar pousou em mim.

— Não estou aqui como doador, Bells — grunhi. — Além disso, é sangue humano que a coisa quer, e não acho que o meu vá servir...

— Temos sangue disponível — disse-lhe Rosalie, interrompendo-me, como se eu não estivesse presente. — Para você... caso precise. Não se preocupe com nada. Vai ficar tudo bem. Tenho um bom pressentimento com relação a isso, Bella. Acho que o bebê vai ficar muito melhor.

A mão de Bella deslizou pela barriga.

— Bom — disse ela com a voz quase inaudível. — *Eu* estou morrendo de fome, então acho que ele também está. — Tentando fazer outra piada. — Vamos fazer isso. Meu primeiro ato de vampira.

13. AINDA BEM QUE EU TENHO ESTÔMAGO FORTE

CARLISLE E ROSALIE SAÍRAM NUM PISCAR DE OLHOS, DISPARANDO escada acima. Eu podia ouvi-los discutindo se deviam aquecê-lo para ela. Eca. Imaginei quais itens de filme de terror eles deviam guardar por ali. Geladeira abastecida de sangue, ok. O que mais? Câmara de tortura? Um quarto com caixões?

Edward ficou, segurando a mão de Bella. Seu rosto estava morto de novo. Ele parecia não ter energia para manter nem mesmo aquela centelha de esperança de antes. Eles se entreolharam, mas não de forma melosa. Era como se estivessem conversando. Isso me faz lembrar de Sam e Emily.

Não, não era meloso, mas aquilo só tornava a cena mais difícil de ver.

Sabia o que era para Leah ter de ver aquilo o tempo todo. Ter de ouvi-lo na mente de Sam. É claro que todos nós nos sentíamos mal por ela, não éramos monstros — nesse sentido, pelo menos. Mas acho que a culpávamos pelo modo como lidava com a situação. Flagelando todos, tentando nos deixar tão infelizes quanto ela estava.

Eu nunca mais a culparia. Como alguém poderia evitar espalhar esse tipo de infelicidade? Como alguém poderia *não* tentar aliviar parte do fardo jogando um pedacinho dele nas costas dos outros?

E se isso me forçou a ter uma matilha, como eu poderia culpá-la por tirar minha liberdade? Eu faria a mesma coisa. Se houvesse uma forma de escapar dessa dor, eu também faria.

Rosalie disparou escada abaixo depois de um segundo, atravessando a sala como uma brisa leve, levantando no ar o cheiro acre. Ela parou na cozinha, e ouvi o som de uma porta de armário.

— *Transparente* não, Rosalie — murmurou Edward. E revirou os olhos.

Bella parecia curiosa, mas Edward limitou-se a sacudir a cabeça para ela. Rosalie voou de volta pela sala e desapareceu novamente.

— Essa ideia foi sua? — sussurrou Bella, a voz soando rouca enquanto ela fazia força para torná-la alta o suficiente para que eu ouvisse. Esquecendo-se de que eu podia muito bem ouvir. Eu até que gostava do modo como, na maior parte do tempo, ela parecia esquecer que eu não era completamente humano. Eu me aproximei, para que ela não tivesse de se esforçar tanto.

— Não me culpe por isso. Seu vampiro só pescou uns comentários indiscretos em minha cabeça.

Ela sorriu um pouco.

— Eu não esperava vê-lo de novo.

— É, nem eu — eu disse.

Sentia-me estranho de pé ali, mas os vampiros haviam tirado toda a mobília do caminho para instalar o equipamento médico. Imaginei que não tinham se incomodado com isso — ficar sentado ou de pé não faz diferença quando se é de pedra. Não teria me incomodado também, se eu não estivesse tão exausto.

— Edward me disse o que você precisou fazer. Sinto muito.

— Está tudo bem. Provavelmente, era só uma questão de tempo até que eu desobedecesse a alguma coisa que Sam me ordenasse — menti.

— E Seth — sussurrou ela.

— Ele, na verdade, está feliz em ajudar.

— Odeio causar problemas a vocês.

Eu ri — mais um latido que uma risada.

Ela soltou um suspiro fraco.

— Acho que isso não é nenhuma novidade, não é?

— Não mesmo.

— Não precisa ficar e ver isso — disse ela, mal sussurrando as palavras.

Eu poderia ir embora. Essa era, provavelmente, uma boa ideia. Mas se eu fosse, do jeito que Bella estava naquele momento, eu poderia perder os últimos quinze minutos de sua vida.

— Não tenho mesmo para onde ir — disse a ela, tentando afastar da voz a emoção. — Essa coisa de lobo ficou bem menos atraente desde que Leah se juntou a nós.

— Leah? — ela arfou.

— Não contou a ela? — perguntei a Edward.

Ele se limitou a dar de ombros, sem tirar os olhos do rosto de Bella. Pude perceber que a notícia não era grande coisa para ele, nada que ele fosse se dar ao trabalho de comentar, diante dos acontecimentos mais importantes que estavam se desenrolando.

Bella não encarou aquilo tão despreocupadamente. Parecia que, para ela, era uma notícia ruim.

— Por quê? — ela sussurrou.

Eu não queria contar aquela longa história.

— Para ficar de olho em Seth.

— Mas Leah nos odeia — sussurrou ela.

Nos. Que ótimo! Mas pude ver que ela estava com medo.

— Leah não vai incomodar ninguém. — A não ser a mim. — Ela é da minha matilha — fiz uma careta com estas palavras —, então segue minha liderança. — Argh.

Bella não pareceu convencida.

— Você tem medo de *Leah*, mas está a melhor amiga daquela loura psicopata.

Ouviu-se um silvo baixo vindo do segundo andar. Legal, ela me ouvira.

Bella fechou a cara para mim.

— Não diga isso. Rose... entende.

— É — grunhi. — Ela entende que você vai morrer e não se importa, desde que tenha o filhote mutante em troca.

— Pare de ser tão idiota, Jacob — ela sussurrou.

Ela parecia tão fraca que não dava para eu ficar zangado. Tentei sorrir, então.

— Você fala como se isso fosse possível.

Bella tentou por um segundo não devolver o sorriso, mas no fim não conseguiu; seus lábios ressecados se repuxaram nos cantos.

E então Carlisle e a psicopata em questão chegaram. Carlisle estava com um copo de plástico branco na mão — do tipo com tampa e um canudo curvo. Ah! *Transparente não* —, agora eu entendia. Edward não queria que Bella tivesse de pensar mais que o necessário no que iria fazer. Não dava para ver o que estava no copo. Mas eu podia sentir o cheiro.

Carlisle hesitou, a mão com o copo meio estendida. Bella olhou aquilo, parecendo assustada de novo.

— Podemos tentar outro método — disse Carlisle em voz baixa.

— Não — sussurrou Bella. — Não, vou tentar assim primeiro. Não temos tempo...

De início pensei que ela por fim tivesse entendido a dica e estivesse preocupada consigo mesma, mas depois sua mão ondeou contra sua barriga.

Bella estendeu o braço e pegou o copo. A mão tremia um pouco, e pude ouvir o som do líquido dentro do copo. Ela tentou se apoiar em um cotovelo, mas mal conseguiu erguer a cabeça. Um calor desceu por minha espinha quando vi quanto Bella havia ficado enfraquecida em menos de um dia.

Rosalie pôs o braço atrás dos ombros de Bella, apoiando a cabeça também, como se faz com um recém-nascido. A Loura era toda bebês.

— Obrigada — sussurrou Bella. Seus olhos correram por todos nós. Ainda bastante consciente para se sentir constrangida. Se não estivesse tão esgotada, aposto que teria corado.

— Não ligue para eles — murmurou Rosalie.

Isso fez eu me sentir inadequado. Eu devia ter ido embora quando Bella me deu a chance. Aquele não era meu lugar, eu não fazia parte daquilo. Pensei em dar o fora, mas percebi que uma atitude dessas só faria Bella se sentir pior — tornaria mais difícil para ela enfrentar aquilo. Ela imaginaria que eu estava enojado demais para ficar. O que era quase verdade.

Ainda assim... Embora eu não reivindicasse a responsabilidade daquela ideia, também não queria que desse errado.

Bella levou o copo até o rosto e cheirou a ponta do canudo. Ela se encolheu e, então, fez uma careta.

— Bella, meu amor, podemos encontrar uma maneira mais fácil — disse Edward, estendendo a mão para o copo.

— Tape o nariz — sugeriu Rosalie.

Ela olhou para a mão de Edward como se fosse mordê-la. Eu queria que ela fizesse isso. Aposto que Edward não aceitaria isso quieto, e eu adoraria ver a Loura perder um braço.

— Não, não é isso. É só que... — Bella respirou fundo. — O cheiro é bom — ela admitiu numa voz fininha.

Engoli em seco, lutando para não deixar transparecer minha repulsa.

— Isso é bom — disse Rosalie, ansiosa. — Significa que estamos no caminho certo. Experimente. — Dada a expressão da Loura, fiquei surpreso que ela não tivesse começado alguma dança da vitória.

Bella colocou o canudo entre os lábios, fechou os olhos com força e franziu o nariz. Eu podia ouvir o sangue balançando no copo em sua mão trêmula. Ela bebericou por um segundo e gemeu baixinho, com os olhos ainda fechados.

Edward e eu nos aproximamos ao mesmo tempo. Ele tocou seu rosto. Eu cruzei as mãos, nas costas.

— Bella, meu amor...

— Estou bem — sussurrou ela, abrindo os olhos e fitando-o. Sua expressão era... de quem se desculpava. Suplicante. Assustada. — O *gosto* é bom também.

O ácido se agitou em meu estômago, ameaçando transbordar. Trinquei os dentes.

— Isso é bom — repetiu a Loura, ainda empolgada. — Um bom sinal.

Edward colocou a mão no rosto de Bella, os dedos curvados em torno de seus ossos frágeis.

Bella suspirou e pôs os lábios no canudo de novo. Dessa vez, tomou um bom gole. O movimento não foi fraco como era tudo mais nela. Como se algum instinto estivesse assumindo o controle.

— Como está seu estômago? Sente-se enjoada? — perguntou Carlisle.

Bella sacudiu a cabeça.

— Não, não estou enjoada — ela sussurrou. — Isso é novidade, certo?

Rosalie estava radiante.

— Excelente.

— Acho que é um pouco cedo para isso, Rose — murmurou Carlisle.

Bella tomou mais um gole de sangue. Depois olhou para Edward.

— Isso vai prejudicar meu total? — sussurrou ela. — Ou vamos começar a contar *depois* de eu ser vampira?

— Ninguém está contando, Bella. De qualquer forma, ninguém morreu para isso. — Ele deu seu sorriso sem vida. — Sua ficha ainda está limpa.

Eles estavam me deixando confuso.

— Eu explico depois — disse Edward, tão baixo que as palavras eram só um sussurro.

— O quê? — murmurou Bella.

— Só estou falando sozinho — mentiu ele, tranquilamente.

Se aquilo desse certo, se Bella sobrevivesse, Edward não conseguiria mais se safar tão facilmente quando os sentidos dela fossem aguçados como os dele. Teria que melhorar nessa coisa de honestidade.

Os lábios de Edward se retorceram, reprimindo um sorriso.

Bella bebeu mais um pouco, olhando além de nós, pela janela. Provavelmente fingindo que não estávamos ali. Ou talvez apenas eu. Ninguém mais naquele grupo ficaria enojado com o que ela estava fazendo. Ao contrário — eles deviam achar difícil não arrancar o copo das mãos dela.

Edward revirou os olhos.

Meu Deus, como alguém suporta viver com ele? Era mesmo péssimo que ele não ouvisse os pensamentos de Bella. Assim, ele também a deixaria louca de irritação e ela se cansaria dele.

Edward riu. Os olhos de Bella imediatamente dispararam até ele, e ela deu um leve sorriso ao ver a alegria em seu rosto. Imaginei que fosse algo que não via fazia algum tempo.

— Alguma coisa engraçada? — ela murmurou.

— Jacob — respondeu ele.

Ela olhou para mim com outro sorriso fraco.

— Jake é um piadista — concordou ela.

Que ótimo, agora eu era o bobo da corte.

— Prum *pum*! — murmurei, numa fraca imitação de um rufar de tambores.

Ela sorriu de novo, depois tomou outro gole do copo. Eu me encolhi quando o canudo sugou o vazio, produzindo um chiado alto.

— Consegui — disse ela, parecendo satisfeita. A voz era clara. Ainda estava rouca, mas pela primeira vez naquele dia não era um sussurro. — Se eu conseguir manter isso no estômago, Carlisle, você vai tirar essas agulhas de mim?

— Assim que for possível — prometeu ele. — Sinceramente, elas não estão adiantando muita coisa aí.

Rosalie afagou a testa de Bella, e elas trocaram um olhar esperançoso.

E qualquer um podia ver — o copo cheio de sangue humano fizera diferença imediatamente. A cor de Bella voltava — havia uma leve incidência de rosa nas bochechas de cera. Ela já não parecia precisar tanto de que Rosalie a apoiasse. Respirava com mais facilidade, e eu podia jurar que seus batimentos cardíacos estavam mais fortes, mais regulares.

Tudo se acelerou.

O fantasma de esperança nos olhos de Edward se transformou em algo real.

— Quer mais? — incentivou Rosalie.

Os ombros de Bella arriaram.

Edward fuzilou Rosalie com o olhar antes de falar com Bella.

— Não precisa beber mais agora.

— É, eu sei. Mas... eu *quero* — admitiu ela, melancólica.

Rosalie passou os dedos finos e pontudos pelos cabelos lisos de Bella.

— Não precisa ficar constrangida, Bella. Seu corpo tem desejos. Todos nós entendemos isso. — Seu tom era tranquilizador, a princípio, mas depois ela acrescentou, com aspereza: — Quem não entende, não deveria estar aqui.

Aquilo era para mim, é claro, mas eu não deixaria a Loura me irritar. Estava feliz por Bella ter melhorado. E daí se o que foi feito me dava nojo? Eu nem tinha dito nada.

Carlisle tirou o copo da mão de Bella.

— Volto logo.

Bella me olhou enquanto ele desaparecia.

— Jake, você parece péssimo — disse ela.

— Olhe quem está falando.

— É sério... Quando foi a última vez que você dormiu?

Pensei naquilo por um segundo.

— Hummm. Não sei bem.

— Ai, Jake. Agora estou acabando com sua saúde também. Não seja idiota.

Trinquei os dentes. Ela podia se matar por causa de um monstro, mas eu não podia perder algumas noites de sono para vê-la fazendo aquilo?

— Vá descansar um pouco, por favor — continuou ela. — Há algumas camas lá em cima... Pode usar qualquer uma.

A expressão no rosto de Rosalie deixava claro que eu não era bem-vindo em uma delas. Fez com que eu me perguntasse para que é que a Bela Insone precisava de uma cama. Será que ela era assim tão possessiva com seus objetos cenográficos?

— Obrigado, Bella, mas prefiro dormir no chão. Longe do fedor, sabe como é.

Ela fez uma careta.

— Tudo bem.

Carlisle voltou, e Bella estendeu a mão para o sangue, distraída, como se estivesse pensando em outra coisa. Com a mesma expressão, começou a tomá-lo.

Ela realmente parecia melhor. Inclinou o corpo para a frente, tomando cuidado com os tubos, e se sentou. Rosalie a velava, as mãos prontas para segurá-la se ela vacilasse. Mas Bella não precisou. Respirando fundo entre um gole e outro, terminou o segundo copo rapidamente.

— Como se sente agora? — perguntou Carlisle.

— Não estou mal. Meio faminta... Só que não sei bem se estou com fome ou *sede*, entende?

— Carlisle, olhe para ela — murmurou Rosalie, tão satisfeita que parecia um gato que acabara de comer um canário. — É evidente que é isso o que o corpo dela quer. Deveria beber mais.

— Ela ainda é humana, Rosalie. Precisa de comida também. Vamos dar um tempo para ver como isso a afeta, e talvez possamos tentar lhe dar comida de novo. Há algo em particular que lhe apeteça, Bella?

— Ovos — disse ela imediatamente, e então trocou um olhar e um sorriso com Edward.

O sorriso dele era superficial, mas em seu rosto havia mais vida do que antes.

Eu pisquei e quase me esqueci de como se abria os olhos.

— Jacob — murmurou Edward. — Você deveria mesmo dormir. Como Bella disse, você é bem-vindo nas acomodações daqui, embora provavelmente vá ficar mais à vontade lá fora. Não se preocupe com nada... Prometo que o encontrarei se houver necessidade.

— Claro, claro — murmurei. Agora que parecia que Bella tinha mais algumas horas, eu podia escapulir. Ir me enroscar debaixo de uma árvore em algum lugar... Longe o bastante para que o cheiro não me alcançasse. O sanguessuga me acordaria se alguma coisa saísse errado. Ele me devia essa.

— Devo, sim — concordou Edward.

Assenti e pus a mão na de Bella. Estava supergelada.

— Melhore — eu disse.

— Obrigada, Jacob. — Ela virou a mão e apertou a minha. Senti o arco fino de sua aliança frouxa no dedo esquálido.

— Pegue um cobertor ou algo assim para ela — murmurei ao me virar para a porta.

Antes que eu chegasse lá, dois uivos atravessaram o ar calmo da manhã. Não havia como confundir a urgência do tom. Dessa vez não era um mal-entendido.

— Que droga — rosnei, e disparei pela porta. Eu me joguei da varanda, deixando que o fogo me dilacerasse em pleno ar. Ouvi o som do tecido se rasgando enquanto meu short se esfarrapava. *Porcaria*. Era a única roupa que eu tinha. Mas naquele momento não importava. Minhas patas pousaram na terra e parti para o oeste.

O que é?, gritei em minha mente.

Estão vindo, respondeu Seth. *Pelo menos três.*

Eles se dividiram?

Vou correr o perímetro de volta até Seth na velocidade da luz, prometeu Leah.

Eu podia sentir o ar zunindo por seus pulmões enquanto ela se impelia a uma velocidade incrível. A floresta disparada em torno dela.

Até agora, nenhum outro ponto de ataque.

Seth, não os enfrente. Espere por mim.

Eles estão reduzindo o passo. Argh... É tão ruim não poder ouvi-los. Acho...

O quê?

Acho que eles pararam.

Esperando pelo restante da matilha?

Shh! Sente isso?

Absorvi as impressões dele. Um tremor fraco e silencioso no ar.

Alguém está mudando de forma?

Parece que sim, concordou Seth.

Leah chegou voando no pequeno espaço aberto onde Seth esperava. Cravou as patas na terra, derrapando como um carro de corrida.

Estou com você, mano.

Eles estão chegando, disse Seth, nervoso. *Devagar. Andando.*

Estou quase aí, eu lhes disse. Tentei voar como Leah. Era horrível estar longe de Seth e Leah, com o perigo em potencial mais perto deles que de mim. Era errado. Eu devia estar com eles, entre eles e o que estivesse se aproximando.

Olhe quem está todo paternal, pensou Leah, irônica.

Concentre-se, Leah.

Quatro, concluiu Seth. O garoto tinha boa audição. *Três lobos, um homem.*

Então cheguei à pequena clareira, e imediatamente me coloquei à frente deles. Seth suspirou de alívio, e então se endireitou, já em seu lugar junto ao meu ombro direito. Leah veio para meu lado esquerdo com um pouco menos de entusiasmo.

Então agora estou abaixo de Seth, grunhiu para si mesma.

Quem chega primeiro, serve-se primeiro, pensou Seth, presunçoso. *Além disso, você nunca foi a terceira do alfa. Ainda é um progresso.*

Ficar abaixo de meu irmão mais novo não é progresso nenhum.

Shh!, reclamei. *Não ligo para onde vocês fiquem. Calem a boca e preparem-se.*

Eles apareceram alguns segundos depois, andando, como Seth pensara. Jared na frente, na forma humana, de mãos erguidas. Paul, Quil e Collin nas quatro patas, atrás dele. Não havia agressividade em sua atitude. Eles permaneceram atrás de Jared, de orelhas erguidas, atentos, mas calmos.

Mas... era estranho que Sam enviasse Collin em vez de Embry. Eu não faria isso se estivesse mandando uma missão diplomática a território inimigo. Eu não mandaria um garoto. Mandaria um lutador experiente.

Para nos distrair?, pensou Leah.

Sam, Embry e Brady estariam se aproximando sozinhos? Não parecia provável.

Quer que eu verifique? Posso correr o perímetro e voltar em dois minutos.

Devo alertar os Cullen?, perguntou-se Seth.

E se o objetivo for nos dividir?, perguntei. *Os Cullen sabem que algo está acontecendo. Eles estão preparados.*

Sam não seria tão idiota..., sussurrou Leah, o medo cortante em sua mente. Ela estava imaginando Sam atacando os Cullen com apenas outros dois a seu lado.

Não, ele não faria isso, garanti a ela, embora também sentisse certa náusea devido à imagem em sua cabeça.

Todo esse tempo, Jared e os três lobos nos fitavam, esperando. Era sinistro não ouvir o que Quil, Paul e Collin diziam uns aos outros. Suas expressões estavam vazias — indecifráveis.

Jared deu um pigarro e assentiu para mim.

— Bandeira branca de trégua, Jake. Viemos conversar.

Acha que é verdade?, perguntou Seth.

Faz sentido, mas...

É, concordou Leah. *Mas.*

Não relaxamos.

Jared franziu o cenho.

— Seria mais fácil conversar se eu também pudesse ouvir vocês.

Eu o olhei de cima para baixo. Não me transformaria antes de me sentir melhor com aquela situação. Até que fizesse sentido. Por que Collin? Essa era a parte que mais me preocupava.

— Tudo bem. Então acho que só eu vou falar — disse Jared. — Jake, queremos que você volte.

Quil soltou um gemido suave atrás dele. Apoiando a declaração.

— Você separou nossa família. Não é assim que deve ser.

Eu não chegava a discordar, mas não era essa a questão. Naquele momento, havia algumas diferenças de opinião não resolvidas entre mim e Sam.

— Sabemos que a questão com os Cullen mexe... demais com você. Sabemos que é um problema. Mas essa é uma reação exagerada.

Seth grunhiu. *Reação exagerada? E atacar nossos aliados sem aviso não é?*
Seth, você já ouviu falar de "cara de paisagem"? Fique frio.
Desculpe-me.

Os olhos de Jared correram para Seth e de volta a mim.

— Sam está disposto a ir mais devagar nesse assunto, Jacob. Ele se acalmou, conversou com os Anciãos. Eles decidiram que agora a ação imediata não é do interesse de ninguém.

Tradução: Eles já perderam o elemento surpresa, Leah pensou.

Era estranho que nosso pensamento conjunto fosse tão diferente. A matilha já era de Sam, já eram "eles" para nós. Algo de fora, estranho. Era especialmente esquisito ter Leah pensando dessa maneira — tê-la como parte genuína do "nós".

— Billy e Sue concordam com você, Jacob, que podemos esperar que Bella... esteja fora do problema. Nenhum de nós está à vontade com a ideia de matá-la.

Embora tivesse acabado de dar uma bronca em Seth, eu mesmo não consegui reprimir um pequeno rosnado. Então eles não *se sentiam exatamente à vontade* com o assassinato, hein?

Jared ergueu as mãos de novo.

— Calma, Jake. Você sabe o que eu quis dizer. A questão é que vamos esperar e reavaliar a situação. Decidir mais tarde se há um problema com a... coisa.

Rá, pensou Leah. *Quanta bobagem!*

Você não engoliu?

Sei o que eles estão pensando, Jake. O que Sam *está pensando. Estão apostando na morte de Bella, de qualquer forma. E depois imaginam que você ficará tão louco...*

Que eu mesmo irei liderar o ataque. Minhas orelhas se colaram ao crânio. O que Leah imaginava parecia fazer sentido. E ser bastante possível também. Quando... se a coisa matasse Bella, seria fácil eu me esquecer como me sentia com relação à família de Carlisle. Eles provavelmente pareceriam outra vez inimigos para mim — nada mais que sanguessugas.

Eu vou lembrá-lo disso, sussurrou Seth.

Sei que vai, garoto. A questão é se vou ouvir você.

— Jake? — chamou Jared.

Bufei um suspiro.

Leah, dê uma volta — só por precaução. Vou ter de conversar com ele e quero ter certeza de que não há nada acontecendo enquanto eu estiver na outra forma.

Dá um tempo, Jacob. Pode mudar de forma na minha frente. Apesar de meus esforços, eu já vi você pelado — não é grande coisa, então não se preocupe.

Não estou tentando proteger a inocência de seus olhos. Estou tentando proteger nossa retaguarda. Saia daqui.

Leah bufou e se lançou para a floresta. Eu podia ouvir suas patas se enterrando no solo, impelindo-a mais rapidamente.

A nudez era parte inconveniente porém inevitável da vida na matilha. Ninguém achava nada demais antes de Leah aparecer. Então ficou estranho. Leah era mais ou menos controlada quando se tratava de seu gênio — ela demorou o tempo habitual até parar de explodir de dentro de suas roupas toda vez que ficava irritada. Todos nós vimos alguma coisa de relance. E não é que não valesse a pena olhar — o que *não* valia nada a pena era quando ela nos pegava pensando nisso depois.

Jared e os outros ficaram olhando com uma expressão preocupada o ponto onde ela desaparecera na mata.

— Aonde ela vai? — perguntou Jared.

Eu o ignorei, fechando os olhos e me recompondo. Era como se o ar ao meu redor tremesse, agitando-se em pequenas ondas ao me tocar. Eu me ergui sobre as pernas traseiras, num *timing* tão perfeito, que estava completamente ereto quando assumi a forma humana.

— Ah — disse Jared. — Oi, Jake.

— Oi, Jared.

— Obrigado por falar comigo.

— Tá.

— Queremos que você volte, cara.

Quil gemeu de novo.

— Não sei se é tão fácil, Jared.

— Venha para casa — disse ele, inclinando-se para a frente. Suplicante. — Podemos resolver isso. Seu lugar não é aqui. Deixe Seth e Leah virem também.

Eu ri.

— Tá legal. Como se eu não estivesse implorando a eles que fizessem isso desde o primeiro momento.

Seth bufou atrás de mim.

Jared avaliou isso; os olhos de novo cautelosos.

— E agora? O que vai acontecer?

Pensei por um minuto inteiro enquanto ele esperava.

— Não sei. Mas, de qualquer jeito, não tenho certeza de que as coisas possam simplesmente voltar ao normal, Jared. Não sei como funciona... Não parece que posso entrar e sair desse negócio de alfa quando bem entender. Parece um tanto permanente.

— Você ainda nos pertence.

Ergui as sobrancelhas.

— Dois alfas não podem pertencer ao mesmo lugar, Jared. Lembra a que ponto chegamos ontem à noite? O instinto é competitivo demais.

— Então você simplesmente vai andar com os parasitas pelo resto de sua vida? — perguntou ele. — Você não tem um lar aqui. Já não tem mais roupas — observou ele. — Vai ficar lobo o tempo todo? Sabe que Leah não gosta de comer dessa forma.

— Leah pode fazer o que quiser quando tiver fome. Ela está aqui porque quer. *Eu* não vou dizer a ninguém o que fazer.

Jared suspirou.

— Sam lamenta pelo que fez com você.

Assenti.

— Minha raiva já passou.

— Mas...?

— Mas não vou voltar. Não agora. Também vamos esperar e ver como a coisa se desenrola. E vamos cuidar dos Cullen pelo tempo que for necessário. Porque, apesar do que vocês pensam, não se trata só de Bella. Estamos protegendo aqueles que devem ser protegidos. E isso se aplica aos Cullen também.

— Pelo menos grande parte deles.

Seth ganiu suavemente, concordando.

Jared franziu o cenho.

— Então parece que não há nada que eu possa dizer a você.

— Agora, não. Veremos como as coisas vão se desenrolar.

Jared virou-se para Seth, concentrando-se nele agora, afastando-se de mim.

— Sue me pediu que dissesse a você... não, que *implorasse* a você... que volte para casa. Ela está magoada, Seth. Muito sozinha. Não sei como você e Leah podem fazer isso com ela. Abandoná-la assim, quando seu pai acaba de morrer...

Seth choramingou.

— Calminha aí, Jared — alertei.

— Só estou dizendo a ele como as coisas estão.

Eu bufei.

— Sei.

Sue era mais durona que qualquer pessoa que eu conhecia. Mais que meu pai; mais que eu. Durona o bastante para tirar proveito da solidariedade dos filhos, se isso fosse necessário para fazê-los voltar para casa. Mas não era justo manipular Seth daquele jeito.

— Há quantas horas Sue sabe sobre isso? E na maior parte desse tempo ficou com Billy, o Velho Quil e Sam? É, tenho certeza de que ela está morrendo de solidão. É claro que você é livre para ir, se quiser, Seth. Sabe disso.

Seth fungou.

Então, um segundo depois, ele inclinou uma orelha para o norte. Leah devia estar perto. Meu Deus, ela era rápida! O coração bateu duas vezes e Leah alcançou os arbustos a alguns metros. Ela trotou, parando diante de Seth. Manteve o focinho no alto, muito obviamente sem olhar na minha direção.

Eu agradeci por isso.

— Leah? — perguntou Jared.

Ela encontrou o olhar dele, o focinho recuando um pouco sobre os dentes.

Jared não pareceu surpreso com a hostilidade dela.

— Leah, você *sabe* que não quer ficar aqui.

Ela rosnou para ele. Eu lancei um olhar de advertência que ela não viu. Seth gemeu e a cutucou com o ombro.

— Desculpe-me — disse Jared. — Acho que eu não devia fazer suposições. Mas você não tem nenhum vínculo com os sanguessugas.

Leah muito deliberadamente olhou para o irmão e depois para mim.

— Então quer cuidar de Seth, entendo isso — disse Jared. Seus olhos foram até meu rosto e voltaram ao dela. Provavelmente se questionando sobre aquele segundo olhar, assim como eu mesmo me questionava. — Mas Jake não vai deixar que nada aconteça a ele, e ele não tem medo de estar aqui. — Jared fez uma careta. — Seja como for, *por favor*, Leah, queremos que você volte. Sam quer que você volte.

O rabo de Leah se contorceu.

— Sam me disse que implorasse. Mandou que eu, literalmente, me ajoelhasse, se fosse preciso. Ele quer você em casa, Lee-Lee, onde é seu lugar.

Vi Leah se retrair quando Jared usou o antigo apelido de que Sam costumava chamá-la. E depois, quando ele acrescentou aquelas últimas palavras, seu pelo se eriçou e ela começou a resmungar uma longa onda de rosnados entredentes. Eu não precisava estar na cabeça dela para perceber os palavrões que dirigia a Jared, e ele também não. Quase dava para ouvir as palavras exatas que ela usava.

Esperei até que ela acabasse.

— Agora vou ter que discordar e dizer que o lugar de Leah é onde ela quer estar.

Leah grunhiu, mas, como fuzilava Jared com os olhos, imaginei que concordasse.

— Olhe, Jared, ainda somos uma família, ok? Vamos superar essa disputa, mas até lá é melhor que vocês fiquem em suas terras. Para não haver mal-entendidos. Ninguém quer uma guerra em família, não é? Sam não quer isso também, quer?

— É claro que não — rebateu Jared. — Vamos ficar em nossas terras. Mas onde é *sua* terra, Jacob? É a dos vampiros?

— Não, Jared. No momento estou sem teto. Mas não se preocupe... não vai ser assim para sempre. — Precisei respirar. — Não nos resta tanto... tempo. Está bem? Depois os Cullen possivelmente irão embora, e Seth e Leah voltarão para casa.

Leah e Seth gemeram juntos, os focinhos voltando-se para mim em sincronia.

— E você, Jake?

— Volto para a floresta, acho. Não posso ficar em La Push. Dois alfas representam muita tensão. Além disso, era para onde eu estava seguindo mesmo. Antes dessa confusão.

— E se precisarmos conversar? — perguntou Jared.

— Uivem... Mas cuidado com a fronteira, ok? Nós iremos até vocês. E Sam não precisa mandar tanta gente. Não estamos querendo briga.

Jared fechou a cara, mas concordou. Ele não gostou que eu impusesse condições a Sam.

— A gente se vê, Jake. Ou não. — Ele acenou, desanimado.

— Espere, Jared. Embry está bem?

A surpresa atravessou seu rosto.

— Embry? Claro, ele está bem. Por quê?

— Só estou me perguntando por que Sam mandou Collin.

Eu observei sua reação, ainda desconfiado de que houvesse algo por trás daquilo. Vi o lampejo de alguma coisa em seus olhos, mas não era bem o que eu estava esperando.

— Isso não é mais da sua conta, Jake.

— Acho que não. Só fiquei curioso.

Enxerguei um movimento pelo canto dos olhos, mas fingi não perceber, porque não queria denunciar Quil. Ele reagia ao assunto.

— Vou informar a Sam suas... instruções. Adeus, Jacob.

Suspirei.

— Certo. Adeus, Jared, e diga a meu pai que estou bem, sim? E que sinto muito e o amo.

— Vou passar o recado.

— Obrigado.

— Vamos, pessoal — disse Jared.

Ele nos deu as costas, saindo de nossas vistas para mudar de forma, por causa de Leah. Paul e Collin estavam bem atrás dele, mas Quil hesitou. Ele ganiu suavemente, e dei um passo em sua direção.

— É, sinto sua falta também, mano.

Quil correu até mim, a cabeça baixa, tristonho. Eu afaguei seu ombro.

— Vai ficar tudo bem.

Ele gemeu.

— Diga a Embry que sinto falta de ter vocês dois em meus flancos.

Ele assentiu e pôs o focinho em minha testa. Leah bufou. Quil ergueu o olhar, mas não para ela. Olhou sobre o ombro, para o caminho por onde os outros partiram.

— É, vá para casa — disse a ele.

Quil ganiu de novo e partiu atrás dos outros. Eu podia apostar que Jared não estava esperando muito pacientemente. Assim que ele se foi, puxei a quentura do centro de meu corpo e deixei que tomasse meus membros. Num lampejo de calor, eu tinha novamente quatro patas.

Pensei que fosse namorar o cara, zombou Leah.

Eu a ignorei.

Foi tudo bem?, perguntei a eles. Aquilo me preocupava, falar *por* eles daquela maneira, quando eu não podia ouvir o que estavam pensando exatamente. Eu não queria pressupor nada. Não queria ser como Jared nesse aspecto. *Disse alguma coisa que vocês não quisessem? Deixei de dizer algo que deveria?*

Você foi ótimo, Jake!, Seth me animou.

Podia ter acertado Jared, pensou Leah. *Eu não teria me importado com isso.*

Acho que sabemos por que Embry não teve permissão para vir, pensou Seth.

Não entendi. *Não teve permissão?*

Jake, você não viu Quil? Ele está muito mal, não é? Aposto dez contra um que Embry está ainda mais aborrecido. E Embry não tem uma Claire. Quil não tem como simplesmente sair de La Push. Embry poderia. Então Sam não vai arriscar que ele seja convencido a abandonar o barco. Ele não quer que nossa matilha fique ainda maior.

É mesmo? Acha isso? Duvido de que Embry fosse se importar de picotar alguns Cullen.

Mas ele é seu melhor amigo, Jake. Ele e Quil prefeririam ficar com você a enfrentá-lo numa briga.

Bom, então fico feliz que Sam o tenha deixado em casa. Essa matilha já está bem grande. Suspirei. Certo. Então, por ora estamos bem. Seth, importa-se de ficar de olho nas coisas por um tempo? Leah e eu precisamos dormir. Aquilo tudo *pareceu sincero, mas, quem sabe? Talvez fosse para nos distrair.*

Eu não era sempre tão paranoico, mas me lembrei da sensação do comprometimento de Sam. Completamente focado em destruir o perigo que ele via. Será que ele tiraria proveito do fato de que agora podia mentir para nós?

Tudo bem! Seth estava ansioso demais por fazer tudo o que fosse possível. *Quer que eu explique aos Cullen? Eles ainda devem estar um pouco tensos.*

Eu faço isso. Quero dar uma olhada nas coisas, de qualquer modo.

Eles captaram as imagens que voaram por meu cérebro já frito.

Seth gemeu de surpresa. *Ai.*

Leah balançou a cabeça como se tentasse se livrar da imagem em sua mente. *Essa é tranquilamente a coisa mais assustadoramente nojenta que já ouvi na minha vida. Eca. Se eu tivesse algo no estômago, já teria botado para fora.*

Eles são *vampiros, afinal,* admitiu Seth depois de um minuto, compensando a reação de Leah. *Quer dizer, faz sentido. E se isso ajuda Bella, então é bom, não é?*

Leah e eu o encaramos.

O que foi?

Mamãe deixou Seth cair muitas vezes quando ele era bebê, Leah me disse.

De cabeça, aparentemente.

Ele também costumava roer as grades do berço.

Tinta com chumbo?

Parece que sim, ela pensou.

Seth bufou. *Que engraçado. Por que vocês dois não calam a boca e dormem?*

14. VOCÊ SABE QUE AS COISAS VÃO MAL QUANDO SE SENTE CULPADO POR SER GROSSEIRO COM VAMPIROS

QUANDO VOLTEI À CASA, NÃO HAVIA NINGUÉM ESPERANDO DO lado de fora por meu relatório. Ainda em alerta?

Está tudo tranquilo, pensei, cansado.

Meus olhos rapidamente captaram uma pequena mudança no cenário que já era familiar. Havia uma pilha de roupas claras no primeiro degrau da varanda. Corri até o local para investigar. Prendendo a respiração, porque o cheiro de vampiro ficara no tecido de um jeito que não dava para acreditar, cutuquei a pilha com o focinho.

Alguém tinha deixado roupas ali. Hã. Edward deve ter percebido meu momento de irritação quando disparei pela porta. Bom. Aquilo era... gentil. E estranho.

Peguei as roupas entre os dentes com cuidado — argh! — e as carreguei de volta até as árvores. Só para o caso de ser alguma piada daquela loura psicopata, e eu ter ali um monte de roupas de mulher. Aposto que ela adoraria ver a expressão em meu rosto humano se eu aparecesse lá nu, segurando um vestidinho de alças.

Encoberto pelas árvores, larguei a pilha fedorenta e mudei para a forma humana. Sacudi as roupas, batendo-as contra uma árvore, para tirar um pouco do cheiro. Eram, sem dúvida, roupas de homem — calça caramelo e uma camisa branca com botões. Nenhuma do tamanho certo no comprimento, mas pareciam caber na largura. Deviam ser de Emmett. Dobrei as mangas da camisa, porém não havia muito que pudesse fazer com a calça. Mas e daí?

Eu tinha de admitir que me sentia melhor estando vestido, mesmo que fosse uma roupa fedorenta que não cabia muito bem. Era difícil não poder voltar para casa e pegar outro moletom velho quando eu precisava. Mais uma vez eu era um sem-teto — não tinha lugar para onde *voltar*. Sem posses, também, o que não me incomodava tanto naquela hora, mas, provavelmente, logo iria me chatear.

Exausto, subi devagarzinho os degraus da varanda dos Cullen com minhas roupas de segunda mão, mas hesitei quando cheguei à porta. Deveria bater? Seria estupidez, uma vez que eles sabiam que eu estava ali. Estranhei ninguém ter ido me receber — dizer *entre* ou *caia fora*. Tanto fazia. Dei de ombros e entrei.

Outras mudanças. A sala tinha voltado ao normal — quase — nos últimos vinte minutos. A grande tevê de tela plana estava ligada, em volume baixo, exibindo um filme meloso que ninguém parecia estar vendo. Carlisle e Esme estavam junto à janela dos fundos, que dava para o riacho e, novamente, estava aberta. Alice, Jasper e Emmett não estavam à vista, mas eu os ouvia murmurando, no segundo andar. Bella estava no sofá, como na véspera. Só havia um tubo intravenoso ligado a ela, e uma bolsa de soro pendurada atrás do sofá. Ela estava enrolada em algumas mantas grossas, como se fosse um *burrito* — sinal de que pelo menos eles tinham me ouvido. Rosalie estava perto de sua cabeça, sentada no chão, de pernas cruzadas. Edward sentava na outra ponta do sofá com os pés enrolados de Bella no colo. Ele levantou a cabeça quando entrei e sorriu para mim — só um pequeno movimento da boca —, como se alguma coisa o contentasse.

Bella não me ouviu. Ela só ergueu o olhar quando ele me olhou, e então sorriu também. Com energia de verdade, todo o seu rosto se iluminando. Eu não conseguia me lembrar da última vez em que ela parecera tão animada por me ver.

O que havia *com* ela? Pelo amor de Deus, ela era *casada*! Casada e feliz — não havia a menor dúvida de que estava apaixonada por seu vampiro além dos limites da sanidade. E ainda por cima imensa de grávida.

Então, por que ela precisava ficar tão emocionada ao me ver? Como se tivesse ganhado o dia só por eu passar pela porta.

Se ao menos ela não se importasse... Ou, mais que isso — se realmente não me quisesse por perto. Seria muito mais fácil manter distância.

Edward pareceu concordar com meus pensamentos — ultimamente estávamos tão em sintonia, que era de enlouquecer. Ele agora estava com a testa franzida, lendo o rosto de Bella enquanto ela sorria radiante para mim.

— Eles só queriam conversar — murmurei, minha voz arrastada de exaustão. — Nenhum ataque à vista.

— Sim — respondeu Edward. — Ouvi a maior parte.

Isso me despertou um pouco. Conversáramos a uns bons cinco quilômetros dali.

— Como?

— Estou ouvindo você com mais clareza... É questão de familiaridade e concentração. Além disso, seus pensamentos são um pouco mais fáceis de captar quando você está na forma humana. Assim, entendi a maior parte do que se passou por lá.

— Ah. — Aquilo me incomodou um pouco; não havia motivo, então não liguei. — Que bom. Odeio me repetir.

— Eu ia lhe dizer para dormir um pouco — disse Bella —, mas acho que você vai desmaiar no chão daqui a seis segundos, então não tem sentido falar nada.

Era incrível como Bella parecia melhor, quanto parecia mais forte. Senti cheiro de sangue fresco, e vi que o copo estava em suas mãos de novo. Quanto sangue seria necessário para mantê-la? A certa altura, eles começariam a avançar na vizinhança?

Segui para a porta, contando os segundos para ela enquanto caminhava.

— Um Mississipi... Dois Mississipi...

— Onde é a enchente, vira-lata? — perguntou Rosalie.

— Sabe como se afoga uma loura, Rosalie? — perguntei sem parar nem me virar para ela. — Cole um espelho no fundo de uma piscina.

Ouvi Edward rir enquanto eu fechava a porta. Seu humor parecia melhorar na mesma medida que a saúde de Bella.

Desci os degraus com dificuldade. Meu único objetivo era me embrenhar nas árvores, longe o suficiente para que o ar se tornasse puro de novo. Eu pretendia deixar as roupas a uma distância conveniente da casa, para usar futuramente, em vez de amarrá-las em minha perna — assim também não sentiria o cheiro delas. Enquanto me atrapalhava com os botões da camisa nova, pensei ao acaso que botões nunca seriam moda para os lobisomens.

Ouvi as vozes enquanto me arrastava pelo gramado.

— Aonde você vai? — perguntou Bella.

— Há uma coisa que esqueci de dizer a ele.

— Deixe Jacob dormir... Isso pode esperar.

Sim, *por favor*, deixe Jacob dormir.

— Só vai levar um minuto.

Virei-me devagar. Edward já estava na porta. Sua expressão era de desculpas ao se aproximar de mim.

— Meu Deus, o que é *agora*?

— Desculpe — disse ele, e então hesitou, como se não soubesse como verbalizar o que pensava.

O que você tem em mente, telepata?

— Quando você estava falando com os emissários de Sam — sussurrou ele —, fui narrando o que acontecia a Carlisle, a Esme e aos outros. Eles ficaram preocupados...

— Olhe, não vamos baixar a guarda. Não precisa acreditar em Sam como nós. Vamos ficar de olhos abertos, de qualquer forma.

— Não, não, Jacob. Não se trata disso. Confiamos em sua avaliação. Na verdade, Esme ficou preocupada com o sofrimento que isso está causando à sua matilha. Ela me pediu que falasse com você em particular sobre isso.

Aquilo me pegou desprevenido.

— Sofrimento?

— A questão de não ter para onde ir, principalmente. Ela se preocupa muito por vocês estarem tão... desprovidos.

Eu bufei. A mamãe vampira — que bizarro!

— Somos fortes. Diga a ela que não se preocupe.

— Mesmo assim ela gostaria de fazer o possível. Tive a impressão de que Leah prefere não comer na forma de lobo, não é?

— E...? — perguntei.

— Bem, temos comida normal aqui, Jacob. Para manter as aparências e, é claro, para Bella. Leah pode pegar o que quiser. Todos vocês podem.

— Vou passar o recado.

— Leah nos odeia.

— E daí?

— Então tente passar o recado de maneira que a faça considerar a oferta, se não se importa.

— Farei o que puder.

— E há a questão das roupas.

Olhei para as que eu estava vestindo.

— Ah, sim. Obrigado. — Provavelmente não seria de bom-tom mencionar que cheiravam muito mal.

Ele sorriu, só um pouco.

— Bem, podemos ajudar facilmente com o que for necessário nesse sentido. Alice raramente nos deixa vestir a mesma coisa duas vezes. Temos pilhas de roupas novas em folha que estão destinadas à caridade, e imagino que Leah tenha mais ou menos o tamanho de Esme...

— Não sei como Leah vai se sentir com roupas usadas de sanguessugas. Ela não é tão prática quanto eu.

— Creio que você apresentará a oferta sob a melhor ótica possível. Assim como a oferta de qualquer outro objeto físico ou transporte de que possam precisar, qualquer coisa. E chuveiros também, já que preferem dormir ao ar livre. Por favor... não se considerem sem os benefícios de uma casa.

Ele disse a última frase suavemente — dessa vez, não estava tentando falar baixo, tinha algum tipo de emoção verdadeira.

Eu o encarei por um segundo, piscando timidamente.

— Isso, hã, é muito gentil da parte de vocês. Diga a Esme que agradecemos, hã, a oferta. Mas o perímetro corta o rio em alguns pontos, então ficamos bem limpos, obrigado.

— Se puder passar o recado, mesmo assim.

— Claro, claro.

— Obrigado.

Eu me afastei dele, mas logo depois fiquei paralisado ao ouvir o grito baixo e dolorido que vinha da casa. Quando olhei para trás, ele não estava mais ali.

O que era *agora*?

Eu o segui, me arrastando feito um zumbi. Usando a mesma quantidade de neurônios também. Eu não parecia ter alternativa. Algo estava errado. Eu iria lá ver o que era. Não haveria nada que eu pudesse fazer. E eu me sentiria pior.

Parecia inevitável.

Entrei novamente. Bella estava ofegante, curvada sobre o volume no meio de seu corpo. Rosalie a segurava; Edward, Carlisle e Esme estavam a seu redor. Um movimento rápido atraiu meus olhos — Alice estava no alto da escada, olhando para a sala com as mãos nas têmporas. Era estranho — como se, de algum modo, estivesse impedida de entrar.

— Me dê um segundo, Carlisle — disse Bella, arquejando.

— Bella — disse o médico com ansiedade —, eu ouvi alguma coisa estalar. Preciso dar uma olhada.

— Com toda a certeza — arquejo — foi uma costela. Ai. É. Bem aqui.

— Ela apontou para o lado esquerdo, tomando cuidado de não tocar o local.

Aquilo agora estava quebrando os *ossos* dela.

— Preciso fazer uma radiografia. Pode haver fragmentos. Não queremos que perfure nada.

Bella respirou fundo.

— Tudo bem.

Rosalie a ergueu com cuidado. Edward deu a impressão de que iria discutir, mas Rosalie mostrou os dentes para ele e grunhiu.

— Eu já a peguei.

Bella já estava mais forte então. Mas a coisa também. Não dava para matar uma de fome sem matar a outra, e a cura funcionava do mesmo jeito. Não havia como vencer.

A Loura carregou Bella rapidamente pela escadaria, com Carlisle e Edward logo atrás; nenhum deles percebera minha presença estupefata na porta.

Quer dizer que eles tinham um banco de sangue e um aparelho de raios X? Então o doutor levara o trabalho para casa com ele.

Eu estava cansado demais para segui-los, cansado demais para me mexer. Encostei-me na parede e escorreguei para o chão. A porta ainda estava aberta e voltei o nariz para ela, grato pela brisa pura que soprava. Encostei a cabeça no batente e fiquei ouvindo.

Podia escutar o som do aparelho de raios X no segundo andar. Ou talvez só imaginasse que fosse isso. E depois o mais leve dos passos descendo a escada. Não olhei para ver que vampiro era.

— Quer um travesseiro? — perguntou-me Alice.

— Não — murmurei. Mas o que era aquela hospitalidade insistente? Estava me dando arrepios.

— Isso não parece confortável — ela observou.

— E não é.

— Por que não sai daí, então?

— Cansaço. Por que não está lá em cima com os outros? — rebati.

— Dor de cabeça — respondeu ela.

Virei a cabeça para olhá-la.

Alice era uma coisinha mínima. Mais ou menos do tamanho de um dos meus braços. Naquele momento, parecia ainda menor, meio curvada. Sua carinha estava franzida.

— Vampiros têm dor de cabeça?

— Não os normais.

Fiz um muxoxo. Vampiros normais!

— E então: por que você não fica mais com Bella? — perguntei, fazendo da pergunta uma acusação. Aquilo não me ocorrera antes, porque minha cabeça estava ocupada com outras coisas, mas era estranho que Alice nunca estivesse perto de Bella, pelo menos não durante o tempo que eu estava ali. Talvez, se Alice ficasse ao lado dela, Rosalie *não ficaria*. — Pensei que vocês duas fossem assim. — Uni dois dedos.

— Como eu disse — ela se sentou em uma cerâmica a pouca distância de mim, envolvendo os joelhos magros com os braços esquálidos —, dor de cabeça.

— Bella está lhe dando dor de cabeça?

— Sim.

Franzi a testa. Certamente, eu estava cansado demais para enigmas. Deixei minha cabeça girar para o ar fresco e fechei os olhos.

— Não Bella, na verdade — corrigiu ela. — O... feto.

Ah, mais alguém que sentia o mesmo que eu! Era muito fácil de reconhecer. Ela disse a palavra de má vontade, como Edward.

— Não consigo vê-lo — ela me disse, embora pudesse estar falando sozinha. Para ela, eu já estava longe. — Não consigo ver nada a respeito dele. Como acontece com você.

Eu me encolhi, e então trinquei os dentes. Não me agradava ser comparado com a criatura.

— Bella atrapalha. Ela está toda em volta dele, está... borrado. Como uma tevê com recepção ruim... É como tentar focalizar os olhos naquelas pessoas sem definição zanzando pela tela. Está acabando com minha cabeça vê-la. Ainda assim, não consigo enxergar mais que alguns minutos à frente. O... feto é uma parte muito grande de seu futuro. Quando ela decidiu... quando ela soube que o queria, minha visão ficou indistinta. Morri de medo.

Ela ficou em silêncio por um segundo e acrescentou:

— Tenho de admitir que é um alívio ter você por perto... Apesar do cheiro de cachorro molhado, isso tudo desaparece. É como ficar de olhos fechados. Melhora a dor de cabeça.

— É um prazer servi-la, madame — murmurei.

— Fico imaginando o que o feto tem em comum com você... por que são iguais nesse aspecto.

De repente a quentura surgiu no interior de meus ossos. Fechei os punhos para controlar os tremores.

— Não tenho nada em comum com aquele sugador de vida — eu disse entredentes.

— Bem, *alguma* coisa há.

Não respondi. O calor já estava cedendo. Eu estava cansado demais para ficar furioso.

— Não se importa que eu fique sentada aqui, não é? — perguntou ela.

— Acho que não. Fede de qualquer jeito.

— Obrigada — disse ela. — É a melhor coisa para a dor, imagino, pois não posso tomar aspirina.

— Pode falar menos? Tem gente tentando dormir.

Ela não respondeu, ficou imediatamente em silêncio. Apaguei segundos depois.

Sonhei que estava com muita sede. E havia um copo grande de água na minha frente — geladíssima, dava para ver a condensação escorrendo pelas laterais. Peguei o copo e tomei um gole imenso, descobrindo então que não era água — era alvejante. Engasguei e pus aquilo para fora, cuspindo para todos os lados, e parte do líquido saiu pelas narinas. Queimava. Meu nariz estava pegando fogo...

A dor me despertou o suficiente para que eu lembrasse onde estivera dormindo. O cheiro era muito forte, levando-se em conta que meu nariz não estava dentro da casa. Argh. E havia barulho. Alguém estava rindo muito alto. Uma risada familiar, mas que não combinava com o cheiro. Não pertencia àquele lugar.

Gemi e abri os olhos. O céu estava cinza-escuro — era dia, mas eu não tinha a menor ideia da hora. Talvez perto do pôr do sol — estava bem escuro.

— Já não era sem tempo — murmurou a Loura não muito longe de mim. — A imitação de serra elétrica estava ficando cansativa.

Virei de lado e me sentei. Ao fazer isso, entendi de onde vinha o cheiro. Alguém tinha enfiado um travesseiro grande debaixo do meu rosto. Provavelmente *tentando* ser gentil, imagino. A menos que tenha sido Rosalie.

Depois que tirei a cara do travesseiro de plumas, senti outros cheiros. Bacon e canela, por exemplo, misturados com o cheiro de vampiro.

Pisquei, olhando a sala.

As coisas não haviam mudado muito, a não ser pelo fato de que agora Bella estava sentada no meio do sofá e não havia mais soro. A Loura estava sentada a seus pés, a cabeça pousada nos joelhos de Bella. Ainda me dava arrepios ver a despreocupação com que eles a tocavam, embora achasse que isso era bastante idiota, considerando tudo. Edward estava ao lado dela, segurando sua mão. Alice também estava no chão, como Rosalie. Seu rosto agora não estava franzido. E era fácil ver por quê — ela havia encontrado outro analgésico.

— Ei, Jake está na área! — exclamou Seth.

Ele estava sentado do outro lado de Bella, o braço pousado despreocupadamente em seus ombros, um prato transbordando de comida no colo.

Mas que diabos era aquilo?

— Ele veio procurar você — disse Edward enquanto eu me levantava. — E Esme o convenceu a ficar para o café da manhã.

Seth entendeu minha expressão e se apressou a explicar.

— É, Jake... Eu só estava checando, para saber se você estava bem, já que não voltou a se transformar. Leah ficou preocupada. Eu lhe *disse* que você devia ter apagado na forma humana, mas sabe como ela é. De qualquer forma, eles tinham toda essa comida e, puxa... — Ele se virou para Edward. — Cara, você sabe cozinhar *mesmo*.

— Obrigado — murmurou Edward.

Respirei fundo lentamente, tentando relaxar os dentes, que estavam trincados. Não conseguia tirar os olhos do braço de Seth.

— Bella estava com frio — Edward apressou-se em dizer.

Está bem. Não era da minha conta mesmo. Ela não me pertencia.

Seth ouviu o comentário de Edward, olhou meu rosto e de repente precisou das duas mãos para comer. Afastou o braço de Bella e mergulhou no prato. Eu me aproximei, parando a alguns passos do sofá, ainda tentando me orientar.

— Leah está fazendo a patrulha? — perguntei a Seth. Minha voz ainda estava rouca de sono.

— Está — disse ele enquanto mastigava. Seth também estava com roupas novas. Assentaram melhor nele que as minhas em mim. — Ela está alerta. Não se preocupe. Vai uivar se houver alguma coisa. Trocamos de turno à meia-noite. Eu corri doze horas. — Ele estava orgulhoso disso, dava para ver em seu tom de voz.

— Meia-noite? Espere um minuto... Que horas são?

— Está quase amanhecendo. — Ele olhou pela janela, verificando.

Mas que *droga*! Eu havia dormido o restante do dia e a noite toda — tinha falhado com eles.

— Porcaria. Desculpe por isso, Seth. De verdade. Você devia ter me acordado com um chute.

— Não, cara, você precisava dormir muito. Desde quando não descansava? Desde a noite anterior à sua última patrulha para Sam? Umas quarenta horas? Cinquenta? Você não é uma máquina, Jake. Além disso, não perdeu nada.

Nada? Olhei rapidamente para Bella. Sua cor voltara a ser como eu lembrava. Pálida, mas com o leve tom rosado. Os lábios estavam cor-de-rosa de novo. Até o cabelo parecia melhor — mais brilhante. Ela viu que eu a avaliava e me abriu um sorriso.

— Como está a costela? — perguntei.

— Bem imobilizada e apertada. Nem estou sentindo.

Revirei os olhos. Ouvi Edward trincar os dentes e imaginei que a atitude de desdém de Bella em relação ao próprio sofrimento o incomodava tanto quanto a mim.

— O que tem para o café da manhã? — perguntei, meio sarcástico. — O negativo ou AB positivo?

Ela mostrou a língua para mim. Totalmente ela mesma de novo.

— Omeletes — respondeu, mas seus olhos baixaram rapidamente, e vi que o copo de sangue estava entre a perna dela e a de Edward.

— Coma alguma coisa, Jake — disse Seth. — Tem de tudo na cozinha. Você deve estar faminto.

Examinei a comida no colo dele. Parecia a metade de uma omelete de queijo e um quarto de um pão doce de canela do tamanho de um Frisbee. Meu estômago roncou, mas eu o ignorei.

— O que Leah vai comer no café da manhã? — perguntei a Seth num tom de crítica.

— Ei, antes de comer *qualquer coisa*, eu levei comida para ela — ele se defendeu. — Ela disse que preferia comer um bicho atropelado, mas aposto que cedeu à tentação. Esses pães doces de canela... — Ele pareceu não encontrar palavras.

— Vou caçar com ela, então.

Seth suspirou enquanto eu me virava para sair.

— Um minuto, Jacob.

Era Carlisle; assim, quando me virei novamente, meu rosto provavelmente estava menos desrespeitoso do que estaria se outra pessoa tivesse me chamado.

— Sim?

Carlisle se aproximou de mim enquanto Esme ia para outro aposento. Ele parou a alguns passos, um pouco mais distante que o normal entre dois humanos que conversam. Fiquei grato por ele respeitar meu espaço.

— Por falar em caçar — começou ele num tom sóbrio —, esse será um problema para minha família. Entendo que nossa trégua está suspensa no momento, então queria seu conselho. Sam estará nos procurando fora do perímetro que vocês criaram? Não queremos nos arriscar a machucar ninguém de sua família... Nem perder nenhum dos nossos. Se você estivesse no nosso lugar, o que faria?

Curvei-me para trás, meio surpreso quando ele atirou aquilo em cima de mim desse jeito. O que eu ia saber sobre estar no precioso lugar de um sanguessuga? Mas, por outro lado, eu conhecia Sam.

— É um risco — eu disse, tentando ignorar os outros olhares sobre mim e me dirigir somente a ele. — Sam está um pouco mais calmo, mas tenho certeza de que, para ele, o tratado não vale mais. Enquanto ele achar que o povo ou outros humanos estão mesmo correndo perigo, não vai parar para fazer perguntas, se é que me entende. Mas, ainda assim, a prioridade dele será La Push. Eles, na verdade, não estão em número suficiente para vigiar as pessoas como devem e ainda sair em caçada num bando capaz de causar muito estrago. Eu apostaria que ele vai ficar perto de casa.

Carlisle assentiu, pensativo.

— Acho então que lhes diria para saírem juntos, só por precaução. E provavelmente o melhor é ir durante o dia, porque estaríamos esperando que fizessem isso à noite. Coisas de vampiros tradicionais. Vocês são rápidos... vão além das montanhas e cacem longe o bastante para que não haja possibilidade de ele mandar alguém tão distante de casa.

— E deixar Bella para trás, desprotegida?

Eu bufei.

— O que nós somos, pedaços de carne?

Carlisle riu, depois seu rosto voltou a ficar sério.

— Jacob, você não pode lutar com seus irmãos.

Meus olhos se estreitaram.

— Não posso dizer que não seria ruim, mas se eles realmente estivessem vindo matá-la... eu seria capaz de impedi-los.

Carlisle sacudiu a cabeça, ansioso.

— Não, eu não quis dizer que você seria... incapaz. Mas que seria muito errado. Não posso ter isso em minha consciência.

— Não estaria na sua, doutor. E sim na minha. E eu posso lidar com isso.

— Não, Jacob. Vamos nos certificar de que nossos movimentos não tornem isso necessário. — Ele franziu a testa, ainda pensativo. — Sairemos em grupos de três a cada vez — concluiu ele depois de um segundo. — Creio que é o melhor que podemos fazer.

— Não sei não, doutor. Dividir ao meio não é a melhor estratégia.

— Temos algumas habilidades extras que vão compensar. Se Edward for um dos três, poderá nos dar um raio de segurança de alguns quilômetros.

Nós dois olhamos para Edward. Sua expressão fez Carlisle recuar rapidamente.

— Estou certo de que temos outros meios — disse Carlisle. Estava claro que não haveria necessidade física suficientemente forte para afastar Edward de Bella. — Alice, imagino que possa ver que rotas não seriam adequadas.

— Aquelas que desaparecem — disse Alice, assentindo. — É fácil.

Edward, que ficara muito tenso com o primeiro plano de Carlisle, relaxou. Bella observava Alice com um olhar infeliz, aquela ruguinha entre os olhos que surgia quando ela estava estressada.

— Tudo bem, então — eu disse. — Fica combinado assim. Estou de saída. Seth, vou esperar por você ao anoitecer, então tire uma soneca em algum lugar por aí, está bem?

— Claro, Jake. Mudo de forma assim que acabar. A não ser que... — ele hesitou, olhando para Bella. — Você precisa de mim?

— Ela tem cobertores — eu falei com rispidez.

— Eu estou bem, Seth, obrigada — disse Bella rapidamente.

E então Esme entrou na sala com um grande prato coberto nas mãos. Parou, hesitante, logo atrás de Carlisle, os olhos dourados e grandes me fitando. Estendeu o prato e se aproximou com um passo tímido.

— Jacob — disse ela baixinho. Sua voz não era tão penetrante quanto a dos outros. — Sei que não é... apetitosa para você a ideia de comer aqui, onde o cheiro é tão desagradável. Mas eu me sentiria muito melhor se levasse alguma comida quando sair. Sei que não pode ir para casa, e isso por nossa causa. Por favor... diminua um pouco meu remorso. Leve alguma coisa para comer. — Ela me estendeu a comida, o rosto delicado e suplicante. Não sei como conseguiu, porque não parecia ter mais do que vinte e poucos anos, e também era branca feito osso, mas algo em sua expressão de repente me fez lembrar de minha mãe.

Meu Deus!

— Ah, claro, claro — murmurei. — Acho que sim. Talvez Leah ainda esteja com fome ou coisa assim.

Estendi o braço e peguei a comida com uma das mãos, mantendo-a afastada, a um braço de distância. Eu a largaria sob uma árvore ou coisa parecida. Não queria que Esme se sentisse mal.

Depois me lembrei de Edward.

Não diga nada a ela! Deixe que ela pense que eu comi.

Não olhei para ele para ver se concordava. Era *melhor* que concordasse. O sanguessuga me devia muito.

— Obrigada, Jacob — disse Esme, sorrindo para mim. Como um rosto de pedra pode ter *covinhas*, pelo amor de Deus!

— Hã, obrigado — devolvi. Meu rosto estava quente; mais que o normal.

Esse era o problema de andar com vampiros — você acabava se acostumando com eles. E aí eles bagunçavam sua visão de mundo. Começavam a parecer amigos.

— Vai voltar mais tarde, Jake? — perguntou Bella enquanto eu tentava dar o fora dali.

— Hã, não sei.

Ela apertou os lábios, como se tentasse não sorrir.

— Por favor. Eu posso sentir frio.

Respirei fundo pelo nariz; depois, lembrei, tarde demais, que não era uma boa ideia. Estremeci.

— Talvez.

— Jacob? — chamou Esme. Recuei para a porta enquanto ela avançava; ela deu alguns passos na minha direção. — Deixei um cesto de roupas na varanda. São para Leah. Estão recém-lavadas... Tentei tocar nelas o mínimo possível. — Ela franziu a testa. — Pode levar para ela?

— Perfeitamente — murmurei, e saí pela porta antes que alguém pudesse fazer com que me sentisse ainda mais culpado.

15. TIQUE-TAQUE, TIQUE-TAQUE, TIQUE-TAQUE

EI, JAKE, PENSEI QUE TIVESSE DITO QUE QUERIA QUE EU CHEGASSE AO ANOItecer. Por que não pediu a Leah que me acordasse antes de ela apagar?
Porque eu não precisava de você. Ainda estou bem.
Ele já estava pegando a metade norte do círculo. *Alguma coisa?*
Não. Nada mesmo.
Fez algum reconhecimento?
Ele tinha alcançado a beira de um de meus desvios. Seguiu pela nova trilha.
Sim — corri alguns raios. Sabe como é, só verificando. Se os Cullen vão fazer a viagem de caça...
Boa ideia.
Seth voltou ao perímetro principal.

Era mais fácil correr com ele que com Leah. Embora ela estivesse se esforçando — e muito —, sempre havia uma tensão em seus pensamentos. Ela não queria estar ali. Não queria sentir a boa vontade com relação aos vampiros que se passava em minha cabeça. Não queria lidar com a tão confortável amizade de Seth com eles — uma amizade que ia ficando cada vez mais forte.

Era estranho; eu havia pensado que seu maior problema seria *comigo*: nós sempre provocamos um ao outro quando estávamos na matilha de Sam. Mas agora não havia antagonismo com relação a mim, eram só os Cullen e Bella. Fiquei me perguntando por quê. Talvez fosse a simples gratidão por eu não obrigá-la a ir embora. Talvez fosse porque agora eu entendia melhor sua hostilidade. O que quer que fosse, correr com Leah não era tão ruim quanto eu havia esperado.

É claro que ela não amolecera *tanto* assim. A comida e as roupas que Esme lhe mandara àquela altura estavam descendo pelo rio. Mesmo depois de eu ter comido minha parte — não porque o aroma fosse praticamente irresistível longe do futum de vampiro, mas para dar a Leah um bom exemplo de tolerância e autossacrifício —, ela recusara. O pequeno alce que ela abatera ao meio-dia não havia satisfeito totalmente seu apetite. Na verdade, tinha piorado seu humor. Leah odiava comida crua.

Quem sabe a gente não devesse correr mais para o leste?, sugeriu Seth. *Ir mais fundo, ver se eles estão lá esperando.*

Eu estava pensando nisso, concordei. *Mas vamos fazer isso quando todos estivermos acordados. Não quero baixar nossa guarda. Mas precisamos fazer antes que os Cullen saiam. Em breve.*

Tudo bem.

Aquilo me fez pensar.

Se os Cullen conseguissem sair de seu perímetro com segurança, deveriam, na verdade, ir de vez. Aliás, deveriam ter partido no segundo em que fomos alertá-los. Eles certamente tinham como se estabelecer em outros lugares. E tinham amigos no norte, não é? Podiam pegar Bella e fugir. Parecia uma resposta óbvia aos problemas deles.

Eu provavelmente deveria sugerir isso, mas tinha medo de que me ouvissem. E não queria que Bella sumisse — e jamais saber se ela tinha ou não conseguido.

Não, isso era idiotice. Diria a eles que fossem. Não fazia sentido ficarem, e seria melhor para mim — não menos doloroso, porém mais saudável — se Bella partisse.

Naquele momento era fácil falar, quando Bella não estava ali, parecendo toda animada por me ver, ao mesmo tempo agarrando-se à vida com unhas e dentes...

Ah, já perguntei a Edward sobre isso, pensou Seth.

O quê?

Perguntei a ele por que ainda não tinham ido embora. Para a casa de Tanya ou coisa assim. Um lugar longe demais para que Sam fosse atrás deles.

Precisei lembrar a mim mesmo que havia acabado de decidir dar exatamente aquele conselho aos Cullen. Aquilo seria melhor. Então eu não devia ficar irritado com Seth por tirar a tarefa das minhas mãos. Nem um pouco irritado.

E o que ele disse? Estão esperando uma oportunidade?

Não. Eles não vão embora.

E isso não devia parecer uma boa notícia.

Por que não? É idiotice.

Na verdade, não, disse Seth, agora na defensiva. *Leva algum tempo para conseguir o tipo de recursos médicos que Carlisle tem aqui. Ele tem tudo de que precisa para cuidar de Bella, e as credenciais para conseguir mais. Esse é um dos motivos por que querem sair para caçar. Carlisle acha que logo vão precisar de mais sangue para Bella. Ela está usando todo o O negativo que estocaram para ela. Não agrada a ele esgotar o estoque. Vai comprar mais. Sabia que se pode comprar sangue? Se você for médico.*

Eu ainda não estava preparado para usar a lógica. *Ainda parece idiotice. Eles podem levar a maior parte das coisas, não é? E roubar o que precisarem aonde forem. Quem liga para o que é ilegal, quando se é um morto-vivo?*

Edward não quer correr nenhum risco levando-a.

Ela está melhor do que antes.

Radicalmente, concordou ele. Em sua cabeça, estava comparando minhas lembranças de Bella presa aos tubos com a última vez que a vira, ao sair da casa. Ela tinha sorrido para ele e acenado. *Mas ela não pode andar muito por aí, sabe como é. Aquela coisa está chutando que é uma beleza dentro dela.*

Engoli de volta o líquido ácido que subiu do estômago. *É, eu sei.*

Quebrou outra costela dela, disse ele, sombriamente.

Perdi o passo e cambaleei, antes de retomar o ritmo.

Carlisle a imobilizou de novo. Só outra fissura, disse ele. Depois Rosalie disse algo sobre até os bebês normais quebrarem costelas. Parecia que Edward ia arrancar a cabeça dela.

Pena que não arrancou.

Seth então parecia um relatório ambulante — sabendo que tudo era de interesse vital para mim, embora eu não tivesse pedido para ouvir aquilo. *Bella está hoje com uma febre que vai e volta. É uma febre baixa — suores e depois arrepios. Carlisle não sabe o motivo — talvez ela só esteja doente. Seu sistema imunológico não pode estar em boas condições, a essa altura.*

É, tenho certeza de que é só coincidência.

Mas ela está de bom humor. Ficou conversando com Charlie, rindo e tudo...

Charlie! Como?! Como assim ela ficou conversando com Charlie?!

Agora foi a vez de Seth perder o passo; minha fúria o surpreendeu. *Acho que ele liga todo dia para falar com ela. Às vezes, a mãe liga também. Bella parece muito melhor agora; então ela o tranquilizou dizendo que estava se recuperando...*

Se recuperando? Mas que diabos eles estão pensando?! Deixar que Charlie tenha esperanças, para ficar ainda mais arrasado quando ela morrer? Pensei que eles o estivessem preparando para isso! Tentando prepará-lo! Por que ela o anima desse jeito?

Ela pode não morrer, pensou Seth.

Respirei fundo, tentando me acalmar. *Seth, mesmo que ela consiga superar isso, não vai ser como humana. Ela sabe disso, e todos os outros também. Se ela não morrer, vai ter de fazer uma imitação muito convincente de um cadáver, garoto. Ou isso, ou sumir. Pensei que eles estivessem tentando tornar as coisas mais fáceis para Charlie. Por quê...?*

Acho que é ideia de Bella. Ninguém disse nada, mas a cara de Edward de certa forma correspondia ao que você está pensando agora.

Em sintonia com o sanguessuga de novo.

Corremos em silêncio por mais alguns minutos. Comecei a andar por uma nova trilha, sondando o sul.

Não vá longe demais.

Por quê?

Bella me pediu para dizer a você que desse uma passada lá.

Meus dentes trincaram.

Alice também. Ela disse que está cansada de ficar no sótão como o morcego-vampiro do campanário. Seth resfolegou uma risada. *Eu estava me revezando com Edward, tentando manter a temperatura de Bella estável. Frio ou quente, conforme necessário. Acho que se você não quiser fazer isso eu poderia voltar...*

Não. Eu vou, rebati.

Tudo bem. Seth não fez mais nenhum comentário. Concentrou-se na floresta vazia.

Continuei seguindo para o sul, procurando alguma novidade. Dei meia-volta quando cheguei perto dos primeiros sinais de habitação. Ainda não estava perto da cidade, mas não queria nenhum boato de lobos por ali de novo. Já fazia algum tempo que estávamos bem e invisíveis.

Atravessei o perímetro ao voltar, seguindo para a casa. Mesmo sabendo que era uma idiotice fazer aquilo, não consegui evitar. Devo ser meio masoquista.

Não há nada de errado com você, Jake. Esta não é uma situação muito normal.

Cale a boca, por favor, Seth.

Já calei.

Dessa vez não hesitei à porta: entrei como se fosse o dono da casa. Imaginei que isso irritaria Rosalie, mas nem precisava ter me preocupado com isso.

Nem Rosalie nem Bella estavam à vista. Olhei ao redor, apavorado, esperando que tivesse deixado de notá-las em algum canto, o coração espremendo-se contra as costelas de forma estranha e desagradável.

— Ela está bem — sussurrou Edward. — Ou na mesma, eu deveria dizer.

Edward estava no sofá com o rosto entre as mãos; não levantou a cabeça ao falar. Esme estava ao lado dele, o braço firme em seus ombros.

— Olá, Jacob — disse ela. — Fico feliz que tenha voltado.

— Eu também — disse Alice com um suspiro profundo. Ela desceu a escada numa dança, fazendo uma careta. Como se eu estivesse atrasado para um encontro.

— Ah, oi — eu disse. Era estranho tentar ser educado.

— Onde está Bella?

— No banheiro — respondeu Alice. — A dieta dela é basicamente líquida, você sabe. Além de tudo, a gravidez faz isso, ouvi dizer.

— Ah.

Fiquei ali parado, sem jeito, balançando-me nos calcanhares.

— Ah, que maravilha — grunhiu Rosalie. Girei a cabeça e a vi vindo por um corredor meio oculto atrás da escada. Estava com Bella aninhada delicadamente nos braços, e me olhava com uma expressão rude. — Eu sabia que tinha sentido um cheiro desagradável.

E, como antes, o rosto de Bella se iluminou como o de uma criança na manhã de Natal. Como se eu tivesse lhe trazido o melhor presente do mundo.

Aquilo era tão injusto...

— Jacob — sussurrou ela. — Você veio.

— Oi, Bells.

Esme e Edward se levantaram. Eu vi o cuidado com que Rosalie deitou Bella no sofá. Vi que, apesar disso, Bella ficou branca e prendeu a respiração — como se estivesse determinada a não emitir nenhum ruído, por mais que sentisse dor.

Edward passou a mão pela testa e pelo pescoço de Bella. Tentou dar a impressão de que só estava colocando o cabelo para trás, mas o gesto me pareceu um exame médico.

— Está com frio? — murmurei.

— Estou bem.

— Bella, sabe o que Carlisle lhe disse — falou Rosalie. — Não desconsidere *nada*. Isso não nos ajuda a cuidar de nenhum de vocês dois.

— Tudo bem, estou com um pouco de frio. Edward, pode me passar aquele cobertor?

Eu revirei os olhos.

— Não é por isso que eu estou aqui?

— Você acabou de chegar — disse Bella. — Depois de correr o dia todo, aposto. Ponha os pés para cima por um minuto. Provavelmente, logo vou estar aquecida.

Eu a ignorei, indo me sentar no chão ao lado do sofá enquanto ela ainda me dizia o que fazer. A essa altura, porém, eu não sabia bem como... Ela parecia frágil demais, e eu tinha medo de mexer nela, até de abraçá-la. Assim, limitei-me a me sentar a seu lado, apoiando meu braço ao longo do dela, e segurei sua mão. Depois pus a outra mão em seu rosto. Era difícil dizer se ela estava mais fria que o normal.

— Obrigada, Jake — disse ela, e senti que tremia.

— Tudo bem.

Edward se sentou no braço do sofá aos pés de Bella, sem nunca tirar os olhos do rosto dela.

Era demais esperar, com toda aquela superaudição na sala, que ninguém tivesse percebido meu estômago roncando.

— Rosalie, por que não pega alguma coisa para Jacob na cozinha? — disse Alice. Ela agora estava invisível, sentada em silêncio atrás do sofá.

Rosalie olhou incrédula para o lugar de onde vinha a voz de Alice.

— Obrigado, de qualquer forma, Alice, mas acho que não vou querer comer alguma coisa em que a Loura tenha cuspido. Acho que meu organismo não lidaria tão bem com o veneno.

— Rosalie jamais constrangeria Esme demonstrando uma falta de hospitalidade tão grande.

— É *claro* que não — disse a Loura numa voz açucarada que de imediato me deixou desconfiado. Ela se levantou e disparou para fora da sala.

Edward suspirou.

— Vai me dizer se ela envenenar a comida, não vai? — perguntei.

— Sim — prometeu Edward.

E por alguma razão acreditei nele.

Houve muito barulho na cozinha e — estranhamente — o som do metal protestando contra maus-tratos. Edward suspirou de novo, mas também sorriu um pouco. Então Rosalie estava de volta antes que eu pudesse pensar mais no assunto. Com um sorriso malicioso e satisfeito, ela pousou uma tigela prateada no chão ao meu lado.

— Bom apetite, vira-lata.

Provavelmente, aquilo já fora uma grande bacia, mas ela dobrara a borda até que tivesse a forma de uma tigela para cachorro. Fiquei impressionado com a rapidez de sua habilidade manual. E sua atenção aos detalhes. Ela havia rabiscado a palavra *Fido* na lateral. Numa caligrafia excelente.

Como a comida parecia muito boa — um bife, nada menos, e uma grande batata assada com todas as guarnições —, eu lhe disse:

— Obrigado, Loura.

Ela bufou.

— Ei, sabe como se chama uma loura com cérebro? — perguntei, e respondi imediatamente. — Golden Retriever.

— Já ouvi essa também — disse ela, agora sem sorrir.

— Vou continuar tentando — prometi, e em seguida comecei a comer.

Ela fez cara de nojo e revirou os olhos. Depois se sentou em uma das poltronas e começou a zapear pela tevê com tal rapidez que não havia como estar de fato procurando alguma coisa para ver.

A comida estava boa, mesmo com o fedor de vampiro no ar. Com isso eu já estava me acostumando. Hã. Não que fosse algo que eu quisesse mesmo fazer...

Quando terminei — embora estivesse pensando em lamber a tigela, só para Rosalie ter do que reclamar —, senti os dedos frios de Bella puxando suavemente meu cabelo. Ela afagou minha nuca.

— Hora de cortar o cabelo, não é?

— Você está ficando meio desgrenhado — disse ela. — Talvez...

— Deixe-me adivinhar, antigamente alguém aqui cortava cabelos num salão de Paris?

Ela riu.

— Talvez.

— Não, obrigado — falei antes que ela pudesse fazer a oferta. — Posso aguentar mais algumas semanas.

O que me fez imaginar quanto tempo *ela* aguentaria. Tentei pensar numa forma educada de indagar.

— E aí... Hummm. Para, hã, quando é? Você sabe... o nascimento do monstrinho.

Ela bateu na minha cabeça com a força de uma pluma, mas não respondeu.

— Estou falando sério — disse a ela. — Queria saber quanto tempo vou precisar ficar aqui. — *Quanto tempo* você *vai estar aqui*, acrescentei mentalmente. E me virei para olhá-la. Seus olhos estavam pensativos; a ruga de estresse estava de novo ali, entre as sobrancelhas.

— Não sei — murmurou ela. — Não sei exatamente. É óbvio que não vamos seguir o modelo de nove meses, e não conseguimos ver nada com um ultrassom, então Carlisle está estimando com base no meu tamanho. As pessoas normais costumam ter uns quarenta centímetros aqui — ela passou o dedo pelo meio da barriga imensa — quando o bebê está plenamente desenvolvido. Um centímetro por semana. Eu estava com trinta esta manhã, e estou ganhando dois centímetros por dia, às vezes mais...

Duas semanas em um dia, os dias voando. A vida dela como num vídeo acelerado. Quantos dias isso lhe dava, se chegasse até quarenta? Quatro? Precisei de um minuto para me lembrar de como se engolia.

— Você está bem? — ela perguntou.

Fiz que sim, sem saber como sairia minha voz.

Edward desviara o rosto de nós enquanto ouvia meus pensamentos, mas eu podia ver seu reflexo na parede de vidro. Era de novo o homem em chamas.

Era estranho como ter um prazo limite tornava mais difícil pensar em ir embora, ou em vê-la partir. Fiquei feliz por Seth levantar o assunto, assim eu sabia que eles iriam permanecer aqui. Seria insuportável ficar me perguntando se eles iriam embora, roubando um, dois ou três desses quatro dias. Meus quatro dias.

Também era estranho que, mesmo eu sabendo que estava quase acabando, a atração que ela exercia sobre mim só ficasse ainda mais difícil de romper. Parecia quase proporcional à sua barriga em expansão — como se, ao crescer, ela ganhasse força gravitacional.

Por um minuto tentei vê-la de certa distância, me afastar da atração. Eu sabia que não era minha imaginação o fato de eu precisar dela mais do que nunca. Por que era assim? Porque ela estava morrendo? Ou porque eu sabia que, mesmo que não morresse, ainda assim — na melhor das hipóteses — ela se transformaria numa outra coisa que eu não conheceria nem entenderia?

Ela passou o dedo por meu rosto, e minha pele ficou úmida onde ela tocou.

— Vai ficar tudo bem — ela quase cantarolou. Não importava que as palavras nada significassem. Ela falou como as pessoas cantarolam aquelas cantigas sem sentido para ninar crianças. Dorme neném.

— Sei — murmurei.

Ela se aconchegou ao meu braço, pousando a cabeça em meu ombro.

— Não pensei que viesse. Seth disse que você viria, e Edward também, mas não acreditei neles.

— E por que não? — perguntei, de mau humor.

— Você não fica feliz aqui. Mas veio assim mesmo.

— Você me queria aqui.

— Eu sei. Mas não era obrigado a vir, porque não é justo que eu queira você aqui. Eu teria compreendido.

Fez-se silêncio por um minuto. Edward recompôs o rosto. Olhava a tevê enquanto Rosalie percorria os canais. Ela já estava no seiscentos. Perguntei-me quanto tempo ia levar para voltar ao início.

— Obrigada por vir — sussurrou Bella.

— Posso perguntar uma coisa? — eu disse.

— Claro.

Edward não parecia estar prestando atenção em nós, mas sabia o que eu ia perguntar, então não me enganava.

— *Por que* você me quer aqui? Seth pode mantê-la aquecida, e ele é uma companhia mais agradável, aquele bobinho alegre. Mas quando *eu* passo pela porta, seu sorriso dá a impressão de que eu sou a pessoa de quem você mais gosta no mundo.

— Você é uma delas.

— Isso é uma droga, sabia?

— Eu sei. — Ela suspirou. — Desculpe-me.

— Mas por quê? Você não respondeu.

Edward tinha desviado os olhos de novo, como se estivesse olhando pela janela. Seu rosto era inexpressivo no reflexo.

— Parece... *completo* quando você está aqui, Jacob. Como se toda a minha família estivesse unida. Quer dizer, acho que é assim mesmo... Eu nunca tive uma família grande. É bom. — Ela sorriu por meio segundo. — Mas não fica completo sem você aqui.

— Eu nunca serei parte da sua família, Bella.

Poderia ter sido. Eu teria sido bom nisso. Mas esse era um futuro distante que morrera muito antes de ter a chance de viver.

— Você sempre foi parte da minha família — ela discordou.

Meus dentes rangeram.

— Esta resposta não vale.

— E qual é a que vale?

— Que tal: "Jacob, gosto de ver você sofrer".

Senti Bella se encolher.

— Você se sentiria melhor? — sussurrou ela.

— Pelo menos seria mais fácil. Eu poderia tentar me acostumar. Poderia lidar com isso.

Olhei para o rosto dela então — tão perto do meu. Seus olhos estavam fechados, e a testa, franzida.

— Nós perdemos o rumo, Jake. Perdemos o equilíbrio. Você devia fazer parte da minha vida... Posso sentir isso, e você também. — Ela parou por um segundo sem abrir os olhos, como se esperasse que eu negasse. Como eu não disse nada, ela continuou: — Mas não desse jeito. Fizemos alguma coisa errada. Não. Eu fiz. Eu fiz uma coisa errada e nós perdemos o rumo...

Sua voz falhou, e o rosto, então enrugado, relaxou até se tornar só um repuxado no canto dos lábios. Esperei que ela despejasse mais suco de limão em meus cortes, mas então um ronco suave saiu do fundo de sua garganta.

— Ela está exausta — murmurou Edward. — Foi um longo dia. Um dia difícil. Acho que ela teria ido dormir mais cedo, mas estava esperando você.

Não olhei para ele.

— Seth disse que a coisa quebrou outra costela dela.

— Sim. Por isso ela está com dificuldade para respirar.

— Que ótimo.

— Diga quando ela voltar a ficar quente.

— Ok.

A pele do braço que não estava em contato com o meu ainda estava arrepiada. Eu mal havia levantado a cabeça para procurar um cobertor quando Edward pegou um que estava dobrado sobre o braço do sofá e o estendeu para cobri-la.

De vez em quando, aquilo de ler a mente poupava tempo. Por exemplo, talvez eu não precisasse fazer toda uma cena acusando-os do que estavam fazendo com Charlie. Aquela confusão. Edward *ouviria* exatamente a raiva...

— Sim — concordou ele. — Não é uma boa ideia.

— Então, por quê? — Por que Bella estava dizendo ao pai que estava se *recuperando* quando isso só o deixaria mais infeliz?

— Ela não consegue suportar a ansiedade dele.

— Então é melhor...

— Não. *Não* é melhor. Mas não vou obrigá-la a fazer uma coisa que a deixe infeliz agora. O que quer que aconteça, isso faz com que se sinta melhor. Vou lidar com o restante depois.

Algo não soava bem nessa história. Bella não iria simplesmente deixar a dor de Charlie para depois, para que outra pessoa cuidasse do assunto. Mesmo morrendo. Ela não era assim. Se eu a conhecia, ela devia ter outro plano.

— Ela tem certeza de que vai viver — disse Edward.

— Mas não como humana — protestei.

— Não, não humana. Mas, de qualquer jeito, ela espera ver Charlie de novo.

Ah! A história fica cada vez melhor.

— Ver. Charlie. — Eu finalmente olhei para ele, meus olhos arregalados. — Depois. Ver Charlie quando ela estiver cintilando de tão branca e com os olhos vermelhos. Não sou um sanguessuga, então talvez eu esteja deixando passar alguma coisa, mas *Charlie* parece uma opção meio estranha para uma primeira refeição.

Edward suspirou.

— Ela sabe que não poderá ficar perto dele por no mínimo um ano. Mas acha que pode protelar. Dizer a Charlie que teve de ir para um hospital especial do outro lado do mundo. Manter contato por telefone...

— Isso é loucura.

— É.

— Charlie não é idiota. Mesmo que ela não o mate, ele vai perceber a diferença.

— É mais ou menos nisso que ela está apostando.

Continuei a olhá-lo, aguardando a explicação.

— Ela não vai envelhecer, é claro, então isso teria um limite de tempo, mesmo que Charlie aceitasse qualquer desculpa que ela inventasse para as mudanças. — Ele sorriu desanimado. — Lembra quando tentou contar a ela sobre sua transformação? Como você a fez adivinhar?

Minha mão livre se fechou.

— Ela falou disso?

— Sim. Ela estava explicando a... ideia. Entenda, ela não pode contar a verdade a Charlie... Seria perigoso demais para ele. Mas ele é um homem prático e inteligente. Ela acha que ele vai encontrar uma explicação sozinho. E imagina que vá entender errado. — Edward bufou. — Afinal, não seguimos os cânones dos vampiros. Ele vai fazer alguma suposição errada sobre nós, como a própria Bella fez no início, e nós vamos agir de acordo. Ela acha que poderá vê-lo... de vez em quando.

— Loucura — repeti.

— Sim — concordou ele de novo.

Era fraqueza dele permitir que ela fizesse o que queria, só para deixá-la feliz no momento. Aquilo não acabaria bem.

O que me fez pensar que ele provavelmente não estava esperando que ela vivesse para executar aquele plano maluco. Ele a estava acalmando, para que ela pudesse ser feliz por mais algum tempo.

Mais quatro dias, por exemplo.

— Vou lidar com o que vier depois — sussurrou ele, e virou o rosto para que eu não pudesse ver seu reflexo. — Não vou causar nenhuma dor a ela agora.

— Quatro dias? — perguntei.

Ele não levantou a cabeça.

— Aproximadamente.

— E depois?

— O que quer dizer exatamente?

Pensei no que Bella tinha dito. Sobre a coisa estar envolta em algo forte como pele de vampiro. Então, como aquilo funcionava? Como iria sair?

— De acordo com a pouca pesquisa que pudemos fazer, parece que as criaturas usam os próprios dentes para sair do útero — sussurrou ele.

Tive de fazer uma pausa para engolir a bile.

— Pesquisa? — perguntei com a voz fraca.

— É por isso que você não tem visto Jasper e Emmett por aqui. É o que Carlisle está fazendo agora. Tentando decifrar histórias e mitos, o máximo que pudermos com o que temos aqui, procurando alguma coisa que nos ajude a prever o comportamento da criatura.

Histórias? Se havia mitos, então...

— Então essa coisa não é a primeira de sua espécie? — perguntou Edward, antecipando minha pergunta. — Talvez. É tudo muito rudimentar. Os mitos podem muito bem ser produto do medo e da imaginação. Mas... — ele hesitou — seus mitos são verdadeiros, não são? Talvez esses sejam também. Eles parecem ser localizados, relacionados...

— Como vocês descobriram...?

— Conhecemos uma mulher na América do Sul. Ela foi criada nas tradições de seu povo. Ouvira o que se falava sobre essas criaturas, antigas histórias transmitidas geração após geração.

— Falavam o quê? — sussurrei.

— Que a criatura deveria ser morta imediatamente. Antes que pudesse adquirir mais força.

Como Sam pensava. Será que ele tinha razão?

— É claro que as lendas deles dizem o mesmo de nós. Que devemos ser destruídos. Que somos assassinos sem alma.

Bingo.

Edward soltou uma risada dura.

— O que essas histórias dizem sobre as... mães?

A agonia dilacerou seu rosto, e enquanto eu me encolhia querendo fugir à sua dor, vi que ele não me daria uma resposta. Eu duvidava de que ele pudesse falar.

A resposta veio de Rosalie — que estava tão imóvel e silenciosa desde que Bella dormira que eu quase me esquecera dela.

Ela soltou um ruído de desprezo vindo do fundo da garganta.

— É claro que não houve sobreviventes — disse ela. *Não houve sobreviventes*, curto e grosso. — Dar à luz no meio de um pântano infestado de doenças com um curandeiro lambuzando seu rosto de saliva de bicho-preguiça para expulsar os espíritos do mal nunca foi o método mais seguro. Mesmo os nascimentos normais davam errado na metade das vezes. Nenhum deles tinha o que esse bebê tem: cuidados de pessoas com uma ideia de quais são suas necessidades e que tentam atender a essas necessidades. Um médico com um conhecimento único da natureza dos vampiros. Um plano para que o bebê nasça com a maior segurança possível. O veneno, que corrigirá qualquer coisa que dê errado. O bebê vai ficar bem. E aquelas outras mães provavelmente teriam sobrevivido se tivessem isso... se é que essas mães existiram, para começo de conversa. Algo de que não estou convencida. — Ela fungou com desdém.

O bebê, o bebê. Como se só isso importasse. A vida de Bella era um detalhe sem importância para ela — fácil de descartar.

O rosto de Edward ficou branco como a neve. Suas mãos se curvaram em garras. Completamente egoísta e indiferente, Rosalie se remexeu na cadeira para ficar de costas para ele. Edward se inclinou para a frente, agachando-se.

Permita-me, sugeri.

Ele parou, erguendo uma sobrancelha.

Em silêncio, levantei do chão minha tigela de cachorro. Depois, com um rápido e poderoso giro do pulso, atirei-a na parte de trás da cabeça da Loura com tanta força que — com um *bang* ensurdecedor — a tigela se achatou antes de quicar pela sala e arrancar o topo redondo do grosso pilar ao pé da escada.

Bella se remexeu, mas não acordou.

— Loura burra — murmurei.

Rosalie virou a cabeça devagar. Seus olhos estavam em brasa.

— Você. Jogou. Comida. Em. Meu. Cabelo.

Foi o que bastou.

Eu explodi. Afastei-me de Bella para não sacudi-la, e ri tanto que as lágrimas escorriam por meu rosto. Ouvi o riso de sino de Alice vindo de trás do sofá.

Perguntei-me por que Rosalie não atacou. Eu até que esperava por isso. Mas, então, percebi que minha gargalhada tinha acordado Bella, embora ela tivesse continuado a dormir durante o barulho de verdade.

— O que é tão engraçado? — murmurou ela.

— Joguei comida no cabelo dela — eu disse, dando outra gargalhada.

— Não vou me esquecer disso, cachorro — sibilou Rosalie.

— Não é tão difícil apagar a memória de uma loura — contra-ataquei. — E só soprar em sua orelha.

— Arrume umas piadas novas — rebateu ela.

— Vamos, Jake. Deixe a Rose em p... — Bella interrompeu a frase no meio e inspirou o ar com um ruído áspero. No mesmo segundo, Edward estava inclinado por cima de mim, tirando o cobertor do caminho. Ela parecia em convulsão, as costas erguendo-se em arco do sofá.

— Ele só está — ela ofegou — se alongando.

Seus lábios estavam brancos e os dentes trincados, como se tentasse reprimir um grito.

Edward pôs as mãos em seu rosto.

— Carlisle? — chamou ele numa voz baixa e tensa.

— Estou aqui — disse o médico.

Eu não o ouvira entrar.

— Tudo bem — disse Bella, ainda respirando mal e superficialmente. — Acho que passou. O pobrezinho não tem espaço suficiente, é só isso. Ele está ficando muito grande.

Era mesmo difícil aceitar aquele tom de adoração que ela usava para descrever a coisa que a estava dilacerando. Em especial depois da insensibilidade de Rosalie. Fez que eu tivesse vontade de atirar alguma coisa em Bella também.

Ela não captou meu estado de espírito.

— Sabe de uma coisa, ele me lembra você, Jake — falou com o tom afetuoso, ainda ofegando.

— *Não* me compare com essa coisa — soltei entredentes.

— Só estava me referindo ao seu surto de crescimento — disse ela, dando a impressão de que eu havia ferido seus sentimentos. Ótimo. — Você cresceu de repente. Eu via você ficando mais alto a cada minuto. Ele também é assim. Cresce rápido demais.

Mordi a língua, para não dizer o que queria — com tanta força que senti o gosto de sangue. É claro que iria curar antes mesmo que eu pudesse engolir. Era disso que Bella precisava. Ser forte como eu, ser capaz de se curar...

Ela agora respirava com mais facilidade, e então relaxou no sofá, o corpo ficando flácido.

— Hummm — murmurou Carlisle.

Olhei para ele, e seus olhos estavam em mim.

— O que foi? — perguntei.

A cabeça de Edward se inclinou enquanto ele refletia sobre o que estava na mente de Carlisle.

— Você sabe que eu estava me perguntando sobre a composição genética do feto, Jacob. Sobre os cromossomos dele.

— E daí?

— Bem, levando suas semelhanças em consideração...

— *Semelhanças?* — grunhi, sem gostar do plural.

— O crescimento acelerado e o fato de Alice não poder ver nenhum de vocês.

Senti meu rosto ficar lívido. Havia me esquecido dessa outra.

— Bem, imagino se isso significa que temos uma resposta. Se as semelhanças são genéticas.

— Vinte e quatro pares — murmurou Edward.

— Você não sabe disso.

— Não. Mas é interessante especular — disse Carlisle numa voz tranquilizadora.

— É. É *fascinante*.

O ronco leve de Bella recomeçou, acentuando meu sarcasmo.

Eles então continuaram, rapidamente levando a conversa sobre genética a um ponto em que as únicas palavras que eu entendia eram *os* e *es*. E meu próprio nome, é claro. Alice se uniu a eles, comentando de vez em quando com sua voz de passarinho.

Embora estivessem falando de mim, não tentei imaginar a que conclusões chegavam. Eu tinha outras coisas em mente, alguns fatos que tentava conciliar.

Primeiro fato: Bella disse que a criatura era protegida por algo forte como pele de vampiro, algo que era impenetrável ao ultrassom, duro demais para agulhas. Segundo: Rosalie disse que eles tinham um plano para trazer a criatura com segurança ao mundo. Terceiro: Edward disse que — nos mitos — outros monstros como esse abriam caminho a dentadas para sair da mãe.

Estremeci.

E isso fazia um sentido nauseante porque — quarto fato — poucas coisas podiam ser tão fortes quanto pele de vampiro. Os dentes dessa criatura híbrida — segundo o mito — eram bastante fortes. Meus dentes eram bastante fortes.

E dentes de vampiro também eram bastante fortes.

Era difícil não perceber o óbvio, mas eu queria poder não ver. Porque eu tinha uma ideia muito boa de como Rosalie pretendia que a coisa nascesse "com segurança".

16. PERIGO: EXCESSO DE INFORMAÇÃO

SAÍ DE LÁ CEDO, MUITO ANTES DE O SOL NASCER. TINHA TIRADO UM cochilo, desconfortável, encostado na lateral do sofá. Edward me acordou quando o rosto de Bella estava afogueado, e assumiu meu lugar para esfriá-la de novo. Eu me espreguicei e concluí que tinha descansado o suficiente para trabalhar um pouco.

— Obrigado — disse Edward baixinho, vendo meus planos. — Se o caminho estiver desimpedido, eles irão hoje.

— Eu aviso.

Era bom voltar à minha identidade animal. Eu estava rígido de ficar sentado imóvel por tanto tempo. Alonguei minha passada, tentando me livrar das cãibras.

Bom dia, Jacob, Leah me cumprimentou.

Que bom que você está acordada. Há quanto tempo Seth está dormindo?

Ainda não dormi, pensou Seth, sonolento. *Estou quase lá. Do que precisa?*

Acha que aguenta mais uma hora?

Claro. Sem problemas. Imediatamente Seth se colocou de pé, sacudindo o pelo.

Vamos avançar mais agora, eu disse a Leah. *Seth, siga o perímetro.*

Entendido. Seth partiu numa corrida tranquila.

Lá vamos nós em outra missão para os vampiros, grunhiu Leah.

Algum problema com isso?

Claro que não. Adoro mimar aqueles adoráveis sanguessugas.

Que bom. Vamos ver que velocidade podemos atingir.

Ok, é claro que estou dentro!

Leah estava no trecho mais a oeste do perímetro. Em vez de cortar caminho por perto da casa dos Cullen, ela se manteve no círculo enquanto corria para me encontrar. Eu corri para leste, sabendo que mesmo com aquela dianteira ela logo me ultrapassaria se eu relaxasse por um segundo que fosse.

Focinho no chão, Leah. Isso não é uma corrida, é uma missão de reconhecimento.

Posso fazer as duas coisas e ainda deixar você para trás.

Tive que concordar. *Eu sei.*

Ela riu.

Pegamos um caminho sinuoso pelas montanhas a leste. Era uma trilha conhecida. Corremos por aquelas montanhas quando os vampiros partiram, um ano antes, como parte da rota de patrulha para proteger melhor o povo dali. Depois recuamos com as linhas, quando os Cullen voltaram. Aquele era o território deles no tratado.

Mas agora esse fato provavelmente não devia significar nada para Sam. O tratado estava morto. A questão ali era até que ponto ele estava disposto a estender sua força. Será que ele estava procurando algum Cullen desgarrado para atacar, fosse ou não fosse em seu território? Será que Jared falara a verdade, ou estava tirando proveito do silêncio entre nós?

Avançamos cada vez mais nas montanhas, sem encontrar nenhum vestígio da matilha. Havia rastros sutis de vampiro em toda parte, mas os cheiros agora eram familiares. Tinha sentido o cheiro deles aquele dia inteiro.

Encontrei uma boa concentração, mais ou menos recente, em um rastro em particular — todos eles indo e vindo por ali, exceto Edward. Houve algum motivo para a reunião, que deve ter sido esquecido quando Edward levou para casa a esposa grávida e moribunda. Trinquei os dentes. O que quer que fosse, não era da minha conta.

Leah não tentou me ultrapassar, embora naquele momento pudesse ter feito isso. Eu estava prestando mais atenção em cada cheiro novo que na disputa. Ela se manteve do meu lado direito, correndo comigo em vez de contra mim.

Já estamos bem longe, comentou ela.

É. Se Sam estivesse caçando os desgarrados, já devíamos ter cruzado seu rastro a essa altura.

Agora faz mais sentido que ele fique entrincheirado em La Push, pensou Leah. *Ele sabe que somos três jogos extras de olhos e patas a favor dos sanguessugas. Não vai conseguir surpreendê-los.*

Na verdade, isso é só uma precaução.

Não queremos que nossos preciosos parasitas se arrisquem sem necessidade.

Não, concordei, ignorando o sarcasmo.

Você mudou muito, Jacob. Da água para o vinho.

Você também não é exatamente a mesma Leah que sempre conheci e amei.

É verdade. Agora estou menos irritante do que Paul?

Por incrível que pareça... sim.

Ah, o doce sucesso.

Meus parabéns.

Então voltamos a correr em silêncio. Já devia estar na hora de darmos meia-volta, mas nenhum de nós queria isso. Era bom correr daquele jeito. Estávamos observando o pequeno perímetro de uma mesma trilha havia muito tempo. Era bom alongar os músculos e pegar um terreno irregular. Não tínhamos muita pressa, então pensei que talvez devêssemos caçar no caminho de volta. Leah estava com muita fome.

Nham, nham, pensou ela, pouco animada.

Está tudo na sua cabeça, disse a ela. *É assim que os lobos comem. É natural. O gosto é bom. Se você não pensasse nisso da perspectiva humana...*

Deixe esse papo motivacional para lá, Jacob. Vou caçar. Não preciso gostar disso.

Claro, claro, concordei prontamente. Não era da minha conta se ela queria dificultar as coisas para si mesma.

Ela não acrescentou nada por alguns minutos; comecei a pensar em voltar.

Obrigada, disse de repente Leah, em um tom muito diferente.

Pelo quê?

Por me deixar em paz. Por me deixar ficar. Você tem sido mais legal do que eu tinha o direito de esperar, Jacob.

Hã, tudo bem. Na verdade, estou sendo sincero. Não me importo de ter você aqui como pensei que me importaria.

Ela bufou, mas era de brincadeira. *Que elogio!*

Não deixe que isso lhe suba à cabeça.

Tudo bem — se não deixar que esse suba à sua. Ela parou por um segundo. *Acho que você dá um bom alfa. Não da mesma forma que Sam, mas à sua própria maneira. Vale a pena seguir você, Jacob.*

Minha mente ficou vazia com a surpresa. Precisei de um segundo para me recuperar o suficiente para responder.

Hã, obrigado. Mas não sei se vou conseguir impedir que isso suba à minha cabeça. De onde saiu isso?

Ela não respondeu de imediato, e eu segui a direção muda de seus pensamentos. Ela estava pensando no futuro — sobre o que eu tinha dito a Jared na outra manhã. Sobre como logo chegaria a hora, e então eu voltaria para a floresta. Sobre eu ter prometido que ela e Seth voltariam à matilha quando os Cullen fossem embora...

Quero ficar com você, disse ela.

Uma descarga elétrica subiu por minhas pernas, travando minhas articulações. Ela passou voando por mim e freou. Devagar, voltou para onde eu estava paralisado.

Eu não vou encher a paciência, juro. Não vou ficar seguindo você por aí. Pode ir aonde quiser, e eu irei aonde eu quiser. Você só vai precisar me aturar quando formos lobos. Ela andava de um lado para o outro na minha frente, balançando nervosamente a longa cauda cinza. *E como pretendo me livrar disso assim que puder... talvez isso não vá ser muito frequente.*

Eu não sabia o que dizer.

Estou mais feliz agora, como parte de sua matilha, do que fui em anos.

Eu quero ficar também, pensou Seth baixinho. Não tinha percebido que ele estava prestando tanta atenção em nós enquanto percorria o perímetro. *Gosto dessa matilha.*

Espere aí! Seth, isso não será uma matilha por muito tempo. Tentei recompor meus pensamentos para que o convencesse. *Agora temos um propósito, mas quando... depois que isso acabar, vou voltar à vida de lobo. Seth, você precisa de um propósito. Você é um bom garoto. É o tipo de pessoa que sempre tem uma cruzada. E de forma alguma vai deixar La Push agora. Você vai terminar a escola e fazer alguma coisa de sua vida. Vai cuidar de Sue. Garanto que meus problemas não vão atrapalhar seu futuro.*

Mas...

Jacob tem razão, reforçou Leah.

Está concordando comigo?

Claro que sim. Mas nada disso se aplica a mim. Eu estava mesmo indo embora de lá. Vou arrumar um emprego em algum lugar longe de La Push. Talvez fazer alguns cursos politécnicos numa faculdade. Fazer ioga e meditação para resolver meus problemas de temperamento... E fazer parte dessa matilha pelo meu bem-estar mental. Jacob, você consegue ver como isso faz sentido, certo? Não vou incomodar você, você não vai me incomodar — todo mundo fica feliz.

Dei meia-volta e comecei a retornar devagar para o oeste.

É muita coisa para eu digerir, Leah. Deixe-me pensar um pouco, está bem?

Claro. Sem pressa.

Demoramos mais para correr de volta. Eu não estava tentando ser veloz. Só tentava me concentrar o bastante para não dar uma cabeçada numa árvore. Seth grunhia um pouco no fundo de minha mente, mas consegui ignorá-lo. Ele sabia que eu tinha razão. Ele não iria abandonar a mãe. Iria voltar para La Push e proteger o povo, como devia fazer.

Mas eu não conseguia ver Leah fazendo o mesmo. E isso era assustador.

Uma matilha composta por nós dois? Por maior que fosse a distância física, eu não conseguia imaginar a... a *intimidade* dessa situação. Imaginei se ela realmente tinha pensado bem naquilo ou se só estava desesperada para ficar livre.

Leah não disse nada enquanto eu ruminava o assunto. Era como se tentasse provar como seria fácil se fôssemos apenas nós dois.

Encontramos um rebanho de cervos de rabo preto no momento em que o sol se levantava, iluminando um pouco as nuvens atrás de nós. Leah suspirou consigo mesma, mas não hesitou. Seu bote foi simples e eficiente — gracioso até. Ela derrubou o maior, o macho, antes que o animal assustado percebesse plenamente o perigo.

Para não ficar para trás, abati a segunda maior fêmea do rebanho, quebrando-lhe rapidamente o pescoço entre minhas mandíbulas, para que ela não sentisse dor desnecessária. Eu podia sentir o nojo de Leah em conflito com sua fome, e tentei facilitar para ela, deixando que o lobo dominasse minha mente. Eu tinha vivido como lobo por tempo suficiente para saber ser integralmente o animal — ver e pensar como ele. Deixei que os instintos práticos me dominassem, permitindo que ela também sentisse isso. Ela hesitou por um segundo, mas depois, aos poucos, pareceu que sua mente tinha chegado lá e tentava ver do meu modo. Era muito estranho — nossas mentes estavam mais ligadas do que nunca, porque nós dois estávamos *tentando* pensar juntos.

Foi estranho, mas ajudou Leah. Os dentes dela cortaram o pelo e a pele do ombro de sua presa, rasgando um grosso naco de carne sangrenta. Em vez de recuar, como seus pensamentos humanos queriam que fizesse, ela deixou que seu eu-lobo reagisse instintivamente. Era algo de certo modo entorpecente, automático. E permitiu que ela comesse em paz.

Foi fácil para mim fazer o mesmo. E fiquei feliz por não ter me esquecido daquilo. Aquela logo voltaria a ser minha vida.

Será que Leah faria parte dessa vida? Uma semana antes eu teria achado essa ideia para lá de apavorante. Não teria sido capaz de suportá-la. Mas agora eu a conhecia melhor. E, aliviada da dor ininterrupta, ela não era a mesma loba. Não era a mesma garota.

Comemos juntos até estarmos satisfeitos.

Obrigada, ela me disse mais tarde, enquanto limpava o focinho e as patas na relva molhada.

Eu não me dei esse trabalho; tinha acabado de começar a chuviscar e teríamos que atravessar o rio novamente no caminho de volta. Eu ficaria bastante limpo.

Não foi tão ruim, pensando do seu jeito.

De nada.

Seth estava se arrastando quando chegamos ao perímetro. Eu disse a ele que fosse dormir um pouco; Leah e eu assumiríamos a patrulha. A mente de Seth caiu na inconsciência segundos depois.

Está voltando para os sanguessugas?, Leah perguntou.

Talvez.

É difícil para você estar lá, mas também é difícil ficar longe. Sei como é isso.

Sabe de uma coisa, Leah: talvez você queira pensar melhor no futuro, no que realmente quer fazer. Minha cabeça não vai ser o lugar mais feliz da Terra. E você terá de sofrer comigo.

Ela pensou em como me responder. *Caramba, isso vai soar mal. Mas, honestamente, vai ser mais fácil lidar com sua dor do que enfrentar a minha.*

É bastante razoável.

Sei que será ruim para você, Jacob. Eu entendo... talvez melhor do que você pensa. Não gosto dela, mas... ela é seu Sam. Ela é tudo o que você quer e tudo o que não pode ter.

Não consegui responder.

Sei que é pior para você. Pelo menos Sam está feliz. Pelo menos ele está vivo e bem. Eu o amo bastante para querer isso. Quero que ele tenha o que for melhor para ele. Ela suspirou. *Só não quero ficar perto para assistir.*

Precisamos falar disso?

Acho que sim. Porque quero que saiba que não vou piorar as coisas para você. Que droga, talvez eu até ajude! Não nasci *uma bruxa sem compaixão. Antigamente, eu era legal, sabe?*

Minha memória não vai tão longe.

Nós dois rimos.

Sinto muito por isso, Jacob. Lamento que esteja sofrendo. Lamento que tudo esteja piorando, em vez de melhorar.

Obrigado, Leah.

Ela pensou nas coisas que estavam piores, as imagens obscuras em minha mente, enquanto eu tentava me desligar dela, sem muito sucesso. Ela conseguia olhar tudo aquilo com algum distanciamento, alguma perspectiva, e eu tinha de admitir que isso ajudava. Permitia que eu imaginasse que talvez também fosse capaz de enxergar as coisas daquela maneira em alguns anos.

Ela via o lado engraçado das irritações de todo dia, que vinham com a convivência com os vampiros. Ela gostava das minhas implicâncias com Rosalie, rindo consigo mesma e até repassando mentalmente algumas piadas de loura que eu talvez pudesse usar. Mas depois seus pensamentos ficaram sérios, demorando-se no rosto de Rosalie de um jeito que me confundia.

Sabe o que é maluco?, perguntou ela.

Bom, quase tudo agora é maluco. Mas a que você está se referindo?

Aquela vampira loura que você odeia tanto... Entendo perfeitamente a perspectiva dela.

Por um segundo pensei que ela fosse fazer uma piada de péssimo gosto. E então, quando percebi que falava seriamente, foi difícil controlar a fúria que me tomou. Foi bom termos nos separado em nossa vigilância. Se ela estivesse à distância de uma *dentada*...

Espere aí! Deixe-me explicar!

Não quero ouvir. Vou dar o fora daqui.

Espere! Espere!, ela pediu enquanto eu tentava me acalmar o suficiente para mudar de forma. *Ah, vamos, Jake!*

Leah, essa não é a melhor maneira de me convencer de que no futuro vou querer passar mais tempo com você.

Puxa! Que reação exagerada. Você nem sabe do que estou falando.

Então me diga: do que está falando?

E ela de repente era a Leah endurecida pela dor. *Estou falando de ser um beco sem saída genético, Jacob.*

O tom cruel em suas palavras me fez vacilar. Eu não esperava ter minha raiva vencida.

Não entendo.

Você entenderia se não fosse igual ao restante deles. Se minhas "coisas de fêmea" — ela pensou as palavras com um tom sarcástico e duro — *não o afastassem para longe como a qualquer macho idiota, você conseguiria realmente prestar atenção no que tudo isso significa.*

Ah!

É, nenhum de nós gostava de pensar nessas coisas com ela. Quem iria gostar? É claro que eu me lembrava do pânico de Leah no primeiro mês depois que se juntara à matilha — e me lembrava de ter fugido daquilo, como todos os outros. Porque ela não podia *engravidar* — a menos que acontecesse alguma monstruosa concepção imaculada. Ela não estivera com ninguém desde Sam. E depois, quando as semanas se arrastavam e o nada se transformava em mais nada, ela havia percebido que seu corpo não mais seguia os padrões normais. O pavor — o que ela *era*, então? Será que seu corpo tinha mudado por que ela se tornara lobisomem? Ou ela havia virado lobisomem por que tinha algo *errado* com seu corpo? A única lobisomem fêmea na história do mundo. Será que aconteceu porque ela não era tão fêmea quanto deveria ser?

Nenhum de nós queria encarar aquele problema. Não era, obviamente, algo com que conseguíssemos nos *identificar*.

Você sabe por que Sam acha que temos imprinting, ela pensou, mais calma.

Claro. Para dar seguimento à linhagem.

Sim. Para fazer um monte de novos lobisomenzinhos. A sobrevivência da espécie, a dominância genética. Você é atraído à pessoa que lhe dá as melhores chances de transmitir o gene de lobo.

Esperei que ela me dissesse aonde queria chegar.

Se eu tivesse alguma utilidade nesse sentido, Sam teria se sentido atraído por mim.

Sua dor era tamanha que me fez interromper a corrida.

Mas não tenho. Tem alguma coisa errada comigo. Não sou capaz de passar adiante os genes, ao que parece, apesar de minha linhagem estelar. Então me tornei uma aberração — a lobisomem mulherzinha — que não serve para mais nada. Sou um beco sem saída genético, e nós dois sabemos disso.

Não sabemos, argumentei. *Essa é apenas a teoria de Sam. O* imprinting *acontece, mas não sabemos por quê. Billy acha que é outra coisa.*

Eu sei, eu sei. Ele acha que o imprinting *acontece para gerar lobos* mais fortes. *Porque você e Sam são monstros imensos — maiores do que nossos pais. Mas, seja como for, eu não me enquadro. Eu... estou na menopausa. Tenho 20 anos e já estou na menopausa.*

Argh. Eu *não* queria mesmo ter aquela conversa. *Você não sabe, Leah. Provavelmente, é só essa coisa de ficar parada no tempo. Quando você se livrar da forma de lobo e começar a envelhecer de novo, sei que as coisas vão... hã... voltar a seu ritmo.*

Eu posso até pensar assim... Só que ninguém sofreu imprinting *comigo, apesar de meu impressionante pedigree. Sabe de uma coisa?*, acrescentou ela, pensativa, *se* não fosse por você, Seth provavelmente seria quem teria mais direito de ser o alfa... ao menos por causa do sangue. É claro que ninguém jamais pensaria em mim...

Você quer *mesmo sofrer* imprinting, *ou que alguém sofra por você, ou seja o que for?*, perguntei. *O que há de errado em se apaixonar como uma pessoa normal, Leah? O imprinting é só mais uma maneira de ter suas escolhas arrancadas de suas mãos.*

Sam, Jared, Paul, Quil... eles não parecem se importar.

Nenhum deles pensa *por si mesmo.*

Você não quer o imprinting?

Não, Deus me livre!

Isso é só porque você já é apaixonado por ela. Isso passaria, você sabe, se sofresse imprinting. Você não sofreria mais por causa de ninguém.

Quer esquecer o que sente por Sam?

Ela pensou por um momento. *Acho que sim.*

Suspirei. A atitude dela era mais saudável do que a minha.

Mas, voltando ao meu argumento original, Jacob, eu entendo por que sua vampira loura é tão fria — no sentido figurado. Ela está focada. Está de olho no prêmio, certo? Porque o que mais queremos é sempre o que jamais poderemos ter.

Você agiria como Rosalie? Você mataria alguém — porque é o que ela está fazendo, cuidando para que ninguém interfira na morte de Bella —, você faria isso para ter um bebê? Desde quando você é uma reprodutora?

Eu só quero as opções que não tenho, Jacob. Talvez eu nunca pensasse no assunto se não houvesse nada de errado comigo.

Você mataria por isso?, perguntei, sem deixar que ela escapasse de minha pergunta.

Não é o que ela está fazendo. Acho que é mais como se ela estivesse, indiretamente, vivendo aquilo. E... se Bella pedisse a mim *que a ajudasse...* Ela parou, refletindo. *Embora não ligue muito para ela, eu provavelmente faria o mesmo que a sanguessuga.*

Um rosnado alto irrompeu entre meus dentes.

Porque, se fosse o contrário, eu iria querer que Bella fizesse o mesmo por mim. E Rosalie também. Nós duas agiríamos como ela.

Argh! Você está tão louca quanto eles!

É isso que é engraçado em saber que você não pode ter uma coisa. Você fica desesperado.

E... esse é meu limite. Aqui mesmo. Esta conversa acabou.

Tudo bem.

Não era suficiente que ela concordasse em parar. Eu queria um fim mais definitivo do que isso.

Estava a cerca de um quilômetro de onde tinha deixado minhas roupas, então passei para a forma humana e caminhei. Não pensei em nossa conversa. Não porque não houvesse em que pensar, mas porque eu não suportava. Eu *não* queria ver a questão daquela maneira — mas ficara mais difícil evitar isso depois de Leah ter colocado os pensamentos e emoções em minha cabeça.

É, eu não iria correr com ela quando aquilo terminasse. Ela que ficasse infeliz em La Push. Um pequeno comando de alfa antes de partir para sempre não mataria ninguém.

Era muito cedo quando cheguei à casa. Bella ainda devia estar dormindo. Pensei em dar uma espiada, ver o que estava acontecendo, dar a eles sinal verde para que fossem caçar e, então, encontrar um pedaço de grama bastante macio para dormir como humano. Eu só iria voltar a mudar de forma quando Leah estivesse dormindo.

Mas havia muito burburinho dentro da casa — então talvez Bella não estivesse dormindo. Em seguida ouvi novamente o barulho do equipamento no segundo andar — o aparelho de raio X? Que ótimo! Parecia que o quarto dia na contagem regressiva começava de forma explosiva.

Alice abriu a porta para mim antes que eu pudesse entrar sozinho.

Ela balançou a cabeça.

— E aí, lobo.

— E aí, baixinha. O que está acontecendo lá em cima? — A grande sala estava vazia; todos os murmúrios vinham do segundo andar.

Ela encolheu os ombrinhos ossudos.

— Talvez outra fratura. — Ela tentou falar de forma despreocupada, mas eu podia ver as chamas no fundo de seus olhos. Edward e eu não éramos os únicos que estavam se consumindo com aquilo. Alice também amava Bella.

— Outra costela? — perguntei com a voz rouca.

— Não. A bacia dessa vez.

Era estranho que aquilo continuasse me atingindo, como se cada novo acontecimento fosse uma surpresa. Quando é que eu pararia de me surpreender? Cada novo desastre parecia meio óbvio depois de ter acontecido.

Alice olhava minhas mãos, vendo-as tremer.

Depois ouvimos a voz de Rosalie no andar de cima.

— Viu, eu *disse* que não tinha ouvido um estalo. Alguém precisa examinar seus ouvidos, Edward.

Não houve resposta.

Alice fez uma careta.

— Acho que Edward vai acabar fazendo Rosalie em pedacinhos. Estou surpresa de que ela não veja isso. Ou talvez ache que Emmett poderá detê-lo.

— Eu pego Emmett — ofereci. — Você pode ajudar Edward com a parte de picar em pedacinhos.

Alice abriu um meio sorriso.

A procissão então desceu a escada — dessa vez, Edward carregava Bella, que estava segurando seu copo de sangue com as duas mãos, o rosto lívido. Eu podia ver que, embora ele compensasse cada movimento mínimo de seu corpo para não movê-la bruscamente, ela sentia dor.

— Jake — ela sussurrou, e sorriu em meio à dor.

Eu a fitei, sem nada dizer.

Edward colocou Bella com cuidado no sofá e se sentou no chão, perto de sua cabeça. Imaginei por um segundo por que não a deixavam no andar de cima, então conclui de imediato que devia ser ideia de Bella. Ela devia querer agir como se as coisas estivessem normais, evitar o equipamento hospitalar. E ele estava cedendo aos desejos dela. Naturalmente.

Carlisle desceu devagar, o último deles, o rosto vincado de preocupação. Pela primeira vez, parecia ter idade suficiente para ser médico.

— Carlisle — eu disse. — Fomos até a metade do caminho para Seattle. Não há sinal da matilha. Vocês podem ir.

— Obrigado, Jacob. É uma boa hora. Estamos precisando de muitas coisas. — Seus olhos escuros voaram para o copo que Bella segurava com tanta firmeza.

— Sinceramente, acho que pode levar mais de três com segurança. Tenho certeza de que Sam está se concentrando em La Push.

Carlisle assentiu. Surpreendeu-me ver a facilidade com que ele aceitou meu conselho.

— Se pensa assim. Alice, Esme, Jasper e eu iremos. Depois Alice pode levar Emmett e Rosa...

— De jeito nenhum — sibilou Rosalie. — Emmett pode ir com vocês agora.

— Você precisa caçar — disse Carlisle numa voz gentil.

O tom de voz dele não atenuou o dela.

— Vou caçar quando *ele* for — grunhiu ela, apontando Edward com a cabeça e jogando o cabelo para trás.

Carlisle suspirou.

Jasper e Emmett chegaram ao primeiro andar num piscar de olhos, e no mesmo segundo Alice se juntou a eles perto da porta de vidro dos fundos. Esme flutuou para o lado de Alice.

Carlisle pôs a mão em meu braço. O toque gelado não era agradável, mas eu não me afastei. Permaneci imóvel — em parte por surpresa, em parte porque não queria ferir seus sentimentos.

— Obrigado — disse ele de novo, e então disparou porta afora com os outros quatro.

Meus olhos os seguiram enquanto eles voaram pelo gramado e desapareceram antes que eu pudesse inspirar novamente. As necessidades deles deviam ser mais urgentes do que eu imaginara.

Por um minuto, não ouvi nenhum som. Eu podia sentir alguém me fuzilando com os olhos, e sabia quem era. Eu havia planejado sair e dormir um pouco, mas a oportunidade de estragar a manhã de Rosalie parecia boa demais para ser desperdiçada.

Então caminhei até a poltrona ao lado da de Rosalie e me acomodei, esparramando-me de modo que minha cabeça estivesse inclinada na direção de Bella e meu pé esquerdo quase na cara de Rosalie.

— Argh. Alguém coloque o cachorro para fora — murmurou ela, franzindo o nariz.

— Conhece esta, psicopata: sabe como os neurônios de uma loura morrem? Ela não disse nada.

— E então? — perguntei. — Sabe o final da piada ou não?

Ela olhava para a tevê com determinação, ignorando minha presença.

— Ela já ouviu essa? — perguntei a Edward.

Não havia humor em seu rosto tenso — seus olhos não se desgrudavam de Bella. Mas ele respondeu.

— Não.

— Beleza! Então vai gostar desta, sanguessuga... Os neurônios de uma loura morrem *de solidão*.

Rosalie continuou sem olhar para mim.

— Já matei cem vezes mais do que você, sua besta nojenta. Não se esqueça disso.

— Um dia, Rainha da Beleza, você vai cansar de ficar só me ameaçando. Estou louco para que esse dia chegue.

— Chega, Jacob — disse Bella.

Olhei para baixo, e ela estava de cara feia para mim. Parecia que o bom humor da véspera se fora.

Bom, eu não queria aborrecê-la.

— Quer que eu vá embora? — propus.

Antes que eu pudesse esperar — ou temer — que ela finalmente tivesse se cansado de mim, ela piscou, e a cara feia desapareceu. Parecia completamente chocada que eu chegasse a tal conclusão.

— Não! É claro que não.

Suspirei, e ouvi Edward suspirar bem baixinho também. Eu sabia que ele, igualmente, queria que ela me deixasse de lado. Pena que nunca fosse pedir a ela algo que a fizesse infeliz.

— Você parece cansado — comentou Bella.

— Morto de cansaço — admiti.

— Bem que eu gostaria disso — murmurou Rosalie, baixo demais para que Bella ouvisse.

Eu me afundei mais na poltrona, acomodando-me melhor. Meus pés descalços ficaram mais próximos de Rosalie, e ela enrijeceu. Depois de alguns minutos, Bella pediu a Rosalie que tornasse a encher o copo. Senti o vento enquanto ela subia para pegar mais sangue. Estava muito silencioso. Talvez eu pudesse tirar um cochilo, pensei.

E então Edward perguntou:

— Você disse alguma coisa?

Seu tom era confuso. Estranho. Porque ninguém *tinha* dito nada, e porque a audição de Edward era tão boa quanto a minha — então ele deveria saber disso.

Ele olhava fixamente para Bella, e ela o fitava também. Os dois pareciam confusos.

— Eu? — perguntou ela depois de um segundo. — Eu não disse nada.

Ele se ajoelhou, inclinando-se na direção dela, a expressão de repente intensa, de uma forma totalmente diferente. Seus olhos escuros estavam focados no rosto de Bella.

— No que está pensando agora?

Ela o encarou, perplexa.

— Em nada. O que está acontecendo?

— No que estava pensando um minuto atrás? — perguntou ele.

— Só na... ilha de Esme. E nas plumas.

Parecia sem sentido para mim, mas então ela corou, e eu deduzi que era melhor não saber.

— Diga mais alguma coisa — sussurrou ele.

— Como o quê? Edward, o que está acontecendo?

Sua expressão mudou de novo, e ele fez algo que me deixou de queixo caído. Ouvi um arquejo atrás de mim, e soube que Rosalie estava de volta, e tão chocada quanto eu.

Edward, muito suavemente, pousou as mãos na barriga imensa e redonda.

— O f... — ele engoliu em seco. — A... o bebê gosta do som da sua voz.

Mais uma fração de segundo de completo silêncio. Eu não conseguia mover nenhum músculo, nem mesmo piscar. Então...

— *Santo Deus, você pode ouvi-lo!* — gritou Bella. No segundo seguinte, ela estremeceu.

A mão de Edward deslizou para o alto da barriga e gentilmente afagou o local onde a coisa devia tê-la chutado.

— Psiu — murmurou ele. — Você assustou a coi... ele.

Os olhos dela se arregalaram e ficaram cheios de admiração. Ela afagou a lateral da barriga.

— Desculpe-me, bebê.

Edward ouvia com atenção, a cabeça inclinada na direção da protuberância.

— O que ele está pensando agora? — perguntou ela, ansiosa.

— A cois... ele, ou ela, está... — Ele fez uma pausa e fitou os olhos de Bella. Os olhos dele também estavam cheios de admiração, só que mais cautelosa e relutante. — Está *feliz* — disse Edward, num tom incrédulo.

Ela perdeu o fôlego, e era impossível não ver o brilho fanático em seu olhar. A adoração e a devoção. Lágrimas enormes transbordaram de seus olhos e escorreram em silêncio pelo rosto e pelos lábios sorridentes.

Enquanto a fitava, o rosto dele não estava apavorado, nem colérico, nem em chamas, nem com nenhuma das expressões que ele exibia desde que voltaram. Ele estava maravilhado, como ela.

— É claro que você está feliz, bebê lindo, é claro que está — ela murmurou, afagando a barriga enquanto as lágrimas banhavam seu rosto. — Como poderia não estar, aí todo seguro, aquecido e amado? Eu o amo tanto, pequeno EJ. É claro que você está feliz.

— Como você o chamou? — perguntou Edward com curiosidade.

Ela corou de novo.

— Eu meio que o batizei. Não achei que você fosse querer... Bem, você sabe.

— EJ?

— O nome do seu pai também era Edward.

— Sim, era. O quê...? — Ele parou e disse: — Hã.

— O que foi?

— Ele também gosta da minha voz.

— É claro que gosta. — Agora o tom de voz dela era quase de júbilo. — Você tem a voz mais linda de todo o Universo. Quem não amaria?

— Você tem um plano B? — perguntou Rosalie, inclinando-se sobre as costas do sofá com o mesmo olhar maravilhado de Bella. — E se ele for ela?

Bella enxugou o rosto molhado com as costas da mão.

— Andei brincando com alguns nomes. Com Renée e Esme. Eu estava pensando em... Ré-*nes*-mee.

— Renesmei?

— R-e-n-e-s-m-e-e. É muito esquisito?

— Não, eu gosto — Rosalie a tranquilizou. As cabeças das duas estavam unidas, ouro e mogno. — É lindo. E único, então combina.

— Ainda acho que é Edward.

Edward fitava o vazio, o rosto inexpressivo enquanto ouvia.

— O que foi? — perguntou Bella, radiante. — O que ele está pensando agora?

De início ele não respondeu, e então — voltando a chocar todos nós, três arquejos distintos — ele pôs o ouvido ternamente na barriga de Bella.

— Ele a ama — sussurrou Edward, parecendo pasmado. — Ele simplesmente *adora* você.

Nesse momento, eu vi que estava sozinho. Completamente só.

Tive raiva de mim mesmo quando percebi quanto estivera contando com aquele vampiro nojento. Que idiotice — como se você pudesse confiar num sanguessuga! É claro que ele me trairia no fim.

Contava que ele ficasse do meu lado. Contava que ele sofresse mais do que eu. E, acima de tudo, contava que ele odiasse mais do que eu aquela coisa revoltante que estava matando Bella.

Tinha acreditado nele nesse sentido.

Entretanto, agora eles estavam juntos, os dois curvados sobre o monstro invisível que estava chegando, com os olhos iluminados, como uma família feliz.

E eu estava completamente só com meu ódio e aquela dor tamanha, que era como se eu estivesse sendo torturado. Era como ser arrastado lentamente sobre um leito de navalhas. Doía tanto que eu receberia a morte com um sorriso, só para me livrar daquilo.

O calor destravou meus músculos paralisados, e eu me levantei.

Os três ergueram a cabeça, e vi minha dor ondular pelo rosto de Edward quando ele invadiu de novo minha mente.

— Ahh — disse ele, sufocado.

Eu não sabia o que fazer; fiquei de pé ali, tremendo, pronto para correr, desabalado, para a primeira saída que me ocorresse.

Movendo-se como uma cobra, Edward disparou para uma mesinha de canto e pegou algo na gaveta. Atirou-o para mim, e eu peguei o objeto por reflexo.

— Vá, Jacob. Vá embora daqui. — Ele não disse isso asperamente. Lançou as palavras para mim como se fossem um bote salva-vidas. Estava me ajudando a encontrar a saída que eu procurava desesperadamente.

O que eu tinha na mão eram as chaves de um carro.

17. EU TENHO CARA DE QUÊ? MÁGICO DE OZ? VOCÊ PRECISA DE UM CÉREBRO? PRECISA DE UM CORAÇÃO? PODE VIR. PEGUE O MEU. LEVE TUDO O QUE TENHO

EU, DE CERTO MODO, TINHA UM PLANO QUANDO CORRI PARA A GA-ragem dos Cullen. A segunda parte dele era acabar com o carro do sanguessuga na volta.

Então fiquei perdido quando apertei o botão do controle remoto e não foi o Volvo dele que bipou e piscou as luzes para mim. Foi outro carro — um que se destacava mesmo na longa fila de veículos que eram quase todos de cair o queixo.

Ele realmente *quis* me dar a chave do Aston Martin Vanquish, ou foi um acidente?

Não parei para pensar nisso, ou se isso mudaria a segunda parte de meu plano. Eu simplesmente me atirei no banco de couro macio e dei a partida no motor enquanto meus joelhos ainda estavam esmagados sob o volante. O ronco do motor poderia ter-me feito gemer num outro dia, mas naquele momento tudo o que eu podia fazer era me concentrar o suficiente para colocá-lo em movimento.

Encontrei a alavanca do banco e deslizei para trás enquanto meu pé afundava no pedal. O carro pareceu praticamente flutuar quando se deslocou para a frente.

Em apenas alguns segundos percorri o caminho estreito e sinuoso que levava até a saída da propriedade. O carro respondia aos comandos como se fossem meus pensamentos que estivessem na direção e não minhas mãos.

Quando saí voando do túnel verde e entrei na rodovia, tive um rápido vislumbre do focinho cinza de Leah espiando inquieta em meio às samambaias.

Por meio segundo, perguntei-me o que ela pensaria, e então percebi que eu não me importava.

Virei para o sul, porque não estava com a menor paciência para travessias em barcas, trânsito, nem nada que significasse que eu teria de tirar o pé do acelerador.

De uma forma doentia, aquele era meu dia de sorte. Se por sorte você quiser dizer pegar uma estrada movimentada a 200km/h sem ver nem sequer um policial, mesmo em uma cidade onde o limite de velocidade é 50km/h. Que decepção! Uma perseguiçãozinha poderia ser legal, para não falar que o registro da placa do carro levaria diretamente ao sanguessuga. Claro que ele pagaria para se safar, mas poderia ser pelo menos um *pequeno* inconveniente para ele.

O único sinal de vigilância por que passei foi só um vislumbre de pelagem marrom-escura movendo-se rapidamente em meio às árvores, correndo paralelamente comigo por alguns quilômetros no lado sul de Forks. Quil, ao que parecia. Ele devia ter me visto também, porque desapareceu após um minuto, sem alertar ninguém. De novo, quase me perguntei qual seria a versão dele, antes de lembrar que isso não me importava.

Percorri a longa rodovia em U, seguindo para a maior cidade que pudesse encontrar. Essa era a primeira parte do meu plano.

Pareceu durar uma eternidade, provavelmente porque eu ainda estivesse sobre o fio das navalhas, mas na verdade não haviam se passado nem duas horas quando me vi seguindo para o norte, para a região indefinida que era parte Tacoma, parte Seattle. Reduzi então, porque não estava tentando matar nenhum espectador inocente.

Aquele era um plano idiota. Não daria certo. Mas, enquanto procurava em minha mente algum modo de me livrar da dor, o que Leah dissera naquele dia havia me dado um estalo.

Isso passaria, você sabe, se sofresse imprinting. *Você não sofreria mais por causa dela.*

Parecia que perder a capacidade de decidir talvez não fosse a pior coisa do mundo. Talvez sentir *aquilo* fosse a pior coisa do mundo.

Mas eu vira todas as garotas em La Push, na reserva Makah e em Forks. Precisava de uma área de caça maior.

Então, como se procura uma alma gêmea ao acaso no meio da multidão? Bom, primeiro, eu precisava de uma multidão. Então dei umas voltas, procurando um local apropriado. Passei por alguns shoppings, que provavelmente seriam bons lugares para encontrar garotas da minha idade, mas não consegui me decidir a parar. Será que eu ia *querer imprinting* com uma garota que roda num shopping o dia todo?

Continuei seguindo para o norte, para lugares cada vez mais abarrotados. Por fim, encontrei um parque grande, cheio de crianças, famílias, skatistas, ciclistas, pipas, piqueniques e tudo isso. Eu não tinha percebido até esse momento — o dia estava lindo. Sol e tudo mais. As pessoas estavam celebrando o céu azul.

Estacionei tomando duas vagas para pessoas com deficiência — implorando por uma multa — e me juntei à multidão.

Andei pelo que pareceram horas. Tempo suficiente para o sol mudar de lado no céu. Olhei no rosto de cada garota que passava perto de mim, obrigando-me a realmente olhar, observando quem era bonita, quem tinha olhos azuis, quem ficava bem de aparelho nos dentes e quem usava maquiagem demais. Tentei encontrar algo interessante em cada rosto, para saber com certeza que eu havia realmente tentado. Coisas assim: essa tem um nariz bem reto; aquela deveria tirar o cabelo dos olhos; a outra poderia fazer anúncio de batom se o restante do rosto fosse tão perfeito quanto a boca...

Às vezes, elas também olhavam. Às vezes, pareciam assustadas — como se pensassem: *Quem é essa coisa enorme me encarando?* Às vezes, pensei ter visto algum interesse, mas talvez fosse só meu ego descontrolado.

De qualquer modo, nada aconteceu. Mesmo quando olhei os olhos da garota que era — sem dúvida — a mais gata do parque e, provavelmente, da cidade, e ela me olhou com uma expressão que *parecia* de interesse, eu não senti nada. Só o mesmo impulso desesperado para encontrar uma saída da dor.

À medida que o tempo passava, comecei a perceber todas as coisas erradas. Coisas de Bella. Essa aqui tem o cabelo da mesma cor. Os olhos daquela outra tinham mais ou menos o mesmo formato. As maçãs do rosto dessa aqui têm o mesmo traçado das dela. Aquela ali tem a mesma ruguinha entre os olhos — o que fez com que me perguntasse com o que estaria preocupada...

Foi quando desisti. Porque era mais do que estupidez pensar que eu havia escolhido o lugar e a hora exatos, e iria simplesmente dar de cara com minha alma gêmea só porque estava tão desesperado por isso.

De qualquer modo, não faria sentido encontrá-la ali. Se Sam tinha razão, o melhor lugar para achar minha parceira genética seria em La Push. E, claramente, ninguém de lá preenchia os pré-requisitos. Se Billy tinha razão, então quem poderia saber? O que é necessário para gerar um lobo mais forte?

Voltei ao carro, desabei sobre o capô e fiquei brincando com as chaves.

Talvez eu fosse o que Leah pensava ser. Uma espécie de beco sem saída que não devia ser transmitido a outra geração. Ou talvez o problema fosse só que minha vida era uma piada muito cruel e não haveria escapatória a seu desfecho.

— Ei, você está bem? Olá? Você aí, com o carro roubado.

Precisei de um segundo para perceber que a voz falava comigo; depois de outro para me decidir a levantar a cabeça.

Uma garota de rosto familiar me fitava com uma expressão um tanto ansiosa. Eu sabia por que estava reconhecendo seu rosto: eu já a catalogara. Cabelo louro-avermelhado, pele clara, algumas sardas douradas espalhadas pelo rosto e pelo nariz, olhos cor de canela.

— Se está sentindo tanto remorso por ter roubado o carro — disse ela, sorrindo de modo que uma covinha apareceu em seu queixo —, saiba que é sempre possível se entregar.

— É emprestado, não roubado — respondi. Minha voz soou horrível, como se eu tivesse chorado ou coisa assim. Constrangedora.

— Claro, *isso* vai colar no tribunal.

Eu a olhei, de cara fechada.

— Precisa de alguma coisa?

— Na verdade, não. Estava brincando sobre o carro. É só que... você parece muito aborrecido com alguma coisa. Ah, ei, meu nome é Lizzie. — Ela estendeu a mão.

Fiquei olhando para a mão até que ela a baixou.

— Seja como for — disse ela sem jeito —, eu só estava me perguntando se poderia ajudar. Parecia que você estava procurando alguém. — Ela gesticulou para o parque e deu de ombros.

— É.

Ela esperou.

Suspirei.

— Não preciso de ajuda. Ela não está aqui.

— Ah. Sinto muito.

— Eu também — murmurei.

Olhei a garota de novo. Lizzie. Era bonita. Legal o suficiente para tentar ajudar um estranho mal-humorado que devia parecer louco. Por que ela não podia ser *a* garota? Por que tudo tinha de ser tão complicado? Uma garota legal, bonita e engraçada. Por que não?

— É um belo carro — disse ela. — É mesmo uma pena que não o produzam mais. Quer dizer, o desenho do Vantage também é lindo, mas o Vanquish tem alguma coisa...

Uma garota legal que *entendia de carros*. Caramba! Olhei seu rosto com mais atenção, desejando saber como fazer aquilo funcionar. *Vamos lá, Jake* — imprinting *agora*.

— Como é dirigi-lo? — perguntou ela.

— Você não iria acreditar — eu disse.

Ela deu o sorriso de uma covinha, claramente satisfeita por ter arrancado de mim uma resposta quase civilizada, e eu retribuí com um sorriso relutante.

Mas seu sorriso nada pôde contra as lâminas afiadas que subiam e desciam por meu corpo. Por mais que eu quisesse, não era daquele jeito que minha vida passaria a ter sentido.

Eu ainda não tinha a atitude mais saudável de Leah. Eu não conseguiria me apaixonar como uma pessoa normal. Não enquanto estava sangrando por outra. Talvez se dez anos tivessem se passado e o coração de Bella estivesse morto havia muito, e eu tivesse me arrastado por todo o processo de luto e saísse dele inteiro, talvez então eu pudesse oferecer uma carona a Lizzie num carro veloz, conversar sobre marcas e modelos, saber alguma coisa sobre ela e ver se gostava dela como pessoa. Mas isso não aconteceria agora.

A magia não ia me salvar. Eu ia ter de passar pela tortura com coragem. Eu ia ter de suportar.

Lizzie aguardava, talvez esperando que eu lhe oferecesse aquela carona. Talvez não.

— É melhor devolver este carro ao cara que me emprestou — murmurei.

Ela sorriu de novo.

— Fico feliz de saber que está se corrigindo.

— É, você me convenceu.

Ela me observou entrar no carro, ainda um pouco preocupada. Eu devia parecer alguém prestes a se jogar de um penhasco. O que talvez eu tivesse feito, se esse tipo de atitude funcionasse para um lobisomem. Ela acenou uma vez, os olhos acompanhando o carro.

De início, dirigi de maneira mais sã no caminho de volta. Não estava com pressa. Eu não queria ir aonde estava indo. De volta à casa, de volta àquela floresta. De volta à dor da qual fugira. De volta à absoluta solidão com ela.

Tudo bem, isso foi melodramático. Eu não estaria *completamente* só, o que era ruim. Leah e Seth teriam de sofrer comigo. Senti-me feliz por Seth não ter de sofrer por muito tempo. O garoto não merecia ter sua paz de espírito destruída. Leah também não, mas pelo menos isso era algo que ela compreendia. Para Leah, não havia nada de novo na dor.

Soltei um suspiro pesado ao pensar no que Leah queria de mim, porque eu sabia agora que ela conseguiria. Ainda estava irritado com ela, mas não podia ignorar o fato de que eu tinha condições de tornar sua vida mais fácil. E — agora que a conhecia melhor — pensei que ela, provavelmente, faria o mesmo por mim, se nossas posições se invertessem.

Seria interessante, no mínimo, e também estranho ter Leah como companhia — como amiga. Íamos nos colocar muito na pele do outro, isso era certo. Ela não era do tipo que me deixaria mergulhar na tristeza, mas achei que isso seria bom. Eu, provavelmente, precisaria de alguém que me desse umas sacudidelas de vez em quando. Pensando bem, ela era a única amiga com alguma possibilidade de entender o que eu estava passando naquele momento.

Pensei na caçada daquela manhã, em como nossas mentes haviam estado próximas no momento preciso. Não fora ruim. Fora diferente. Meio assustador, meio embaraçoso. Mas também, de uma forma estranha, fora bom.

Eu não precisava ficar completamente só.

E eu sabia que Leah era bastante forte para enfrentar comigo os meses que viriam. Meses e anos. Eu me sentia cansado só de pensar nisso. Era como se estivesse diante de um oceano que eu teria de atravessar a nado, de uma costa a outra, antes de poder descansar.

Tanto tempo ainda por vir, mas por outro lado tão *pouco* tempo antes de começar! Antes que me lançassem naquele mar. Mais três dias e meio, e ali estava eu, perdendo o pouco de tempo que tinha.

Voltei a dirigir rápido demais.

Vi Sam e Jared, um de cada lado da estrada, como sentinelas, enquanto eu disparava pela rodovia na direção de Forks. Estavam bem escondidos no meio de galhos espessos, mas eu esperava por eles e sabia o que procurar. Acenei com a cabeça enquanto passava voando por eles, sem me incomodar em imaginar o que tinham pensado de minha viagem de um dia.

Acenei para Leah e Seth também, enquanto percorria o caminho que levava à entrada da casa dos Cullen. Estava começando a escurecer, e as nuvens eram espessas daquele lado do estreito, mas vi seus olhos brilharem na luz dos faróis. Eu explicaria a eles mais tarde. Haveria muito tempo para isso.

Foi uma surpresa encontrar Edward esperando por mim na garagem. Eu não o via longe de Bella havia dias. Pelo seu rosto, percebi que nada de mau acontecera com ela. Na realidade, ele parecia mais tranquilo do que antes. Meu estômago se contraiu quando lembrei de onde vinha aquela tranquilidade.

Pena que eu — com todas as minhas ruminações — tenha esquecido de acabar com o carro. Ah, que fosse! Provavelmente, eu não teria sido capaz de amassar *aquele* carro, de qualquer forma. Talvez Edward tivesse imaginado isso, e tenha sido esse o motivo de me emprestar justamente ele.

— Algumas coisas, Jacob — disse ele assim que desliguei o motor.

Respirei fundo e prendi o ar por um minuto. Depois, devagar, saí do carro e joguei as chaves para ele.

— Obrigado pelo empréstimo — eu disse, amargo. Ao que parecia, aquilo teria um preço. — O que quer *agora*?

— Primeiro... Eu sei quão avesso você é a usar sua autoridade com sua matilha, mas...

Eu pisquei, atônito por ele ao menos pensar em começar aquele assunto.

— Como é?

— Se não puder ou não quiser controlar Leah, então eu...

— Leah? — interrompi, falando entre os dentes. — O que houve?

O rosto de Edward era duro.

— Ela veio ver por que você saiu tão de repente. Tentei explicar. Acho que pode não ter saído direito.

— O que ela fez?

— Ela assumiu a forma humana e...

— É mesmo? — interrompi de novo, dessa vez chocado. Não conseguia processar aquilo. Leah baixando a guarda na boca do covil do inimigo?

— Ela queria... *falar* com Bella.

— Com *Bella*?

Edward então estava sibilando.

— Não vou permitir que Bella seja importunada daquela forma de novo. Não ligo se Leah pensa que sua atitude tem justificativa! Eu não a machuquei... é claro que não faria isso... mas vou atirá-la fora da casa se isso acontecer de novo. Vou atirá-la do outro lado do rio...

— Espere *aí*. O que ela *disse*? — Nada daquilo fazia sentido.

Edward respirou fundo, recompondo-se.

— Leah foi desnecessariamente dura. Não vou fingir que entendo por que Bella é incapaz de se afastar de você, mas sei que ela não age assim com o intuito de magoá-lo. Ela sofre muito com a dor que inflige a você, e a mim, ao pedir que você fique. O que Leah disse foi inoportuno. Bella está chorando...

— Espere... Leah gritou com Bella por *minha* causa?

Ele balançou a cabeça uma só vez, asperamente.

— Você foi defendido com muita veemência.

Minha nossa!

— Eu não pedi a ela que fizesse isso.

— Eu sei.

Revirei os olhos. É claro que ele sabia. Ele sabia de tudo.

Mas Leah, agindo assim, era mesmo chocante. Quem teria acreditado? Leah entrando na casa dos sanguessugas como *humana* para reclamar de como *eu* estava sendo tratado.

— Não posso prometer controlar Leah — eu disse a ele. — Não vou fazer isso. Mas vou conversar com ela, ok? E não creio que isso vá se repetir. Leah não é de se conter, então deve ter posto tudo para fora hoje.

— Eu diria que sim.

— De qualquer modo, vou falar com Bella sobre isso também. Ela não precisa se sentir mal. Isso é comigo.

— Eu já disse isso a ela.

— É claro que disse. Ela está bem?

— Agora está dormindo. Rose está com ela.

Então a psicopata agora era "Rose". Ele havia passado completamente para o lado sombrio.

Ele ignorou esse pensamento, continuando com uma resposta mais completa à minha pergunta.

— Ela está... melhor em alguns aspectos. Excluindo o sermão de Leah e a consequente culpa.

Melhor. Isso porque Edward estava ouvindo o monstro, e tudo agora era só amor. Incrível.

— É um pouco mais que isso — murmurou ele. — Agora que posso entender os pensamentos do bebê, é evidente que ele ou ela conta com faculdades mentais extraordinariamente desenvolvidas. Até certo ponto, ele pode nos entender.

Meu queixo caiu.

— Está falando *sério*?

— Sim. Agora ele parece ter uma vaga ideia do que a fere. Está tentando evitar isso, tanto quanto possível. Ele... a *ama*. Já.

Encarei Edward, sentindo que meus olhos poderiam saltar das órbitas. Por baixo da incredulidade, pude ver imediatamente que aquele era o ponto crucial. Fora o que havia mudado Edward — o monstro o convencera de seu *amor*. Ele não podia odiar o que amava Bella. Devia ser por isso que ele também não me odiava. Mas havia uma grande diferença. Eu não a estava matando.

Edward continuou como se não tivesse ouvido tudo isso.

— O progresso, acredito, é maior do que julgávamos. Quando Carlisle voltar...

— Eles não voltaram? — interrompi bruscamente. Pensei em Sam e Jared, vigiando a estrada. Será que ficariam curiosos em relação ao que estava acontecendo?

— Alice e Jasper, sim. Carlisle mandou todo o sangue que conseguiu, mas não era tanto quanto ele esperava... Bella vai usar esse suprimento em um dia, do jeito que seu apetite aumentou. Carlisle ficou para tentar outra fonte. Não acho que seja necessário agora, mas ele quer estar abastecido, para alguma eventualidade.

— Por que não é necessário, se ela precisa de mais?

Dava para perceber que ele estava observando e ouvindo minha reação com cuidado enquanto explicava.

— Estou tentando convencer Carlisle a fazer o parto assim que voltar.

— *Como é?*

— A criança parece estar tentando evitar movimentos bruscos, mas é difícil. Está grande demais. É loucura esperar, se ela claramente está mais desenvolvida do que Carlisle imaginava. Bella está frágil demais para adiarmos isso.

Eu continuava levando rasteiras. Primeiro, ao contar com o ódio de Edward pela coisa. E, então, ao perceber que dava aqueles quatro dias como certos. Eu apostava neles.

O interminável oceano de tristeza que me aguardava estendeu-se diante de mim.

Tentei recuperar o fôlego.

Edward esperou. Fitei seu rosto enquanto me recuperava, reconhecendo outra mudança ali.

— Você acha que ela vai conseguir? — sussurrei.

— Sim. Essa é a outra coisa sobre a qual queria falar com você.

Não consegui dizer nada. Depois de um minuto, ele continuou:

— Sim — ele repetiu. — Esperar que a criança esteja pronta, como vínhamos fazendo, foi insanamente perigoso. A qualquer momento pode ser tarde demais. Mas se nos anteciparmos nesse aspecto, se agirmos rapidamente, não vejo motivos para que não corra tudo bem. Conhecer a mente da criança é muitíssimo útil. Felizmente, Bella e Rose concordam comigo. Agora que eu as convenci de que é seguro para a criança fazermos o parto, não há nada que impeça de dar certo.

— Quando Carlisle volta? — perguntei, continuando a sussurrar. Eu ainda não recuperara o fôlego.

— Amanhã, por volta do meio-dia.

Meus joelhos cederam. Precisei me segurar no carro para me manter de pé. Edward estendeu a mão como se fosse oferecer apoio, mas pensou melhor e a recolheu.

— Sinto muito — sussurrou ele. — Lamento verdadeiramente pela dor que isso causa a você, Jacob. Embora você me odeie, devo admitir que não sinto o mesmo. Eu o vejo como um... um irmão, sob vários aspectos. Um companheiro de armas, no mínimo. Lamento seu sofrimento mais do que você se dá conta. Mas Bella *vai* sobreviver. — Quando ele disse isso, sua voz soou feroz, até violenta. — E eu sei que é isso que importa para você.

Ele, provavelmente, tinha razão. Era difícil saber. Minha cabeça girava.

— Assim, detesto fazer isso agora, quando você já está enfrentando coisas demais, mas é evidente que há pouco tempo. Devo lhe pedir algo... Implorar, se for necessário.

— Não me resta mais nada — eu disse, sufocado.

Ele ergueu a mão de novo, como se fosse colocá-la em meu ombro, mas a deixou cair como antes e suspirou.

— Sei quanto você tem nos dado — disse ele baixinho. — Mas é uma coisa que você *pode fazer*, só você. Estou pedindo isso ao verdadeiro alfa, Jacob. Estou pedindo ao herdeiro de Ephraim.

Eu já perdera havia muito a capacidade de responder.

— Quero sua permissão para me desviar do que acordamos em nosso tratado com Ephraim. Quero que nos abra uma exceção. Quero sua permissão para salvar a vida dela. Você sabe que farei isso de qualquer forma, mas, podendo evitar, não quero agir de má-fé com você. Nunca tivemos a intenção de faltar com nossa palavra, e não o fazemos levianamente agora. Quero sua compreensão, Jacob, porque você sabe exatamente por que estamos fazendo isso. Quero que a aliança entre nossas famílias sobreviva quando isso acabar.

Tentei engolir. *Sam*, pensei. *É Sam que você quer.*

— Não. A autoridade de Sam é presumida. Ela pertence a você. Você nunca a tirará dele, mas ninguém pode legitimamente concordar com o que estou lhe pedindo, a não ser *você*.

Não cabe a mim decidir.

— Cabe, Jacob, e você sabe disso. Sua palavra sobre isso nos condenará ou nos absolverá. Só você pode me dar isso.

Não consigo pensar. Eu não sei.

— Não temos muito tempo... — Ele olhou para a casa.

Não, não havia tempo. Meus poucos dias tinham se transformado em poucas horas.

Não sei. Deixe-me pensar. Me dê só um minuto aqui, está bem?

— Sim.

Comecei a andar na direção da casa, e ele me seguiu. Incrível como era fácil andar pelo escuro com um vampiro ao meu lado. Eu não me sentia em perigo, nem pouco à vontade. Parecia que estava andando ao lado de uma pessoa qualquer. Bem, uma pessoa qualquer que cheirava mal.

Houve um movimento no arbusto na lateral do grande gramado, depois um gemido baixo. Seth passou pelas samambaias e correu para nós.

— Oi, garoto — murmurei.

Ele baixou a cabeça e eu afaguei seu ombro.

— Está tudo bem — menti. — Vou lhe contar tudo depois. Desculpe ter abandonado vocês desse jeito.

Ele sorriu para mim.

— Olhe, diga a sua irmã para recuar agora, está bem? Basta.

Seth balançou a cabeça.

Dessa vez empurrei seu ombro com meu corpo.

— Volte ao trabalho. Vou rendê-lo daqui a pouco.

Seth encostou-se em mim, me empurrou de volta, depois correu em direção às árvores.

— Ele tem uma das mentes mais puras, mais sinceras e mais *gentis* que já ouvi — murmurou Edward depois que ele sumiu de vista. — Você tem sorte de poder compartilhar seus pensamentos.

— Sei disso — grunhi.

Seguimos para a casa, e nós dois erguemos a cabeça quando ouvimos o som de alguém sugando por um canudo. Edward então correu. Disparou pela escada da varanda e se foi.

— Bella, amor, pensei que estivesse dormindo — eu o ouvi dizer. — Desculpe-me: eu não teria saído.

— Não se preocupe. Só fiquei com sede... Foi o que me acordou. Ainda bem que Carlisle está trazendo mais. Essa criança vai precisar, quando sair de mim.

— É verdade.

— Fico imaginando se ele vai querer alguma outra coisa — refletiu ela.

— Acho que vamos descobrir.

Eu passei pela porta.

— Finalmente — disse Alice, e os olhos de Bella dispararam para mim.

Aquele sorriso arrasador e irresistível iluminou seu rosto por um segundo. Depois desapareceu, e seu rosto murchou. Os lábios se franziram, como se ela estivesse tentando não chorar.

Eu queria acertar Leah bem no meio de sua boca idiota.

— Oi, Bells — eu disse rapidamente. — Como você está?

— Bem — disse ela.

— Grande dia hoje, hein? Um monte de novidades.

— Não precisa fazer isso, Jacob.

— Não sei do que você está falando — eu disse, indo me sentar no braço do sofá, próximo à sua cabeça. Edward já estava no chão.

Ela me dirigiu um olhar de culpa.

— Me des... — ela começou a dizer.

Prendi seus lábios entre o indicador e o polegar.

— Jake — murmurou ela, tentando afastar minha mão. Sua tentativa foi tão fraca que era difícil acreditar que ela estivesse realmente tentando.

Sacudi a cabeça.

— Só pode falar quando não estiver sendo idiota.

— Tudo bem, não vou dizer isso — foi o que ela pareceu murmurar.

Retirei a mão.

— Desculpe-me! — ela terminou rapidamente, e então sorriu.

Revirei os olhos e sorri para ela.

Quando a olhei nos olhos, vi tudo o que havia procurado no parque.

No dia seguinte ela seria outra pessoa. Mas com sorte estaria viva, e era isso o que contava, certo? Ela olharia para mim com os mesmos olhos, mais ou menos. Iria sorrir com os mesmos lábios, quase isso. Ela ainda me conheceria melhor do que qualquer pessoa que não tivesse pleno acesso ao interior de minha cabeça.

Leah talvez fosse uma companhia interessante, talvez até uma amiga de verdade — alguém que tomaria meu partido. Mas não era minha *melhor* amiga, como Bella. Além do amor impossível que eu sentia por Bella, havia também esse outro vínculo, e ele era profundo.

No dia seguinte, ela seria minha inimiga. Ou minha aliada. E, ao que parecia, essa distinção estava em minhas mãos.

Eu suspirei.

Tudo bem!, pensei, entregando a última coisa que eu tinha a oferecer. Isso fez com que me sentisse vazio. *Vá em frente. Salve-a. Como herdeiro de Ephraim, você tem minha permissão, minha palavra de que isso não violará o tratado. Os outros terão de me culpar. Você tinha razão — eles não podem negar que é meu direito concordar com isso.*

— Obrigado. — O sussurro de Edward foi suficientemente baixo para que Bella não ouvisse. Mas a palavra soou tão intensa que pelo canto do olho vi que os outros vampiros se viraram para olhar.

— E, então — perguntou Bella, procurando parecer despreocupada —, como foi seu dia?

— Ótimo. Fui dar uma volta de carro. Andei pelo parque.

— Parece bom.

— Claro, claro.

De repente, ela fez uma careta.

— Rose? — chamou.

Ouvi a loura rir.

— De novo?

— Acho que bebi uns dez litros na última hora — explicou Bella.

Edward e eu saímos do caminho enquanto Rosalie vinha erguer Bella do sofá e levá-la ao banheiro.

— Posso andar? — perguntou Bella. — Minhas pernas estão tão rígidas.

— Tem certeza? — indagou Edward.

— Rose vai me pegar se eu tropeçar. O que é bem provável, pois não consigo ver meus pés.

Rosalie colocou Bella de pé com cuidado, mantendo as mãos em seus ombros. Bella esticou os braços à frente, estremecendo levemente.

— Ah! Que bom — ela suspirou. — Ai, mas estou imensa.

E estava mesmo. Sua barriga era um continente próprio.

— Mais um dia — disse ela, e afagou a barriga.

Não consegui evitar a dor que me atingiu numa punhalada repentina, mas tentei não deixar transparecer. Eu podia esconder por mais um dia, certo?

— Tudo bem, então. Epa... Ah, não!

O copo que Bella havia deixado no sofá tombou de lado, o sangue vermelho-escuro se derramando no tecido claro.

Automaticamente, embora outras três mãos tenham chegado primeiro, Bella se curvou, tentando pegá-lo.

Houve um estranho ruído abafado de algo se rasgando no meio de seu corpo.

— Ah! — ela ofegou.

Depois ficou completamente sem forças, tombando na direção do chão. Rosalie a pegou no mesmo instante, antes que ela pudesse cair. Edward também estava ali, de mãos estendidas, a sujeira no sofá esquecida.

— Bella? — perguntou ele; depois seus olhos perderam o foco e o pânico atravessou suas feições.

Meio segundo depois, Bella gritou.

Não era um simples grito — era um guincho de agonia, capaz de gelar o sangue. O som apavorante foi interrompido por outros, guturais, e os olhos dela se reviraram. Seu corpo se contraiu, arqueando-se nos braços de Rosalie, e então Bella vomitou um jorro de sangue.

18. NÃO EXISTEM PALAVRAS PARA ISSO

O CORPO DE BELLA, POR ONDE ESCORRIA O LÍQUIDO VERMELHO, começou a se contorcer, convulsionando nos braços de Rosalie como se estivesse sendo eletrocutado. O tempo todo, seu rosto não tinha expressão — ela estava inconsciente. Era a agitação desvairada no meio de seu corpo que a movimentava. Enquanto ela estava em convulsão, estalos ásperos acompanhavam os espasmos.

Rosalie e Edward ficaram paralisados por uma mínima fração de segundo, e então despertaram. Rosalie tomou o corpo de Bella nos braços e, gritando com tamanha rapidez que era difícil distinguir as palavras, ela e Edward subiram a escada em disparada até o segundo andar.

Corri atrás deles.

— Morfina! — gritou Edward para Rosalie.

— Alice... ligue para Carlisle! — berrou Rosalie.

A sala para a qual os segui parecia uma ala de emergência montada no meio de uma biblioteca. As luzes eram fortes e brancas. Bella estava sobre uma mesa debaixo da luz; a pele, espectral sob o refletor. Seu corpo se debatia — um peixe na areia. Rosalie prendeu Bella na mesa, arrancando e rasgando suas roupas, enquanto Edward espetava uma injeção em seu braço.

Quantas vezes eu a imaginei nua? Agora não conseguia olhar. Tinha medo de ter aquelas lembranças em minha mente.

— O que está *acontecendo*, Edward?

— Ele está sufocando!

— A placenta deve ter descolado!

No meio disso tudo, Bella voltou a si. Ela reagiu às palavras deles com um grito que arranhou meus tímpanos.

— TIREM ele! — gritou ela. — Ele não consegue RESPIRAR! Tirem AGORA!

Vi os pontos vermelhos aparecendo quando seu grito revelou os vasos sanguíneos de seus olhos.

— A morfina... — grunhiu Edward.

— NÃO! AGORA...!

Mais uma golfada de sangue sufocou o que ela gritava. Ele ergueu a cabeça dela, tentando desesperadamente limpar sua boca para que ela voltasse a respirar.

Alice entrou correndo na sala e prendeu um pequeno fone de ouvido azul sob o cabelo de Rosalie. Depois recuou, os olhos dourados arregalados e ardentes, enquanto Rosalie sibilava freneticamente ao telefone.

Na luz forte, a pele de Bella parecia mais roxa e preta do que branca. Um vermelho-escuro se infiltrava por baixo da pele que cobria o imenso volume tomado por tremores de sua barriga. A mão de Rosalie surgiu com um bisturi.

— Deixe a morfina se espalhar! — gritou Edward para ela.

— Não há tempo — sibilou Rosalie. — Ele está morrendo!

Sua mão desceu à barriga de Bella e um vermelho-vivo brotou onde ela perfurou a pele. Era como o conteúdo de um balde derramado, uma torneira totalmente aberta. Bella teve um espasmo, mas não gritou. Ela ainda estava asfixiando.

E, então, Rosalie perdeu o foco. Vi a expressão em seu rosto mudar, vi seus lábios se arreganharem sobre os dentes e os olhos escuros cintilarem de sede.

— Não, Rose! — rugiu Edward, mas suas mãos estavam presas, tentando sustentar Bella para que ela pudesse respirar.

Eu me atirei contra Rosalie, saltando a mesa sem me dar ao trabalho de mudar de forma. Quando atingi seu corpo de pedra, lançando-a na direção da porta, senti o bisturi em sua mão cravar fundo no meu braço esquerdo. Minha mão direita se chocou contra seu rosto, prendendo-lhe o queixo e bloqueando as vias áreas.

Usei a força da minha mão no rosto de Rosalie para girar seu corpo de modo que eu pudesse dar um bom chute em sua barriga; era como chutar concreto. Ela voou contra a soleira da porta, vergando um dos batentes.

O pequeno fone em seu ouvido se desfez em pedaços. E, então, Alice surgiu, arrastando-a pelo pescoço até o corredor.

E eu me vi obrigado a dar o crédito à Loura — ela não ofereceu um pingo de resistência. Ela *queria* que vencêssemos. Deixou que eu a espancasse daquele jeito para salvar Bella. Bom, para salvar a coisa.

Arranquei a lâmina de meu braço.

— Alice, tire-a daqui! — gritou Edward. — Leve-a até Jasper e a *mantenha* lá! Jacob, preciso de você!

Não vi Alice terminar o trabalho. Voltei para a mesa de cirurgia, onde Bella estava ficando azul, os olhos esbugalhados e fixos.

— RCP? — grunhiu Edward para mim, rápido e exigente.

— Sim!

Analisei rapidamente a expressão dele, procurando algum sinal de que fosse reagir como Rosalie. Não havia nada, a não ser uma ferocidade obcecada.

— Faça-a respirar! Tenho de tirá-lo antes que...

Outro estalo dentro do corpo, o mais alto até então — tão alto que nós dois paramos atônitos, esperando pelo grito dela. Nada. Agora suas pernas, que estiveram contraídas com a agonia, estavam flácidas, esparramando-se de uma forma não natural.

— A coluna — ele balbuciou, horrorizado.

— Tire isso dela! — rosnei, jogando o bisturi para ele. — Ela não vai sentir nada agora!

E então me curvei sobre sua cabeça. A boca parecia desobstruída; então apertei a minha contra a dela e soprei uma lufada de ar. Senti seu corpo contraído se expandir, então não havia nada bloqueando-lhe a garganta.

Seus lábios tinham gosto de sangue.

Eu podia ouvir seu coração, batendo irregular. *Continue*, pensei com intensidade, soprando outra lufada de ar para dentro de seu corpo. *Você prometeu. Mantenha seu coração batendo.*

Ouvi o som suave e molhado do bisturi em sua barriga. Mais sangue pingando no chão.

O ruído seguinte me provocou um sobressalto, inesperado, apavorante. Como metal sendo rasgado. O som me trouxe à lembrança a luta na clareira tantos meses antes, o ruído dos recém-criados sendo dilacerados. Olhei naquela direção e vi o rosto de Edward comprimido contra a protuberância da barriga. Dentes de vampiro — uma forma segura de cortar pele de vampiro.

Estremeci enquanto soprava mais ar em Bella.

Ela tossiu, os olhos piscando, revirando-se nas órbitas.

— Agora fique *comigo*, Bella! — gritei para ela. — Está me ouvindo? Fique! Você não vai me deixar. Mantenha seu coração batendo!

Seus olhos giraram, procurando por mim, ou por ele, sem nada ver.

Eu os fitei de qualquer forma, mantendo meu olhar fixo ali.

E então seu corpo ficou subitamente imóvel sob minhas mãos, embora a respiração se acelerasse e o coração continuasse a bater. Percebi que a imobilidade indicava que tinha acabado. A pulsação interna parou. Aquilo devia estar fora dela.

E estava.

— Renesmee — Edward sussurrou.

Então Bella estava enganada. Não era o menino que ela imaginara. Não me surpreendia. *No que* ela não se enganara?

Não me desviei de seus olhos injetados de sangue, mas senti suas mãos se erguerem, fracas.

— Me deixe... — ela disse num sussurro abatido. — Me dê ela aqui.

Acho que eu devia saber que ele sempre faria o que ela queria, por mais idiota que seu pedido fosse. Mas nem sequer sonhei que ele fosse dar ouvidos a ela naquele momento. Então não pensei em impedi-lo.

Uma coisa quente tocou meu braço. Isso devia ter chamado minha atenção de cara. Nada me parecia quente.

Mas eu não conseguia desviar os olhos do rosto de Bella. Ela piscou e então focou o olhar, por fim vendo alguma coisa. Deixou escapar um murmúrio estranho e fraco.

— Renes... mee. Tão... linda.

E então ela arfou — um ofegar de dor.

Quando olhei, era tarde demais. Edward tinha arrancado a coisa quente e sangrenta de seus braços flácidos. Meus olhos percorreram a pele de Bella. Estava vermelha de sangue — o sangue que escorrera de sua boca, o sangue que se espalhava por toda a criatura e o sangue fresco que jorrava de uma mordida mínima em forma de crescente no seio esquerdo.

— Não, Renesmee — murmurou Edward, como se estivesse ensinando boas maneiras ao monstrinho.

Não olhei para ele, nem para a coisa. Só via os olhos de Bella revirando nas órbitas.

Com uma última batida, seu coração falhou e ficou em silêncio.

Foi um hiato de meia pulsação, e então minhas mãos estavam em seu peito, fazendo compressões. Eu contava mentalmente, tentando manter o ritmo estável. Um. Dois. Três. Quatro.

Parei por um segundo e soprei outra lufada de ar para dentro dela.

Eu não conseguia mais enxergar. Meus olhos estavam cheios d'água e embaçados. Mas eu estava hiperconsciente dos sons na sala. O *tum-tum* relutante do coração dela sob minhas mãos exigentes, o martelar de meu próprio coração e outro som — uma palpitação que era rápida demais, leve demais. Não consegui identificá-la.

Forcei mais ar pela garganta de Bella.

— O que está esperando? — eu disse sem fôlego, bombeando seu coração de novo. Um. Dois. Três. Quatro.

— Pegue o bebê — disse Edward com urgência.

— Jogue-o pela janela. — Um. Dois. Três. Quatro.

— Deixe-a comigo. — Uma voz baixa soou da porta.

Edward e eu rosnamos ao mesmo tempo.

Um. Dois. Três. Quatro.

— Estou sob controle — prometeu Rosalie. — Me dê o bebê, Edward. Eu vou cuidar dela até que Bella...

Tornei a soprar ar para dentro de Bella enquanto acontecia a troca. O *tum-tum-tum* palpitante sumiu ao longe.

— Tire as mãos, Jacob.

Ergui o olhar dos olhos brancos de Bella, ainda bombeando o coração para ela. Edward tinha uma seringa nas mãos — toda prateada, como se feita de aço.

— O que é isso?

Sua mão de pedra tirou a minha do caminho. Houve um leve estalo quando seu golpe quebrou meu dedo mínimo. No mesmo segundo, ele enfiou a agulha no coração de Bella.

— Meu veneno — respondeu ele, pressionando o êmbolo.

Ouvi o solavanco do coração dela, como se Edward lhe tivesse aplicado um choque com um ressuscitador.

— Continue — ordenou ele. Sua voz era gélida, morta. Feroz e impensada. Como se ele fosse uma máquina.

Ignorei a dor do dedo enquanto se curava e voltei a bombear seu coração. Era mais difícil, como se o sangue estivesse congelando ali — mais espesso e mais lento. Enquanto eu forçava o sangue agora viscoso por suas artérias, vi o que ele fazia.

Era como se ele a estivesse beijando, roçando os lábios no pescoço, em seus pulsos, na dobra na parte interna do braço. Mas eu podia ouvir o luxuriante dilaceramento de sua pele à medida que os dentes dele mordiam, repetidamente, forçando veneno em seu organismo no maior número possível de pontos. Vi a língua pálida de Edward lamber as feridas que sangravam, mas antes que isso pudesse me deixar com nojo ou raiva percebi o que ele estava fazendo. Onde a língua espalhava o veneno sobre a pele, o corte se fechava. Mantendo o veneno e o sangue dentro do corpo dela.

Soprei mais ar em sua boca, mas não havia nada ali. Só a elevação sem vida de seu peito em resposta. Continuei bombeando seu coração, contando, enquanto Edward trabalhava como maníaco, tentando reanimá-la. Todos os cavalos do rei e todos os homens do rei...

Mas não havia nada ali, somente eu, somente Edward.

Trabalhando num cadáver.

Porque era só o que restava da garota que ambos amávamos. Aquele cadáver arruinado, exangue, mutilado. Não conseguiríamos trazer Bella de volta.

Eu sabia que era tarde demais. Sabia que ela estava morta. Tinha certeza disso porque o ímpeto se fora. Não percebia nenhum motivo para ficar ali ao lado dela. *Ela* não estava mais ali. Então, aquele corpo não me dizia mais nada. A necessidade insensata de estar ao lado dela havia desaparecido.

Ou *mudado* talvez fosse uma palavra melhor. Parecia que eu agora me sentia impelido no sentido contrário. Para o primeiro andar, a porta. O desejo de sair dali e nunca, jamais voltar.

— Então vá — disse ele asperamente, golpeando minhas mãos para tirá-las do caminho de novo, assumindo meu lugar dessa vez. Três dedos quebrados, era o que parecia.

Eu os endireitei, entorpecido, sem me importar com o latejar da dor.

Ele pressionava o coração morto mais rápido do que eu fizera.

— Ela não está morta — ele grunhiu. — Ela vai ficar bem.

Eu não tinha certeza se ele ainda falava comigo.

Virando-me, deixando-o com sua morta, caminhei lentamente para a porta. Muito lentamente. Não conseguia fazer meus pés se moverem mais rápido.

Então era aquilo. O oceano de dor. A margem além da água fervente tão distante que eu não conseguia imaginá-la, muito menos vê-la.

Eu me sentia vazio de novo, agora que tinha perdido meu propósito. Salvar Bella era minha luta fazia muito tempo. E ela não seria salva. Ela havia se sacrificado de boa vontade, deixando-se dilacerar por aquele filhote de monstro, e a luta estava perdida. Chegara ao fim.

Estremeci com o som que me seguia enquanto eu me arrastava escada abaixo — o som de um coração morto sendo forçado a bater.

Eu queria despejar água sanitária dentro da minha cabeça e deixar que derretesse meu cérebro. Eliminar as imagens que ficaram dos últimos minutos de Bella. Eu aceitaria o dano cerebral se pudesse me livrar daquilo — os gritos, o sangramento, os ruídos e os estalos insuportáveis enquanto o monstro a arrebentava de dentro para fora...

Eu queria correr, descer a escada de dez em dez degraus e disparar porta afora, mas meus pés estavam pesados como ferro, e meu corpo, mais cansado do que nunca. Então me arrastei.

Parei para descansar no último degrau, reunindo forças para sair.

Rosalie estava na extremidade limpa do sofá branco, de costas para mim, balbuciando e murmurando para a coisa enrolada num lençol em seus braços. Ela deve ter me ouvido parar, mas me ignorou, presa em seu momento de maternidade roubada. Talvez ela agora fosse feliz. Tinha o que queria, e Bella nunca voltaria para tomar a criatura dela. Perguntei-me se fora isso o que a loura venenosa tinha esperado o tempo todo.

Rosalie tinha alguma coisa escura nas mãos, e ouvi um ruído de ávida sucção vindo do minúsculo assassino que ela segurava.

O cheiro de sangue no ar. Sangue humano. Rosalie estava alimentando a coisa. É claro que ela ia querer sangue. O que mais se daria ao tipo de monstro que mutilava brutalmente a própria mãe? Podia muito bem estar bebendo o sangue de Bella. E talvez fosse.

Minha força voltou enquanto eu ouvia o som do pequeno carrasco mamando.

Força, ódio e calor — um calor vermelho correndo por minha cabeça, queimando, mas sem apagar nada. As imagens em minha mente eram combustível, erguendo um inferno mas recusando-se a ser consumidas. Senti os tremores me balançarem da cabeça aos pés e não tentei detê-los.

Rosalie estava totalmente absorta na criatura, sem prestar nenhuma atenção em mim. Ela não seria bastante rápida para me impedir, distraída daquele jeito.

Sam tinha razão. A coisa era uma aberração — sua existência contrariava a natureza. Um demônio sombrio e sem alma. Algo que não tinha o direito de existir.

Algo que precisava ser destruído.

Parecia que aquele ímpeto não me conduzia para a porta, afinal. Agora eu podia senti-lo me impelindo, me empurrando para a frente. Forçando-me a terminar com aquilo, a livrar o mundo daquela coisa abominável.

Rosalie tentaria me matar quando a criatura estivesse morta, e eu lutaria. Não sabia se teria tempo de liquidá-la antes que os outros fossem ajudar. Talvez sim, talvez não. Não me interessava muito.

Eu não ligava se os lobos — qualquer um dos grupos — me vingariam ou considerariam a justiça dos Cullen correta. Nada disso tinha importância. Só o que eu queria era minha própria justiça. *Minha* vingança. A coisa que tinha matado Bella não viveria nem mais um minuto sequer.

Se tivesse sobrevivido, Bella teria me odiado por isso. Teria desejado me matar com as próprias mãos.

Mas eu não me importava. Ela não se importou com o que fez comigo — deixando-se ser abatida como um animal. Por que eu deveria levar em conta os sentimentos dela?

E havia Edward. Ele agora devia estar ocupado demais — completamente tomado por sua negação insana, tentando reanimar um cadáver — para ouvir meus planos.

Então eu não teria chance de cumprir o que prometera a ele, a não ser — e eu não apostaria dinheiro nisso — que eu conseguisse vencer a luta contra Rosalie, Jasper e Alice, três contra um. Mas, mesmo que vencesse, eu não iria querer matar Edward.

Porque eu não tinha compaixão suficiente para isso. Por que deveria deixar que ele se safasse do que fez? Não seria mais justo — mais prazeroso — deixá-lo viver sem nada, sem absolutamente nada?

Imaginar isso quase me fez sorrir, tamanho era o ódio que sentia. Sem Bella. Sem filhote assassino. E também sem tantos membros de sua família quantos eu conseguisse abater.

É claro que ele provavelmente conseguiria recompô-los, já que eu não estaria ali para queimar os corpos. Ao contrário de Bella, que nunca voltaria a ficar inteira.

Perguntei-me se a criatura poderia ser recomposta. Eu duvidava disso. Em parte, era como Bella também — então devia ter herdado um pouco de sua vulnerabilidade. Eu podia ouvir isso no batimento mínimo e palpitante de seu coração.

O coração da coisa estava batendo. O de Bella, não.

Só um segundo se passara enquanto eu tomava essas decisões simples.

O tremor ia ficando mais firme e acelerado. Eu me agachei, preparando-me para atacar a vampira loura e arrancar a coisa assassina de seus braços com meus dentes.

Rosalie tornou a balbuciar para a criatura, pondo de lado o que parecia ser uma mamadeira de metal vazia e erguendo a criatura no ar para afagar-lhe a bochecha com o rosto.

Perfeito. A nova posição era perfeita para meu ataque. Eu me inclinei para a frente e senti o calor começar a me transformar, enquanto crescia o impulso que me atraía para o assassino — o mais forte que eu já havia sentido, tão forte que me lembrava um comando de alfa, como se pudesse me esmagar se eu não obedecesse.

Dessa vez eu *queria* obedecer.

O assassino olhou para mim por cima do ombro de Rosalie — o olhar mais focalizado do que devia ser o de qualquer criatura recém-nascida.

Olhos castanhos e afetuosos, da cor de chocolate ao leite — a cor exata que tinham sido os de Bella.

Meu tremor parou subitamente; o calor me inundou, mais forte do que antes, mas era um novo tipo de calor — não queimava.

Era resplandecente.

Tudo em mim se desfez enquanto eu olhava o minúsculo rostinho de porcelana do bebê meio vampiro, meio humano. Todas as linhas que me prendiam à minha vida foram rompidas em golpes rápidos, como se alguém cortasse as cordas de um feixe de balões de gás. Tudo o que me tornava quem eu era — meu amor pela garota morta no segundo andar, meu amor por meu pai, minha lealdade à minha nova matilha, o amor pelos meus outros irmãos, o ódio pelos meus inimigos, minha casa, meu nome, meu *eu* — desconectou-se de mim naquele segundo e flutuou para o espaço.

Mas eu não fiquei à deriva. Um novo fio me prendia onde eu estava.

Não um fio, mas um milhão deles. Fios não, cabos de aço. Um milhão de cabos de aço me prendendo a uma única coisa — ao próprio centro do Universo.

Podia perceber isso agora — como o Universo girava em torno daquele único ponto. Eu nunca tinha enxergado a simetria do Universo, mas agora ela era evidente.

A gravidade da Terra não me prendia mais ao lugar em que eu estava.

Agora era a garotinha nos braços da vampira loura que me mantinha ali. Renesmee.

Vindo do segundo andar, ouvi um novo som. O único som que podia me alcançar naquele instante interminável.

Um martelar frenético, um batimento acelerado...

Um coração que se transformava.

LIVRO TRÊS

◄◄ ►►

bella

SUMÁRIO

PRÓLOGO — 285

19. QUEIMANDO — 286
20. NOVIDADE — 299
21. PRIMEIRA CAÇADA — 314
22. PROMETIDA — 329
23. LEMBRANÇAS — 347
24. SURPRESA — 361
25. FAVOR — 372
26. BRILHANTE — 391
27. PLANOS DE VIAGEM — 400
28. O FUTURO — 411
29. DESERÇÃO — 420
30. IRRESISTÍVEL — 433
31. TALENTOSOS — 449
32. COMPANHIA — 458
33. FALSIFICAÇÃO — 474
34. DECLARADOS — 488
35. PRAZO FINAL — 500
36. DESEJO DE SANGUE — 511
37. ARTIFÍCIOS — 527
38. PODER — 545
39. FELIZES PARA SEMPRE — 558

O afeto pessoal é um luxo que você só pode ter depois que todos os seus inimigos são eliminados. Até então, todos os que você ama são reféns, solapando sua coragem e corrompendo sua capacidade de julgamento.

Orson Scott Card
Empire

PRÓLOGO

NÃO ERA MAIS APENAS UM PESADELO, E A FILA DE PRETO AVANÇAVA PARA nós em meio à névoa gelada que seus pés levantavam.

Vamos morrer, pensei, em pânico. Eu estava desesperada por causa da preciosidade que protegia, mas pensar nisso já era um lapso de atenção a que eu não tinha direito.

Eles se aproximavam como fantasmas, os mantos escuros ondulando levemente com o movimento. Vi suas mãos crisparem-se em garras cor de osso. Eles se separaram, aproximando-se de nós por todos os lados. Éramos em menor número. Estava acabado.

E, então, como a explosão de luz de um flash, a cena toda ficou diferente. Apesar de nada ter mudado — os Volturi ainda nos encurralavam, prontos para matar. Só o que realmente se modificou foi minha percepção do quadro. De repente, eu ansiava por aquilo. Eu *queria* que eles atacassem. O pânico se transformou em desejo de sangue enquanto eu me agachava, com um sorriso no rosto, e um rosnado atravessava meus dentes expostos.

19. QUEIMANDO

A DOR ERA ATORDOANTE.

Exatamente isso — eu estava atordoada. Não conseguia entender, não conseguia perceber o que estava acontecendo.

Meu corpo tentava rejeitar a dor, e eu era sugada repetidas vezes para uma escuridão que apagava segundos ou, talvez, até minutos inteiros da agonia, tornando ainda mais difícil acompanhar a realidade.

Tentei separá-las.

A não realidade era escura e não doía tanto.

A realidade era vermelha e me trazia a sensação de estar sendo serrada ao meio, atropelada por um ônibus, nocauteada por um campeão de boxe, pisoteada por touros e mergulhada em ácido, tudo ao mesmo tempo.

A realidade era sentir meu corpo se retorcer e saltar quando eu nem ao menos conseguia me mexer, devido à dor.

A realidade era saber que havia algo infinitamente mais importante do que aquela tortura e não conseguir lembrar o que era.

A realidade chegara rápido demais.

Em um momento, tudo era como devia ser. Eu estava cercada das pessoas que amava. De sorrisos. De certo modo, por mais incrível que fosse, parecia que eu estava prestes a conseguir tudo por que vinha lutando.

E, então, uma coisa mínima e inconsequente dera errado.

Eu vira meu copo tombar, o sangue escuro se derramando e manchando o branco perfeito, e me inclinara para pegar o copo por reflexo. Tinha visto as outras mãos mais rápidas, mas meu corpo continuava a tentar alcançar, a se esticar...

Dentro de mim, algo se moveu na direção oposta.

Rasgando. Rompendo. Agonia.

A escuridão havia tomado conta de mim, depois dera lugar a uma onda de tortura. Eu não conseguia respirar — já havia me afogado antes, mas aquilo era diferente; minha garganta estava quente demais.

Partes de mim se despedaçavam, rompiam-se, separavam-se...

Mais escuridão.

Vozes, dessa vez gritos, enquanto a dor voltava.

"A placenta deve ter descolado!"

Alguma coisa mais afiada do que faca me rasgou — as palavras, fazendo sentido apesar das outras torturas. *Placenta descolada* — eu sabia o que significava. Significava que meu bebê estava morrendo dentro de mim.

"Tirem ele!", gritei para Edward. Por que ele não ainda não tinha feito isso? "Ele não consegue respirar! Tirem agora!"

"A morfina..."

Ele queria esperar, me dar analgésicos, enquanto nosso filho estava morrendo?!

"Não! Agora..." Eu sufoquei, incapaz de terminar a frase.

Manchas pretas bloqueavam a luz da sala quando um ponto gélido de uma nova dor apunhalou meu estômago como gelo. Parecia errado — lutei, automaticamente, para proteger meu útero, meu bebê, meu pequeno Edward Jacob, mas eu estava fraca. Meus pulmões doíam, o oxigênio se esgotava.

A dor cedeu de novo, embora agora eu me agarrasse a ela. Meu bebê, meu bebê, morrendo...

Quanto tempo havia se passado? Segundos ou minutos? A dor se fora. Torpor. Eu não conseguia sentir. Ainda não conseguia ver também, mas podia ouvir. Havia ar em meus pulmões novamente, bolhas ásperas descendo e subindo por minha garganta, arranhando.

"Agora fique *comigo*, Bella! Está me ouvindo? Fique! Você não vai me deixar. Mantenha seu coração batendo!"

Jacob? Jacob, ainda ali, ainda tentando me salvar.

É claro, eu queria dizer a ele. É claro que eu ia manter meu coração batendo. Eu não tinha prometido isso aos dois?

Tentei sentir meu coração, encontrá-lo, mas estava completamente perdida dentro de meu próprio corpo. Não conseguia sentir as coisas que deveria, e nada parecia estar no lugar certo. Pisquei e encontrei meus olhos. Eu podia ver a luz. Não era o que eu procurava, mas era melhor do que nada.

Enquanto meus olhos lutavam para entrar em foco, Edward suspirou: "Renesmee."

Renesmee?

Não era o menino pálido e perfeito de minha imaginação? Senti um momento de choque. E, depois, uma onda de ternura.

Renesmee.

Forcei meus lábios a se moverem, forcei as bolhas de ar a se transformarem em sussurros em minha língua. Obriguei minhas mãos entorpecidas a reagir.

"Me deixe... Me dê ela aqui."

A luz dançou, refletindo-se nas mãos de cristal de Edward. As centelhas eram tingidas de vermelho, com o sangue que cobria sua pele. E havia mais vermelho em suas mãos. Alguma coisa pequena se debatendo, gotejando sangue. Ele colocou o corpo quente em meus braços fracos, quase como se eu o estivesse segurando. A pele molhada era quente — tão quente quanto a de Jacob.

Meus olhos focalizaram; de repente tudo ficou absolutamente claro.

Renesmee não chorou, mas respirava num arfar rápido e sobressaltado. Seus olhos estavam abertos, a expressão tão assustada que era quase engraçada. A cabecinha perfeitamente redonda era coberta por uma grossa camada de cachos emaranhados e sangrentos. Suas íris eram de um tom chocolate familiar — mas impressionante. Sob o sangue, a pele parecia clara, de um marfim cremoso. Tudo, exceto as bochechas, que ardiam de cor.

Seu rostinho mínimo era tão perfeito que me deixou atordoada. Ela era ainda mais bonita do que o pai. Inacreditável. Impossível.

— Renesmee — sussurrei. — Tão... linda.

O rosto inacreditável de repente sorriu — um sorriso largo e consciente. Por trás dos lábios cor-de-rosa estavam duas fileiras completas de dentes de leite branquinhos.

Ela encostou a cabeça em meu peito, enroscando-se no calor. Sua pele era quente e macia, mas não cedia como a minha.

Então houve dor de novo — um golpe único e quente. Eu arfei.

E ela se foi. Meu bebê com carinha de anjo não estava em lugar nenhum. Eu não podia vê-la nem senti-la.

Não!, eu queria gritar. *Devolva minha filha!*

Mas a fraqueza era demais. Por um momento meus braços pareceram mangueiras de borracha vazias, depois não pareciam mais nada. Eu não os sentia. Não conseguia *me* sentir.

A escuridão cobriu meus olhos, mais densa do que antes. Como uma venda grossa, firme e rápida. Cobrindo não só meus olhos, mas todo o meu *eu* com um peso esmagador. Era exaustivo lutar contra aquilo. Eu sabia que seria muito mais fácil ceder. Deixar que a escuridão me empurrasse para baixo, cada vez mais fundo, até um lugar em que não havia dor, cansaço, preocupação nem medo.

Se fosse apenas por mim, eu não teria sido capaz de lutar por muito tempo. Eu era apenas humana, não tinha mais que a força humana. Eu vinha tentando conviver com o sobrenatural por tempo demais, como dissera Jacob.

Mas aquilo não se referia apenas a mim.

Se naquele instante eu escolhesse o caminho fácil, se deixasse a escuridão do nada me apagar, eu os faria sofrer.

Edward. Edward. Minha vida e a dele estavam entrelaçadas, formando um único fio. Corte um e estará cortando ambos. Se ele se fosse, eu não conseguiria sobreviver. Se eu partisse, ele tampouco sobreviveria. E um mundo sem Edward não fazia sentido nenhum. Edward *tinha* de existir.

Jacob — que me dissera adeus repetidas vezes, mas que sempre voltava quando eu precisava dele. Jacob, que eu magoara tantas vezes que chegava a ser criminoso. Eu o magoaria de novo, da pior maneira possível? Ele tinha ficado por minha causa, apesar de tudo. Agora, tudo o que ele pedia era que eu ficasse, por ele.

Mas estava tão escuro ali que eu não conseguia ver o rosto de nenhum dos dois. Nada parecia real. Isso tornava mais difícil não desistir.

Ainda assim, continuei lutando contra a escuridão, quase por reflexo. Eu não tentava vencê-la. Só resistia. Não permitia que me esmagasse completamente. Eu não era Atlas, e a escuridão tinha o peso de um planeta; eu não podia sustentá-la nos ombros. Tudo que podia fazer era não ser inteiramente aniquilada.

Esse era mais ou menos o padrão de minha vida — eu nunca fora forte o bastante para lidar com as coisas que estavam fora de meu controle, atacar os inimigos ou superá-los. Evitar a dor. Sempre humana e fraca, a única coisa de que eu era capaz era continuar. Suportar. Sobreviver.

Até ali tinha sido suficiente. Teria de ser suficiente de novo. Eu suportaria aquilo até que a ajuda chegasse.

Eu sabia que Edward faria tudo que fosse possível. Ele não desistiria. Nem eu.

Mantive a escuridão da não existência a uma distância de centímetros.

Aquela determinação, porém, não bastava. Enquanto o tempo diminuía cada vez mais, e as trevas me ganhavam por milímetros, eu precisava de algo mais de onde tirar forças.

Não conseguia evocar nem o rosto de Edward em minha mente. Nem os de Jacob, Alice, Rosalie, Charlie, Renée, Carlisle ou Esme... Nada. Isso me apavorou, e me perguntei se era tarde demais.

Eu me senti escorregando — não havia nada em que me segurar.

Não! Eu tinha de sobreviver àquilo. Edward dependia de mim. Jacob. Charlie Alice Rosalie Carlisle Renée Esme...

Renesmee.

E então, embora eu ainda não conseguisse ver nada, de repente pude *sentir* uma coisa. Como membros fantasmas, imaginei que pudesse sentir meus braços de novo. E, neles, alguma coisa pequena, sólida e muito, muito quente.

Meu bebê. Minha pequena cutucadora.

Eu tinha conseguido. Contrariando todas as probabilidades, *fora* bastante forte para sobreviver a Renesmee, para mantê-la até que ela fosse forte o suficiente para viver sem mim.

Aquele foco de calor em meus braços fantasmas parecia muito real. Eu o apertei contra o peito. Era exatamente onde meu coração devia estar. Agarrando-me com firmeza à lembrança calorosa de minha filha, eu sabia que seria capaz de combater a escuridão pelo tempo que fosse necessário.

O calor junto ao meu coração foi ficando cada vez mais real, aquecendo cada vez mais. Mais quente. O calor era tão real que era difícil acreditar que eu o estivesse imaginando.

Mais quente.

E, então, estava desagradável. Quente demais. Muito, muito quente.

Era como pegar o lado errado de um *baby-liss* — minha reação automática foi soltar a coisa escaldante de meus braços. Mas não havia nada em meus braços. Eles não estavam dobrados junto ao meu peito. Meus braços eram peças mortas que jaziam em algum lugar ao meu lado. O calor estava dentro de mim.

O ardor cresceu — aumentou, foi ao máximo, depois tornou a aumentar, até que suplantou qualquer coisa que eu já sentira na vida.

Senti a pulsação por trás do fogo devorar meu peito e percebi que tinha encontrado meu coração, bem a tempo de desejar o contrário. De desejar ter abraçado a escuridão enquanto ainda havia essa possibilidade. Queria levantar os braços e rasgar meu peito, arrancar o coração dali — qualquer coisa para me livrar daquela tortura. Mas não conseguia sentir meus braços, não conseguia mover um único dedo.

James, quebrando minha perna sob seu pé. Aquilo não fora nada. Era um lugar macio numa cama de plumas. Preferiria aquilo, multiplicado por cem. Cem fraturas. Eu aceitaria, e ficaria grata.

O bebê, quebrando minhas costelas, abrindo caminho dentro de mim, pedaço por pedaço. Aquilo não era nada. Era como flutuar numa piscina de água fria. Preferiria aquilo multiplicado por mil. Aceitaria, e ficaria grata.

O fogo ardeu mais quente e eu quis gritar. Implorar para que alguém me matasse antes que eu vivesse mais um segundo daquela dor. Mas não consegui mover meus lábios. O peso ainda estava ali, me comprimindo.

Percebi que não era a escuridão que me prendia à mesa; era meu corpo. Pesado demais. Enterrando-me nas chamas que agora abriam caminho a dentadas a partir do meu coração, propagando-se com uma dor insuportável pelos ombros e pela barriga, escaldando minha garganta, lambendo meu rosto.

Por que eu não conseguia me mexer? Por que não conseguia gritar? Aquilo não estava nas histórias.

Minha mente estava insuportavelmente lúcida — aguçada pela dor feroz —, e eu encontrei a resposta quase no mesmo instante em que formulei as perguntas.

A morfina.

Parecia que tínhamos discutido aquilo um milhão de mortes atrás — Edward, Carlisle e eu. Edward e Carlisle tinham esperança de que uma quantidade suficiente de analgésico ajudasse a combater a dor do veneno. Carlisle havia tentado com Emmett, mas o veneno tinha queimado mais rápido que o remédio, selando-lhe as veias. Não houvera tempo para que o analgésico se espalhasse.

Eu havia mantido a expressão tranquila, balançado a cabeça — e agradecia às minhas raras estrelas da sorte por Edward não poder ler minha mente.

Porque eu já tivera morfina e veneno juntos em meu corpo, e sabia a verdade. Sabia que o torpor do remédio era completamente irrelevante com o veneno incendiando minhas veias. Mas não iria mencionar esse fato. Nem nada que deixasse Edward menos disposto a me transformar.

Não tinha imaginado que a morfina teria aquele efeito — de me imobilizar e amordaçar. De me manter paralisada enquanto eu queimava.

Eu conhecia todas as histórias. Sabia que Carlisle tinha ficado em silêncio enquanto ardia, para evitar ser descoberto. Sabia que, segundo Rosalie, não ajudaria em nada gritar. E esperara que talvez pudesse ser como Carlisle. Que pudesse acreditar nas palavras de Rosalie e mantivesse a boca fechada. Porque eu sabia que cada grito que escapasse de meus lábios seria um tormento para Edward.

Agora parecia uma piada de mau gosto que eu tivesse meu desejo atendido.

Se não conseguia gritar, *como diria a eles que me matassem?*

Tudo o que eu queria era morrer. Nunca ter nascido. Toda a minha existência não compensava aquela dor. Não valia a pena suportar aquilo nem por mais um batimento cardíaco.

Deixem-me morrer, deixem-me morrer, deixem-me morrer.

E por um período interminável era só o que havia. Só a tortura causticante e meus gritos silenciosos, implorando pela morte. Nada mais, nem mesmo o tempo — o que tornava aquilo infinito, sem início nem fim. Um momento infinito de dor.

A única mudança veio quando de repente, inacreditavelmente, a dor duplicou. A metade inferior do meu corpo, entorpecida desde antes da morfina, de repente também estava em chamas. Alguma conexão rompida tinha sido restabelecida — refeita pelos dedos abrasadores do fogo.

O ardor interminável prosseguia em sua fúria.

Poderiam ter sido segundos ou dias, semanas ou anos, mas por fim o tempo voltou a significar alguma coisa.

Três coisas aconteceram simultaneamente, surgindo uma da outra de modo que eu não sabia dizer o que veio primeiro: o tempo voltou a passar, o peso da morfina diminuiu e eu fiquei mais forte.

Podia sentir o controle de meu corpo me voltando progressivamente, e esses foram meus primeiros sinais da passagem do tempo. Soube disso quando fui capaz de contrair os dedos dos pés e fechar as mãos. Eu soube, mas não fiz nada disso.

Embora o fogo não tivesse abrandado nem um grau — na verdade, comecei a desenvolver uma nova capacidade de vivenciá-lo, uma nova sensibilidade para apreciar, separadamente, cada chama devastadora que lambia minhas veias —, descobri que podia pensar em meio àquilo.

Pude lembrar *por que* não devia gritar. Pude me lembrar do motivo por que estava empenhada em suportar aquela agonia intolerável. Pude me lembrar de que havia algo que talvez valesse a tortura, embora naquele momento parecesse impossível.

Isso aconteceu a tempo de eu me segurar quando os pesos livraram meu corpo. Para qualquer um que me observasse, não haveria mudança nenhuma. Mas para mim, enquanto lutava para manter os gritos e os movimentos convulsivos presos dentro de mim, onde não podiam causar sofrimento a mais ninguém, era como se eu tivesse deixado de estar *presa* a uma estaca na fogueira e passado a me *agarrar* a essa estaca, para me manter no meio das chamas.

Eu tinha força suficiente para ficar deitada ali, imóvel, enquanto era queimada viva.

Minha audição estava cada vez mais clara, e eu podia contar o batimento frenético do meu coração para marcar o tempo.

Eu podia contar a respiração fraca que arfava através dos meus dentes.

Podia contar a respiração baixa e regular que vinha de algum lugar bem perto de mim. Essa era mais lenta, então me concentrei nela. Significava mais tempo passando. Mais regular que um pêndulo de relógio, essa respiração me impelia pelos segundos abrasadores na direção do fim.

Continuei a ficar mais forte, meus pensamentos, mais claros. Quando novos ruídos surgiam, eu podia ouvi-los.

Ouvi passos leves, o sussurro do ar deslocado por uma porta que se abria. Os passos ficaram mais próximos e senti a pressão na face interna de meu pulso. Não consegui sentir a frieza dos dedos. O fogo afugentava toda e qualquer lembrança do frio.

— Nenhuma mudança ainda?

— Nenhuma.

Uma pressão levíssima, a respiração contra minha pele em brasa.

— Não há mais cheiro de morfina.

— Eu sei.

— Bella? Pode me ouvir?

Eu sabia, sem dúvida nenhuma, que se destrincasse os dentes estaria perdida — iria gritar, berrar, me retorcer, me debater. Se abrisse os olhos, se mexesse um dedo que fosse — qualquer mudança seria o fim do meu controle.

— Bella? Bella, amor? Pode abrir os olhos? Pode apertar minha mão?

A pressão em meus dedos. Era mais difícil não reagir àquela voz, mas continuei paralisada. Sabia que a dor na voz dele não era nada se comparada com o que *poderia* ser. Naquele instante, ele só *temia* que eu estivesse sofrendo.

— Talvez... Carlisle, talvez eu tenha agido tarde demais. — A voz soava sufocada; falhou na palavra *tarde*.

Minha resolução vacilou por um segundo.

— Ouça o coração dela, Edward. Está mais forte do que até mesmo o de Emmett esteve. Nunca ouvi nada tão *vital*. Ela vai ficar perfeita.

Sim, eu tinha razão em ficar quieta. Carlisle o tranquilizaria. Ele não precisava sofrer comigo.

— E a... a coluna?

— As lesões não foram piores do que as de Esme. O veneno a curará, como fez com Esme.

— Mas ela está tão imóvel... Eu *devo* ter feito alguma coisa errada.

— Ou alguma coisa certa, Edward. Filho, você fez tudo o que eu poderia ter feito, e ainda mais. Não sei se eu teria a persistência, a fé que foi preciso para salvá-la. Pare de se culpar. Bella vai ficar bem.

Um sussurro fraco.

— Ela deve estar em agonia.

— Não sabemos. Havia muita morfina em seu corpo. Não sabemos o efeito que isso terá na experiência dela.

Uma leve pressão na dobra do meu cotovelo. Outro sussurro.

— Bella, eu amo você. Bella, me desculpe.

Eu queria muito responder, mas não iria aumentar sua dor. Não enquanto tivesse forças para me manter quieta.

Durante todo esse tempo o fogo continuava me queimando. Mas, então, havia muito mais espaço em minha mente. Espaço para refletir sobre a conversa deles, para lembrar o que tinha acontecido, para olhar o futuro, restando ainda um espaço interminável para aquele sofrimento.

E também para a preocupação.

Onde estava meu bebê? Por que ela não estava ali? Por que eles não falavam dela?

— Não, vou ficar aqui mesmo — sussurrou Edward, respondendo a um pensamento que não fora verbalizado. — Eles vão se entender.

— Uma situação interessante — respondeu Carlisle. — E eu que pensava ter visto de tudo.

— Vou cuidar disso mais tarde. *Nós* vamos cuidar disso. — Alguma coisa pressionou suavemente a palma de minha mão em chamas.

— Sei que nós cinco podemos evitar que isso se transforme num banho de sangue.

Edward suspirou.

— Não sei de que lado ficar. Eu adoraria dar uma surra nos dois. Bom, mais tarde.

— Imagino o que Bella vai pensar... de que lado ela vai ficar — disse Carlisle.

Um riso baixo e tenso.

— Tenho certeza de que ela vai me surpreender. Sempre faz isso.

Os passos de Carlisle desapareceram novamente, e fiquei frustrada por não haver mais explicações. Eles estavam conversando tão misteriosamente só para me irritar?

Voltei a contar a respiração de Edward para marcar o tempo.

Dez mil, novecentas e quarenta e três respirações depois, passos diferentes entraram no quarto. Mais leves. Mais... ritmados.

Estranho que eu pudesse distinguir diferenças mínimas entre modos de andar, o que jamais pude ouvir antes.

— Quanto tempo mais? — perguntou Edward.

— Não vai demorar muito — disse Alice. — Vê como ela está ficando pálida? Posso vê-la muito melhor agora. — Ela suspirou.

— Ainda está meio chateada?

— Sim, muito obrigada por mencionar — grunhiu ela. — Você também ficaria mortificado se percebesse que estava algemado por ser o que é. Eu enxergo melhor os vampiros, porque sou um deles; enxergo bem os humanos, porque já fui uma. Mas não consigo ver esses híbridos esquisitos porque eles não são nada do que eu tenha vivenciado. Bah!

— Foco, Alice.

— Tudo bem. É quase fácil demais ver Bella agora.

Houve um longo momento de silêncio, e então Edward suspirou. Era um som novo, mais feliz.

— Ela vai mesmo ficar bem — ele sussurrou.

— É claro que vai.

— Você não estava tão otimista há dois dias.

— Eu não conseguia *ver* direito há dois dias. Mas agora que ela está livre de todos os pontos cegos, é moleza.

— Pode se concentrar, por mim? Por alto... me dê uma estimativa.

Alice suspirou.

— Mas que impaciência. Tudo bem. Preciso de um segun...

Respiraram quietos.

— Obrigado, Alice. — A voz dele soou mais animada.

Quanto tempo? Será que eles não podiam pelo menos dizer em voz alta para eu saber? Era demais pedir isso? Quantos segundos a mais eu arderia? Dez mil? Vinte? Mais um dia — oitenta e seis mil e quatrocentos? Mais que isso?

— Ela vai ficar deslumbrante.

Edward gemeu baixinho.

— Ela sempre foi.

Alice bufou.

— Você entendeu o que eu quis dizer. *Olhe* para ela.

Edward não respondeu, mas as palavras de Alice me deram esperança de que talvez eu não estivesse parecida com o carvão em brasa que me sentia. Parecia que àquela altura eu não passava de uma pilha de ossos calcinados. Cada célula de meu corpo tinha sido reduzida a cinzas.

Ouvi Alice sair flutuando do quarto. Ouvi o zunido do tecido que ela usava roçando em seu corpo. Ouvi o zumbido baixo da lâmpada do teto. Ouvi o vento fraco passando do lado de fora da casa. Eu podia ouvir *tudo*.

No primeiro andar, alguém via um jogo de beisebol na tevê. Os Mariners estavam ganhando.

— É minha *vez* — ouvi Rosalie dizer a alguém, e houve um rosnado baixo em resposta.

— Ei, calma — advertiu Emmett.

Alguém sibilou.

Procurei ouvir mais, mas não havia nada além do jogo. O beisebol não era bastante interessante para me distrair da dor, então voltei a escutar a respiração de Edward, contando os segundos.

Vinte e um mil, novecentos e dezessete segundos e meio depois, a dor mudou.

A boa notícia é que tinha começado a diminuir na ponta dos dedos das mãos e dos pés. Diminuir *lentamente*; mas pelo menos algo novo estava acontecendo. Tinha que ser isso. A dor estava passando...

E depois a má notícia. O fogo em minha garganta não era o mesmo de antes. Eu não estava só em chamas, mas agora também estava ressecada. Seca como osso. Com muita sede. Ardendo em chamas e ardendo de sede...

Outra má notícia: o fogo em meu coração ficou mais quente.

Como aquilo era *possível*?

Meu batimento cardíaco, já rápido demais, acelerou — o fogo impelia as batidas a um ritmo novo e frenético.

— Carlisle — chamou Edward. A voz era baixa, mas nítida. Eu sabia que Carlisle ouviria se estivesse dentro ou próximo da casa.

O fogo abandonou minhas mãos, deixando-as felizmente sem dor e frias. Mas recuou para o coração, que ardia como o sol e batia numa velocidade nova e furiosa.

Carlisle entrou no quarto, Alice a seu lado. Seus passos eram tão distintos que eu podia até perceber que Carlisle estava à direita, alguns centímetros à frente de Alice.

— Ouçam — disse-lhes Edward.

O som mais alto do quarto era o de meu coração frenético, martelando no ritmo do fogo.

— Ah! — disse Carlisle. — Está quase acabando.

Meu alívio com as palavras dele foi toldado pela dor excruciante em meu coração.

Meus pulsos, porém, estavam livres, assim como os tornozelos. O fogo havia se extinguido completamente ali.

— Logo, logo — concordou Alice com ansiedade. — Vou chamar os outros. Será que Rosalie deve...

— Sim... Mantenha a bebê longe daqui.

Como é? Não. *Não!* O que ele queria dizer com manter meu bebê longe? O que ele estava pensando?

Meus dedos se retorceram — a irritação rompendo minha fachada imóvel. O quarto ficou em silêncio, a não ser pela britadeira em meu coração, quando todos pararam de respirar por um segundo.

A mão de alguém apertou meus dedos rebeldes.

— Bella? Bella, amor?

Eu conseguiria responder a ele sem gritar? Pensei nisso por um momento, e então o fogo ardeu ainda mais quente em meu peito, abandonando os cotovelos e os joelhos. Era melhor não arriscar.

— Vou trazê-los agora — disse Alice, com certa urgência na voz, e ouvi o silvo de vento enquanto ela saía em disparada.

E então... *ah!*

Meu coração saltou, batendo como hélices de helicóptero, o som quase uma nota única e contínua; parecia que ia moer minhas costelas. O fogo subiu pelo centro do peito, sugando as chamas do restante do meu corpo para servir de combustível ao calor ainda mais abrasador. A dor foi suficiente para me deixar atordoada, para irromper por meu abraço de ferro na estaca. Minhas costas arquearam, curvadas como se o fogo estivesse me puxando para o alto, pelo coração.

Não permiti que nenhuma outra parte do corpo fugisse ao controle enquanto meu tronco tombava na mesa.

Teve início uma batalha dentro de mim — meu coração disparado correndo contra o fogo que atacava. Os dois perdiam. O fogo estava condenado, tendo consumido tudo o que era combustível; meu coração galopava para sua última batida.

O fogo diminuiu, concentrando-se naquele único órgão ainda humano em uma última e insuportável onda. Recebida com um baque profundo e oco. Meu coração falhou duas vezes, e então bateu novamente, baixinho, outra única vez.

Não havia som. Nem respiração. Nem mesmo a minha.

Por um momento, a ausência de dor era tudo que eu podia compreender.

E então abri os olhos e fitei o alto, maravilhada.

20. NOVIDADE

TUDO ESTAVA TÃO *CLARO*.

Nítido. Definido.

A luz forte no alto ainda era ofuscante, e no entanto eu podia ver muito bem os filamentos cintilantes dentro da lâmpada. Podia ver cada cor do arco-íris na luz branca, e na extremidade do espectro uma oitava cor para a qual eu não tinha nome.

Por trás da luz eu podia distinguir cada fibra da madeira escura no teto. À luz, conseguia ver os grãos de poeira no ar, os lados que a claridade tocava e os lados escuros, distintos e separados. Giravam como pequenos planetas, movendo-se em torno uns dos outros numa dança celeste.

A poeira era tão linda que eu inalei, chocada; o ar assoviou por minha garganta, fazendo rodopiar os grãos de pó. A ação parecia errada. Pensei no assunto e percebi que o problema era que não havia alívio ligado à ação. Eu não precisava de ar. Meus pulmões não esperavam por aquilo. Eles reagiram com indiferença ao influxo.

Eu não precisava de ar, mas *gostava* dele. Com ele eu podia saborear o quarto à minha volta — saborear os adoráveis grãos de poeira, a mistura do ar estagnado com o fluxo levemente mais frio que entrava pela porta aberta. Saborear um luxuriante sopro de seda. Uma leve sugestão de alguma coisa quente e desejável, algo que devia ser úmido, mas não era... Esse cheiro fez minha garganta arder, seca, um fraco eco do ardor do veneno, embora o odor estivesse contaminado pela intensidade do cloro e da amônia. E, mais que tudo, eu podia sentir o gosto de um cheiro parecido com mel, lilás e sol, que era o mais forte e o mais próximo a mim.

Ouvi o barulho dos outros, voltando a respirar agora que eu também respirava. O hálito deles se misturava ao cheiro que lembrava mel, lilás e sol, trazendo novos sabores. Canela, jacinto, pera, água do mar, pão no forno, pinho, baunilha, couro, maçã, musgo, lavanda, chocolate... Fiz uma dezena de comparações diferentes em minha mente, mas nenhuma se encaixava com exatidão. Muito doce e agradável.

A tevê no primeiro andar estava sem som e ouvi alguém lá embaixo — Rosalie? — mudando de posição.

Também ouvi uma batida baixa e monótona, com uma voz gritando, irritada, no mesmo ritmo. Rap? Fiquei aturdida por um momento, depois o som foi sumindo, como se um carro tivesse passado por ali com as janelas abertas.

Com um sobressalto, percebi que podia mesmo ser isso. Será que dali eu conseguia ouvir a rodovia?

Só percebi que alguém segurava minha mão quando a pessoa a apertou suavemente. Como havia feito antes, para esconder a dor, meu corpo se contraiu, pego desprevenido. Não era um toque que eu esperasse. A pele era perfeitamente lisa, mas a temperatura estava errada. Não era fria.

Depois do primeiro segundo paralisada pelo choque, meu corpo reagiu ao toque desconhecido de um jeito que me chocou ainda mais.

O ar sibilou por minha garganta, passando entre meus dentes trincados com um som baixo e ameaçador, como o de um enxame de abelhas. Antes que o som saísse, meus músculos se enrijeceram e contraíram, afastando-se do desconhecido. Eu girei tão rápido que o quarto devia ter se transformado em um borrão incompreensível — mas não foi o que aconteceu. Vi cada grão de poeira, cada lasca nas paredes revestidas de madeira, cada fio solto em detalhes microscópicos quando meus olhos dispararam por eles.

Então, quando me vi agachada contra a parede, na defensiva — um dezesseis avos de segundo depois —, já tinha entendido o que me assustara, e que minha reação fora exagerada.

Ah. Claro. Edward não era mais frio para mim. Agora tínhamos a mesma temperatura.

Mantive a pose por mais um oitavo de segundo, adaptando-me à cena à minha frente.

Edward estava debruçado sobre a mesa de cirurgia que tinha sido minha pira, a mão estendida para mim, a expressão ansiosa.

O rosto de Edward era o que mais importava, mas minha visão periférica catalogou todo o resto, só por precaução. Algum instinto de defesa fora acionado, e eu automaticamente procurava por qualquer sinal de perigo.

Minha família de vampiros esperava cautelosamente junto à parede mais distante, perto da porta, com Emmett e Jasper na frente. Como se *houvesse mesmo* perigo. Minhas narinas dilataram, procurando pela ameaça. Eu não sentia nenhum cheiro que não devesse estar ali. O aroma fraco de algo delicioso — mas arruinado por substâncias desagradáveis — fez cócegas em minha garganta de novo, provocando dor e ardência.

Alice espiava por trás do cotovelo de Jasper com um sorriso imenso; a luz faiscava em seus dentes, outro arco-íris de oito cores.

O sorriso me tranquilizou e as peças se encaixaram. Jasper e Emmett estavam na frente para proteger os outros, como eu supus. O que não compreendera logo era que o perigo era *eu*.

Tudo isso foi secundário. A maior parte de meus sentidos e minha mente ainda se concentrava no rosto de Edward.

Jamais percebera antes daquele segundo.

Quantas vezes havia olhado Edward e me maravilhado com sua beleza? Quantas horas — dias, semanas — de minha vida eu havia passado sonhando com o que eu julgava ser a perfeição? Pensava que conhecia aquele rosto melhor que o meu próprio. Pensava que essa fosse a única certeza física em meu mundo: o rosto impecável de Edward.

Eu devia estar cega.

Pela primeira vez, com as sombras turvadoras e a fraqueza limitadora da humanidade extraídas de meus olhos, eu vi seu rosto. Arquejei e depois lutei com meu vocabulário, incapaz de encontrar as palavras certas. Eu precisava de palavras melhores.

A essa altura a outra parte de minha atenção tinha se assegurado de que não havia perigo ali além de mim mesma, e eu automaticamente fiquei de pé; quase um segundo inteiro havia se passado desde que saíra da mesa.

Por um momento fiquei preocupada com o modo como meu corpo se movia. No instante em que considerei ficar ereta, já estava de pé. Não houve um breve fragmento de tempo no qual a ação ocorreu; a mudança foi instantânea, quase como se não tivesse havido movimento nenhum.

Continuei a fitar o rosto de Edward, novamente imóvel.

Ele contornou a mesa lentamente — cada passo levando quase meio segundo, cada passo fluindo sinuosamente como a água de um rio ondulando por pedras suaves —, a mão ainda estendida.

Eu observava a beleza de seu movimento, absorvendo-a com meus novos olhos.

— Bella? — disse ele num tom baixo e tranquilizador, mas a preocupação em sua voz revestiu de tensão meu nome.

Não pude responder imediatamente, perdida como estava nas nuances aveludadas de sua voz. Era a sinfonia mais perfeita, uma sinfonia de um só instrumento, um instrumento mais profundo que qualquer outro criado pela humanidade...

— Bella, amor? Desculpe, eu sei que é desorientador. Mas você está bem. Tudo está bem.

Tudo? Minha mente girava, espiralando de volta à minha última hora humana. A memória já parecia difusa, como se eu estivesse vendo por um véu escuro e grosso — porque meus olhos humanos eram um pouco cegos. Tudo era muito embaçado.

Quando ele disse que estava tudo bem, será que incluía Renesmee? Onde ela estava? Com Rosalie? Tentei me lembrar de seu rosto — eu sabia que ela era linda —, mas era irritante tentar ver através das lembranças humanas. O rosto dela estava amortalhado na escuridão, tão mal iluminado...

E quanto a Jacob? *Ele* estava bem? Será que meu amigo, que sofria havia tanto tempo, agora me odiava? Ele teria voltado para a matilha de Sam? Seth e Leah também?

Os Cullen estavam seguros ou minha transformação teria incitado a guerra com a matilha? Será que o manto tranquilizador de Edward se referia a tudo isso? Ou ele só estava tentando me acalmar?

E Charlie? O que eu diria a ele agora? Ele devia ter ligado enquanto eu queimava. O que lhe disseram? O que ele pensava que havia acontecido comigo?

Enquanto eu refletia por uma pequena fração de segundo sobre qual pergunta fazer primeiro, Edward estendeu a mão, inseguro, e afagou meu rosto com a ponta dos dedos. Liso como cetim, macio como pena, e agora na temperatura exata de minha pele.

Seu toque pareceu se estender sob a superfície de minha pele, atravessando os ossos de meu rosto. A sensação era de formigamento, eletrizante — percorreu meus ossos, descendo pela coluna, e vibrou em meu estômago.

Espere aí, pensei enquanto a vibração florescia em um calor, um anseio. Eu não devia ter perdido isso? Abrir mão dessa sensação não fazia parte do trato?

Eu era uma vampira recém-criada. A dor seca e abrasadora em minha garganta comprovava isso. E sabia o que ser uma recém-criada provocava.

As emoções e os desejos humanos voltariam a mim mais tarde, de alguma maneira, mas eu tinha entendido que não os sentiria no início. Somente sede. Esse era o acordo, o preço. Eu concordara em pagar.

Mas enquanto a mão de Edward se moldava ao meu rosto como aço revestido de cetim o desejo percorreu minhas veias ressecadas, da cabeça aos pés.

Ele arqueou uma sobrancelha perfeita, esperando que eu falasse.

Eu o abracei com ímpeto.

Mais uma vez, foi como se não houvesse movimento. Em um momento eu estava ereta e imóvel como uma estátua; no mesmo instante, ele estava em meus braços.

Quente — ou, pelo menos, essa era minha percepção. Com o cheiro doce e delicioso que eu nunca fora capaz de notar com meus sentidos humanos embotados, mas que era cem por cento Edward. Apertei o rosto contra seu peito acetinado.

E, então, ele balançou o corpo, desconfortável. Afastou-se de meu abraço. Ergui o rosto para ele, confusa e assustada com a rejeição.

— Hã... cuidado, Bella. Ai.

Retirei os braços, cruzando-os nas costas assim que compreendi.

Eu era forte demais.

— Epa — murmurei.

Ele abriu o tipo de sorriso que teria feito meu coração parar se ele ainda estivesse batendo.

— Não entre em pânico, amor — disse ele, erguendo a mão para tocar meus lábios, separados de pavor. — Você só está um pouco mais forte do que eu no momento.

Minhas sobrancelhas se uniram. Eu também soubera disso antes, mas parecia mais surreal do que qualquer outra parte daquele momento definitivamente surreal. Eu era mais forte do que Edward. Eu o fizera gemer de dor.

Sua mão afagou meu rosto de novo, e eu quase me esqueci de toda a aflição enquanto outra onda de desejo percorria meu corpo imóvel.

As emoções que eu sentia agora eram tão mais fortes do que aquelas a que eu estava acostumada, que era difícil me prender a uma linha de raciocínio, apesar do espaço extra em minha mente. Cada nova sensação me subjugava. Lembrei-me de Edward ter dito certa vez — sua voz em minha cabeça uma sombra fraca, comparada à clareza musical e cristalina que eu ouvia agora — que sua espécie, a *nossa* espécie, se distraía com muita facilidade. Eu podia entender por quê.

Esforcei-me para me concentrar. Havia algo que precisava dizer. O mais importante.

Com muito cuidado, tanto cuidado que foi possível perceber o movimento, tirei o braço direito das costas e ergui a mão para tocar o rosto de Edward. Recusei-me a me deixar distrair pela cor perolada de minha mão, pela pele sedosa dele ou pela energia que zunia na ponta de meus dedos.

Olhei em seus olhos e ouvi minha voz pela primeira vez.

— Amo você — eu disse, mas parecia estar cantando. Minha voz soou e ressoou como um sino.

Seu sorriso em resposta me deslumbrou mais do que quando eu era humana; eu agora podia vê-lo de verdade.

— Como eu amo você — disse ele.

Edward pegou meu rosto entre as mãos e aproximou o dele — bem devagar para me lembrar de ter cuidado. Ele me beijou, delicadamente como um sussurro, no início, depois subitamente mais forte, mais feroz. Tentei me lembrar de ser gentil com ele, mas era difícil lembrar qualquer coisa com aquele violento ataque de sensações, era difícil me agarrar a algum pensamento coerente.

Era como se ele nunca me tivesse beijado — como se fosse nosso primeiro beijo. E, na verdade, ele nunca me beijara mesmo *daquele jeito*.

Quase me fez sentir culpa. Certamente, eu estava rompendo alguma parte do contrato. Eu não podia ter aquilo também.

Embora não precisasse de oxigênio, minha respiração acelerou, tão rápido quanto nos momentos em que eu estivera queimando. Mas era um tipo diferente de fogo.

Alguém pigarreou. Emmett. Reconheci imediatamente o som grave, brincalhão e irritado ao mesmo tempo.

Havia me esquecido de que não estávamos a sós. E então percebi que o modo como eu me agarrava a Edward não era lá muito educado, na presença de outras pessoas.

Constrangida, afastei-me meio passo em outro movimento instantâneo.

Edward riu e se moveu comigo, mantendo os braços em minha cintura. Seu rosto estava radiante — como se uma chama branca ardesse por trás de sua pele de diamante.

Respirei, sem necessidade, para me acalmar.

Como foi diferente aquele beijo! Li a expressão dele enquanto eu comparava as lembranças humanas indistintas àquela sensação clara e intensa. Ele parecia... meio presunçoso.

— Você escondeu isso de mim — acusei em minha voz cantada, os olhos se estreitando um pouquinho.

Ele riu, radiante de alívio que tudo tivesse acabado — o medo, a dor, as incertezas, a espera, tudo ficara para trás.

— De certa forma, foi necessário na época — lembrou-me ele. — Agora é sua vez de não *me* quebrar. — Ele riu de novo.

Franzi a testa enquanto considerava aquilo, e então Edward não era o único que ria.

Carlisle contornou Emmett e aproximou-se de mim rapidamente; os olhos com um pouquinho de preocupação, mas Jasper acompanhou seus passos. Também não havia olhado o rosto de Carlisle antes. Não de verdade. Senti um estranho impulso de piscar — como se estivesse olhando para o sol.

— Como se sente, Bella? — perguntou Carlisle.

Pensei naquilo por um sessenta e quatro avos de segundo.

— Sufocada. São *tantas* coisas... — Eu me interrompi, ouvindo o tom de sino de minha voz de novo.

— Sim, pode ser muito confuso.

Assenti rapidamente.

— Mas ainda me sinto eu. Mais ou menos. Eu não esperava isso.

Os braços de Edward estreitaram-se um pouco em minha cintura.

— Eu lhe disse isso — sussurrou ele.

— Você é muito controlada — murmurou Carlisle. — Mais do que *eu* esperava, mesmo com o tempo que teve para se preparar psicologicamente.

Pensei nas loucas oscilações de humor, na dificuldade de me concentrar, e sussurrei:

— Não tenho muita certeza disso.

Ele assentiu gravemente, e seus olhos de joia cintilaram com interesse.

— Parece que dessa vez acertamos com a morfina. Diga-me: do que se lembra do processo de transformação?

Hesitei, ciente demais da respiração de Edward roçando meu rosto, lançando sussurros de eletricidade por minha pele.

— Tudo ficou... muito indistinto antes. Lembro que o bebê não conseguia respirar...

Olhei para Edward, de repente assustada com a lembrança.

— Renesmee é saudável e está bem — garantiu ele, com um brilho que eu nunca vira em seus olhos. Ele disse o nome dela com um fervor contido.

Uma reverência. Como devotos falavam de seus deuses. — Do que se lembra depois disso?

Concentrei-me em minha máscara. Eu nunca fora uma boa mentirosa.

— É difícil lembrar. Era tudo tão escuro antes. E, então... abri os olhos e pude ver *tudo*.

— Incrível — sussurrou Carlisle, os olhos iluminados.

A vergonha me inundou, e esperei que o calor que ardia em meu rosto cedesse. Depois lembrei que eu nunca mais enrubesceria. Talvez isso protegesse Edward da verdade.

Mas eu devia encontrar uma maneira de contar a Carlisle. Um dia. Se ele um dia precisasse criar outro vampiro. Essa possibilidade parecia muito improvável, o que fazia com que eu me sentisse melhor por mentir.

— Quero que você pense... que me conte tudo o que lembra — pressionou Carlisle, animado, e eu não consegui reprimir a careta que cruzou meu rosto.

Eu não queria ter de continuar mentindo, porque podia cometer um deslize. Não queria pensar no fogo. Ao contrário das recordações humanas, essa parte era perfeitamente clara e descobri que podia me lembrar dela com precisão demais.

— Ah, desculpe-me, Bella — disse Carlisle imediatamente. — É claro que sua sede deve ser desagradável. Essa conversa pode esperar.

Até ele falar no assunto, a sede não era realmente incontornável. Havia muito espaço em minha mente. Uma parte separada de meu cérebro controlava a ardência em minha garganta, quase como um reflexo. Como meu antigo cérebro tinha lidado com a respiração e o piscar.

Mas a suposição de Carlisle trouxe o fogo para o primeiro plano em minha mente. De repente, só conseguia pensar na dor seca, e quanto mais pensava nela, mais doía. Minha mão voou para o pescoço, como se por fora eu pudesse atenuar as chamas. A pele de meu pescoço era estranha ao contato de meus dedos. Tão lisa que, de algum modo, era macia, embora fosse dura como pedra também.

Edward baixou os braços e pegou minha mão livre, puxando-a gentilmente.

— Vamos caçar, Bella.

Meus olhos se arregalaram e a dor da sede cedeu, substituída pelo choque. Eu? Caçar? Com Edward? Mas... *como?* Eu não sabia o que fazer.

Ele leu o sobressalto em minha expressão e sorriu, encorajando-me.

— É muito fácil, amor. É instintivo. Não se preocupe, vou lhe mostrar. — Já que eu não me mexia, ele abriu seu sorriso torto e ergueu as sobrancelhas. — Eu tinha a impressão de que você sempre *quis* me ver caçar.

Eu ri, em uma explosão curta de humor (parte de mim ouviu, pasmada, o sino repicar), enquanto as palavras dele me faziam lembrar vagas conversas humanas. E depois precisei de um segundo para rapidamente repassar em minha cabeça aqueles primeiros dias com Edward — o verdadeiro começo de minha vida —, de modo que nunca me esquecesse deles. Eu não esperava que fosse tão desagradável lembrar. Como tentar ver através de uma água lamacenta. Eu sabia, pela experiência de Rosalie, que se pensasse *bastante* em minhas lembranças humanas não as perderia com o tempo. Eu não queria me esquecer de um só minuto que passei com Edward, mesmo ali, quando a eternidade se estendia diante de nós. Precisava me certificar de que aquelas lembranças humanas fossem sedimentadas em minha mente infalível de vampira.

— Vamos? — perguntou Edward. Ele estendeu o braço para pegar a mão que ainda estava em meu pescoço. Seus dedos deslizaram por ali. — Não quero que fique sofrendo — acrescentou, num murmúrio baixo. Que, antes, eu não teria sido capaz de ouvir.

— Estou bem — eu disse, por um hábito humano que permanecia. — Espere. Primeiro...

Havia tantas coisas! Eu não chegara a minhas perguntas. Havia coisas mais importantes que a dor.

Então foi Carlisle que falou.

— Sim?

— Quero vê-la. Renesmee.

Era estranhamente difícil dizer seu nome. *Minha filha* — mais difícil ainda era pensar nessas palavras. Tudo parecia muito distante. Tentei me lembrar de como me sentia três dias antes e automaticamente minhas mãos se libertaram das de Edward e pousaram na barriga.

Plana. Vazia. Agarrei a seda clara que cobria minha pele, em pânico de novo, enquanto uma parte insignificante de minha mente concluía que Alice devia ter me vestido.

Sabia que não restava nada dentro de mim e me lembrei vagamente da cena sangrenta que foi retirar Renesmee, mas ainda era difícil processar a prova física. Tudo que eu sabia era que amava minha pequena cutucadora *dentro* de mim. Fora dali, ela parecia fruto da minha imaginação. Um sonho que desbotava — um sonho que era meio pesadelo.

Enquanto lutava com minha confusão, vi Edward e Carlisle trocando um olhar cauteloso.

— O que foi? — perguntei.

— Bella — disse Edward de forma tranquilizadora. — Essa não é uma boa ideia. Ela é um pouco humana, amor. O coração dela bate e corre sangue em suas veias. Até que sua sede esteja definitivamente sob controle... Você não quer colocá-la em perigo, não é?

Franzi a testa. É claro que não iria querer isso.

Estava descontrolada? Confusa, sim. Sem concentração, sim. Mas era perigosa? Para ela? Minha filha?

Eu não podia ter certeza de que a resposta era não. Então teria de ser paciente. Isso parecia difícil. Porque, até que eu a visse outra vez, ela não seria real. Só um sonho que se apagava... com uma estranha...

— Onde ela está? — Concentrei-me, e então pude ouvir o coração batendo no piso abaixo. Pude ouvir mais de uma pessoa respirando... baixo, como se estivessem escutando também. Havia também um som palpitante, um zumbido, que eu não conseguia situar...

E o som do coração batendo era tão molhado e atrativo que minha boca começou a salivar.

Então eu, sem dúvida, teria de aprender a caçar antes de vê-la. Meu bebê desconhecido.

— Rosalie está com ela?

— Sim — respondeu Edward, num tom mais brusco, e pude ver que algum pensamento o aborrecia. Achava que ele e Rose tivessem superado suas diferenças. Será que a animosidade surgira de novo? Antes que eu pudesse perguntar, ele tirou minhas mãos da barriga lisa, puxando-as gentilmente de novo.

— Espere — protestei novamente, tentando me concentrar. — E Jacob? E Charlie? Me contem tudo o que perdi. Quanto tempo eu fiquei... inconsciente?

Edward não pareceu perceber minha hesitação com a última palavra. Em vez disso, trocou outro olhar preocupado com Carlisle.

— Qual é o problema? — sussurrei.

— Não há *problema* nenhum — disse-me Carlisle, destacando a palavra de uma forma estranha. — Nada mudou muito, na verdade... Você só ficou inconsciente por pouco mais de dois dias. Foi muito rápido, como essas coisas acontecem. Edward fez um trabalho excelente. Muito inovador... A injeção de veneno direto em seu coração foi ideia dele. — Ele parou para sorrir com orgulho para o filho, e depois suspirou. — Jacob ainda está aqui e Charlie ainda acredita que você está doente. Ele acha que você está em Atlanta neste momento, submetendo-se a exames no Centro de Controle de Doenças. Demos um número errado a ele e ele está frustrado. Ele tem falado com Esme.

— Eu devia ligar para ele... — murmurei comigo mesma, mas, ouvindo minha voz, entendi as novas dificuldades. Ele não reconheceria aquela voz. Isso não o tranquilizaria. E depois a primeira surpresa me tomou de assalto.

— Espere aí... Jacob *ainda está aqui?*

Outra troca de olhares.

— Bella — disse Edward rapidamente. — Há muito o que discutir, mas devemos cuidar de você primeiro. Você deve estar sentindo dor...

Quando ele assinalou isso, lembrei-me do ardor em minha garganta e engoli convulsivamente.

— Mas Jacob...

— Temos todo o tempo do mundo para explicações, amor — lembrou-me ele delicadamente.

É claro. Eu podia esperar um pouco mais pela resposta; seria mais fácil ouvir quando a dor feroz da sede abrasadora não dispersasse mais minha concentração.

— Está bem.

— Espere, espere, espere — cantarolou Alice da porta. Ela dançou pela sala, graciosa como em um sonho. E como acontecera com Edward e Carlisle, senti certo choque quando realmente olhei seu rosto pela primeira vez. Tão lindo. — Você prometeu que eu podia estar presente na primeira vez! E se vocês dois passarem por alguma coisa reflexiva?

— Alice... — Edward protestou.

— Só vai levar um segundo! — E com isso Alice deixou o quarto em disparada.

Edward suspirou.

— Do que ela está falando?

Mas Alice já estava de volta, trazendo o espelho imenso com moldura dourada do quarto de Rosalie, que tinha quase duas vezes a altura dela e várias vezes sua largura.

Jasper estivera tão imóvel e silencioso que eu não dera por sua presença até ele seguir atrás de Carlisle. Agora ele se moveu novamente, pairando perto de Alice, os olhos fixos em minha expressão. Porque o perigo ali era eu.

Sabia que ele também estava sentindo o clima ao meu redor, então deve ter sentido meu sobressalto ao examinar seu rosto, olhando-o de perto pela primeira vez.

Através de meus olhos humanos as cicatrizes deixadas por sua vida anterior com os exércitos de recém-criados no sul tinham sido quase invisíveis. Só com uma luz forte, dando definição às suas formas em leve relevo, eu podia perceber sua existência.

Agora que eu enxergava, as cicatrizes eram a característica dominante de Jasper. Era difícil tirar os olhos de seu pescoço e do queixo devastados — era difícil acreditar que mesmo um vampiro pudesse sobreviver a tantos dentes rasgando seu pescoço.

Por instinto, retesei o corpo para me defender. Qualquer vampiro que visse Jasper teria a mesma reação. As cicatrizes eram como um letreiro luminoso. *Perigo*, gritavam elas. Quantos vampiros tentaram matar Jasper? Centenas? Milhares? O mesmo número que morrera tentando.

Jasper tanto viu quanto sentiu minha avaliação, minha cautela, e sorriu ironicamente.

— Edward me deu uma bronca por não a ter colocado diante de um espelho antes do casamento — disse Alice, desviando minha atenção de seu amante assustador. — Não vou levar bronca de novo.

— Bronca? — perguntou Edward ceticamente, uma sobrancelha arqueando-se.

— Talvez eu tenha exagerado — murmurou ela, distraída, enquanto virava o espelho de frente para mim.

— E talvez isso tenha unicamente a ver com sua própria satisfação de *voyeuse* — argumentou ele.

Alice piscou para ele.

Eu só percebi essa troca de ideias com a porção menos focada de minha concentração. A maior parte estava focalizada na pessoa no espelho.

Minha primeira reação, sem pensar, foi de prazer. A criatura estranha no espelho era indiscutivelmente bonita, tão bonita quanto Alice ou Esme. Ela era fluida até mesmo imóvel, e seu rosto imaculado era pálido como a lua, em contraste com a moldura do cabelo escuro e pesado. Seus braços e suas pernas eram lisos e fortes, a pele cintilava um pouco, luminosa como uma pérola.

Minha segunda reação foi de pavor.

Quem era *ela*? À primeira vista, eu não conseguia encontrar meu rosto naquelas feições perfeitas.

E os olhos! Embora eu soubesse o que esperar, ainda assim seus olhos me provocaram um arrepio de pavor.

Durante todo o tempo em que eu analisava e reagia, seu rosto estava perfeitamente composto, o entalhe de uma deusa, sem nada mostrar do turbilhão que tinha lugar dentro mim. E, então, os lábios cheios se moveram.

— Os olhos? — sussurrei, sem querer dizer *meus olhos*. — Quanto tempo?

— Vão escurecer daqui a alguns meses — disse Edward numa voz suave e reconfortante. — O sangue animal dilui a cor mais rapidamente do que uma dieta de sangue humano. Primeiro ficarão âmbar, depois dourados.

Meus olhos cintilariam como chamas vermelhas cruéis por *meses*?

— Meses? — Minha voz agora soou mais alta, estressada. No espelho, as sobrancelhas perfeitas se ergueram incredulamente acima dos olhos carmim reluzentes, mais brilhantes que quaisquer olhos que eu já tivesse visto.

Jasper deu um passo à frente, alarmado com a intensidade de minha súbita ansiedade. Ele conhecia os vampiros jovens muito bem; será que aquela emoção pressagiava algum tropeço de minha parte?

Ninguém respondeu à minha pergunta. Desviei os olhos, para Edward e Alice. Os olhos dos dois pareciam ligeiramente fora de foco — reagindo à inquietação de Jasper. Procurando ouvir sua causa, olhando o futuro imediato.

Respirei fundo e desnecessariamente de novo.

— Não, eu estou bem — garanti a eles. Meus olhos foram à estranha no espelho e voltaram. — É só que... é muito para absorver.

A testa de Jasper se franziu, destacando as duas cicatrizes sobre o olho esquerdo.

— Não sei — murmurou Edward.

A mulher no espelho também franziu a testa.

— Que pergunta eu perdi?

Edward sorriu.

— Jasper se pergunta como você está conseguindo.

— Conseguindo o quê?

— Controlar suas emoções, Bella — respondeu Jasper. — Nunca vi um recém-criado fazer isso... deter uma emoção no meio do caminho assim. Você estava aborrecida, mas quando viu nossa preocupação, segurou as rédeas, recuperando o poder sobre si. Eu estava preparado para ajudar, mas você não precisou.

— Isso é ruim? — perguntei. Meu corpo automaticamente paralisou enquanto eu esperava seu veredito.

— Não — disse ele, mas havia incerteza em sua voz.

Edward afagou meu braço, como se me encorajasse a relaxar.

— É mesmo impressionante, Bella, mas não entendemos. Não sabemos quanto tempo isso pode durar.

Considerei aquilo por uma fração de segundo. A qualquer momento eu iria atacar? Viraria um monstro?

Eu não conseguia sentir isso vindo... Talvez não existisse um jeito de prever uma coisa assim.

— Mas o que você acha? — perguntou Alice, agora um pouco impaciente, apontando o espelho.

— Não sei bem — limitei-me a dizer, sem querer admitir o quanto estava assustada.

Fitei a linda mulher com os olhos apavorantes, procurando partes de mim. *Havia* alguma coisa ali no formato dos lábios — se olhasse além da beleza deslumbrante, era verdade que seu lábio superior era meio desproporcional, um pouco cheio demais comparado ao inferior. Encontrar esse pequeno defeito conhecido fez com que eu me sentisse um pouquinho melhor. Talvez o restante de mim estivesse ali também.

Experimentei erguer a mão, e a mulher no espelho imitou o movimento, tocando seu rosto. Seus olhos carmim me olhavam com preocupação.

Edward suspirou.

Desviei-me dela e olhei para ele, erguendo uma sobrancelha.

— Decepcionado? — perguntei, minha voz tilintante e impassível.

Ele riu.

— Sim — admitiu.

Senti o choque romper a máscara composta de meu rosto, seguido de imediato pela dor.

Alice rosnou. Jasper se inclinou para a frente de novo, esperando que eu atacasse.

Mas Edward os ignorou e passou os braços firmemente por minha nova forma paralisada, apertando os lábios contra o meu rosto.

— Eu esperava ser capaz de ouvir sua mente, agora que é mais semelhante à minha — murmurou ele. — E aqui estou, frustrado como sempre, perguntando-me o que pode estar se passando em sua cabeça.

Eu me senti imediatamente melhor.

— Ah, bom — eu disse, aliviada que meus pensamentos ainda fossem só meus. — Acho que meu cérebro nunca vai funcionar direito. Pelo menos eu sou bonita.

Estava ficando mais fácil brincar com ele enquanto eu me adaptava. Pensar em linhas retas. Ser eu mesma.

Edward grunhiu em minha orelha.

— Bella, você *nunca* foi apenas bonita.

Depois seu rosto se afastou do meu e ele suspirou.

— Tudo bem, tudo bem — disse ele a alguém.

— O que foi? — perguntei.

— Você está deixando Jasper mais tenso a cada segundo. Ele vai poder relaxar um pouco depois que você tiver caçado.

Olhei a expressão preocupada de Jasper e assenti. Eu não queria ter uma crise ali, se isso fosse acontecer. Era melhor estar cercada de árvores do que da família.

— Tudo bem. Vamos caçar — concordei, um tremor de nervosismo e expectativa fazendo meu estômago vibrar. Afastei os braços de Edward, segurando uma de suas mãos, e dei as costas para a estranha e linda mulher no espelho.

21. PRIMEIRA CAÇADA

— A JANELA? — PERGUNTEI, OLHANDO DOIS ANDARES ABAIXO.

Eu nunca tivera medo de altura, mas ser capaz de ver os detalhes com tanta clareza tornava a perspectiva menos atraente. Os ângulos das pedras abaixo eram mais agudos do que eu teria imaginado.

Edward sorriu.

— É a saída mais conveniente. Se estiver com medo, posso carregá-la.

— Temos toda a eternidade e você está preocupado com o tempo que levaria para andar até a porta dos fundos?

Ele franziu levemente a testa.

— Renesmee e Jacob estão lá embaixo...

— Ah!

Certo. Eu agora era o monstro. Tinha de me manter afastada dos cheiros que pudessem incitar meu lado selvagem. Das pessoas que eu amava, em particular. Mesmo aquelas que eu ainda nem conhecia.

— Renesmee está... bem... com Jacob lá embaixo? — sussurrei. Só então percebia que devia ser o coração de Jacob que eu ouvira no primeiro andar. Tornei a apurar o ouvido, mas só pude distinguir uma pulsação. — Ele não gosta muito dela.

Os lábios de Edward se contraíram de forma estranha.

— Acredite em mim, ela está perfeitamente segura. Eu sei exatamente o que Jacob está pensando.

— Claro — murmurei, e olhei para o chão de novo.

— Protelando? — ele me desafiou.

— Um pouco. Não sei como...

E eu estava muito consciente de minha família atrás de mim, olhando em silêncio. A maior parte em silêncio. Emmett já tinha dado uma risadinha abafada. Um erro e ele estaria rolando no chão. Depois começariam as piadas sobre a única vampira desajeitada do mundo...

Além disso, aquele vestido — que Alice devia ter enfiado em mim em algum momento enquanto eu estava absorta demais no fogo para perceber — não era o que eu teria escolhido para pular nem caçar. Seda azul-claro colada no corpo? Para que ela achava que eu iria precisar daquilo? Haveria algum coquetel mais tarde?

— Observe-me — disse Edward. E, então, muito casualmente, ele saiu pela janela alta e caiu.

Olhei com atenção, analisando o ângulo em que ele curvava os joelhos para absorver o impacto. O som de seu pouso foi muito baixo — um baque que podia ser uma porta sendo fechada suavemente, ou um livro gentilmente posto numa mesa.

Não *parecia* difícil.

Trincando os dentes enquanto me concentrava, tentei imitar seu passo despreocupado no espaço vazio.

Ah! O chão pareceu se mover na minha direção tão lentamente que não foi nada demais colocar os pés — que sapatos eram aqueles com que Alice havia me calçado? Salto agulha? Ela perdera o juízo —, colocar aqueles sapatos bobos na posição exata para que a aterrissagem não fosse diferente de levar um pé à frente numa superfície plana.

Absorvi o impacto com a parte da frente dos pés, não querendo quebrar os saltos finos. Meu pouso pareceu tão silencioso quanto o dele. Sorri para ele.

— Tudo bem. Fácil.

Ele sorriu também.

— Bella?

— Sim?

— Foi muito graciosa... até para uma vampira.

Pensei no comentário dele por um momento, e então fiquei radiante. Se ele estivesse falando por falar, Emmett teria rido. Ninguém achou a observação dele engraçada, então devia ser verdade. Era a primeira vez que alguém aplicava a palavra *graciosa* a mim em toda a minha vida... ou, bem, minha existência.

— *Obrigada* — eu disse a ele.

E então tirei os sapatos de cetim prateados e os lancei, juntos, de volta pela janela aberta. Com força demais, talvez, mas ouvi que alguém os pegou antes que eles pudessem danificar alguma coisa.

Alice grunhiu.

— O senso de moda dela não melhorou tanto quanto o equilíbrio!

Edward pegou minha mão — eu não deixava de me maravilhar com a suavidade, a temperatura confortável de sua pele — e disparou pelo quintal até a beira do rio. Eu o acompanhei sem esforço.

Tudo que era físico parecia muito simples.

— Vamos nadar? — perguntei a ele quando paramos junto da água.

— E estragar seu lindo vestido? Não. Vamos pular.

Franzi os lábios, pensando. O rio tinha uns cinquenta metros de largura naquele trecho.

— Primeiro você — eu disse.

Ele tocou meu rosto, deu dois passos para trás, e voltou correndo, lançando-se de uma pedra achatada firmemente incrustada na margem. Examinei o lampejo de movimento enquanto ele descrevia um arco acima da água, dando por fim uma cambalhota pouco antes de desaparecer nas árvores densas do outro lado do rio.

— Exibido — murmurei, e ouvi seu riso invisível.

Recuei cinco passos, só por precaução, e respirei fundo.

De repente, me senti ansiosa de novo. Não com medo de cair ou me machucar — estava mais preocupada em causar algum dano à floresta.

Surgira devagar, mas agora eu podia sentir — a força bruta, maciça, vibrando em meus membros. De repente eu tinha certeza de que se quisesse abrir um túnel *debaixo* do rio, abrir caminho a unha ou a murros pelo leito rochoso, não levaria muito tempo. As coisas à minha volta — as árvores, os arbustos, as pedras... a casa — haviam começado a parecer muito frágeis.

Torcendo muito para que Esme não tivesse um apreço especial por nenhuma árvore específica do outro lado do rio, dei meu primeiro passo. E então parei quando o cetim apertado se rasgou uns quinze centímetros coxa acima. Alice!

Bom, Alice sempre parecia lidar com as roupas como se fossem descartáveis e existissem para ser usadas uma única vez, então ela não deveria se importar com aquilo. Curvei-me para pegar com cuidado a bainha no lado intacto e, exercendo a menor pressão possível, abri o vestido até o alto da coxa. Depois fiz o mesmo com o outro lado, para igualar.

Muito melhor assim.

Eu podia ouvir o riso abafado na casa, e até o som de alguém trincando os dentes. O riso vinha dos dois andares, e reconheci facilmente a risada rouca e gutural do primeiro andar.

Então Jacob também estava olhando? Eu não conseguia imaginar o que ele estaria pensando agora, ou o que ainda estava fazendo ali. Eu imaginara nosso reencontro — se ele pudesse me perdoar — acontecendo no futuro, quando eu estivesse mais estável e o tempo tivesse curado as feridas que infligi a seu coração.

Não me virei para olhá-lo agora, preocupada com minhas oscilações de humor. Não seria bom deixar que qualquer emoção dominasse meu estado de espírito. Os temores de Jasper haviam me deixado tensa. Eu tinha de caçar antes de lidar com qualquer outra coisa. Tentei me esquecer de todo o resto para me *concentrar*.

— Bella? — Edward chamou do bosque, a voz ficando mais próxima. — Quer ver de novo?

Mas eu me lembrava de tudo com perfeição, é claro, e não queria que Emmett tivesse um motivo para achar *mais* graça de meu treinamento. Aquilo era físico — devia ser instintivo. Então respirei fundo e corri para o rio.

Sem a obstrução da saia, foi preciso só uma passada longa para chegar à beira da água. Apenas oitenta e quatro avos de segundo, e no entanto foi tempo suficiente — meus olhos e minha mente se moviam tão rapidamente que um passo foi bastante. Foi simples posicionar meu pé direito na pedra lisa e exercer a pressão certa para mandar meu corpo voando pelo ar. Estava mais atenta ao objetivo do que à força, e errei na quantidade de força necessária — mas pelo menos não errei para o lado que teria me deixado molhada. A extensão de cinquenta metros era uma distância meio *fácil* demais...

Foi uma coisa estranha, vertiginosa, eletrizante, mas curta. Um segundo inteiro ainda por passar, e eu estava do outro lado.

Eu esperara que as árvores densamente agrupadas fossem um problema, mas elas foram surpreendentemente úteis. Foi uma simples questão de estender uma mão firme enquanto caía na direção do solo, no meio da floresta, e me vi em um galho conveniente; balancei levemente e pousei, apoiando-me nos dedos dos pés, ainda a quinze metros do chão, no maior galho de um abeto.

Foi fabuloso.

Acima do som retinido de meu riso deliciado, pude ouvir Edward correndo ao meu encontro. Meu salto fora duas vezes mais longo que o dele. Quando chegou à minha árvore, estava com os olhos arregalados. Saltei com agilidade do galho para o seu lado, tornando a pousar silenciosamente com a parte dianteira dos pés.

— Foi bom? — perguntei, minha respiração acelerada com a empolgação.

— Muito bom. — Ele sorriu, aprovando, mas seu tom despreocupado não combinava com a expressão de surpresa nos olhos.

— Podemos repetir?

— Foco, Bella... Estamos numa excursão de caça.

— Ah, sim — assenti. — Caçar.

— Siga-me... Se puder. — Ele sorriu, a expressão de repente debochada, e saiu correndo.

Ele era mais rápido do que eu. Eu não conseguia imaginar como ele movia as pernas numa velocidade tão intensa, mas aquilo estava além de mim. No entanto, eu *era* mais forte, e cada passada minha equivalia a três dele. E assim voei com ele pela teia verde e viva, a seu lado, não atrás. Enquanto eu corria, não consegui deixar de rir baixinho com a emoção; o riso não me atrasava nem perturbava meu foco.

Finalmente eu podia entender por que Edward nunca batia nas árvores quando corria — uma questão que sempre fora um mistério para mim. Era uma sensação peculiar, o equilíbrio entre a velocidade e a clareza. Porque, enquanto eu disparava acima, debaixo e através do espesso labirinto de jade, a uma velocidade que deveria reduzir tudo à minha volta a uma mancha verde indistinta, eu podia ver muito bem cada folhinha em todos os pequenos galhos de cada insignificante arbusto por que passava.

O vento lançava meu cabelo e meu vestido rasgado para trás, e embora eu soubesse que não deveria ser assim, parecia quente na minha pele. Da mesma forma, o chão irregular da floresta não devia parecer veludo sob meus pés descalços e os galhos que me chicoteavam a pele não deviam parecer plumas me acariciando.

A floresta era muito mais viva do que eu jamais imaginara — pequenas criaturas, cuja existência nunca imaginei, fervilhavam nas folhas à minha volta. Todas ficavam em silêncio depois de passarmos, sua respiração se acelerando de medo. Os animais tinham uma reação muito mais sensata ao nosso cheiro que os humanos pareciam ter. Certamente, tivera o efeito contrário em mim.

Continuei esperando sentir-me sem fôlego, mas minha respiração vinha sem esforço. Esperei que meus músculos começassem a queimar, mas minha força só parecia aumentar enquanto eu me acostumava com o ritmo. Meus saltos se estenderam mais, e logo Edward estava tentando me acompanhar. Eu ri de novo, exultante, quando o ouvi ficar para trás. Meus pés descalços tocavam o chão com tão pouca frequência agora que mais pareciam voar do que correr.

— Bella — chamou ele, a voz serena, preguiçosa. Não consegui ouvir mais nada; ele tinha parado.

Pensei brevemente em protestar.

Mas com um suspiro dei meia-volta e saltei levemente para o lado dele, algumas centenas de metros atrás. Olhei para ele cheia de expectativa. Ele estava sorrindo, com uma sobrancelha arqueada. Era tão lindo que eu só conseguia ficar olhando.

— Você queria ficar no país? — perguntou ele, divertido. — Ou estava planejando prosseguir até o Canadá?

— Está bom aqui — concordei, concentrando-me menos no que ele dizia e mais na forma hipnótica com que seus lábios se mexiam quando falava. Era difícil não me deixar distrair por tudo o que era novidade para os meus olhos novos e poderosos. — O que estamos caçando?

— Alces. Pensei numa coisa fácil para a primeira vez... — Ele se interrompeu quando meus olhos se estreitaram com a palavra *fácil*.

Mas não ia discutir; estava com sede demais. Assim que comecei a pensar no ardor seco em minha garganta, essa era a *única* coisa em que conseguia focalizar. Estava, sem dúvida, ficando pior. Minha boca parecia as quatro horas de uma tarde de verão no Vale da Morte.

— Onde? — perguntei, examinando com impaciência as árvores. Agora que eu dera atenção à sede, ela parecia contaminar todos os meus outros pensamentos, escoando para os pensamentos mais agradáveis, como correr, os lábios de Edward, beijar e... a sede abrasadora. Eu não conseguia me livrar dela.

— Fique parada um minuto — disse ele, colocando as mãos de leve em meus ombros.

A urgência de minha sede cedeu por um momento ao toque dele.

— Agora feche os olhos — ele murmurou.

Quando obedeci, ele levou as mãos ao meu rosto, afagando-o. Senti minha respiração se acelerar e novamente esperei, por um breve instante, pelo rubor que não viria.

— Ouça — instruiu Edward. — O que está ouvindo?

Tudo, eu poderia ter dito; sua voz perfeita, sua respiração, seus lábios roçando um no outro enquanto ele falava, o sussurro de aves alisando as penas nas copas das árvores, seus batimentos cardíacos palpitantes, as folhas de bordo raspando umas nas outras, o leve estalido de formigas seguindo por uma longa fila na casca da árvore mais próxima. Mas eu sabia que ele se referia a algo específico, então deixei que meus ouvidos ampliassem o alcance, procurando algo diferente do leve zumbido de vida que me cercava. Havia um espaço aberto perto de nós — o vento tinha um som diferente quando atravessava a relva exposta — e um pequeno riacho, com um leito rochoso. E ali, perto do barulho da correnteza, o ruído de línguas mergulhando na água, o martelar de corações pesados, bombeando volumosas torrentes de sangue.

Parecia que minha garganta tinha se fechado.

— No riacho, a nordeste? — perguntei, os olhos ainda fechados.

— Sim. — A voz dele era de aprovação. — Agora... espere pela brisa de novo... Que cheiro sente?

Principalmente o dele — seu estranho perfume de lilás, mel e sol. Mas também o cheiro rico e terroso de putrefação e musgo, a resina nas sempre-vivas, o aroma quente e quase amendoado dos pequenos roedores passando por baixo das raízes das árvores. E depois, de novo, o cheiro limpo da água, que surpreendentemente me era indiferente, apesar da sede. Concentrei-me na água e descobri o cheiro que devia acompanhar as lambidas e o coração pesado. Outro cheiro quente, denso e penetrante, mais forte do que os outros. E no entanto quase tão pouco atraente quanto o riacho. Franzi o nariz.

Ele riu.

— Eu sei... Leva algum tempo para nos acostumarmos.

— Três? — tentei adivinhar.

— Cinco. Há outros dois nas árvores atrás deles.

— O que eu faço agora?

A julgar por sua voz, ele estava sorrindo.

— O que tem vontade de fazer?

Ponderei, os olhos ainda fechados enquanto escutava e sentia o cheiro. Outro surto de sede ardente invadiu minha consciência e de repente o odor quente e penetrante não era tão desagradável. Pelo menos seria alguma coisa quente e molhada em minha boca ressecada. Meus olhos se abriram de repente.

— Não pense — sugeriu ele enquanto retirava as mãos de meu rosto e recuava um passo. — Apenas siga seus instintos.

Deixei-me levar pelo cheiro, quase inconsciente de meus movimentos enquanto flutuava pelo declive até a campina estreita onde corria o regato. Meu corpo inclinou-se automaticamente e eu me agachei, enquanto hesitava na entrada do bosque margeado de samambaias. Podia ver o grande macho, com uma galhada de duas dezenas de cornos, na margem do regato, e as formas manchadas de sombras dos outros quatro seguindo para o leste, entrando na floresta num passo tranquilo.

Concentrei-me no cheiro do macho, no ponto quente em seu pescoço peludo onde o calor pulsava mais forte. Só trinta metros — duas ou três passadas — entre nós. Eu me retesei para o primeiro salto.

Mas enquanto meus músculos se contraíam, na preparação, o vento mudou, soprando mais forte, vindo do sul. Não parei para pensar, partindo das árvores em um caminho perpendicular ao meu plano original, assustando o alce, que entrou na floresta, e correndo atrás de uma nova fragrância tão atraente que não era uma opção. Era compulsório.

O cheiro me dominava completamente. Eu estava obcecada enquanto o rastreava, ciente apenas da sede e do cheiro que prometia mitigá-la. A sede ficou pior, tão dolorosa agora que confundia todos os outros pensamentos e começava a me lembrar do veneno queimando em minhas veias.

Só havia uma coisa que tinha alguma possibilidade de penetrar meu foco, um instinto mais poderoso, mais básico do que a necessidade de mitigar o fogo — era o instinto de me proteger do perigo. A autopreservação.

De repente fiquei alerta para o fato de que estava sendo seguida. A atração do cheiro irresistível lutava com o impulso de me virar e defender minha caça. Um gorgolejo se formou em meu peito, meus lábios recuaram por vontade própria e expuseram os dentes, numa advertência. Meus pés desaceleraram, a necessidade de proteger minhas costas lutando contra o desejo de saciar a sede.

E então pude ouvir meu perseguidor ganhando terreno, e a defesa venceu. Enquanto eu girava, o som crescente abriu caminho por minha garganta e saiu.

O rosnado bestial, saindo de minha boca, foi tão inesperado que me fez parar. Ele me inquietou e clareou minha cabeça por um segundo — a névoa da sede recuou, embora a sede em si ainda ardesse.

O vento mudou, soprando o cheiro de terra molhada e chuva próxima em meu rosto, libertando-me ainda mais das garras abrasadoras do outro cheiro — um aroma tão delicioso que só podia ser humano.

Edward hesitou, a alguns passos, os braços estendidos como se para me abraçar — ou me conter. Seu rosto estava concentrado e cauteloso, e eu me vi imobilizada, horrorizada.

Percebi que estivera prestes a atacá-lo. Com um movimento brusco, saí de minha posição abaixada, defensiva. Prendi a respiração enquanto voltava a me concentrar, temendo o poder da fragrância que vinha do sul.

Ele viu a razão voltar ao meu rosto e deu um passo na minha direção, baixando os braços.

— Tenho de sair daqui — cuspi entre os dentes, usando a respiração que prendia.

O choque atravessou seu rosto.

— Você *consegue* sair?

Não havia tempo para perguntar o que ele quis dizer com aquilo. Eu sabia que a capacidade de pensar com clareza só duraria o tempo em que conseguisse me reprimir de pensar em...

Disparei numa corrida outra vez, seguindo direto para o norte, concentrando-me unicamente na sensação desagradável de privação sensorial que parecia ser a única reação de meu corpo à falta de ar. Minha única meta era correr para o mais longe possível a fim de que o cheiro atrás de mim se perdesse completamente. Impossível de encontrar, mesmo que eu mudasse de ideia...

Novamente eu estava ciente de que era seguida, mas dessa vez eu estava sã. Reprimi o instinto de respirar — de usar os odores no ar para me certificar de que era Edward. Não precisei lutar muito; embora estivesse correndo mais rápido do que nunca, como um cometa, pelo caminho mais reto que conseguia encontrar entre as árvores, Edward me alcançou depois de um breve minuto.

Um novo pensamento me ocorreu, e me detive. Eu tinha certeza de que era seguro ali, mas prendi a respiração, só por segurança.

Edward passou por mim, surpreso com minha parada repentina. Ele girou e estava a meu lado em um segundo. Pôs as mãos em meus ombros e me fitou nos olhos, o choque ainda a emoção dominante em seu rosto.

— Como você fez aquilo? — perguntou ele.

— Você me deixou vencer antes, não foi? — perguntei, ignorando sua pergunta. E eu que pensara estar indo tão bem!

Quando abri a boca, pude sentir o gosto do ar — ali não era poluído, não havia vestígios do irresistível perfume para atormentar minha sede. Respirei com cautela.

Ele deu de ombros e sacudiu a cabeça, recusando-se a desviar-se do assunto.

— Bella, como você fez isso?

— Fugir? Eu prendi a respiração.

— Mas como foi capaz de interromper a caçada?

— Quando você veio por trás de mim... Desculpe-me por aquilo.

— Por que está se desculpando *comigo*? Eu é que fui horrivelmente descuidado. Presumi que ninguém estaria tão longe das trilhas, mas devia ter verificado primeiro. Um erro tão idiota! *Você* não tem de se desculpar por nada.

— Mas eu rosnei para você! — Ainda estava horrorizada que fosse fisicamente capaz de tal atitude.

— É claro que rosnou. Isso é natural. Mas não consigo entender como você fugiu.

— O que mais eu poderia fazer? — perguntei. A atitude dele me confundia... o que ele *queria* que tivesse acontecido? — Poderia ser alguém que conheço!

Ele me assustou, explodindo de repente numa gargalhada, lançando a cabeça para trás e deixando o som ecoar nas árvores.

— *Por que está rindo de mim?*

Ele parou imediatamente, e pude ver que estava cauteloso de novo.

Mantenha o controle, pensei comigo mesma. Eu precisava tomar cuidado com meu gênio. Como se eu fosse um lobisomem jovem, não uma vampira.

— Não estou rindo de você, Bella. Estou rindo porque estou chocado. E estou em estado de choque porque estou completamente pasmo.

— Por quê?

— Você não devia ser capaz de fazer nada disso. Não devia ser tão... racional. Não devia ser capaz de estar aqui discutindo isso comigo, calma e friamente. E, muito mais do que isso: você *não* devia ser capaz de interromper uma caçada com o cheiro de sangue humano no ar. Até vampiros maduros têm dificuldade com isso... Somos sempre muito cuidadosos com o local de caça para não nos colocarmos no caminho da tentação. Bella, você está se comportando como se tivesse décadas, e não dias, de idade.

— Ah! — Mas eu sabia que ia ser difícil. Era por isso que eu estava tão precavida. Esperava que fosse difícil.

Ele pôs as mãos em meu rosto de novo, e seus olhos estavam cheios de assombro.

— O que eu não daria para poder ver sua mente, neste único momento.

Emoções tão poderosas! Eu estava preparada para a parte da sede, mas não para aquilo. Estivera tão certa de que não seria a mesma coisa quando ele me tocasse. Bom, na verdade, não era a mesma coisa.

Era mais forte.

Estendi a mão para traçar a superfície de seu rosto; meus dedos permaneceram um longo tempo em sua boca.

— Eu achei que ainda fosse levar muito tempo para sentir isso? — Minha incerteza fez das palavras uma pergunta. — Mas eu ainda *quero* você.

Ele piscou, perplexo.

— Como pode se concentrar nisso? Não está com uma sede insuportável?

É claro que estava, *agora* que ele abordara o assunto de novo!

Tentei engolir e então suspirei, fechando os olhos como fizera antes, para me concentrar mais facilmente. Deixei que meus sentidos se expandissem à minha volta, dessa vez tensa, para o caso de vir outra onda do delicioso cheiro proibido.

Edward baixou as mãos, sem sequer respirar enquanto eu ouvia cada vez mais longe na teia de vida verde, examinando cheiros e sons, procurando alguma coisa que não fosse totalmente repulsiva à minha sede. Havia algo diferente, um rastro fraco a leste...

Meus olhos se abriram de repente, mas meu foco ainda estava nos sentidos mais agudos enquanto eu me virava e disparava em silêncio para o leste. O chão assumiu um aclive acentuado quase imediatamente, e corri em postura de caça, perto do chão, preferindo as árvores quando era mais fácil. Sentia, mais do que ouvia, Edward comigo, flutuando em silêncio pelo bosque, deixando-me seguir na frente.

A vegetação rareava à medida que subíamos; o cheiro de breu e resina ficava mais forte, assim como o rastro que eu seguia — era um cheiro quente, mais intenso do que o cheiro do alce, e mais agradável. Alguns segundos depois eu podia ouvir o som abafado de pés imensos, muito mais sutis do que o de cascos. O som estava no alto — nos galhos, não no chão. Automaticamente, disparei para os galhos também, me colocando em uma posição estratégica mais elevada, no meio de um altaneiro abeto-branco.

O ruído suave de patas prosseguiu furtivamente, abaixo de mim; o cheiro forte estava muito próximo. Meus olhos localizaram o movimento ligado ao som e vi o couro fulvo do imenso felino movendo-se pelo grande galho de um abeto pouco abaixo e à esquerda de onde eu estava. Era grande — tinha tranquilamente quatro vezes a massa do meu corpo. Seus olhos estavam fixos no chão; o puma também caçava. Senti o cheiro de alguma coisa menor, suave, perto do aroma de minha presa, agachando-se no arbusto abaixo da árvore. A cauda do felino se movia espasmodicamente enquanto ele se preparava para atacar.

Com um salto leve, deslizei pelo ar e pousei no galho do puma. Ele sentiu o tremor da madeira e girou, rosnando em surpresa e desafio. Ele percorreu o espaço entre nós, os olhos brilhando de fúria. Enlouquecida pela sede, ignorei as presas expostas e as garras e me lancei contra ele, derrubando nós dois no chão da floresta.

Não foi bem uma briga.

Suas garras pontiagudas bem podiam ser dedos carinhosos, a julgar pelo impacto que tiveram na minha pele. Seus dentes não conseguiram encontrar maneira de perfurar meu ombro e meu pescoço. Seu peso não era nada. Meus dentes procuraram, certeiros, seu pescoço, e sua resistência instintiva foi melancolicamente fraca contra minha força. Minhas mandíbulas se fecharam com facilidade no ponto preciso onde o fluxo de calor se concentrava.

Foi tão fácil quanto morder manteiga. Meus dentes eram lâminas de aço; cortaram o pelo, a gordura e os tendões como se não fossem nada.

O sabor era inconveniente, mas o sangue era quente e molhado, e atenuou a sede intensa e implacável enquanto eu bebia com avidez. A luta do felino se tornou cada vez mais fraca e seus urros sufocaram com um gorgolejar. O calor do sangue se irradiou por todo o meu corpo, aquecendo até as pontas dos dedos das mãos e dos pés.

O puma se acabou antes de minha sede. A sensação ardeu de novo quando ele ficou seco; desgostosa, afastei sua carcaça de meu corpo. Como eu ainda podia ter sede depois daquilo tudo?

Pus-me de pé num único movimento. Então percebi que estava toda desarrumada. Limpei meu rosto no braço e tentei ajeitar o vestido. As garras que haviam sido tão ineficazes em minha pele obtiveram mais sucesso com o tecido fino.

— Humm — disse Edward.

Levantei a cabeça e o vi encostado despreocupadamente em um tronco de árvore, olhando-me com uma expressão pensativa.

— Acho que podia ter feito melhor. — Eu estava coberta de terra, o cabelo embaraçado, o vestido sujo de sangue e em farrapos. Edward não chegava das caçadas daquele jeito.

— Você se saiu perfeitamente bem — garantiu-me ele. — É só que... olhar foi muito mais difícil do que deveria ter sido.

Ergui as sobrancelhas, confusa.

— Vai contra minha natureza — explicou ele — deixar que você lute com pumas. Fiquei ansioso o tempo todo.

— Bobo.

— Eu sei. Os velhos hábitos custam a morrer. Mas gostei das melhorias em seu vestido.

Se eu pudesse corar, teria corado. Mudei de assunto.

— Por que ainda estou com sede?

— Porque você é jovem.

Suspirei.

— E não creio que haja outros pumas por perto.

— Mas há muitos cervos.

Fiz uma careta.

— O cheiro deles não é tão bom.

— Herbívoros. Os carnívoros têm um cheiro mais parecido com o dos humanos — explicou ele.

— Não tanto — discordei, tentando não me lembrar.

— Podemos voltar — disse ele solenemente, mas havia um brilho debochado em seus olhos. — Se eram homens que estavam lá, provavelmente nem se importariam de morrer se fosse você a responsável por isso. — Seu olhar percorreu meu vestido esfarrapado de novo. — Na realidade, eles pensariam que já estavam mortos e no paraíso, no momento em que a vissem.

Revirei os olhos e bufei.

— Vamos caçar uns herbívoros fedorentos.

Encontramos um grande rebanho de alces enquanto corríamos de volta para casa. Dessa vez ele caçou comigo, agora que eu tinha pegado o jeito. Eu abati um macho grande, fazendo quase tanta sujeira quanto fizera com o puma. Ele terminou com dois antes que eu tivesse acabado com o primeiro, sem um só fio de cabelo fora do lugar, nenhuma mancha na camisa branca. Perseguimos o rebanho disperso e apavorado, mas, em vez de me alimentar novamente, dessa vez observei com cuidado para ver como ele conseguia caçar com tanta elegância.

Todas as vezes que desejei que Edward não tivesse de me deixar para trás quando caçava, eu no fundo sentira certo alívio. Porque eu tinha certeza de que ver aquilo seria assustador. Apavorante. De que vê-lo caçar finalmente o faria parecer um vampiro para mim.

É claro que era muito diferente daquela perspectiva, como vampira. Mas eu duvidava de que mesmo com olhos humanos tivesse deixado de ver a beleza naquilo.

Era uma experiência surpreendentemente sensual observar Edward caçando. Seu ataque suave era como o bote sinuoso de uma cobra; suas mãos eram tão seguras, tão fortes, tão completamente inescapáveis; seus lábios cheios eram perfeitos ao se afastarem sobre os dentes reluzentes. Ele era glorioso.

Senti uma onda repentina de orgulho e desejo. Ele era *meu*. Nada podia me separar dele agora. Eu era forte demais para ser afastada dele.

Ele era muito rápido. Virou-se para mim e olhou com curiosidade minha expressão de prazer.

— Não está mais com sede? — perguntou.

Eu dei de ombros.

— Você me distraiu. Você é muito melhor do que eu.

— Séculos de prática. — Ele sorriu. Seus olhos agora tinham um tom dourado adorável e desconcertante.

— Só um — corrigi.

Ele riu.

— Acabou por hoje? Ou quer continuar?

— Acho que acabei. — Eu me sentia saciada, até meio empanzinada. Não sabia quanto líquido a mais caberia no meu corpo. Mas o fogo em minha garganta estava apenas abafado. Eu já sabia que a sede era uma parte inseparável daquela vida.

E valia a pena!

Eu me sentia controlada. Talvez meu sentido de segurança fosse falso, mas eu estava muito satisfeita por não ter matado ninguém hoje. Se eu podia resistir a humanos desconhecidos, não seria capaz de lidar com o lobisomem e uma criança metade vampira que eu amava?

— Quero ver Renesmee — eu disse. Agora que minha sede estava domada (ainda que não erradicada), era difícil esquecer minhas preocupações anteriores. Eu queria reconciliar a estranha que era minha filha com a criatura que eu amava três dias atrás. Era tão estranho, tão errado não tê-la mais dentro de mim. Abruptamente, senti-me vazia e inquieta.

Ele me estendeu a mão. Eu a peguei, e sua pele parecia mais quente que antes. Seu rosto estava ligeiramente corado, as olheiras haviam desaparecido.

Eu era incapaz de resistir a afagar seu rosto de novo. E de novo.

Quase me esqueci de que esperava uma resposta ao meu pedido, enquanto fitava seus olhos dourados.

Era quase tão difícil quanto fora me afastar do sangue humano, mas de algum modo mantive firme em minha mente a necessidade de ser cuidadosa ao me esticar na ponta dos pés e o envolver em meus braços. Gentilmente.

Ele não foi tão hesitante nos movimentos; seus braços se fecharam em minha cintura e me puxaram com força para seu corpo. Seus lábios esmagaram os meus, mas pareciam macios. Meus lábios não se modelavam mais aos dele; agora eles ofereciam resistência.

Como antes, era como se o toque de sua pele, seus lábios, suas mãos, estivesse penetrando minha pele lisa e dura, até chegar aos ossos. Até a essência do meu corpo. Eu não imaginara que podia amá-lo mais do que antes.

Minha mente antiga não fora capaz de conter tanto amor. Meu antigo coração não era forte o bastante para suportar aquilo.

Talvez essa fosse a parte de mim que eu guardara para ser intensificada em minha nova vida. Como a compaixão de Carlisle e a devoção de Esme. Eu provavelmente nunca seria capaz de fazer nada de interessante ou especial como Edward, Alice e Jasper. Talvez eu só amaria Edward mais do que qualquer um na história do mundo pôde amar alguém.

Eu podia viver com isso.

Lembrava de algumas coisas — torcer os dedos em seu cabelo, deslizar a mão pela superfície de seu peito —, mas outras eram novas. Ele era novo. Era uma experiência totalmente diferente com Edward me beijando com tamanho destemor e intensidade. Eu correspondi ao seu vigor, e então, de repente, estávamos no chão.

— Epa — eu disse, e ele riu debaixo de mim. — Eu não pretendia agarrar você desse jeito. Você está bem?

Ele afagou meu rosto.

— Um pouco melhor do que *bem*. — E, então, uma expressão perplexa atravessou seu rosto. — Renesmee? — perguntou, vacilando, tentando averiguar o que eu mais queria naquele momento. Uma pergunta de resposta muito difícil, porque eu queria muitas coisas ao mesmo tempo.

Dava para ver que ele não era exatamente avesso ao adiamento de nossa viagem de volta, e era difícil pensar em alguma coisa além de sua pele na minha — de fato não restara mesmo muito do vestido. Mas minha lembrança de Renesmee, antes e depois de seu nascimento, estava se tornando cada vez mais onírica para mim. Mais improvável. Todas as minhas lembranças dela eram humanas; uma aura de artificialidade se agarrava a elas. Nada que eu não tivesse visto com aqueles olhos, tocado com aquelas mãos, parecia real.

A cada minuto a realidade daquela pequena estranha escapava cada vez para mais longe.

— Renesmee — concordei, pesarosa, e rapidamente fiquei de pé, puxando-o comigo.

22. PROMETIDA

PENSAR EM RENESMEE A TROUXE AO CENTRO DO PALCO DE MINHA MENTE nova, estranha e espaçosa, mas que facilmente se distraía. Tantas eram as perguntas.

— Fale-me dela — insisti enquanto ele pegava minha mão. Andar de mãos dadas não nos retardava.

— Nada neste mundo se iguala a ela — disse-me ele, e o som de uma devoção quase religiosa estava presente de novo em sua voz.

Senti uma pontada aguda de ciúme daquela estranha. Ele a conhecia, e eu ainda não. Não era justo.

— Ela é parecida com você? É parecida comigo? Ou com o que eu era, pelo menos.

— Parece uma divisão perfeita.

— Ela tem sangue quente — lembrei.

— Sim. E tem batimento cardíaco, embora seja um pouco mais rápido que o coração de um humano. Sua temperatura é um pouco mais alta que o normal. Ela dorme.

— É mesmo?

— Bastante bem para uma recém-nascida. Os únicos pais do mundo que não precisam dormir, e nossa filha já dorme a noite toda. — Ele riu.

Gostei do modo como ele disse *nossa filha*. As palavras a tornavam mais real.

— Os olhos dela têm exatamente a cor dos seus, de modo que isso, afinal, não se perdeu. — Ele sorriu para mim. — Eles são lindos.

— E a parte vampira? — perguntei.

— A pele dela parece quase tão impenetrável quanto a nossa. Não que alguém tenha pensado em testar.

Eu pisquei, um tanto chocada.

— É claro que ninguém faria isso — ele me tranquilizou de novo. — A dieta... bem, ela prefere beber sangue. Carlisle continua tentando convencê-la a beber uma mistura para bebês também, mas ela não tem muita paciência com isso. Não posso dizer que a culpo... A coisa tem um cheiro horrível, até para uma comida de humanos.

Eu agora estava boquiaberta. Ele falava como se os dois andassem conversando.

— Convencê-la?

— Ela é inteligente, impressionantemente inteligente, e progride a um ritmo imenso. Embora não fale... ainda... ela se comunica com muita eficácia.

— Não. Fala. *Ainda*.

Ele reduziu o ritmo mais um pouco, deixando que eu absorvesse aquilo.

— O que quer dizer com ela se comunica com eficácia? — perguntei.

— Creio que será mais fácil você... ver por si mesma. É difícil descrever.

Pensei naquilo. Eu sabia que havia muita coisa que precisava ver por mim mesma antes de ser real. Não sabia bem para o quanto mais eu estava preparada, então mudei de assunto.

— Por que Jacob ainda está aqui? — perguntei. — Como ele consegue suportar? Por que suporta? — Minha voz tremeu um pouco. — Por que ele teria de sofrer mais?

— Jacob não está sofrendo — disse ele num tom novo e estranho. — Embora eu possa estar disposto a mudar essa condição — acrescentou Edward entredentes.

— Edward! — sibilei, dando-lhe um puxão para que parasse (e sentindo uma leve arrogância por poder fazer isso). — Como pode dizer isso? Jacob abriu mão de *tudo* para nos proteger! O que eu o fiz passar...! — Eu me encolhi com a obscura lembrança de vergonha e culpa. Agora parecia estranho que eu precisasse tanto dele na época. Aquela sensação de ausência, sem ele por perto, tinha desaparecido; devia ser uma fraqueza humana.

— Você verá exatamente por que posso dizer isso — murmurou Edward. — Prometi a ele que eu o deixaria explicar, mas duvido de que você vá ver de forma diferente da minha. É claro que em geral eu estou errado com relação a seus pensamentos, não é? — Ele franziu os lábios e olhou para mim.

— Explicar o quê?

Edward sacudiu a cabeça.

— Eu prometi. Embora não saiba se realmente ainda devo a ele alguma coisa... — Seus dentes trincaram.

— Edward, não estou entendendo. — A frustração e a indignação dominavam minha mente.

Ele afagou meu rosto e sorriu com delicadeza quando minha expressão se suavizou, o desejo momentaneamente sobrepujando a irritação.

— É mais difícil do que você faz parecer, eu sei. Eu lembro.

— Não gosto de ficar confusa.

— Eu sei. Então vamos para casa, assim você pode ver com seus próprios olhos. — Seus olhos percorreram o que restava de meu vestido quando ele falou em ir para casa, e sua testa se franziu. — Humm. — Depois de meio segundo de reflexão, ele desabotoou a camisa branca e a estendeu para que eu a vestisse.

— Está tão ruim assim?

Ele deu um sorriso malicioso.

Passei os braços nas mangas e a abotoei rapidamente por cima do corpete rasgado. É claro que isso o deixou sem camisa, e era impossível evitar que o fato me distraísse.

— Vamos apostar uma corrida — eu disse, e então alertei: — Nada de entregar o jogo desta vez!

Ele soltou minha mão e sorriu.

— Em sua posição...

Encontrar o caminho para minha nova casa era mais simples do que andar pela rua de Charlie, indo para a antiga casa. Nosso cheiro deixava um rastro claro e fácil de seguir, mesmo correndo o mais rápido que eu podia.

Edward estava me vencendo até que chegamos ao rio. Arrisquei e saltei antes, tentando usar minha força a mais para vencer.

— Ah! — exultei quando ouvi meus pés tocarem a relva primeiro.

Aguardando seu pouso, ouvi algo que eu não esperava. Algo alto e muito próximo. Um coração batendo.

Edward estava ao meu lado no mesmo segundo, as mãos se fechando com firmeza no alto de meus braços.

— Não respire — alertou ele com urgência.

Tentei não entrar em pânico enquanto parava, prendendo a respiração. Meus olhos eram as únicas coisas que se mexiam, girando instintivamente para encontrar a origem do som.

Jacob estava parado na linha onde a floresta tocava o gramado dos Cullen, de braços cruzados, o maxilar cerrado. Invisíveis no bosque atrás dele, eu agora ouvia dois corações maiores e o som fraco de patas pesadas em movimento, esmagando a vegetação.

— Cuidado, Jacob — disse Edward. Um rosnado da floresta ecoou a preocupação em sua voz. — Talvez essa não seja a melhor maneira...

— Acha que seria melhor deixar que ela chegue perto do bebê primeiro? — interrompeu Jacob. — É mais seguro ver como Bella age comigo. Eu me curo rapidamente.

Aquilo era um teste? Para ver se eu podia não matar Jacob antes de tentar não matar Renesmee? Senti-me enjoada de uma forma muito estranha — não tinha nada a ver com o estômago, só com a mente. Era ideia de Edward?

Olhei seu rosto, ansiosa; Edward pareceu refletir por um momento, e então sua expressão se retorceu de preocupação com outra coisa. Ele deu de ombros e havia um tom de hostilidade em sua voz quando ele falou.

— O pescoço é seu, afinal.

Dessa vez o grunhido da floresta foi furioso; Leah, eu não tinha dúvidas.

O que havia com Edward? Depois de tudo por que passamos, ele não deveria ser capaz de um pouco de gentileza com meu melhor amigo? Eu havia pensado — talvez tolamente — que Edward agora também era uma espécie de amigo de Jacob. Eu devia ter interpretado mal os dois.

Mas o que Jacob estava fazendo? Por que ele se ofereceria como teste para proteger Renesmee?

Aquilo não fazia sentido nenhum para mim. Mesmo que nossa amizade tivesse sobrevivido...

E quando meus olhos encontraram os de Jacob, pensei que talvez tivesse. Ele ainda parecia meu melhor amigo. Mas a transformação não tinha acontecido com ele. Como eu pareceria a ele?

Então ele abriu seu sorriso familiar, o sorriso de um espírito afim, e tive certeza de que nossa amizade estava intacta. Era como antes, quando ficávamos na oficina em sua casa, apenas dois amigos matando o tempo. Fácil e *normal*. De novo, percebi que a necessidade estranha que eu sentia por ele antes de me transformar se fora completamente. Ele era só meu amigo, como devia ser.

No entanto, seu comportamento agora ainda não fazia sentido. Seria ele tão altruísta que tentaria impedir — com a própria vida — que eu fizesse uma coisa em uma fração de segundo de descontrole da qual me arrependeria profundamente para sempre? Estava muito além de simplesmente tolerar o que eu me tornara, ou conseguir milagrosamente continuar sendo meu amigo.

Jacob era uma das melhores pessoas que eu conhecia, mas parecia demais aceitar isso de alguém.

Seu sorriso se alargou, e ele estremeceu levemente.

— Tenho de admitir, Bells. Você está um show de horrores.

Retribuí o sorriso, voltando facilmente ao antigo padrão. Aquele era um lado dele que eu compreendia.

Edward grunhiu.

— Cuidado, vira-lata.

O vento soprou por trás de mim e rapidamente enchi os pulmões com o ar seguro para poder falar.

— Não, ele tem razão. Os olhos são mesmo chocantes, não são?

— Superarrepiantes. Mas não ficou tão ruim quanto eu pensava.

— Cara... obrigada pelo elogio impressionante!

Ele revirou os olhos.

— Sabe o que quero dizer. Você ainda parece você... mais ou menos. Talvez não seja a aparência tanto... quanto o fato de você *ser* a Bella. Não achei que seria assim, como se você ainda estivesse aqui. — Ele sorriu para mim de novo sem um vestígio sequer de amargura ou ressentimento no rosto. Depois riu e disse: — De qualquer modo, acho que logo vou me acostumar com os olhos.

— Vai? — perguntei, confusa. Era maravilhoso que ainda fôssemos amigos, mas não achei que iríamos passar tanto tempo juntos.

Um olhar estranhíssimo cruzou o rosto de Jake, apagando o sorriso. Era quase... culpa? Depois seus olhos passaram a Edward.

— Obrigado — disse ele. — Não sabia se você seria capaz de não contar a ela, com ou sem promessa. Em geral, você dá tudo o que ela quer.

— Talvez eu tenha esperanças de que ela fique irritada e arranque sua cabeça — comentou Edward.

Jacob bufou.

— O que está acontecendo? Vocês dois estão guardando segredos de mim? — perguntei, incrédula.

— Eu explico mais tarde — disse Jacob, constrangido, como se não pretendesse fazer isso. Depois mudou de assunto. — Primeiro, vamos ao espetáculo. — Seu sorriso era um desafio quando ele começou a avançar lentamente.

Houve um gemido de protesto atrás dele, depois o corpo cinza de Leah surgiu do meio das árvores. Seth, mais alto e cor de areia, vinha logo atrás dela.

— Calma, pessoal — disse Jacob. — Fiquem fora disso.

Fiquei feliz por eles não o ouvirem, apenas o seguirem um pouco mais lentamente.

O vento agora estava parado; não levaria seu cheiro para longe de mim.

Ele se aproximou o bastante para eu poder sentir o calor de seu corpo no ar entre nós. Minha garganta ardeu em resposta.

— Vamos lá, Bells. Faça o pior que puder.

Leah sibilou.

Eu não queria respirar. Não era certo tirar proveito de Jacob de modo tão perigoso, mesmo que ele estivesse oferecendo. Mas eu não conseguia fugir da lógica. De que outra maneira eu teria certeza de que não machucaria Renesmee?

— Estou envelhecendo aqui, Bella — brincou Jacob. — Tudo bem, não tecnicamente, mas você entendeu a ideia. Ande, dê uma fungada.

— Me segure — pedi a Edward, recuando até me encostar em seu peito.

Suas mãos apertaram meus braços.

Retesei meus músculos, na esperança de poder mantê-los paralisados. Resolvi que me sairia no mínimo tão bem quanto tinha me saído na caçada. Na pior das hipóteses, eu pararia de respirar e fugiria. Nervosa, puxei uma quantidade mínima de ar pelo nariz, preparada para tudo.

Doeu um pouco, mas minha garganta já estava ardendo, de qualquer forma. Jacob não tinha um cheiro muito mais humano do que o leão da montanha. Havia um toque de animal em seu sangue que me repeliu de imediato. Embora o som alto e molhado de seu coração fosse atraente, o cheiro que vinha com ele me fez franzir o nariz. Era mesmo *mais fácil* com o cheiro temperando minha reação ao som e o calor de seu sangue pulsando.

Respirei mais uma vez e relaxei.

— Humm. Agora posso entender o que todos os outros diziam. Você fede, Jacob.

Edward deu uma gargalhada. Suas mãos deslizaram de meus ombros e envolveram minha cintura. Seth ladrou um riso baixo em harmonia com Edward; ele se aproximou um pouco mais enquanto Leah se afastava vários passos. E, então, me dei conta de outra plateia quando ouvi a gargalhada baixa e distinta de Emmett, um pouco abafada pela parede de vidro entre nós.

— Olha quem está falando — disse Jacob, tapando teatralmente o nariz. Seu rosto não se retorceu quando Edward me abraçou, nem mesmo quando do se recompôs e sussurrou "Eu te amo" em meu ouvido. Jacob continuou sorrindo. Isso me fez ter esperanças de que as coisas ficassem bem entre nós, como não eram havia tanto tempo. Talvez agora eu pudesse verdadeiramente ser sua amiga, uma vez que o revoltava fisicamente o bastante para ele não me amar como antes. Talvez só precisássemos disso.

— Tudo bem, então eu passei, não é? — eu disse. — Agora vocês vão me contar que grande segredo é esse?

A expressão de Jacob era de puro nervosismo.

— Não é nada com que precise se preocupar neste momento...

Ouvi Emmett rir de novo — um som de expectativa.

Eu teria insistido em uma resposta, mas enquanto escutava Emmett ouvi outros sons. Sete pessoas respirando. Um par de pulmões se movendo mais depressa que os outros. Só um coração palpitando, como as asas de um passarinho, leve e rápido.

Eu me distraí completamente. Minha filha estava do outro lado daquela parede fina de vidro. Eu não podia vê-la — a luz refletia-se no vidro como um espelho. Eu só via a mim mesma, parecendo muito estranha — tão branca e imóvel —, comparada a Jacob. Ou, se comparada com Edward, com a aparência perfeita.

— Renesmee — sussurrei. O estresse me transformou em estátua novamente. Renesmee não teria o cheiro de um animal. Será que eu a colocaria em perigo?

— Venha ver — murmurou Edward. — Sei que pode lidar com isso.

— Vai me ajudar? — sussurrei pelos lábios imóveis.

— É claro que vou.

— E Emmett e Jasper... só por precaução?

— Vamos cuidar de você, Bella. Não se preocupe, estaremos preparados. Nenhum de nós poria Renesmee em risco. Acho que vai se surpreender ao ver como ela já nos tem totalmente em suas mãozinhas. Ela ficará perfeitamente segura, aconteça o que acontecer.

Minha ânsia de vê-la, de entender a veneração na voz de Edward, me retirou da paralisia. Dei um passo para a frente.

E então Jacob bloqueou meu caminho, o rosto uma máscara de preocupação.

— Tem *certeza*, sanguessuga? — perguntou ele a Edward, a voz quase suplicante. Eu nunca o ouvira falar assim com Edward. — Não gosto disso. Talvez ela deva esperar...

— Você teve seu teste, Jacob.

O teste havia sido de Jacob?

— Mas... — começou Jacob.

— Mas nada — disse Edward, de repente exasperado. — Bella precisa ver *nossa* filha. Saia do caminho.

Jacob me lançou um olhar estranho e frenético e depois se virou, quase disparando para a casa antes de nós.

Edward grunhiu.

Eu não conseguia entender o confronto deles, tampouco conseguia me concentrar nisso. Só pensava na criança cuja imagem estava enevoada em minha memória, e lutava contra a névoa, tentando me lembrar exatamente de seu rosto.

— Vamos? — disse Edward, a voz novamente gentil.

Assenti, nervosa.

Ele pegou minha mão e me levou para a casa.

Eles esperavam por mim numa fila sorridente que era ao mesmo tempo de boas-vindas e de defesa. Rosalie estava vários passos atrás dos outros, perto da porta da frente. Estava sozinha, até que Jacob se aproximou e se colocou na frente dela, mais perto do que era normal. Não havia sensação de conforto naquela proximidade; os dois pareciam se encolher.

Alguém muito pequeno se inclinava para a frente nos braços de Rosalie, espiando em volta de Jacob. De imediato, ela teve minha atenção absoluta, cada pensamento meu, como nada mais tivera desde que eu havia aberto os olhos.

— Eu só fiquei apagada dois dias? — arfei, incrédula.

A criança desconhecida nos braços de Rosalie devia ter semanas, se não meses de idade. Tinha talvez duas vezes o tamanho do bebê de minha lembrança obscura, e parecia sustentar o próprio tronco com facilidade ao se esticar em minha direção. Seu brilhante cabelo cor de bronze caía em cachos pelos ombros. Os olhos castanhos cor de chocolate me examinavam com um interesse que não era nada infantil; era adulto, consciente e inteligente. Ela levantou uma das mãos, estendendo-a na minha direção por um momento e depois voltando a tocar o pescoço de Rosalie.

Se seu rosto não fosse tão impressionante em sua beleza e perfeição, eu não teria acreditado que era a mesma criança. Minha filha.

Mas Edward *estava* presente em suas feições, e eu estava na cor dos olhos e do rosto. Até Charlie tinha um lugar em seus cachos grossos, embora a cor fosse a de Edward. Ela devia ser nossa. Impossível, mas ainda assim verdade.

No entanto, ver aquela pessoinha imprevista não a tornava mais real. Só a tornava mais fantástica.

Rosalie passou a mão no pescoço dela e murmurou:

— Sim, é ela.

Os olhos de Renesmee se fixaram em mim. Depois, como fizera segundos após seu nascimento violento, ela sorriu. Um lampejo brilhante de dentes brancos minúsculos e perfeitos.

Tonta por dentro, dei um passo hesitante na direção dela.

Todos agiram rápido.

Emmett e Jasper estavam bem na minha frente, ombro a ombro, as mãos preparadas. Edward me segurou por trás, os dedos firmes de novo no alto dos meus braços. Até Carlisle e Esme se colocaram ao lado de Emmett e Jasper, enquanto Rosalie recuou para a porta, os braços se fechando em torno de Renesmee. Jacob também se moveu, mantendo a atitude protetora na frente deles.

Alice foi a única que continuou em seu lugar.

— Ah, deem-lhe algum crédito — ela os censurou. — Ela não ia fazer nada. Vocês também iam querer olhar mais de perto.

Alice tinha razão. Eu tinha o controle de mim mesma. Estava preparada para tudo — para um cheiro tão impossivelmente persistente quanto o cheiro humano no bosque. A tentação ali não se comparava àquela. A fragrância de Renesmee tinha o perfeito equilíbrio entre o cheiro do mais maravilhoso perfume e o cheiro da comida mais deliciosa. Havia o cheiro doce de vampiro, suficiente para evitar que a parte humana se tornasse irresistível.

Eu podia lidar com aquilo. Eu tinha certeza.

— Estou bem — garanti, tirando a mão de Edward de meu braço. Depois hesitei e acrescentei: — Mas fiquem por perto, por precaução.

Os olhos de Jasper estavam estreitados e focalizados. Eu sabia que ele avaliava minhas emoções, e me esforcei para mantê-lo calmo e estável. Senti Edward soltar meus braços ao ler a avaliação de Jasper. Mas embora visse minhas emoções em primeira mão, Jasper não parecia ter certeza.

Quando ouviu minha voz, a criança lutou nos braços de Rosalie, esticando-se para mim. De algum modo, sua expressão parecia impaciente.

— Jazz, Em, deixe-nos passar. Bella está bem.

— Edward, o risco... — disse Jasper.

— É mínimo. Escute, Jasper... na caçada, ela captou o cheiro de uns montanhistas que estavam no lugar errado, na hora errada...

Ouvi Carlisle ofegar com o susto. O rosto de Esme de repente estava cheio de preocupação misturada à compaixão. Os olhos de Jasper arregalaram-se, mas ele assentiu de leve, como se as palavras de Edward respondessem a uma pergunta em sua mente. A boca de Jacob se retorceu numa careta de repugnância. Emmett deu de ombros. Rosalie pareceu ainda menos interessada do que Emmett enquanto tentava segurar a criança que se debatia em seus braços.

A expressão de Alice me disse que ela não estava surpresa. Seus olhos estreitos, focalizados com uma intensidade ardente em minha camisa emprestada, pareciam mais preocupados com o que eu fizera com o vestido que com qualquer outra coisa.

— Edward! — repreendeu Carlisle. — Como pôde ser tão irresponsável?

— Eu sei, Carlisle, eu sei. Fui um completo idiota. Devia ter me certificado de que estávamos numa área segura antes de deixá-la solta.

— Edward — murmurei, constrangida pelo modo como eles me fitavam. Era como se tentassem ver um vermelho mais vivo em meus olhos.

— Ele está inteiramente certo em me censurar, Bella — disse Edward com um sorriso. — Cometi um erro imenso. O fato de você ser mais forte do que todos que conheci não muda isso.

Alice revirou os olhos.

— Boa piada, Edward.

— Eu não estava fazendo piada. Estava explicando a Jasper por que sei que Bella pode lidar com isso. Não é minha culpa se todos chegaram a suas próprias conclusões.

— Espere aí — arquejou Jasper. — Ela não caçou os humanos?

— De início, sim — disse Edward, claramente se divertindo. Meus dentes trincaram. — Ela estava totalmente concentrada na caça.

— O que aconteceu? — interpôs-se Carlisle. Seus olhos estavam repentinamente brilhantes, um sorriso perplexo começando a se formar em seu rosto. Lembrei-me de antes, quando ele queria os detalhes de minha experiência de transformação. A emoção de novas informações.

Edward se inclinou para ele, animado.

— Ela me ouviu atrás dela e reagiu defensivamente. Assim que minha perseguição interrompeu sua concentração, ela se recuperou. Nunca vi nada igual a ela. Percebeu de imediato o que estava acontecendo, e então... *prendeu a respiração e fugiu*.

— Uau — murmurou Emmett. — É sério?

— Ele não está contando direito — murmurei, mais constrangida do que antes. — Ele deixou de fora a parte em que rosnei para ele.

— E você deu uns bons tapas nele? — perguntou Emmett, ávido.

— Não! É claro que não.

— Não mesmo? Você não o atacou?

— Emmett! — protestei.

— Ah, que desperdício — resmungou Emmett. — E aqui você provavelmente é a única pessoa que poderia pegá-lo... uma vez que ele não pode entrar em sua mente para trapacear. E ainda tinha a desculpa perfeita. — Ele suspirou. — Eu *morro* de vontade de ver como ele faria sem essa vantagem.

Eu o olhei, gélida.

— Eu nunca faria isso.

As rugas na testa de Jasper chamaram minha atenção; ele parecia ainda mais perturbado do que antes.

Com o punho, Edward tocou de leve o ombro de Jasper, num soco de brincadeira.

— Entendeu o que eu quis dizer?

— Não é natural — murmurou Jasper.

— Ela podia ter se voltado contra você... Ela só tem horas de idade! — ralhou Esme, colocando a mão no peito. — Ah, nós devíamos ter ido com vocês.

Eu não estava prestando muita atenção, agora que Edward já contara o final da piada. Estava fitando a linda criança na porta, que ainda me olhava. Suas mãos gordinhas se estenderam para mim como se ela soubesse exatamente quem eu era. Automaticamente, minha mão se ergueu, imitando a dela.

— Edward — eu disse, tentando vê-la melhor, atrás de Jasper. — Por favor?

Os dentes de Jasper estavam trincados; ele não se mexeu.

— Jazz, isso não é nada que você tenha visto antes — disse Alice baixinho. — Acredite em mim.

Seus olhos se encontraram por um curto segundo, e Jasper assentiu. Ele saiu do meu caminho, mas pôs uma das mãos em meu ombro e me acompanhou enquanto eu avançava lentamente.

Pensava antes de dar cada passo, analisando meu estado de espírito, o ardor em minha garganta, a posição dos outros ao meu redor. A força que eu sentia *versus* as chances que eles tinham de me conter. Era uma procissão lenta.

E depois a criança nos braços de Rosalie, que vinha lutando e se esticando aquele tempo todo enquanto sua expressão ficava cada vez mais irritada, soltou um gemido alto e agudo. Todos reagiram como se, assim como eu, nunca antes tivessem ouvido aquela voz.

Eles a cercaram em um segundo, deixando-me sozinha, paralisada onde estava. O som do choro de Renesmee me tomou, prendendo-me no chão. Meus olhos arderam de forma muito estranha, como se quisessem chorar.

Parecia que todos estavam com a mão nela, afagando e acalmando. Todos, menos eu.

— Qual é o problema? Ela está machucada? O que aconteceu?

A voz de Jacob era a mais alta, elevando-se, ansiosa, sobre as outras. Observei chocada ele estender a mão para Renesmee, e então, em um pavor completo, Rosalie entregá-la a ele sem lutar.

— Não, ela está bem — Rosalie o tranquilizou.

Rosalie tranquilizando Jacob?

Renesmee foi para Jacob de boa vontade, colocando a mãozinha em seu rosto e então girando para se esticar para mim de novo.

— Está vendo? — disse-lhe Rosalie. — Ela só quer Bella.

— Ela quer a mim? — sussurrei.

Os olhos de Renesmee — os meus olhos — fitavam-me com impaciência.

Edward voltou correndo para o meu lado. Pôs as mãos de leve em meus braços e me instou a continuar.

— Ela está esperando por você há quase três dias — disse-me.

Estávamos só a alguns passos dela. Lufadas de calor pareciam partir dela, trêmulas, e me tocar.

Ou talvez fosse Jacob. Vi suas mãos tremendo enquanto me aproximava. E no entanto, apesar de sua evidente ansiedade, seu rosto estava mais sereno do que eu via em muito tempo.

— Jake... eu estou bem — disse a ele. Fiquei em pânico por ver Renesmee em suas mãos trêmulas, mas consegui me controlar.

Ele franziu a testa para mim, os olhos apertados, como se estivesse igualmente em pânico com a ideia de Renesmee em meus braços.

Renesmee gemia ansiosamente e se esticou, as mãozinhas se abrindo e se fechando sem parar.

Alguma coisa em mim se encaixou nesse momento. O som de seu choro, a familiaridade de seus olhos, o modo como Renesmee parecia ainda mais impaciente do que eu pelo reencontro — tudo isso se entrelaçou e criou o mais natural dos padrões enquanto ela agarrava o ar entre nós. De repente, ela era absolutamente real, e *é claro* que eu a conhecia. Era perfeitamente trivial que eu desse o último passo e estendesse os braços para ela, colocando minhas mãos exatamente onde se encaixavam melhor enquanto a puxava delicadamente para mim.

Jacob deixou seus longos braços esticados para que eu pudesse aninhá-la, mas não a soltou. Ele tremeu um pouco quando nossa pele se tocou. A pele dele, sempre quente para mim, agora me parecia uma chama. Era quase da mesma temperatura da de Renesmee. Talvez um ou dois graus de diferença.

Renesmee pareceu não notar a frieza da minha pele, ou pelo menos estava muito acostumada àquilo.

Ela olhou para cima e sorriu para mim de novo, mostrando os dentinhos quadrados e as duas covinhas. Então, muito deliberadamente, estendeu a mão para o meu rosto.

No momento em que ela fez isso, todas as mãos em mim aumentaram a pressão, antecipando minha reação. Eu mal percebi.

Estava ofegando, pasma e assustada com a imagem estranha e alarmante que enchia minha mente. *Parecia* uma lembrança muito forte — eu podia vê-la com meus olhos enquanto a observava em minha mente —, mas era completamente desconhecida. Fitei através dela a expressão de expectativa de Renesmee, tentando entender o que estava acontecendo, lutando desesperadamente para manter a calma.

Além de chocante e desconhecida, a imagem também era de certa forma errada — eu quase reconheci meu próprio rosto nela, meu antigo rosto, mas estava distante, jogado para trás. Entendi rapidamente que estava vendo meu rosto como os outros o viam, em vez de invertido num reflexo.

O rosto de minha memória era retorcido, devastado, coberto de suor e sangue. Apesar disso, minha expressão na visão tornou-se um sorriso de adoração; meus olhos castanhos cintilaram em suas olheiras fundas. A imagem se ampliou, meu rosto se aproximou do ponto de vista invisível, depois desapareceu de repente.

A mão de Renesmee deixou meu rosto. Ela voltou a abrir o sorriso de covinhas.

Fez-se um silêncio completo na sala, exceto pelo batimento dos corações. Ninguém respirava além de Jacob e Renesmee. O silêncio se estendeu; parecia que eles estavam esperando que eu dissesse alguma coisa.

— O que... foi... *isso*? — consegui dizer, sufocada.

— O que você viu? — perguntou Rosalie com curiosidade, inclinando-se atrás de Jacob, que naquele momento parecia estar no lugar errado, bem no meio do caminho. — O que ela lhe mostrou?

— *Ela* me mostrou isso? — sussurrei.

— Eu lhe disse que era difícil de explicar — murmurou Edward em meu ouvido. — Mas é eficaz como meio de comunicação.

— O que foi? — perguntou Jacob.

Pisquei rapidamente várias vezes.

— Humm. Eu. Acho. Mas eu estava horrível.

— Era a única lembrança que tinha de você — explicou Edward. Era evidente que ele vira o que ela estava me *mostrando* enquanto pensava. Ele ainda estava encolhido, a voz rouca ao reviver a lembrança. — Ela está dizendo a você que fez a conexão, que sabe quem você é.

— Mas *como* ela fez isso?

Renesmee parecia despreocupada com meus olhos assustados. Sorria de leve e puxava uma mecha do meu cabelo.

— Como eu ouço pensamentos? Como Alice vê o futuro? — perguntou Edward retoricamente, depois deu de ombros. — Ela tem esse dom.

— É uma inversão interessante — disse Carlisle a Edward. — Como se ela fizesse exatamente o contrário do que você faz.

— Interessante — concordou Edward. — Eu me pergunto...

Sabia que eles estavam especulando, mas não me importava. Estava olhando o rosto mais lindo do mundo. Eu a sentia quente em meus braços, lembrando-me do momento em que a escuridão quase vencera, quando não me restava nada no mundo a que me agarrar. Nada forte o bastante para me fazer atravessar a escuridão esmagadora. O momento em que eu havia pensado em Renesmee e encontrado algo do qual nunca abriria mão.

— Eu também me lembro de você — eu lhe disse baixinho.

Parecia muito natural eu me inclinar e colocar os lábios em sua testa. Seu cheiro era maravilhoso. O cheiro de sua pele fazia minha garganta arder, mas era fácil ignorar. Não tirava a alegria do momento. Renesmee era real e eu a conhecia. Ela era a mesma por quem eu havia lutado desde o início. Minha pequena cutucadora, aquela que me amou de dentro também. Metade Edward, perfeita e linda. E metade eu — o que, surpreendentemente, em vez de depreciá-la, a tornava melhor.

Eu estivera certa o tempo todo. Ela valia a luta.

— Ela está bem — murmurou Alice, provavelmente para Jasper. Eu podia senti-los pairando por ali, sem confiar em mim.

— Já não experimentamos o suficiente por um dia? — perguntou Jacob, a voz num tom um pouco mais agudo por causa do estresse. — Tudo bem, Bella está se saindo muito bem, mas não vamos abusar.

Eu o fuzilei com os olhos, verdadeiramente irritada. Jasper se remexeu inquieto ao meu lado. Todos estávamos tão próximos que o menor movimento parecia imenso.

— Qual é o seu *problema*, Jacob? — perguntei.

Puxei um pouco Renesmee de suas mãos, e ele só se aproximou mais de mim. Ele estava grudado em mim, Renesmee tocando o peito de nós dois.

Edward sibilou para ele.

— O fato de entender você não quer dizer que eu não vá botá-lo para fora daqui, Jacob. Bella está se saindo extraordinariamente bem. Não estrague o momento dela.

— Vou ajudá-lo a se livrar de você, cachorro — prometeu Rosalie, a voz empolgada. — Eu lhe devo um bom chute na barriga.

Evidentemente, nada havia mudado *nesse* relacionamento, a menos que tenha piorado.

Olhei fixamente a expressão ansiosa e meio colérica de Jacob. Seus olhos estavam fixos no rosto de Renesmee. Com todos juntos daquele jeito, ele tinha de estar tocando pelo menos seis vampiros diferentes ao mesmo tempo, e isso não parecia incomodá-lo.

Será que ele realmente enfrentaria tudo isso só para me proteger de mim mesma? O que poderia ter acontecido durante minha transformação — minha alteração para uma coisa que ele odiava — que o amoleceria tanto em relação ao motivo dessa necessidade?

Eu estava confusa, vendo-o olhar minha filha. Olhando-a como... como alguém que visse o sol pela primeira vez.

— *Não!* — arquejei.

Os dentes de Jasper se uniram e os braços de Edward envolveram meu peito como uma jiboia me imobilizando. Jacob pegou Renesmee de meus braços no mesmo segundo, e eu não tentei segurá-la. Porque senti que vinha — a ruptura que todos esperavam.

— Rose — eu disse entredentes, muito devagar e com precisão. — Leve Renesmee.

Rosalie estendeu as mãos, e Jacob passou minha filha a ela imediatamente. Os dois se afastaram de mim.

— Edward, não quero machucá-lo, então, por favor, me solte.

Ele hesitou.

— Vá para a frente de Renesmee — sugeri.

Ele refletiu, e então me soltou.

Eu me agachei na postura de caça e avancei dois passos lentos na direção de Jacob.

— Você não fez isso — rosnei para ele.

Ele recuou, as mãos viradas para cima, tentado argumentar comigo.

— Você sabe que não é uma coisa que eu possa controlar.

— Seu *vira-lata estúpido*! Como *pôde*? *O meu bebê!*

Enquanto eu o perseguia, ele saiu pela porta da frente, quase correndo de costas para a escada.

— Eu não escolhi isso, Bella!

— Eu a segurei apenas *uma vez* e você já acha que tem algum direito idiota de lobo sobre ela? Ela é *minha*.

— Eu posso compartilhar — disse ele, suplicante, enquanto recuava para o gramado.

— Pague — ouvi Emmett dizer atrás de mim.

Uma pequena parte de meu cérebro se perguntava quem tinha apostado contra aquele resultado. Eu não dei atenção a isso. Estava furiosa demais.

— Como ousa ter *imprinting* com *minha* filha? Você enlouqueceu?

— Foi involuntário! — insistiu ele, recuando para as árvores.

Então ele não estava mais só. Os dois lobos enormes reapareceram, um em cada lado. Leah avançou para mim.

Um rosnado apavorante passou rasgando por meus dentes. O som me perturbou, mas não foi o bastante para me refrear.

— Bella, poderia tentar ouvir por um segundo? Por favor? — implorou Jacob. — Leah, volte — acrescentou ele.

Leah arreganhou os dentes para mim e não se mexeu.

— Por que eu deveria ouvir? — sibilei. A fúria dominava minha mente, toldando todo o resto.

— Porque foi você mesma quem me disse isso. Lembra? Você disse que nosso lugar era na vida um do outro, certo? Que éramos uma família. Você disse que era assim que você e eu devíamos ser. Então... agora somos. Era o que você queria.

Eu o fitava com ferocidade. Tinha de fato uma vaga lembrança daquelas palavras. Mas meu cérebro novo e rápido estava dois passos à frente das bobagens que ele dizia.

— Você acha que será parte de minha família como meu *genro*! — guinchei. Minha voz de sino subiu duas oitavas e ainda parecia música.

Emmett riu.

— Detenha-a, Edward — murmurou Esme. — Ela vai ficar infeliz se o machucar.

Mas não senti ninguém vindo atrás de mim.

— Não! — insistia Jacob ao mesmo tempo. — Como pode sequer enxergar as coisas dessa maneira? Ela é só um bebê, pelo amor de Deus!

— Essa é a *questão*! — gritei.

— Você sabe que não penso nela dessa maneira! Acha que Edward teria me deixado viver se eu pensasse assim? Só o que eu quero é que ela esteja feliz e segura... É tão ruim assim? Tão diferente do que você quer? — Ele agora gritava para mim.

Além das palavras, rosnei para ele.

— Ela é incrível, não é? — ouvi Edward murmurar.

— Ela não avançou para o pescoço dele nem uma vez — concordou Carlisle, parecendo espantado.

— Tudo bem, essa você venceu — disse Emmett de má vontade.

— Você vai ficar longe dela — sibilei para Jacob.

— Não posso fazer isso!

Entredentes:

— *Tente*. A partir de *agora*.

— Isso não é possível. Lembra-se de quanto você me queria por perto há três dias? Como era difícil nos separarmos? Você não sente mais isso, não é?

Eu o olhava, sem saber o que ele queria dizer.

— Foi ela — disse-me ele. — Desde o início. Tínhamos de ficar juntos, mesmo então.

Eu lembrei, e então entendi; uma parte mínima de mim estava aliviada por ter aquela loucura explicada. Mas esse alívio de algum modo só me deixou mais colérica. Ele esperava que isso bastasse para mim? Que um pequeno esclarecimento me fizesse aceitar aquilo?

— Fuja enquanto ainda pode — ameacei.

— Ora, Bells! Nessie gosta de mim também — insistiu ele.

Congelei. Minha respiração parou. Atrás de mim, ouvi a ausência de som que era a reação ansiosa deles.

— *Do que...* você a chamou?

Jacob recuou um passo, parecendo tímido.

— Bom — murmurou ele —, o nome que você inventou é meio comprido e...

— Você apelidou a minha filha de *Monstro do Lago Ness?* — guinchei.

E então avancei para seu pescoço.

23. LEMBRANÇAS

— DESCULPE, SETH. EU DEVIA TER FICADO MAIS PERTO.

Edward *ainda* estava se desculpando, e eu não achava que fosse justo ou adequado. Afinal, *Edward* não tinha perdido completa e indesculpavelmente o controle de seu gênio. *Edward* não tentara arrancar a cabeça de Jacob — Jacob, que nem se metamorfoseou para se proteger — e, então, por acidente, quebrara o ombro e a clavícula de Seth quando ele interviera. Não fora *Edward* quem tinha quase matado seu melhor amigo.

Não que o melhor amigo não tivesse algumas questões por que responder, mas era evidente que nada que Jacob tivesse feito poderia ter justificado meu comportamento.

Então não deveria ser *eu* a me desculpar? Tentei novamente.

— Seth, eu...

— Não se preocupe com isso, Bella, eu estou muito bem — disse Seth ao mesmo tempo que Edward dizia:

— Bela, amor, ninguém a está criticando. Você está se saindo muito bem.

Eles ainda não tinham deixado que eu terminasse uma frase sequer.

O fato de Edward não conseguir esconder o sorriso só piorava as coisas. Eu sabia que Jacob não merecia minha reação exagerada, mas Edward parecia encontrar alguma satisfação naquilo. Talvez ele só desejasse ter a desculpa de ser um recém-criado para poder fazer alguma coisa física com sua irritação com Jacob também.

Tentei apagar completamente a raiva, mas era difícil, sabendo que Jacob estava lá fora com Renesmee. Protegendo-a de mim, a recém-criada enlouquecida.

Carlisle prendeu outro pedaço de tala no braço de Seth, que se encolheu.

— Desculpe, desculpe! — murmurei, sabendo que nunca conseguiria articular plenamente minhas desculpas.

— Não se apavore, Bella — disse Seth, afagando meu joelho com a mão boa enquanto Edward acariciava meu braço do outro lado.

Seth parecia não sentir aversão ao fato de eu estar sentada ao seu lado no sofá enquanto Carlisle cuidava dele.

— Vou voltar ao normal em meia hora — continuou ele, ainda afagando meu joelho, alheio à sua textura fria e dura. — Qualquer um teria feito o mesmo, com Jake e Ness... — Ele se interrompeu no meio da frase e mudou de assunto rapidamente. — Quer dizer, pelo menos você não me mordeu nem nada. Isso, sim, teria sido ruim.

Enterrei o rosto nas mãos e estremeci com aquele pensamento, uma possibilidade muito real. Podia ter acontecido muito facilmente. E os lobisomens não reagiam ao veneno de vampiro da mesma forma que os humanos, só agora me disseram isso. Para eles era fatal.

— Eu sou uma péssima pessoa.

— É claro que não é. Eu devia ter... — começou Edward.

— Pare com isso — suspirei. Não queria que ele assumisse a culpa nesse caso, como sempre fazia com tudo.

— Por sorte Ness... Renesmee não é venenosa — disse Seth depois de um incômodo segundo de silêncio. — Porque ela morde Jake o tempo todo.

Minhas mãos caíram de lado.

— Ela morde?

— Sim. Sempre que ele e Rose não lhe dão comida com rapidez suficiente. Rose acha hilário.

Eu o olhei, chocada, e também me sentindo culpada, porque tinha de admitir que a ideia me agradava um pouquinho, de um jeito petulante.

Naturalmente, já sabia que Renesmee não era venenosa. Fui eu a primeira pessoa que ela mordeu. Não falei em voz alta, já que estava fingindo uma perda de memória com relação aos últimos acontecimentos.

— Bom, Seth — disse Carlisle, endireitando o corpo e afastando-se de nós. — Acho que é o máximo que posso fazer. Procure não se mexer por, hã, algumas horas, acho. — Carlisle riu. — Quem dera tratar de humanos tivesse tal resultado instantâneo! — Ele pousou a mão por um momento no cabelo preto de Seth. — Fique parado — ordenou ele, depois subiu a escada, desaparecendo. Ouvi a porta do escritório se fechar e me perguntei se eles já haviam retirado as provas de minha estada lá.

— Acho que consigo ficar parado um tempinho — concordou Seth depois que Carlisle se foi, e então deu um grande bocejo. Com cuidado, certificando-se de não mover bruscamente o ombro, Seth pousou a cabeça nas costas do sofá e fechou os olhos. Segundos depois, sua boca relaxou.

Fiquei olhando seu rosto tranquilo por mais um minuto. Como Jacob, Seth parecia ter o dom de dormir no momento que quisesse. Sabendo que eu não seria capaz de me desculpar de novo por ora, levantei-me; o movimento não provocou a menor mudança no sofá. Tudo que era físico era fácil. Mas o resto...

Edward me seguiu às janelas dos fundos e pegou minha mão.

Leah estava andando junto ao rio, parando de vez em quando para olhar a casa. Era fácil saber quando ela procurava o irmão e quando olhava para mim. Ela alternava olhares ansiosos e homicidas.

Eu podia ouvir Jacob e Rosalie nos degraus da frente discutindo em voz baixa sobre de quem era a vez de alimentar Renesmee. O relacionamento deles era tão antagônico quanto antes; a única coisa em que concordavam era que eu devia ser mantida longe de minha filha até que estivesse cem por cento recuperada de meu ataque de mau gênio. Edward contestou o veredito, mas eu deixei passar. Eu também queria ter certeza. Minha preocupação, porém, era que a *minha* certeza e a *deles* pudessem ser coisas muito diferentes.

Afora a contenda dos dois, a respiração lenta de Seth e o ofegar irritado de Leah, estava tudo muito quieto. Emmett, Alice e Esme estavam caçando. Jasper tinha ficado para me observar. Ele agora estava parado sem atrapalhar ninguém atrás da coluna nova, tentando não ser desagradável.

Aproveitei a calma para pensar em todas as coisas que Edward e Seth me disseram enquanto Carlisle colocava o braço de Seth no lugar. Eu tinha perdido muita coisa enquanto queimava, e aquela fora a primeira chance de verdade de me colocar em dia.

O principal era o final da rixa com a matilha de Sam — motivo por que os outros se sentiam novamente seguros para ir e vir como quisessem. A trégua era mais forte do que nunca. Ou mais compulsória, dependendo do ponto de vista, imaginei.

Compulsória pelo fato de que a mais absoluta de todas as leis da matilha era que nenhum lobo jamais mataria o objeto de *imprinting* de outro lobo. A dor de uma coisa dessas seria insuportável para toda a matilha. A falha, intencional ou acidental, não podia ser perdoada; os lobos envolvidos lutariam até a morte — não havia alternativa. Aquilo já havia acontecido muito tempo atrás, Seth me contou, mas só por acidente. Nenhum lobo destruiria intencionalmente um irmão dessa maneira.

Então Renesmee era intocável por causa do modo como Jacob se sentia com relação a ela. Tentei me concentrar no alívio desse fato, em vez de no pesar, mas não era fácil. Minha mente tinha espaço suficiente para sentir as duas emoções intensamente e ao mesmo tempo.

E Sam também não podia se enfurecer com minha transformação, pois Jacob — falando como o alfa de direito — a autorizara. Era irritante perceber o quanto eu devia a Jacob quando eu só queria ficar aborrecida com ele.

Redirecionei deliberadamente meus pensamentos a fim de controlar minhas emoções. Pensei em outro fenômeno interessante; embora ainda existisse o silêncio entre as matilhas separadas, Jacob e Sam descobriram que os alfas podiam se falar enquanto estavam na forma de lobo. Não da mesma forma que antes; eles não podiam ouvir os pensamentos do outro, como antes da cisão. Era mais como falar em voz alta, explicara Seth. Sam só podia ouvir os pensamentos que Jacob queria compartilhar, e vice-versa. Eles descobriram que podiam se comunicar a distância também, agora que estavam se falando novamente.

Eles só descobriram tudo quando Jacob fora sozinho — sob as objeções de Seth e Leah — explicar a Sam sobre Renesmee; fora o único momento em que ele a tinha deixado desde que pusera os olhos nela.

Depois de entender que tudo havia mudado completamente, Sam voltou com Jacob para falar com Carlisle. Eles conversaram na forma humana (Edward tinha se recusado a sair do meu lado para traduzir) e o tratado fora renovado. A sensação amistosa no relacionamento, porém, talvez nunca mais fosse a mesma.

Uma grande preocupação a menos.

Mas havia outra que, embora não fosse fisicamente tão perigosa quanto uma matilha de lobos furiosos, parecia mais urgente para mim.

Charlie.

Ele falara com Esme aquela manhã, mas isso não o impedira de ligar novamente, duas vezes, havia poucos minutos, enquanto Carlisle tratava de Seth. Carlisle e Edward tinham deixado o telefone tocar.

Qual seria a coisa certa a dizer a ele? Será que os Cullen tinham razão? Seria melhor e mais generoso dizer a ele que eu tinha morrido? Seria eu capaz de ficar deitada e imóvel num caixão enquanto ele e minha mãe choravam por mim?

Não me parecia correto. Mas, obviamente, estava fora de cogitação colocar Charlie ou Renée em perigo em vista da obsessão dos Volturi com o segredo.

Ainda havia a minha ideia — deixar que Charlie me visse, quando eu estivesse pronta, e tirasse suas próprias conclusões erradas. Tecnicamente, as regras dos vampiros continuariam invioladas. Não seria melhor para Charlie se ele soubesse que eu estava viva — mais ou menos — e feliz? Mesmo que eu fosse estranha, diferente e provavelmente assustadora para ele?

Meus olhos, em particular, eram muito mais apavorantes agora. Levaria quanto tempo até meu autocontrole e a cor de meus olhos estarem prontos para Charlie?

— Qual é o problema, Bella? — perguntou Jasper em voz baixa, observando minha crescente tensão. — Ninguém está com raiva de você — um rosnado baixo da margem do rio o contradisse, mas ele o ignorou —, nem surpreso, na verdade. Bem, acho que surpresos nós *estamos*. Surpresos por você ter sido capaz de voltar ao controle com tanta rapidez. Você agiu bem. Melhor do que todos esperavam.

Enquanto ele falava, a sala ficou muito calma. A respiração de Seth tornou-se um ronco baixo. Eu me sentia mais tranquila, mas não esqueci minhas angústias.

— Eu estava pensando em Charlie.

Na frente, a contenda foi interrompida.

— Ah! — murmurou Jasper.

— Nós temos mesmo de ir embora, não é? — perguntei. — Por enquanto, pelo menos. Fingir que estamos em Atlanta ou coisa assim.

Eu podia sentir o olhar de Edward em meu rosto, mas eu olhava para Jasper. E foi ele quem me respondeu, num tom grave.

— Sim. É a única maneira de proteger seu pai.

Refleti por um momento.

— Vou sentir muita falta dele. Vou sentir saudade de todo mundo aqui.

Jacob, pensei, contra a vontade. Embora o anseio tivesse desaparecido e sido esclarecido — e eu estava muito aliviada com isso —, ele ainda era meu amigo. Alguém que conhecia meu verdadeiro eu e me aceitava. Mesmo como monstro.

Pensei no que Jacob tinha dito, argumentando comigo antes de eu atacá-lo. *Você disse que nosso lugar era na vida um do outro, certo? Que éramos uma família. Você disse que era assim que você e eu devíamos ser. Então... agora somos. Era o que você queria.*

Mas não parecia o que eu queria. Não exatamente. Voltei mais um pouco no tempo, às lembranças vagas e indistintas de minha vida humana. Até a parte mais difícil de lembrar — a época sem Edward, uma época tão sombria que eu havia tentado enterrá-la em minha mente. Não conseguia encontrar as palavras exatas; só me lembrava de querer que Jacob fosse meu irmão para que pudéssemos amar um ao outro sem nenhuma confusão ou dor. Família. Mas eu nunca havia incluído uma filha na equação.

Lembrei-me de um pouco depois — numa das muitas vezes em que dissera adeus a Jacob — me perguntar em voz alta com quem ele terminaria, quem daria um jeito em sua vida depois do que eu fiz. Eu tinha dito alguma coisa sobre quem quer que fosse, ela não seria boa o bastante para ele.

Bufei e Edward ergueu uma sobrancelha inquisitiva. Sacudi a cabeça para ele.

Mas, por mais que eu pudesse sentir falta de meu amigo, sabia que havia um problema maior. Será que Sam, Jared ou Quil haviam passado um dia inteiro sem ver o objeto de sua fixação: Emily, Kim e Claire? Será que *podiam*? O que a separação de Renesmee faria com Jacob? Isso lhe causaria dor?

Ainda havia ira suficiente em meu organismo para me fazer sentir satisfação — não com a dor de Jacob, mas com a ideia de ter Renesmee longe dele. Como eu devia lidar com o fato de ela pertencer a Jacob, quando ela mal parecia pertencer a mim?

O som de movimento na varanda da frente interrompeu meus pensamentos. Ouvi-os se levantar, depois eles saíram pela porta. Exatamente na mesma hora, Carlisle desceu a escada com as mãos cheias de coisas estranhas — uma fita métrica, uma balança. Jasper disparou para o meu lado. Como se tivesse havido algum sinal que eu perdera, até Leah se sentou do lado de fora e olhou pela janela com uma expressão de quem esperava alguma coisa que era familiar e totalmente desinteressante.

— Devem ser seis horas — disse Edward.

— E daí? — perguntei, com os olhos fixos em Rosalie, Jacob e Renesmee. Eles estavam na porta, Renesmee nos braços de Rosalie, que parecia preocupada. Jacob mostrava-se perturbado. Renesmee estava linda e impaciente.

— Hora de medir Ness... hã, Renesmee — explicou Carlisle.

— Ah. Você faz isso todos os dias?

— Quatro vezes ao dia — corrigiu Carlisle, distraído, enquanto gesticulava para que os outros fossem para o sofá.

Pensei ter visto Renesmee suspirar.

— Quatro vezes? Todos os dias? *Por quê?*

— Ela ainda está crescendo muito rápido — Edward murmurou para mim, a voz baixa e tensa. Ele apertou minha mão e seu outro braço envolveu firmemente minha cintura, quase como se precisasse de apoio.

Eu não conseguia tirar os olhos de Renesmee para ver a expressão dele.

Ela parecia perfeita, inteiramente saudável. Sua pele cintilava como alabastro iluminado por trás; a cor no rosto era de pétalas de rosa. Não poderia haver nada de errado com uma beleza tão radiante. Certamente não poderia haver nada de mais perigoso em sua vida do que a mãe. Poderia?

A diferença entre a criança que dei à luz e aquela que eu reencontrara havia uma hora teria sido evidente a todos. A diferença entre a Renesmee de uma hora atrás e da Renesmee de agora era sutil. Os olhos humanos nunca teriam detectado. Mas estava ali.

Seu corpo estava ligeiramente mais comprido. Só um pouquinho mais magro. Seu rosto não estava mais tão redondo; era mais oval, em um grau mínimo. Seus cachos pendiam quinze milímetros mais baixo nos ombros. Ela se esticou, cooperando, nos braços de Rosalie enquanto Carlisle corria a fita métrica ao longo da extensão de seu corpo e depois contornava com ela sua cabeça. Ele não tomou notas; memória perfeita.

Eu tinha consciência de que os braços de Jacob estavam cruzados com tanta força sobre seu peito quanto os braços de Edward à minha volta. Suas sobrancelhas grossas estavam unidas em uma linha acima dos olhos fundos.

Ela havia se transformado de uma única célula em um bebê de tamanho normal no curso de algumas semanas. Poucos dias depois do nascimento, parecia que logo estaria engatinhando. Naquele ritmo de crescimento...

Minha mente de vampira não tinha problemas com a matemática.

— O que vamos fazer? — sussurrei, apavorada.

Os braços de Edward se apertaram. Tinha entendido exatamente o que eu perguntava.

— Não sei.

— Está desacelerando — murmurou Jacob entredentes.

— Vamos precisar de mais dias de medição para confirmar a tendência, Jacob. Não posso prometer nada.

— Ontem ela cresceu cinco centímetros. Hoje cresceu menos.

— Sete milímetros, se minhas medições estiverem perfeitas — disse Carlisle em voz baixa.

— *Que sejam* perfeitas, doutor — disse Jacob, tornando as palavras quase ameaçadoras.

Rosalie enrijeceu.

— Você sabe que farei o melhor que puder — assegurou-lhe Carlisle.

Jacob suspirou.

— Acho que é só o que posso pedir.

Senti-me irritada de novo, como se Jacob estivesse roubando minhas falas — e proferindo-as todas erradas.

Renesmee também parecia irritada. Ela começou a se remexer e estendeu a mão imperiosamente para Rosalie, que se inclinou para a frente, para que Renesmee pudesse tocar seu rosto. Depois de um segundo, Rose suspirou.

— O que ela quer? — perguntou Jacob, tomando minha fala de novo.

— Bella, é claro — disse-lhe Rosalie, e suas palavras fizeram com que eu me sentisse um pouco mais aquecida por dentro. Então ela olhou para mim. — Como você está?

— Preocupada — admiti, e Edward me apertou.

— Nós todos estamos. Mas não foi a isso que me referi.

— Estou sob controle — garanti.

A sede agora ocupava uma posição bem abaixo na lista. Além disso, Renesmee tinha um cheiro bom de uma forma bem diferente de comida.

Jacob mordeu o lábio mas não fez nenhum movimento para impedir Rosalie quando ela me ofereceu Renesmee. Jasper e Edward ficaram por perto, mas permitiram. Eu podia ver o quanto Rose estava tensa, e me perguntei como estava o ambiente para Jasper. Ou ele estava tão concentrado em mim que nem podia sentir os outros?

Renesmee se esticou para mim enquanto eu estendia os braços para ela, um sorriso ofuscante iluminando seu rosto. Ela se encaixava tão bem em meus braços como se tivessem sido feitos para ela. Imediatamente, ela pôs a mãozinha quente em meu rosto.

Embora eu estivesse preparada, ainda me fazia arfar ver a lembrança como uma visão em minha mente. Tão nítida e colorida, mas também completamente transparente.

Ela estava se lembrando de mim atacando Jacob no gramado da frente, lembrando-se de Seth saltando entre nós. Ela vira e ouvira tudo com absoluta clareza. Não parecia *eu*, aquela predadora elegante saltando para sua presa como uma flecha disparada de um arco. Tinha que ser outra pessoa. Isso me fez sentir um pouco menos culpada ao ver Jacob ali parado, indefeso, com as mãos erguidas diante do corpo. Suas mãos não tremiam.

Edward riu, vendo os pensamentos de Renesmee comigo. E então nós dois estremecemos ao ouvir o estalo dos ossos de Seth.

Renesmee abriu seu sorriso luminoso e os olhos de sua memória não deixaram Jacob durante toda a confusão que se seguiu. Senti um novo prazer com a lembrança — não exatamente protetor, mas possessivo — enquanto ela observava Jacob. Tive a clara impressão de que ela ficou *feliz* por Seth ter se interposto entre mim e Jacob. Ela não queria que Jacob se machucasse. Ele era *dela*.

— Ah, que maravilha — gemi. — Perfeito.

— Isso é só porque ele tem um gosto melhor do que o resto de nós — garantiu-me Edward, a voz dura de irritação.

— Eu lhe disse que ela gosta de mim também — brincou Jacob do outro lado da sala, os olhos em Renesmee. Sua piada era fria; o ângulo tenso em suas sobrancelhas não havia relaxado.

Renesmee afagou meu rosto com impaciência, exigindo minha atenção. Mais uma lembrança: Rosalie puxando a escova delicadamente em cada um de seus cachos. Era bom.

Carlisle e sua fita métrica, sabendo que tinha de se esticar e ficar parada. Não era interessante para ela.

— Parece que ela vai lhe dar um informe de tudo que você perdeu — comentou Edward em meu ouvido.

Meu nariz franziu enquanto ela me passava a lembrança seguinte. O cheiro que vinha de um copo de metal estranho — duro o bastante para não ser perfurado com facilidade pelos dentes — provocou um ardor repentino em minha garganta. Ai.

E depois Renesmee estava fora de meus braços, que foram presos nas costas. Não lutei com Jasper; só olhei para o rosto assustado de Edward.

— O que foi que eu fiz?

Edward olhou para Jasper atrás de mim, depois para mim de novo.

— Ela estava se lembrando de ter sede — murmurou Edward, a testa franzida. — Ela estava se lembrando do gosto do sangue humano.

Os braços de Jasper apertaram ainda mais os meus. Parte de minha cabeça notou que aquilo não era particularmente desconfortável, e muito menos doloroso, como teria sido a um humano. Era só irritante. Eu sabia que podia me soltar dele, mas não lutei.

— Sim — concordei. — E...?

Edward me olhou de testa franzida mais um segundo, e então sua expressão relaxou. Ele deu uma risada.

— E nada, ao que parece. A reação exagerada desta vez é minha. Jazz, solte-a.

As mãos refreadoras desapareceram. Estendi a mão para Renesmee assim que fiquei livre. Edward a entregou a mim sem hesitar.

— Não consigo entender — disse Jasper. — Não consigo suportar isso.

Observei com surpresa Jasper sair pela porta dos fundos. Leah deslocou-se para lhe dar um amplo espaço quando ele se dirigiu ao rio e se lançou sobre ele em um salto só.

Renesmee tocou meu pescoço, repetindo a cena da partida, como um *replay* instantâneo. Eu podia sentir a pergunta em seu pensamento, um eco do meu.

Eu já havia me recuperado do choque por seu estranho dom. Parecia uma parte inteiramente natural dela, quase como se fosse esperada. Agora que eu fazia parte do sobrenatural, talvez nunca mais voltasse a ser cética.

Mas qual era o problema com Jasper?

— Ele vai voltar — disse Edward, se para mim ou Renesmee, eu não sabia. — Ele só precisa de um momento a sós para reajustar sua perspectiva da vida. — Vi um sorriso ameaçando se abrir nos cantos de sua boca.

Outra lembrança humana — Edward me dizendo que Jasper se sentiria melhor consigo mesmo se eu "tivesse dificuldades de me adaptar" à minha condição de vampira. Isso no contexto de uma discussão sobre quantas pessoas eu mataria em meu primeiro ano de recém-criada.

— Ele está com raiva de mim? — perguntei em voz baixa.

Os olhos de Edward se arregalaram.

— Não. Por que estaria?

— Qual o problema dele, então?

— Ele está aborrecido com ele mesmo, não com você, Bella. Está preocupado com... uma profecia que se cumpre sozinha. Acho que se pode dizer.

— Como assim? — perguntou Carlisle antes de mim.

— Ele está se perguntando se a loucura dos recém-criados é realmente tão difícil como sempre pensamos, ou se, com o foco e a atitude corretos, qualquer um pode se sair tão bem quanto Bella. Mesmo agora... talvez ele só tenha essa dificuldade porque acredita que é natural e inevitável. Talvez, se tivesse esperado mais de si mesmo, teria alcançado essas expectativas. Você o está fazendo questionar muitos pressupostos arraigados, Bella.

— Mas isso não é justo — disse Carlisle. — Todo mundo é diferente; todo mundo tem seus próprios desafios. Talvez a reação de Bella esteja além do natural. Talvez seja esse o dom dela.

Fiquei paralisada de surpresa. Renesmee sentiu a mudança e tocou em mim. Ela se lembrou do último segundo e se perguntou por quê.

— É uma teoria interessante e bem plausível — disse Edward.

Por um tempo mínimo, fiquei decepcionada. Como é? Sem visões mágicas, nem talentos ofensivos formidáveis, como, hã, lançar raios pelos olhos ou coisa assim? Nada de útil nem bacana?

E então percebi o que podia significar, se meu "superpoder" não passasse de um autocontrole excepcional.

Pelo menos eu tinha um dom. Podia não ter nada.

Mas, muito mais do que isso, se Edward tinha razão, então eu podia pular a parte que mais temia.

E se eu não tivesse de ser uma recém-criada? Não no sentido da máquina de matar enlouquecida. E se eu pudesse seguir o padrão dos Cullen desde meu primeiro dia? E se nós não tivéssemos de nos esconder num lugar remoto por um ano enquanto eu "amadurecia"? E se, como Carlisle, eu nunca matasse ninguém? E se eu fosse uma boa vampira desde o início?

Eu poderia ver Charlie.

Suspirei assim que a realidade se infiltrou na esperança. Eu não podia ver Charlie agora. Os olhos, a voz, o rosto perfeito. O que eu poderia dizer a ele? Como começaria? Eu estava furtivamente feliz por ter desculpas para adiar as coisas por algum tempo; por mais que eu quisesse encontrar uma maneira de manter Charlie em minha vida, sentia-me apavorada com esse primeiro encontro. Ver seus olhos se esbugalharem enquanto ele observava meu novo rosto, minha nova pele. Saber que ele estava assustado. Imaginar que explicação obscura se formaria em sua mente.

Eu era bastante covarde para esperar um ano enquanto meus olhos esfriavam. E eu que pensei que seria tão destemida quando fosse indestrutível!

— Você já viu um equivalente ao autocontrole como talento? — perguntou Edward a Carlisle. — Acha realmente que é um dom, ou só um produto de toda a preparação dela?

Carlisle deu de ombros.

— Tem uma leve semelhança com o que Siobhan sempre foi capaz de fazer, embora ela não chamasse isso de dom.

— Siobhan, sua amiga do clã irlandês? — perguntou Rosalie. — Eu não sabia que ela possuía alguma coisa especial. Pensei que fosse Maggie a talentosa naquele grupo.

— Sim, Siobhan acha a mesma coisa. Mas ela tem um jeito de decidir suas metas e depois quase... *induzi-las* a se tornar realidade. Ela pensa que se trata de um bom planejamento, mas sempre me perguntei se seria mais alguma coisa. Quando ela incluiu Maggie, por exemplo. Liam era muito territorialista, mas Siobhan queria que desse certo, e assim foi.

Edward, Carlisle e Rosalie se acomodaram em cadeiras enquanto continuavam com a discussão. Jacob sentou-se ao lado de Seth protetoramente, parecendo entediado. Pelo modo como suas pálpebras caíram, eu tinha certeza de que ele logo estaria inconsciente.

Eu ouvia, mas minha atenção estava dividida. Renesmee ainda me contava como fora seu dia. Eu a segurei perto da parede envidraçada, meus braços balançando-a automaticamente enquanto olhávamos nos olhos uma da outra.

Percebi que os outros não tinham motivos para se sentar. Eu estava perfeitamente confortável de pé. Era tão repousante quanto seria me esticar numa cama. Sabia que seria capaz de ficar assim de pé por uma semana, sem me mexer, e me sentiria tão relaxada no final dos sete dias como no início.

Eles devem se sentar por hábito. Os humanos perceberiam alguém de pé por horas sem mudar o peso do corpo para o outro pé. Mesmo agora, eu via Rosalie passar os dedos no cabelo e Carlisle cruzar as pernas. Pequenos movimentos para evitar ficar parado demais, vampiro demais. Eu teria de prestar atenção ao que eles faziam e começar a treinar.

Desloquei o peso do meu corpo para a perna esquerda. Parecia uma tolice.

Talvez eles só estivessem me dando um tempo sozinha com minha filha — tão sozinha quanto era seguro.

Renesmee me contou de cada pequeno acontecimento de seu dia, e eu tive a sensação, pelo tom de suas historinhas, de que ela queria que eu a conhecesse tanto quanto eu queria conhecê-la. Preocupava-a o fato de eu ter perdido coisas — como os pardais que se aproximaram cada vez mais quando Jacob a segurava, os dois muito imóveis ao lado de uma das grandes cicutas; os passarinhos não se aproximavam de Rosalie. Ou a coisa branca e terrivelmente nojenta — a mistura para bebês — que Carlisle havia colocado em seu copo; tinha cheiro de lama azeda. Ou a música que Edward tinha cantarolado para ela, tão perfeita que Renesmee tocou para mim duas vezes; fiquei surpresa que eu estivesse ao fundo dessa lembrança, perfeitamente imóvel mas parecendo ainda muito arrasada. Eu tremi, lembrando aqueles momentos de minha perspectiva. O fogo horrendo...

Depois de quase uma hora — os outros ainda estavam imersos em sua discussão, Seth e Jacob roncando em harmonia no sofá — as histórias das lembranças de Renesmee começaram a diminuir. Ficaram meio indistintas nas bordas e saíam de foco antes de chegar ao desfecho. Eu estava prestes a interromper Edward, em pânico — haveria alguma coisa errada com ela? —, quando suas pálpebras tremeram e se fecharam. Ela bocejou, os lábios rosados e cheios se esticando num O redondo, e os olhos não voltaram a se abrir.

Sua mão caiu de meu rosto enquanto ela dormia — as pálpebras tinham cor de lavanda-clara, de nuvens finas antes de o sol nascer. Com cuidado para não perturbá-la, devolvi sua mão à minha pele e a mantive ali com curiosidade. De início não houve nada, mas depois de alguns minutos um bruxulear de cores, como um punhado de borboletas, se dispersava de seus pensamentos.

Hipnotizada, fiquei observando seus sonhos. Não tinham sentido. Só cores, formas e rostos. Fiquei feliz em ver a frequência com que meu rosto — tanto o humano horrível quanto o imortal glorioso — aparecia em seus pensamentos inconscientes. Mais que os de Edward ou Rosalie. Eu estava empatada com Jacob. Tentei não deixar que isso me aborrecesse.

Pela primeira vez entendi como Edward conseguira me olhar dormindo, noite após noite, só para me ouvir falar durante o sono. Eu podia olhar Renesmee sonhando para sempre.

A mudança no tom de Edward chamou minha atenção quando ele disse "Finalmente" e se virou para olhar pela janela. A noite era profunda e púrpura lá fora, mas eu podia ver tão longe quanto antes. Nada estava oculto na escuridão; só as cores haviam mudado.

Leah, ainda de cara amarrada, levantou-se e se esquivou para os arbustos quando Alice entrou no campo de visão do outro lado do rio. Alice se balançou para a frente e para trás em um galho, como uma trapezista, os dedos dos pés tocando as mãos, antes de lançar seu corpo num giro gracioso sobre o rio. Esme deu um salto mais tradicional, enquanto Emmett se atirou no rio, espirrando tanta água que as gotas chegaram à janela da frente. Para minha surpresa, Jasper vinha atrás, seu salto eficiente parecendo discreto, até sutil, depois dos outros.

O sorriso imenso que se estampava no rosto de Alice era familiar de uma maneira sombria e estranha. Todos de repente estavam sorrindo para mim —

Esme, de forma doce; Emmett, empolgado; Rosalie, meio superior; Carlisle, indulgente, e Edward, com expectativa.

Alice saltou para dentro da sala antes dos outros, a mão estendida e a impaciência formando uma aura quase visível em torno dela. Em sua palma estava uma chave de bronze comum com uma imensa fita de cetim rosa amarrada em laço.

Ela estendeu a chave para mim, e eu automaticamente segurei Renesmee com mais firmeza no braço direito para poder abrir a mão esquerda. Alice largou a chave na minha mão.

— Feliz aniversário! — gritou ela.

Eu revirei os olhos.

— Ninguém começa a contar no verdadeiro dia do nascimento — lembrei-a. — Seu primeiro aniversário é na marca de um ano, Alice.

Seu sorriso tornou-se afetado.

— Não estamos comemorando seu aniversário de vampira. Ainda. Hoje é dia 13 de setembro, Bella. Feliz aniversário de 19 anos!

24. SURPRESA

— Não! De jeito nenhum! — sacudi a cabeça ferozmente e olhei para o sorriso presunçoso no rosto de meu marido de 17 anos. — Não, isso não conta. Eu parei de envelhecer há três dias. Tenho 18 para sempre.

— Que seja — disse Alice, desprezando meu protesto com um dar de ombros rápido. — Vamos comemorar de qualquer jeito, então você vai ter de aceitar.

Suspirei. Raras vezes tinha sentido discutir com Alice.

Seu sorriso ficou incrivelmente mais largo enquanto ela lia a aquiescência em meus olhos.

— Está pronta para abrir seu presente? — cantarolou Alice.

— Presen*tes* — corrigiu Edward, e pegou no bolso outra chave, maior e prateada, com um laço azul menos pomposo.

Lutei para não revirar os olhos. Eu soube imediatamente para que era a chave — o "carro de depois". Perguntei-me se devia ficar animada. Parecia que a conversão em vampira não me dera nenhum interesse repentino por carros esportivos.

— Primeiro o meu — disse Alice, depois mostrou a língua, prevendo a resposta dele.

— O meu está mais perto.

— Mas olhe como ela está *vestida*. — As palavras de Alice eram quase um gemido. — Isso está me matando o dia todo. Obviamente, essa é a prioridade.

Minhas sobrancelhas se uniram enquanto eu me perguntava como uma chave poderia me dar roupas novas. Será que ela me comprara um caminhão inteiro?

— Eu sei... Vamos tirar a sorte — sugeriu Alice. — Pedra, papel, tesoura. Jasper riu e Edward suspirou.

— Por que não me diz logo quem venceu? — disse Edward, irônico.

Alice ficou radiante.

— Eu. Ótimo.

— Provavelmente, é melhor esperar pela manhã mesmo. — Edward me lançou um sorriso torto e fez um gesto na direção de Jacob e Seth, que pareciam prontos para dormir ali a noite toda; perguntei-me quanto tempo teriam ficado acordados dessa vez. — Acho que pode ser mais divertido se Jacob estiver acordado para a grande revelação, não concorda? Assim alguém será capaz de expressar o nível certo de entusiasmo.

Retribuí o sorriso. Ele me conhecia bem.

— Oba — cantarolou Alice. — Bella, passe Ness... Renesmee para Rosalie.

— Onde ela costuma dormir?

Alice deu de ombros.

— Nos braços de Rose. Ou de Jacob. Ou de Esme. Você entendeu. Ela nunca deixou o colo de alguém nem por um minuto de sua vida. Vai ser a meia-vampira mais estragada do mundo, de tanto mimo.

Edward riu enquanto Rosalie pegava Renesmee nos braços com habilidade.

— Ela também é a meia-vampira *menos* estragada do mundo — disse Rosalie. — Essa é a graça de ser única em sua espécie.

Rosalie sorriu para mim e fiquei feliz ao ver que a nova camaradagem entre nós ainda estava lá em seu sorriso. Eu não tinha muita certeza se duraria depois que a vida de Renesmee não estivesse mais ligada à minha. Mas talvez tenhamos lutado do mesmo lado por tempo suficiente para agora sermos sempre amigas. Finalmente eu havia feito uma escolha que também teria sido a dela se estivesse no meu lugar. Isso parecia ter acabado com seu ressentimento por todas as minhas outras escolhas.

Alice enfiou a chave com o laço na minha mão, depois pegou meu cotovelo e me guiou para a porta dos fundos.

— Vamos, vamos — trinou ela.

— É lá fora?

— Mais ou menos — disse Alice, empurrando-me.

— Aproveite o presente — disse Rosalie. — É de todos nós. Especialmente de Esme.

— Vocês não vêm também? — Percebi que ninguém tinha se mexido.

— Vamos lhe dar a oportunidade de apreciá-lo sozinha — disse Rosalie. — Pode nos contar sobre ele... depois.

Emmett riu. Alguma coisa no riso dele me deu a sensação de corar, embora eu não soubesse bem por quê.

Percebi que muitas coisas em mim — como odiar surpresas e não gostar muito mais de presentes em geral — não haviam mudado nem um pouco. Era um alívio e uma revelação descobrir quanto de minhas características essenciais fora comigo para aquele novo corpo.

Eu não esperara continuar a ser eu mesma. Abri um sorriso largo.

Alice puxou meu cotovelo, e não reprimi o sorriso enquanto a seguia na noite púrpura. Só Edward veio conosco.

— É esse entusiasmo que eu quero — murmurou Alice com aprovação. Então largou meu braço, deu dois passos ágeis e saltou sobre o rio.

— Vamos, Bella — chamou do outro lado.

Edward pulou ao mesmo tempo que eu; foi tão divertido quanto fora aquela tarde. Talvez um pouco mais, porque a noite dava a tudo cores novas e ricas.

Alice saiu andando, nós dois a seguindo de perto, no sentido norte. Era mais fácil seguir o som de seus pés sussurrando no chão e o rastro fresco de seu cheiro que manter os olhos nela, através da vegetação densa.

A um sinal que eu não podia ver, ela girou e voltou correndo até onde eu parei.

— Não me ataque — alertou ela, e se lançou sobre mim.

— O que está fazendo? — perguntei, retorcendo-me enquanto ela subia nas minhas costas e cobria meu rosto com as mãos. Senti o impulso de afastá-la, mas me controlei.

— Cuidando para que você não possa ver.

— Eu poderia ter feito isso sem ser teatral — propôs Edward.

— Você poderia deixá-la trapacear. Pegue a mão dela e a leve adiante.

— Alice, eu...

— Nem se incomode, Bella. Vamos fazer isso do meu jeito.

Senti os dedos de Edward entrelaçando-se nos meus.

— Só mais alguns segundos, Bella. Depois ela vai irritar outra pessoa.

Ele me puxou para a frente. Eu seguia com facilidade. Não tive medo de bater numa árvore; nessa hipótese, a única a se ferir seria a árvore.

— Você podia ser um pouco mais agradecido — Alice o repreendeu. — O presente é tanto para você quanto para ela.

— É verdade. Obrigado de novo, Alice.

— Sim, sim. Tudo bem. — A voz de Alice de repente se elevou, animada. — Pare aqui. Vire-a um pouquinho para a direita. Isso, assim. Tudo bem. Está pronta? — guinchou ela.

— Estou. — Havia cheiros novos ali, instigando meu interesse, aumentando minha curiosidade. Cheiros que não pertenciam à mata. Madressilva. Fumaça. Rosas. Serragem? Algo metálico também. A fertilidade da terra, cavada e exposta. Inclinei-me na direção do mistério.

Alice desceu de minhas costas, liberando meus olhos.

Olhei para a escuridão violeta. Ali, aninhado em uma pequena clareira na floresta, estava um pequeno chalé de pedra, lavanda-acizentado à luz das estrelas.

Combinava com tanta perfeição com o lugar que parecia ter crescido da rocha, uma formação natural. Madressilvas subiam por uma parede como uma treliça, serpenteando sobre as grossas placas de madeira. Rosas floresciam num jardim minúsculo sob as janelas escuras. Havia um caminho de pedras lisas, ametistas na noite, que levava à porta de madeira arqueada de maneira pitoresca.

Fechei a mão em torno da chave que segurava, chocada.

— O que você acha? — A voz de Alice agora era suave, combinando com a quietude completa da cena de conto de fadas.

Abri a boca, mas não disse nada.

— Esme achou que iríamos gostar de ter um lugar só nosso por um tempo, mas ela não queria que ficasse muito longe — murmurou Edward. — E ela adora qualquer desculpa para uma reforma. Essa casinha estava em ruínas aqui por pelo menos cem anos.

Continuei olhando, a boca escancarada como a de um peixe.

— Não gostou? — O rosto de Alice se fechou. — Quer dizer, com certeza podemos reformar de outro jeito, se preferir. Emmett queria acrescentar mais algumas centenas de metros quadrados, um segundo andar, colunas e uma torre, mas Esme achou que você iria gostar mais se mantivesse o estilo da construção. — Sua voz começou a se elevar, a ficar mais rápida. — Se ela estiver errada, podemos voltar a trabalhar. Não vai levar muito tempo...

— Psiu! — consegui dizer.

Ela apertou os lábios e esperou. Precisei de alguns segundos para me recuperar.

— Vocês estão me dando uma casa de aniversário? — sussurrei.

— Dando a nós — corrigiu Edward. — E é só um chalé. Acho que a palavra *casa* implica mais espaço.

— Não desmereça minha casa — murmurei para ele.

Alice estava radiante.

— Você gostou.

Sacudi a cabeça negativamente.

— Adorou?

Assenti.

— Mal posso esperar para contar a Esme!

— Por que ela não veio?

O sorriso de Alice diminuiu um pouco, retorcendo-se um pouco, como se minha pergunta fosse difícil de responder.

— Ah, sabe como é... Todos eles se lembram de como você é com presentes. Eles não queriam pressioná-la a gostar.

— Mas é claro que eu amei. Como poderia não amar?

— Eles vão gostar disso. — Ela afagou meu braço. — Bem, seu armário está abastecido. Use com sensatez. E... acho que é tudo.

— Não vai entrar?

Ela recuou alguns passos despreocupadamente.

— Edward já conhece a casa, sabe onde está tudo. Farei uma visitinha... mais tarde. Me ligue se não conseguir combinar as roupas. — Ela lançou um olhar de dúvida e então sorriu. — Jazz quer caçar. A gente se vê.

Ela disparou para a mata como um gracioso projétil.

— Foi estranho — eu disse quando o som de seu voo desapareceu completamente. — Eu sou assim *tão* ruim? Eles não precisavam ficar longe. Agora eu me sinto culpada. Nem agradeci direito a ela. Precisamos voltar, dizer a Esme...

— Bella, não seja tola. Ninguém acha que você é tão irracional.

— Então o que...

— Um tempo a sós é outro presente deles. Alice estava tentando ser sutil em relação a isso.

— Ah!

Foi o que bastou para fazer a casa desaparecer. Podíamos estar em qualquer lugar. Eu não via mais as árvores, as pedras ou as estrelas. Só via Edward.

— Vou lhe mostrar o que eles fizeram — disse ele, puxando minha mão. Estaria ele alheio ao fato de que uma corrente elétrica pulsava pelo meu corpo como sangue misturado à adrenalina?

Mais uma vez eu me senti estranhamente sem equilíbrio, à espera de reações de que meu corpo não era mais capaz. Meu coração deveria estar trovejando como uma locomotiva prestes a nos atingir. Ensurdecedor. Minhas bochechas deviam estar muito vermelhas.

Aliás, eu devia estar exausta. Aquele fora o dia mais longo da minha vida.

Eu ri — uma risadinha baixa de choque — quando percebi que o dia nunca terminaria.

— Posso saber qual é a piada?

— Não é muito boa — eu disse enquanto ele me conduzia para a porta arqueada. — Eu só estava pensando... Hoje é o primeiro e o último dia da eternidade. É meio difícil apreender isso. Mesmo com todo o espaço extra para pensar. — Eu ri de novo.

Ele riu comigo. Então estendeu a mão para a maçaneta, esperando que eu fizesse as honras. Coloquei a chave na fechadura e girei.

— Você é tão espontânea nisso, Bella. Eu me esqueço de como tudo deve ser estranho para você. Eu queria poder *ouvir* você. — Ele se abaixou e me puxou para seus braços, tão rápido que não vi o que ia acontecer... e isso era extraordinário.

— Ei!

— Carregá-la pela porta é parte do trabalho — lembrou ele. — Mas estou curioso. Diga-me o que está pensando agora.

Ele abriu a porta — que se moveu com um estalo que mal era audível — e entrou na pequena sala de estar de pedra.

— Tudo — eu disse a ele. — Tudo ao mesmo tempo, você sabe. Coisas boas, coisas preocupantes e coisas que são novas. E que continuo usando muitos superlativos em meus pensamentos. Neste momento, estou pensando que Esme é uma artista. É tão perfeito!

A sala do chalé parecia ter saído de um conto de fadas. O piso era uma colcha de retalhos de pedras planas e lisas. O teto baixo tinha longas vigas expostas, nas quais alguém alto como Jacob certamente bateria a cabeça. As paredes eram de madeira em alguns lugares, mosaicos de pedra em outros. A lareira no canto tinha os restos de um fogo que bruxuleava lentamente. Queimando ali, havia madeira que flutuara no mar — as chamas baixas eram azuladas e verdes por causa do sal.

A mobília era composta de peças ecléticas, mas ainda assim harmoniosas. Uma cadeira tinha certo traço medieval, enquanto um divã baixo perto da lareira era mais contemporâneo e a estante abastecida de livros na janela mais distante me lembrava filmes ambientados na Itália. De algum modo, cada peça se encaixava com as outras como um grande quebra-cabeças tridimensional. Nas paredes viam-se algumas pinturas que reconheci — algumas das minhas preferidas da casa grande. Originais de valor inestimável, sem dúvida, mas que também pareciam pertencer àquele lugar, como todo o resto.

Era um lugar onde qualquer um podia acreditar que a magia existia. Um lugar onde você esperava que a Branca de Neve entrasse com a maçã na mão, ou um unicórnio parasse para mordiscar as roseiras.

Edward sempre achara que pertencia ao mundo das histórias de terror. É claro que eu sabia que ele estava tremendamente errado. Era evidente que ele pertencia *àquele* lugar. A um conto de fadas.

E agora eu estava na história, com ele.

Eu estava prestes a me aproveitar do fato de que ele ainda não tinha me colocado no chão e que seu rosto lindo de enlouquecer estava a apenas centímetros de distância, quando ele disse:

— Temos sorte por Esme pensar em criar um cômodo a mais. Ninguém pensou em Ness... Renesmee.

Franzi a testa para ele, meus pensamentos canalizados por um caminho menos agradável.

— Você também, não — me queixei.

— Desculpe-me, amor. Eu ouço isso nos pensamentos deles o tempo todo, sabe? É como se esfregassem na minha cara.

Suspirei. Minha filha, o "monstro do lago". Talvez não tivesse jeito. Bom, *eu* não iria desistir.

— Sei que está morrendo de vontade de ver o armário. Ou, pelo menos, vou *dizer* a Alice que você estava, para deixá-la feliz.

— Devo ter medo?

— Pavor.

Ele me carregou por um corredor estreito de pedra com pequenos arcos no teto, como se fosse nosso próprio castelo em miniatura.

— Este será o quarto de Renesmee — disse ele, apontando para um cômodo vazio com piso de madeira clara. — Ainda não tiveram tempo de fazer muita coisa aqui, com os lobisomens irritados...

Eu ri baixo, maravilhada com a rapidez com que as coisas haviam se ajeitado quando, fazia apenas uma semana, tudo parecia um pesadelo tão grande.

Que droga que tenha sido Jacob a deixar tudo perfeito *daquela* maneira.

— Aqui é nosso quarto. Esme tentou trazer algumas coisas da ilha dela para nós. Imaginou que teríamos nos afeiçoado.

A cama era imensa e branca, com nuvens de tecido etéreo flutuando do dossel ao chão. O piso de madeira clara era igual ao do outro quarto, e ali compreendi que era precisamente da cor da praia da ilha. As paredes eram daquele azul quase branco de um dia de sol forte, e a parede dos fundos tinha grandes portas de vidro que se abriam para um pequeno jardim secreto. Rosas trepadeiras e um pequeno lago, plano como um espelho e cercado de pedras reluzentes. Um oceano minúsculo e calmo para nós.

— Ah! — foi só o que consegui dizer.

— Eu sei — ele sussurrou.

Ficamos ali por um minuto, lembrando. Embora fossem humanas e turvas, as lembranças tomaram completamente minha mente.

Ele abriu um sorriso largo e radiante e então deu uma gargalhada.

— O closet fica naquelas portas duplas. Mas eu devo alertá-la... é maior do que este quarto.

Eu nem mesmo olhei para as portas. Novamente não havia mais nada no mundo que não fosse ele — os braços me envolvendo, o hálito doce em meu rosto, os lábios a centímetros dos meus —, e não havia nada que pudesse me distrair agora, fosse eu vampira recém-criada ou não.

— Vamos dizer a Alice que eu corri para as roupas — sussurrei, torcendo os dedos em seu cabelo e aproximando ainda mais meu rosto do dele. — Vamos dizer a ela que eu passei horas brincando de me produzir. Vamos *mentir*.

Ele alcançou meu estado de espírito de imediato, ou talvez já estivesse nele e só estivesse tentando me fazer apreciar plenamente meu presente de aniversário, como um cavalheiro. Puxou meu rosto para o dele com uma ferocidade súbita, um gemido baixo em sua garganta. O som produziu uma corrente elétrica por meu corpo quase num frenesi, como se eu não pudesse me aproximar dele com rapidez suficiente.

Ouvi o tecido se rasgar sob nossas mãos, e fiquei feliz que pelo menos as *minhas* roupas já estivessem destruídas. Era tarde demais para as dele. Era quase uma grosseria ignorar a cama branca e linda, mas não íamos conseguir chegar tão longe.

Essa segunda lua de mel não foi como a primeira.

Nosso tempo na ilha fora o epítome da minha vida humana. O melhor dela. Eu só estivera disposta a estender meu tempo de humana para me agarrar por mais tempo ao que tivera lá com ele. Porque a parte física nunca mais seria a mesma.

Eu devia ter imaginado, depois de um dia como aquele, que seria melhor.

Agora podia realmente apreciá-lo — com meus olhos novos e poderosos, podia ver devidamente cada linda linha de seu rosto perfeito, de seu corpo longo e impecável, cada ângulo e cada superfície dele. Podia sentir seu cheiro puro e vívido em minha língua e sentir a maciez inacreditável de sua pele de mármore sob meus dedos sensíveis.

Minha pele era igualmente sensível sob as mãos dele.

Tudo nele era novo, uma pessoa diferente, enquanto nossos corpos se enroscavam graciosamente em um só, no piso cor de areia. Sem prudência, sem restrições. Sem medo — especialmente isso. Podíamos amar *juntos* — ambos participantes ativos. Finalmente iguais.

Como nossos beijos antes, cada toque era mais do que eu estava acostumada a ter. Tanto de si mesmo que ele estivera refreando! Necessário naquela época, mas eu nem acreditava em quanto havia perdido.

Tentei me lembrar de que eu era mais forte do que ele, mas era difícil me concentrar em qualquer coisa com sensações tão intensas atraindo minha atenção a um milhão de lugares diferentes de meu corpo a cada segundo; se eu o machuquei, ele não se queixou.

Uma parte muito, muito pequena de minha mente refletiu sobre o interessante enigma apresentado por aquela situação. Eu nunca ficaria cansada, nem ele. Não precisávamos recuperar o fôlego nem descansar, comer ou usar o banheiro; não tínhamos mais nenhuma necessidade mundana comum aos humanos. Ele tinha o corpo mais lindo e mais perfeito do mundo, e eu o tinha todo para mim, e não parecia que um dia fosse chegar a um ponto em que pensasse: *Agora já chega por hoje.* Eu sempre iria querer mais. E o dia nunca terminaria. Então, numa situação daquelas, como iríamos *parar*?

Não me incomodava nada não ter uma resposta.

Percebi, distraída, quando o céu começou a clarear. O minúsculo mar do lado de fora passou do preto ao cinza e uma cotovia começou a cantar em algum lugar muito perto — talvez ela tivesse um ninho nas roseiras.

— Sente falta disso? — perguntei a ele quando o canto acabou.

Não era a primeira vez que falávamos, mas não estávamos exatamente conversando.

— Falta do quê? — murmurou ele.

— De tudo... o calor, a pele macia, o cheiro gostoso... Não estou perdendo nada, só me perguntei se seria meio triste para você.

Ele riu, baixo e delicadamente.

— Seria difícil encontrar alguém *menos* triste do que eu agora. Impossível, eu me arriscaria. Não há muita gente que consiga tudo o que quer, mais todas as coisas que nunca pensou pedir, no mesmo dia.

— Está evitando minha pergunta?

Ele colocou a mão em meu rosto.

— Você *é* quente — ele me disse.

Era verdade, de certo modo. Para mim, a mão dele era quente. Não era a mesma coisa que tocar a pele em chamas de Jacob, mas era mais confortável. Mais natural.

Então ele correu os dedos muito lentamente em meu rosto, acompanhando levemente minhas feições da mandíbula ao pescoço e depois todo o caminho até a cintura. Meus olhos se reviraram um pouco.

— Você *é* macia.

Seus dedos eram como cetim em minha pele, então entendi o que ele quis dizer.

— E quanto ao cheiro, bom, não posso dizer que *sinto falta* disso. Lembra-se do cheiro daqueles montanhistas em nossa caçada?

— Estou fazendo muita força para não lembrar.

— Imagine beijar aquilo.

Minha garganta ardeu em chamas, como se puxassem a corda de um balão de ar quente.

— *Ah!*

— Exatamente. Então a resposta é não. Sou pura alegria, porque não sinto falta de *nada*. Ninguém tem mais do que eu agora.

Eu estava prestes a lhe falar de uma exceção à sua declaração, mas meus lábios de repente ficaram muito ocupados.

Quando o pequeno lago ficou perolado com o nascer do sol, pensei em outra pergunta para ele.

— Por quanto tempo isso vai continuar? Quer dizer, Carlisle e Esme, Em e Rose, Alice e Jasper... eles não passam o dia todo trancados no quarto. Eles ficam em público, vestidos, o tempo todo. Será que esse... *desejo* um dia acaba? — Me retorci, chegando mais perto dele, uma verdadeira façanha, para deixar claro do que eu estava falando.

— É difícil dizer. Todos são diferentes e, bem, até agora você é a mais diferente de todos. O vampiro jovem típico é obcecado demais com a sede para perceber qualquer outra coisa durante algum tempo. Isso não parece se aplicar a você. Com o vampiro típico, porém, depois do primeiro ano, outras necessidades se apresentam. A sede e outros desejos não *desaparecem*. É simplesmente uma questão de aprender a equilibrá-los, aprender a priorizar, a administrar...

— Quanto tempo?

Ele sorriu, franzindo um pouco o nariz.

— Rosalie e Emmett foram os piores. Levou uma década inteira antes que eu suportasse ficar num raio de dez quilômetros deles. Até Carlisle e Esme tiveram dificuldade para aguentar. Eles por fim se cansaram do casal feliz. Esme também construiu uma casa para eles. Era maior do que esta, mas Esme sabe do que Rose gosta, e sabe do que você gosta.

— E depois de dez anos, o que acontece? — Eu tinha certeza de que Rosalie e Emmett não levavam nenhuma vantagem sobre nós, mas podia parecer convencido se eu fosse além de uma década. — Todo mundo fica normal de novo? Como eles são agora?

Edward sorriu de novo.

— Bem, não sei o que você chama de normal. Você viu minha família levando a vida de uma forma mais humana, mas você dormia à noite. — Ele piscou para mim. — Há uma quantidade tremenda de tempo de sobra quando não se precisa dormir. Isso faz com que equilibrar nossos... interesses seja muito fácil. Há um motivo para eu ser o melhor músico da família, para que... além de Carlisle... eu tenha lido mais livros, estudado mais ciência, me tornado fluente na maioria das línguas... Emmett a faria acreditar que eu sou um sabe-tudo por ler mentes, mas a verdade é que eu tinha *muito* tempo livre.

Rimos juntos, e o movimento de nosso riso provocou reações interessantes na maneira como nossos corpos estavam conectados, efetivamente dando um fim à conversa.

25. FAVOR

FOI SÓ UM POUQUINHO MAIS TARDE QUE EDWARD ME LEMBROU DE minhas prioridades.

Ele só precisou de uma palavra.

— Renesmee...

Eu suspirei. Ela acordaria logo. Devia ser quase sete da manhã. Será que ela procuraria por mim? De repente, alguma coisa próxima do pânico deixou meu corpo paralisado. Como Renesmee estaria hoje?

Edward sentiu meu completo aturdimento, minha tensão.

— Está tudo bem, amor. Vista-se e estaremos de volta à casa em dois segundos.

Eu devia estar parecendo um desenho animado, pelo modo como me pus de pé num salto e olhei para ele — seu corpo de diamante cintilando levemente na luz difusa —, então olhei para o oeste, onde Renesmee esperava, depois voltei a ele de novo, depois para ela, minha cabeça virando de um lado para o outro meia dúzia de vezes em um segundo. Edward sorriu, mas não riu; ele era um homem forte.

— É tudo uma questão de equilíbrio, amor. Você é tão boa em tudo isso, imagino que não levará muito tempo para ter uma visão melhor da situação.

— E temos a noite toda, não é?

Ele abriu um largo sorriso.

— Acha que suportaria a ideia de deixar você se vestir agora, se não fosse assim?

Isso teria de ser o suficiente para me fazer atravessar as horas do dia. Eu equilibraria aquele desejo esmagador e arrasador para ser uma boa... Era difícil pensar na palavra. Embora Renesmee fosse muito real e essencial em minha vida, ainda era difícil pensar em mim como *mãe*. Mas acho que qualquer uma sentiria o mesmo, sem nove meses para se acostumar com a ideia. E com uma criança que mudava a cada hora.

O pensamento na vida acelerada de Renesmee me estressou de novo. Nem parei nas portas duplas entalhadas para recuperar o fôlego antes de descobrir o que Alice tinha feito. Eu simplesmente irrompi no closet, decidida a vestir a primeira roupa que me aparecesse à frente. Eu devia saber que não seria fácil.

— Quais são minhas? — sibilei.

Como prometido, o closet era maior do que nosso quarto. Talvez fosse maior do que o resto da casa, mas eu teria de medir para ter certeza. Tive um breve lampejo de Alice tentando convencer Esme a ignorar as proporções clássicas e permitir aquela monstruosidade. Perguntei-me como Alice vencera.

Estava tudo guardado em sacos de roupas, imaculados e brancos, fila após fila.

— Até onde eu sei, tudo, exceto este suporte aqui — ele tocou uma barra que se estendia por meia parede à esquerda da porta —, é seu.

— Tudo isso?

Ele deu de ombros.

— Alice — dissemos juntos. Ele proferiu o nome dela como uma explicação; eu, como um expletivo.

— Muito bem — murmurei, e abri o zíper do saco mais próximo. Gemi entredentes quando vi o vestido de seda longo dentro dele: rosa-bebê.

Eu levaria o dia todo para encontrar alguma coisa normal para vestir!

— Deixe-me ajudar — ofereceu Edward. Ele farejou com cuidado o ar e então seguiu algum cheiro até o fundo do cômodo comprido. Havia uma cômoda embutida ali. Com um sorriso de triunfo, ele estendeu uma calça jeans desbotada.

Voei para o lado dele.

— Como fez isso?

— O jeans tem seu próprio cheiro, como tudo. Agora... algodão *stretch*?

Ele seguiu o nariz até uma armação, desenterrando uma camiseta branca de manga comprida. Atirou-a para mim.

— Obrigada — eu disse com ardor. Aspirei os dois tecidos, memorizando o cheiro para buscas futuras por aquele hospício. Eu me lembrava da seda e do cetim; esses eu iria evitar.

Ele só precisou de segundos para encontrar as próprias roupas — se eu não o tivesse visto nu, teria jurado que nada era mais lindo do que Edward com a calça cáqui e o pulôver bege-claro — e, então, ele pegou minha mão. Disparamos pelo jardim secreto, saltando sobre o muro de pedra, e chegamos à floresta num átimo. Soltei a mão para corrermos de volta. Desta vez ele me venceu.

Renesmee estava acordada; sentada no chão com Rose e Emmett a velando, brincando com uma pequena pilha de talheres retorcidos. Estava com uma colher mutilada na mão direita. Assim que me viu pelo vidro, ela atirou a colher no chão — onde deixou uma marca na madeira — e apontou imperiosamente na minha direção. Sua plateia riu; Alice, Jasper, Esme e Carlisle estavam sentados no sofá, olhando-a como se ela fosse o filme mais interessante do mundo.

Passei pela porta quando a risada deles mal havia começado, atravessando a sala num salto e pegando-a do chão no mesmo segundo. Sorrimos uma para a outra.

Ela estava diferente, mas não muito. Um pouco maior novamente, seu tamanho passando do de bebê para o de criança. O cabelo estava cerca de meio centímetro mais comprido, os cachos balançando como molas a cada movimento. Eu tinha me deixado dominar pela imaginação durante o trajeto até ali, e imaginara algo pior do que aquilo. Graças a meus medos exagerados, essas pequenas mudanças eram quase um alívio. Mesmo sem as medições de Carlisle, tinha certeza de que as mudanças eram mais lentas do que na véspera.

Renesmee deu palmadinhas em meu rosto. Eu estremeci. Ela estava com fome de novo.

— Há quanto tempo ela está acordada? — perguntei enquanto Edward desaparecia pela porta da cozinha. Eu tinha certeza de que ele tinha ido pegar o café da manhã dela, tendo visto o que ela acabara de pensar com a mesma clareza que eu. Perguntei-me se ele teria percebido sua pequena peculiaridade se fosse o único a conhecê-la. Para ele, provavelmente, seria o mesmo que ouvir alguém.

— Só alguns minutos — disse Rose. — Já íamos chamar você. Ela estava chamando você... *exigindo* talvez seja uma descrição melhor. Esme sacrificou seu segundo melhor faqueiro de prata para manter a monstrinha entretida. — Rose sorriu para Renesmee com tanto afeto que a crítica não teve peso nenhum. — Não queríamos... hã... incomodar.

Rosalie mordeu o lábio e desviou o olhar, tentando não rir. Eu podia sentir a risada silenciosa de Emmett atrás de mim, provocando vibrações nas fundações da casa.

Mantive o queixo erguido.

— Vamos terminar seu quarto logo — eu disse a Renesmee. — Você vai gostar do chalé. É mágico. — Olhei para Esme. — Obrigada, Esme. Sério. É absolutamente perfeito.

Antes que Esme pudesse responder, Emmett estava rindo de novo — e não fez silêncio desta vez.

— Então ainda está de pé? — ele conseguiu dizer entre as gargalhadas. — Pensei que vocês dois o teriam destruído a essa altura. O que fizeram ontem à noite? Discutiram a dívida interna do país? — Ele uivava de tanto rir.

Trinquei os dentes e lembrei a mim mesma das consequências negativas quando deixara que meu gênio levasse a melhor, na véspera. É claro que Emmett não era tão frágil quanto Seth...

Pensar em Seth me fez perguntar:

— Onde estão os lobos hoje? — Olhei pela parede de vidro, mas não havia sinal de Leah por ali.

— Jacob saiu hoje de manhã bem cedo — disse Rosalie, com um pequeno vinco na testa. — Seth o seguiu.

— O que o incomodou? — perguntou Edward, voltando para a sala com o copo de Renesmee.

Devia haver mais na lembrança de Rosalie do que eu vira em sua expressão.

Sem respirar, entreguei Renesmee a Rosalie. Eu podia ter um superautocontrole, talvez, mas de forma alguma conseguiria alimentá-la. Ainda não.

— Não sei... nem ligo — grunhiu Rosalie, mas respondeu à pergunta de Edward mais completamente. — Ele estava vendo Nessie dormir, de boca aberta, como o idiota que é, e então se levantou sem motivo nenhum... pelo menos que eu tivesse percebido... e disparou para fora. *Eu* fiquei feliz por me livrar dele. Quanto mais tempo ele passa aqui, menor é a probabilidade de nos livrarmos do cheiro.

— Rose — repreendeu Esme delicadamente.

Rosalie jogou o cabelo para trás.

— Acho que não importa. Não vamos ficar muito tempo por aqui.

— Eu ainda acho que devemos ir direto para New Hampshire e preparar as coisas — disse Emmett, obviamente continuando uma conversa anterior. — Bella já esta matriculada em Dartmouth. Não parece que levará muito tempo para conseguir lidar com a faculdade. — Ele se virou e olhou para mim com um sorriso zombeteiro. — Sei que vai ser a melhor aluna da turma... Ao que parece, não há nada de interessante para você fazer à noite além de estudar.

Rosalie deu uma risadinha.

Não perca a calma, não perca a calma, entoei para mim mesma. E então me senti orgulhosa por não perder a cabeça.

Assim, fiquei muito surpresa que Edward perdesse a dele.

Ele rosnou — um som áspero, chocante e abrupto — e a fúria mais sombria tomou sua expressão como nuvens de tempestade.

Antes que qualquer um de nós pudesse reagir, Alice estava de pé.

— O que ele está *fazendo*? O que aquele *cachorro* está fazendo, que apagou todo o meu cronograma do dia? Não consigo ver *nada*! Não! — Ela me lançou um olhar torturado. — Olhe para você! Vou ter de lhe mostrar como usar o closet.

Por um segundo fiquei grata por qualquer coisa que Jacob estivesse aprontando.

E depois as mãos de Edward se fecharam, e ele rosnou.

— Ele conversou com Charlie. Acha que Charlie o está seguindo. Vindo para cá. Hoje.

Alice disse uma palavra que soou muito estranha em sua voz marcante e refinada, e então partiu num movimento indistinto, pela porta dos fundos.

— Ele disse a Charlie? — ofeguei. — Mas... ele não entende? Como ele pôde fazer isso? — Charlie *não podia* saber sobre mim! Sobre vampiros! Isso o colocaria numa lista proibida da qual nem os Cullen poderiam salvá-lo. — Não!

Edward falou entredentes.

— Jacob está entrando agora.

Devia ter começado a chover ao leste. Jacob passou pela porta sacudindo o cabelo molhado, como um cão, jogando gotas no carpete e no sofá, que formaram pequenas manchas cinzentas no branco. Seus dentes cintilavam contra os lábios escuros; seus olhos estavam brilhantes e animados. Ele andava aos arrancos, como se estivesse todo empolgado por destruir a vida de meu pai.

— Oi, pessoal — ele nos cumprimentou, sorrindo.

O silêncio era completo.

Leah e Seth entraram atrás dele, em suas formas humanas — por ora; as mãos dos dois tremiam com a tensão na sala.

— Rose — eu disse, estendendo os braços. Sem dizer nada, Rosalie me passou Renesmee. Coloquei-a perto de meu coração parado, segurando-a como um talismã contra o comportamento imprudente. Eu a manteria em meus braços até ter certeza de que minha decisão de matar Jacob se baseasse inteiramente em uma avaliação racional e não na fúria.

Ela ficou muito quieta, vendo e ouvindo. Quanto ela entendia?

— Charlie vai chegar logo — disse-me Jacob despreocupadamente. — Só um aviso. Imagino que Alice tenha ido comprar óculos de sol para você ou coisa assim.

— Você imagina *demais* — cuspi entredentes. — O. Que. Você. *Fez?*

O sorriso de Jacob vacilou, mas ele ainda estava animado demais para responder a sério.

— A Loura e Emmett me acordaram hoje de manhã falando sem parar sobre vocês se mudarem para o outro lado do país. Como se eu pudesse deixar vocês irem embora. Charlie era o maior problema aqui, não é? Bom, problema resolvido.

— Será que você *percebe* o que fez? O perigo em que o colocou?

Ele bufou.

— Não o coloquei em perigo nenhum. A não ser por você. Mas você tem uma espécie de autocontrole sobrenatural, não é? Não é tão bom quanto ler a mente, se quiser minha opinião. É muito menos empolgante.

Edward então se mexeu, disparando pela sala e colocando-se diante de Jacob. Embora ele fosse meia cabeça mais baixo, Jacob se afastou de sua raiva, cambaleando, como se Edward se avultasse sobre ele.

— Isso é só uma *teoria*, vira-lata — ele rosnou. — Acha que vamos testar com *Charlie*? Você considerou a dor física que está infligindo a Bella, mesmo que ela consiga resistir? Ou a dor emocional, se não conseguir? Imagino que o que acontece com Bella não preocupe mais você! — Ele cuspiu a última palavra.

Renesmee apertou os dedos com ansiedade em meu rosto, a angústia tingindo a reprise em sua mente.

As palavras de Edward finalmente atravessaram o humor estranhamente elétrico de Jacob. Sua boca se franziu.

— Bella vai sentir dor?

— Como se você enfiasse um ferro em brasa em sua garganta!

Eu me encolhi, lembrando o cheiro do sangue humano puro.

— Eu não sabia disso — sussurrou Jacob.

— Então talvez devesse ter perguntado primeiro — grunhiu Edward.

— Você teria me impedido.

— Você *devia* ter sido impedido...

— Não se trata de mim — interrompi. Eu estava completamente imóvel, segurando Renesmee e minha sanidade. — Trata-se de Charlie, Jacob. Como você pôde colocá-lo em perigo dessa maneira? Percebe que agora para ele é a morte ou a vida de vampiro também? — Minha voz tremia com as lágrimas que meus olhos não podiam mais derramar.

Jacob ainda estava perturbado com as acusações de Edward, mas as minhas não pareceram incomodá-lo.

— Relaxe, Bella. Eu não contei a ele nada que você não pretendesse falar.

— Mas ele está vindo para cá!

— É, a ideia é essa. Não era parte de seus planos deixar que ele "tirasse suas próprias conclusões erradas"? Acho que dei uma boa pista falsa, é o que eu diria.

Meus dedos se afastaram de Renesmee. Eu os fechei de volta, com firmeza.

— Fale abertamente, Jacob. Não estou com paciência para isso.

— Eu não contei nada a ele sobre você, Bella. Não mesmo. Contei sobre *mim*. Bom, *mostrei* deve ser uma palavra melhor.

— Ele se metamorfoseou na frente de Charlie — sibilou Edward.

— Você *o quê*? — sussurrei.

— Ele é corajoso. Corajoso como você. Não desmaiou, não vomitou, nem nada parecido. Devo dizer que fiquei impressionado. Mas devia ver a cara dele quando comecei a tirar a roupa. Não tem preço. — Jacob riu.

— Você é um *imbecil* completo! Ele podia ter tido um ataque cardíaco!

— Charlie está bem. Ele é durão. Se você pensar só por um minuto, verá que lhe fiz um favor.

— Você tem metade disso, Jacob. — Minha voz era monótona, de aço. — Tem trinta segundos para me dizer cada palavra antes que eu entregue Renesmee a Rosalie e arranque a porcaria da sua cabeça. Seth não poderá me deter dessa vez.

— Meu Deus, Bells. Você não era assim tão melodramática. Isso é uma coisa de vampiro?

— Vinte e seis segundos.

Jacob revirou os olhos e desabou na cadeira mais próxima. Sua pequena matilha se moveu para se colocar em seus flancos, nem um pouco relaxados, como ele parecia estar; os olhos de Leah estavam em mim, os dentes ligeiramente expostos.

— Então eu bati na porta de Charlie hoje de manhã e pedi a ele que fosse dar uma volta comigo. Ele ficou confuso, mas quando lhe disse que era sobre você e que você estava de volta à cidade, ele me seguiu até o bosque. Eu disse que você não estava mais doente e que as coisas estavam um pouco estranhas, mas estavam bem. Ele estava prestes a sair correndo para vir vê-la, mas eu disse que antes tinha de mostrar uma coisa. E então me transformei. — Jacob deu de ombros.

Parecia que meus dentes estavam comprimidos por um torno.

— Quero cada palavra, seu monstro.

— Bom, você disse que eu só tinha trinta segundos... Tudo bem, tudo bem. — Minha expressão deve tê-lo convencido de que eu não estava com humor para brincadeiras. — Deixe-me ver... Voltei a me transformar em humano e me vesti, e depois que ele começou a respirar novamente eu disse algo como: "Charlie, você não vive no mundo em que pensava que vivia. A boa notícia é que nada mudou... só que agora você sabe. A vida vai seguir, como sempre. Você pode voltar a fingir que não acredita em nada disso."

"Ele precisou de um minuto para se recuperar, depois quis saber o que realmente tinha acontecido com você, com essa história de doença rara. Disse a ele que você *tinha mesmo* adoecido, mas que agora estava bem... só que acabou mudando um pouco no processo de recuperação. Ele queria saber o que eu queria dizer com 'mudando', e eu falei que você agora estava mais parecida com Esme que com Renée."

Edward sibilou enquanto eu o fitava, apavorada; aquilo estava tomando um rumo perigoso.

— Depois de alguns minutos, ele perguntou, muito baixo, se você tinha se transformado em um animal também. E eu disse: "Bem que ela queria ser assim tão bacana!" — Jacob riu.

Rosalie fez um ruído de nojo.

— Comecei a contar mais a ele sobre os lobisomens, mas nem precisei falar muito... Charlie me interrompeu e disse que não queria "saber dos detalhes". Depois perguntou se você sabia no que estava se metendo quando se casou com Edward e eu disse: "Claro, ela sabe tudo isso há anos, desde que veio para Forks." Ele não gostou muito *disso*. Deixei que praguejasse até se acalmar. Depois, ele só queria duas coisas. Queria ver você, e eu disse que seria melhor se ele me desse uma dianteira para eu poder explicar.

Respirei fundo.

— Qual era a outra coisa que ele queria?

Jacob sorriu.

— Dessa você vai gostar. Seu principal pedido é que lhe digam o mínimo possível de *tudo* isso. Se não for absolutamente essencial que ele saiba de alguma coisa, então guarde para si mesma. Só quer saber o necessário.

Pela primeira vez desde que Jacob entrara na casa eu senti alívio.

— Posso lidar com essa parte.

— Além disso, ele prefere fingir que as coisas estão normais. — Jacob exibiu um sorriso de satisfação; devia desconfiar de que àquela altura eu começaria a sentir os primeiros sinais de gratidão.

— O que você disse a ele sobre Renesmee? — Lutei para manter a aspereza na voz, reprimindo a gratidão relutante. Era prematuro. Ainda havia muita coisa errada naquela situação. Mesmo que a intervenção de Jacob tivesse provocado em Charlie uma reação melhor do que eu jamais esperara...

— Ah, sim. Eu disse a ele que você e Edward tinham herdado uma nova boquinha para alimentar. — Ele olhou para Edward. — Ela é sua protegida órfã... Como Bruce Wayne e Dick Grayson. — Jacob resfolegou. — Não achei que se importariam de que eu mentisse. Isso tudo faz parte do jogo, não é? — Edward não respondeu, então Jacob continuou. — A essa altura, o choque de Charlie já havia passado, mas ele perguntou se vocês a estavam adotando. "Como uma filha? Quer dizer que sou avô?", foram as palavras dele. Eu disse que sim. "Parabéns, vovô", e tudo isso. Ele até sorriu um pouco.

O prurido voltou aos meus olhos, mas dessa vez não por medo ou angústia. Charlie sorrindo com a ideia de ser avô? Charlie iria conhecer Renesmee?

— Mas ela está mudando tão rápido — sussurrei.

— Eu comentei que ela era mais especial do que todos nós juntos — disse Jacob com a voz suave. Ele se levantou e veio direto a mim, dispensando Leah e Seth quando eles começaram a segui-lo. Renesmee estendeu os braços para ele, mas eu a segurei com mais força. — Eu disse a ele: "Confie em mim, não vai querer saber sobre isso. Mas, se puder ignorar todas as partes estranhas, vai ficar assombrado. Ela é a pessoa mais maravilhosa do mundo." E então eu falei que se ele pudesse lidar com isso, vocês todos ficariam aqui por mais tempo, e ele teria chance de conhecê-la. Mas que, se fosse demais para ele, vocês iriam embora. Ele disse que desde que ninguém lhe desse informações demais, por ele estava tudo bem.

Jacob me fitou com um meio sorriso, à espera.

— Não vou dizer obrigado — afirmei. — Você ainda está pondo Charlie em grande risco.

— *Lamento muito* que isso a machuque. Não sabia que era assim. Bella, as coisas agora estão diferentes conosco, mas você sempre será minha melhor amiga e eu sempre vou amar você. Só que agora vou amar da forma certa. Finalmente existe um equilíbrio. Nós *dois* temos pessoas sem as quais não podemos viver.

Ele me dirigiu seu sorriso mais característico.

— Ainda amigos?

Por mais que eu tentasse resistir, tive de sorrir também. Só um pouquinho.

Ele estendeu a mão: uma oferta.

Respirei fundo e transferi o peso de Renesmee para um só braço. Pus a mão esquerda na dele — ele nem se encolheu com o toque de minha pele fria.

— Se eu não matar Charlie esta noite, vou pensar em perdoar você por isso.

— *Quando* você não matar Charlie esta noite, vai me dever muito.

Revirei os olhos.

Ele estendeu a outra mão para Renesmee, dessa vez com um pedido.

— Posso?

— Na verdade eu a estou segurando a fim de não ter as mãos livres para matar você, Jacob. Talvez em outra hora.

Ele suspirou, mas não insistiu. Sensato da parte dele.

Alice entrou correndo pela porta, as mãos cheias e a expressão prometendo violência.

— Você, você e você — disparou ela, fuzilando os lobisomens com os olhos. — Se vão ficar aqui, vão para o canto e fiquem ali por um tempo. Eu preciso *ver*. Bella, é melhor entregar o bebê a ele também. Vai precisar dos braços livres, de qualquer forma.

Jacob sorriu, triunfante.

O mais puro medo rasgou meu estômago enquanto a monstruosidade do que eu estava prestes a fazer me atingiu. Eu ia apostar no meu duvidoso autocontrole, e meu pai imaculadamente humano seria a cobaia. As palavras anteriores de Edward se chocaram em meus ouvidos de novo.

Você considerou a dor física que está infligindo a Bella, mesmo que ela consiga resistir? Ou a dor emocional, se não conseguir?

Eu não podia imaginar a dor do fracasso. Minha respiração transformou-se em arquejos.

— Pegue-a — sussurrei, passando Renesmee para os braços de Jacob.

Ele assentiu, a preocupação vincando sua testa. Ele gesticulou para os outros, e foram para o canto mais distante da sala. Seth e Leah agacharam-se no chão ao mesmo tempo, mas Leah sacudiu a cabeça e franziu os lábios.

— Tenho permissão para sair? — queixou-se.

Leah parecia pouco à vontade no corpo humano, usando a mesma camiseta e short de algodão sujos que usou para me passar um sermão no outro dia, o cabelo curto espetado em tufos irregulares. Suas mãos ainda tremiam.

— É claro — disse Jake.

— Fique a leste para não atravessar o caminho de Charlie — acrescentou Alice.

Leah não olhou para Alice; saiu pela porta e partiu para os arbustos a fim de se metamorfosear.

Edward estava de volta ao meu lado, afagando meu rosto.

— Você pode fazer isso. Sei que pode. Eu vou ajudá-la; nós todos vamos.

Fitei os olhos de Edward com o pânico estampado no meu rosto. Seria ele forte o bastante para me deter se eu fizesse um movimento errado?

— Se eu não acreditasse que você pode enfrentar isso, iríamos embora hoje. Neste minuto. Mas você pode. E vai ficar mais feliz se puder ter Charlie em sua vida.

Tentei acalmar minha respiração.

Alice estendeu a mão. Havia uma caixinha branca em sua palma.

— Elas vão irritar seus olhos... Não doem, mas embaçam a visão. É irritante. Também não são da sua antiga cor, mas é ainda melhor do que o vermelho-vivo, não é?

Ela jogou a caixa de lentes de contato e eu peguei.

— Quando foi que você...

— Antes de vocês saírem em lua de mel. Eu me preparei para vários futuros possíveis.

Assenti e abri o recipiente. Eu nunca usara lentes de contato, mas não devia ser difícil. Peguei a pequena meia esfera marrom e a comprimi, com o lado côncavo para dentro, em meu olho.

Eu pisquei e uma película interrompeu minha visão. Eu podia ver através dela, é claro, mas também podia ver a textura da tela fina. Meu olho insistia em focalizar os arranhões e imperfeições microscópicos.

— Entendo o que quer dizer — murmurei enquanto colocava a outra lente. Dessa vez, tentei não piscar. Meu olho automaticamente quis desalojar a obstrução.

— Como estou?

Edward sorriu.

— Linda. É claro...

— Sim, sim, ela está sempre linda — Alice terminou o pensamento dele com impaciência. — É melhor que vermelho, mas é o maior elogio que posso fazer. Castanho-lamacento. Seu castanho era muito mais bonito. Lembre-se de que elas não duram para sempre... o veneno em seus olhos as dissolverá em algumas horas. Assim, se Charlie ficar mais tempo do que isso, você terá de pedir licença para substituí-las. O que de qualquer maneira é uma boa ideia, porque os humanos precisam de intervalos para usar o banheiro. — Ela sacudiu a cabeça. — Esme, dê a ela algumas dicas sobre como agir como humana enquanto eu abasteço o lavabo com lentes de contato.

— Quanto tempo eu tenho?

— Charlie chegará em cinco minutos. Simplifique.

Esme assentiu e veio pegar minha mão.

— O principal é não se sentar imóvel demais nem se mover rápido demais — disse-me ela.

— Sente-se, se ele se sentar — intrometeu-se Emmett. — Os humanos não gostam de ficar de pé.

— Deixe que seus olhos vaguem a cada trinta segundos mais ou menos — acrescentou Jasper. — Os humanos não encaram uma coisa por tempo demais.

— Cruze as pernas por uns cinco minutos, depois cruze os tornozelos por mais cinco — disse Rosalie.

Assenti a cada sugestão. Eu os observara fazendo algumas dessas coisas na véspera. Acreditava que podia imitar sua atitude.

— E pisque pelo menos três vezes por minuto — disse Emmett. Ele franziu o cenho, depois disparou para onde estava o controle remoto da tevê, na mesa lateral. Ligou a tevê num jogo de futebol americano e assentiu para si mesmo.

— Mexa as mãos também. Jogue o cabelo para trás ou finja coçar alguma coisa — disse Jasper.

— Eu disse *Esme* — queixou-se Alice ao voltar. — Vocês a estão confundindo.

— Não, acho que entendi tudo — eu disse. — Sentar, olhar em volta, piscar, me mexer.

— Isso mesmo — aprovou Esme. E abraçou meus ombros.

Jasper franziu a testa.

— Você vai prender a respiração o máximo que puder, mas precisará mover um pouco os ombros para dar a *impressão* de que está respirando.

Eu inspirei e assenti novamente.

Edward me abraçou do outro lado.

— Você consegue fazer isso — repetiu ele, murmurando o estímulo em meu ouvido.

— Dois minutos — disse Alice. — Talvez você devesse começar já no sofá. Afinal, você estava doente. Assim ele não verá você se mexer já de cara.

Alice me puxou para o sofá. Tentei me mover devagar, deixar meus membros mais desajeitados. Ela revirou os olhos, então eu não devia estar fazendo um bom trabalho.

— Jacob, preciso de Renesmee — eu disse.

Jacob franziu a testa, sem se mexer.

Alice sacudiu a cabeça.

— Bella, isso não me ajuda a ver.

— Mas eu *preciso* dela. Ela me deixa calma. — A pontada de pânico em minha voz era inconfundível.

— Tudo bem — gemeu Alice. — Segure-a o mais imóvel possível e vou *tentar* ver em volta dela. — Ela soltou um suspiro pesado, como se tivesse sido solicitada a fazer hora extra num feriado. Jacob suspirou também, mas me trouxe Renesmee, depois recuou rapidamente do olhar de Alice.

Edward sentou-se ao meu lado e pôs os braços em torno de Renesmee e de mim. Inclinou-se para a frente e fitou os olhos de Renesmee com muita seriedade.

— Renesmee, uma pessoa especial está vindo ver você e sua mãe — disse ele numa voz solene, como se esperasse que ela entendesse cada palavra. Será que entendia? Ela o encarou com os olhos graves e claros. — Mas ele não é igual a nós, nem igual a Jacob. Temos de ter muito cuidado com ele. Você não deve dizer coisas a ele como diz a nós.

Renesmee tocou o rosto dele.

— Exatamente — disse ele. — E ele vai deixar você com sede. Mas não deve mordê-lo. Ele não vai se curar como o Jacob.

— Ela pode entender você? — sussurrei.

— Ela entende. Você vai ter cuidado, não é, Renesmee? Vai nos ajudar?

Renesmee tocou-o de novo.

— Não, não ligo se você morder Jacob. Isso pode.

Jacob riu.

— Talvez você deva sair, Jacob — disse Edward com frieza, fuzilando-o com os olhos. Edward não perdoara Jacob, porque sabia que, independentemente do que acontecesse ali, eu ia sentir dor. Mas eu aceitaria feliz a dor se ela fosse a pior coisa que eu enfrentaria então.

— Eu disse a Charlie que estaria aqui — disse Jacob. — Ele vai precisar de apoio moral.

— Apoio moral — disse Edward em tom de zombaria. — Até onde Charlie sabe, você é o monstro mais repulsivo de todos nós.

— Repulsivo? — Jake protestou, depois riu baixo consigo mesmo.

Ouvi os pneus saírem da rodovia e entrarem na terra úmida da silenciosa estrada dos Cullen, e minha respiração acelerou de novo. Meu coração devia estar martelando. Eu me sentia angustiada por meu corpo não ter as reações certas.

Concentrei-me no batimento constante do coração de Renesmee para me acalmar. Funcionou bastante rápido.

— Muito bem, Bella — sussurrou Jasper, aprovando.

Edward estreitou os braços em meu ombro.

— Tem certeza? — perguntei a ele.

— Positivo. Você pode fazer *qualquer coisa*. — Ele sorriu e me beijou.

Não foi exatamente um selinho, e minhas reações desvairadas de vampira me pegaram de guarda baixa de novo. Os lábios de Edward eram como uma dose de uma substância viciante direto no meu sistema nervoso. Instantaneamente, eu quis mais. Foi preciso toda a minha concentração para me lembrar do bebê em meus braços.

Jasper sentiu a mudança de humor.

— Hã, Edward, pode não distraí-la, como está fazendo agora? Ela precisa se concentrar.

Edward se afastou.

— Epa — disse ele.

Eu ri. Aquela fala era *minha* desde o começo, desde o primeiro beijo.

— Mais tarde — eu disse, e a expectativa me revirou o estômago.

— Foco, Bella — insistiu Jasper.

— Tudo bem. — Afugentei as sensações trêmulas. Charlie, isso agora era o principal. Manter Charlie seguro ali. Teríamos a noite toda...

— Bella.

— Desculpe, Jasper.

Emmett riu.

O som da viatura de Charlie estava cada vez mais próximo. O segundo de leveza passou e todos ficaram imóveis. Cruzei as pernas e treinei as piscadelas.

O carro parou na frente da casa e ficou em ponto morto por alguns segundos. Perguntei-me se Charlie estaria tão nervoso quanto eu. Depois o motor foi desligado e uma porta bateu. Três passos na grama e oito com eco nos degraus de madeira. Mais quatro passos com eco pela varanda. Depois silêncio. Charlie respirou fundo duas vezes.

Toc, toc, toc.

Inspirei o ar pelo que podia ser a última vez. Renesmee se aconchegou mais em meus braços, escondendo o rosto em meu cabelo.

Carlisle atendeu à porta. Sua expressão estressada se alterou para uma de boas-vindas, como se mudasse o canal da tevê.

— Olá, Charlie — disse ele, parecendo adequadamente envergonhado. Afinal, todos devíamos estar em Atlanta, no Centro de Controle de Doenças. Charlie sabia que haviam mentido para ele.

— Carlisle. — Charlie o cumprimentou rigidamente. — Onde está Bella?

— Bem aqui, pai.

Ai! Minha voz era tão errada. Além disso, eu usara parte do meu suprimento de ar. Reabasteci rapidamente, feliz que o cheiro de Charlie ainda não tivesse saturado a sala.

A expressão perplexa de Charlie me dizia como minha voz estava estranha. Seus olhos se detiveram em mim e se arregalaram.

Li as emoções que iam passando pelo seu rosto.

Choque. Incredulidade. Dor. Perda. Medo. Raiva. Desconfiança. Mais dor.

Mordi o lábio. Era estranho. Meus novos dentes eram mais afiados em minha pele de granito do que meus dentes humanos na pele humana macia.

— É você, Bella? — sussurrou ele.

— Sou. — Estremeci com minha voz de sino de vento. — Oi, pai.

Ele respirou fundo para se controlar.

— Ei, Charlie. — Jacob o cumprimentou do canto. — Como estão as coisas?

Charlie fechou a cara para Jacob, estremeceu com a lembrança e então me fitou de novo.

Devagar, Charlie atravessou a sala até ficar a pouca distância de mim. Disparou um olhar acusador a Edward, depois seus olhos voltaram a mim. O calor de seu corpo quente vinha de encontro a mim a cada pulsação de seu coração.

— Bella? — perguntou ele de novo.

Falei num tom mais baixo, tentando eliminar o sino da voz.

— Sou eu mesma.

Seu queixo travou.

— Desculpe-me, pai.

— Você está bem?

— Ótima, de verdade — garanti. — Saudável como um cavalo.

E lá se foi meu oxigênio.

— Jake me disse que isso foi... necessário. Que você estava morrendo. — Ele disse as palavras como se não acreditasse nem um pouco nelas.

Eu me enrijeci, concentrada no peso quente de Renesmee, recostada em Edward como apoio, e respirei fundo.

O cheiro de Charlie foi um murro de chamas, socando direto por minha garganta adentro. Mas era muito mais do que dor. Era também uma punhalada quente de desejo. Charlie tinha um cheiro mais delicioso que qualquer coisa que eu houvesse imaginado. Tão agradável quanto o dos montanhistas que estiveram na caçada, Charlie era duplamente tentador. E ele só estava a poucos centímetros de distância, derramando o calor e a umidade apetitosos no ar seco.

Mas eu agora não estava caçando. E aquele era o meu pai.

Edward apertou meus ombros, solidário, e Jacob lançou um olhar de desculpas para mim do outro lado da sala.

Tentei me recompor e ignorar a dor e o desejo da sede. Charlie esperava minha resposta.

— Jacob lhe contou a verdade.

— Isso o torna o único — grunhiu Charlie.

Eu esperava que Charlie pudesse ver além das mudanças em meu novo rosto e enxergasse o remorso ali.

Sob meu cabelo, Renesmee se mexeu quando registrou o cheiro de Charlie. Eu a apertei um pouco mais.

Charlie me viu olhar ansiosa para baixo e seguiu meu olhar.

— Ah! — disse ele, e toda a raiva sumiu de seu rosto, deixando apenas o choque. — É ela. A órfã que Jacob disse que vocês estão adotando.

— Minha sobrinha — mentiu Edward tranquilamente. Ele deve ter concluído que a semelhança entre Renesmee e ele era evidente demais para ser ignorada. Era melhor afirmar que eram parentes desde o início.

— Pensei que tivesse perdido sua família — disse Charlie, a acusação voltando à sua voz.

— Perdi meus pais. Meu irmão mais velho foi adotado, como eu. Nunca mais o vi depois disso. Mas os tribunais me localizaram quando ele e a mulher sofreram um acidente de carro, deixando a única filha sem outra família.

Edward era tão bom naquilo. Sua voz ficava tranquila, com o nível certo de inocência. Eu precisava treinar para poder fazer igual.

Renesmee espiou por baixo de meu cabelo, cheirando de novo. Ela olhou timidamente para Charlie sob os longos cílios e voltou a se esconder.

— Ela... ela, bom, ela é linda.

— É — concordou Edward.

— Mas é uma grande responsabilidade. Vocês dois estão começando agora.

— O que mais poderíamos fazer? — Edward passou os dedos de leve no rosto de Renesmee. Eu o vi tocar os lábios dela por um breve momento... um lembrete. — Você a teria rejeitado?

— Humm. Bom. — Ele sacudiu a cabeça, ausente. — Jake disse que vocês a chamam de Nessie...

— Não chamamos, não — eu disse, minha voz aguda e penetrante demais. — O nome dela é Renesmee.

Charlie voltou a se concentrar em mim.

— Como se sente com isso? Talvez Carlisle e Esme possam...

— Ela é minha — interrompi. — Eu a *quero*.

Charlie franziu a testa.

— Vai me fazer ser avô assim tão novo?

Edward sorriu.

— Carlisle é avô também.

Charlie lançou um olhar incrédulo a Carlisle, ainda parado na porta da frente; ele parecia o irmão mais novo e mais bonito de Zeus.

Charlie bufou e riu.

— Acho que isso faz com que eu me sinta melhor. — Seus olhos voltaram a Renesmee. — Ela é mesmo uma beleza. — Seu hálito quente soprou de leve pelo espaço entre nós.

Renesmee se inclinou para o cheiro, livrando-se do meu cabelo e olhando em cheio no rosto dele pela primeira vez. Charlie arquejou.

Eu sabia o que ele estava vendo. Meus olhos — os olhos dele — copiados à exatidão em seu rosto perfeito.

Charlie começou a ofegar. Seus lábios tremeram, e pude ler os números que ele murmurava. Estava contando, tentando encaixar nove meses em um. Tentando encaixar as peças, mas sem conseguir que a prova diante dele fizesse algum sentido.

Jacob se levantou e veio afagar as costas de Charlie. Inclinou-se para sussurrar alguma coisa no ouvido dele; só Charlie não sabia que todos podíamos ouvir.

— Só saber o necessário, Charlie. Está tudo bem. Eu garanto.

Charlie engoliu em seco e assentiu. E depois seus olhos arderam enquanto ele dava mais um passo na direção de Edward com os punhos fechados.

— Eu não quero saber de tudo, mas chega de mentiras!

— Desculpe — disse Edward, calmamente —, mas você precisa saber a história pública mais do que precisa saber a verdade. Se vai fazer parte deste segredo, a história pública é a que conta. É para proteger Bella e Renesmee, assim como o restante de nós. Pode aceitar as mentiras por elas?

A sala estava cheia de estátuas. Eu cruzei os tornozelos.

Charlie bufou e se virou para me olhar fixamente.

— Podia ter me alertado de alguma maneira, menina.

— Isso realmente teria tornado as coisas mais fáceis?

Ele franziu o cenho, então se ajoelhou no chão diante de mim. Eu podia ver o movimento do sangue no pescoço, sob a pele. Podia sentir a vibração quente dele.

E Renesmee também. Ela sorriu e estendeu a mãozinha rosada para ele. Eu a segurei. Ela colocou a outra mão em meu pescoço — sede, curiosidade e o rosto de Charlie em seus pensamentos. Havia um toque sutil na mensagem que me fez pensar que ela havia entendido perfeitamente as palavras de Edward; ela reconheceu a sede, mas a superou no mesmo pensamento.

— Caramba — Charlie arfou, olhando seus dentes perfeitos. — Que idade ela tem?

— Hã...

— Três meses — disse Edward, acrescentando devagar: — Ou melhor, ela é do tamanho de uma criança de três meses, mais ou menos. É mais nova em alguns aspectos, mais madura em outros.

Muito deliberadamente, Renesmee acenou para ele.

Charlie piscou espasmodicamente.

Jacob o cutucou.

— Eu lhe disse que ela era especial, não disse?

Charlie se retraiu com o contato.

— Ah, o que é isso, Charlie? — gemeu Jacob. — Sou a mesma pessoa que sempre fui. Finja que nada disso aconteceu.

A lembrança fez os lábios de Charlie ficarem brancos, mas ele assentiu.

— E qual *é* sua parte disso, Jake? — perguntou ele. — Até que ponto Billy sabe? Por que você está aqui? — Ele olhou para o rosto de Jacob, que reluzia enquanto olhava para Renesmee.

— Bom, posso lhe falar tudo... Billy sabe de absolutamente tudo... Mas isso envolve muita coisa sobre os lobiso...

— Argh! — Charlie protestou, cobrindo as orelhas. — Deixe para lá.

Jacob sorriu.

— Vai ficar tudo ótimo, Charlie. Só procure não acreditar em tudo o que vê.

Meu pai murmurou alguma coisa ininteligível.

— Aí! — Emmett de repente explodiu em seu grave profundo. — Vamos, Gators!

Jacob e Charlie deram um pulo. O restante de nós ficou paralisado.

Charlie se recuperou, então olhou para Emmett por cima do ombro.

— Flórida está vencendo?

— Acabaram de marcar o primeiro *touchdown* — confirmou Emmett. Ele olhou na minha direção, erguendo as sobrancelhas como um vilão de *vaudeville*. — Já estava na hora de alguém marcar um ponto por aqui.

Reprimi um silvo. Na frente de Charlie? Aquilo passava dos limites.

Mas Charlie não estava em condições de perceber insinuações. Ele respirou fundo de novo, sugando o ar como se tentasse fazê-lo descer até os pés. Eu o invejei. Ele se levantou, contornou Jacob e meio que desabou numa poltrona vaga.

— Bom — ele suspirou —, vamos ver se eles podem manter a liderança.

26. BRILHANTE

— NÃO SEI QUANTO DEVEMOS CONTAR A RENÉE SOBRE ISSO — DISSE Charlie, hesitando com um pé do lado de fora da porta. Ele se espreguiçou, depois seu estômago roncou.

Assenti.

— Eu sei. Não quero deixá-la apavorada. Melhor protegê-la. Isso não é para corações fracos.

Os lábios dele se retorceram, pesarosos.

— Eu teria tentado proteger você também, se soubesse como. Mas acho que você nunca se encaixou na categoria coração fraco, não é?

Retribuí o sorriso, puxando uma respiração ardente por entre os dentes.

Charlie afagou distraído a barriga.

— Vou pensar em alguma coisa. Temos tempo para discutir isso, certo?

— Certo — garanti a ele.

Fora um dia longo sob muitos aspectos e curto sob outros. Charlie estava atrasado para o jantar — Sue Clearwater estava cozinhando para ele e Billy. *Aquela* seria uma noite embaraçosa, mas pelo menos ele ia comer comida de verdade; fiquei feliz por alguém estar tentando evitar que ele morresse de fome por causa de sua falta de habilidade na cozinha.

Ao longo de todo o dia a tensão havia feito com que os minutos passassem lentamente; Charlie não relaxou os ombros rígidos um só minuto. Mas ele também não tivera nenhuma pressa de ir embora. Ele assistira a dois jogos inteiros — felizmente tão absorto em seus pensamentos que estava totalmente alheio às piadas sugestivas de Emmett, que ficavam cada vez mais incisivas e menos relacionadas com futebol — e aos comentários pós-jogo, e depois ao noticiário, sem se mexer, até que Seth o lembrara da hora.

— Vai dar o bolo na minha mãe e em Billy, Charlie? Vamos. Bella e Nessie estarão aqui amanhã. Vamos pegar a gororoba?

Pelos olhos de Charlie, ficou claro que ele não confiava naquela afirmação, mas deixou que Seth o levasse para fora. A dúvida ainda estava ali quando ele parou. As nuvens iam se afinando, a chuva já tinha passado. O sol até podia aparecer bem a tempo de se pôr.

— Jake disse que vocês iam para longe — murmurou ele.

— Eu não iria querer fazer isso se tivesse algum modo de evitar. É por isso que ainda estamos aqui.

— Ele disse que vocês podem ficar mais um tempo, mas só se eu for durão e se puder manter a boca fechada.

— É... mas não posso prometer que nunca vamos partir, pai. É muito complicado...

— Saber só o necessário — lembrou ele.

— Isso.

— Mas virá me visitar, se você tiver de ir?

— Eu prometo, pai. Agora que você sabe *o suficiente*, acho que pode dar certo. Vou me manter tão perto quanto você quiser.

Ele mordeu o lábio por meio segundo, depois inclinou-se lentamente para mim com os braços cautelosamente estendidos. Eu mudei Renesmee — agora dormindo — para o braço esquerdo, trinquei os dentes, prendi a respiração e passei o braço direito muito de leve em sua cintura quente e macia.

— Que seja muito perto, Bells — murmurou ele. — Muito perto.

— Eu amo você, pai — sussurrei entredentes.

Ele estremeceu e se afastou. Deixei o braço cair.

— Eu amo você também, menina. Muita coisa pode ter mudado, mas isso não. — Ele tocou um dedo na bochecha rosada de Renesmee. — Ela é muito parecida com você.

Mantive a expressão despreocupada, embora não me sentisse assim.

— Acho que mais com Edward. — Hesitei por um momento, e então acrescentei: — Ela tem os seus cachos.

Charlie sobressaltou-se, depois bufou.

— Hã. Acho que tem. Hã. Vovô. — Ele sacudiu a cabeça, em dúvida. — Um dia vou poder segurá-la?

Eu pisquei com o choque, e então me recompus. Após considerar por meio segundo e avaliar o estado de Renesmee — ela parecia estar em sono profundo —, concluí que podia abusar da sorte um pouco mais, uma vez que as coisas estavam indo tão bem...

— Tome — eu disse, estendendo-a para ele.

Charlie automaticamente fez um ninho desajeitado com os braços, e coloquei Renesmee ali. A pele dele não era tão quente quanto a dela, mas sentir o calor fluindo sob a membrana fina fez cócegas em minha garganta. Onde minha pele branca roçou, a dele ficou arrepiada. Eu não sabia se era uma reação à minha nova temperatura ou se era totalmente psicológico.

Charlie grunhiu baixinho enquanto sentia seu peso.

— Ela é... robusta.

Franzi o cenho. Ela parecia leve como uma pluma para mim. Talvez eu tenha perdido minha capacidade de medir.

— Ser robusta é bom — disse Charlie, vendo minha expressão. Depois murmurou para si mesmo: — Ela vai precisar ser durona, cercada por toda essa loucura. — Ele balançou um pouco os braços, gentilmente, de um lado para o outro. — O bebê mais lindo que já vi, incluindo você, menina. Desculpe, mas é a verdade.

— Eu sei disso.

— Bebê lindo — disse ele de novo, mas dessa vez estava mais para um arrulho.

Pude ver em seu rosto — pude observar o sentimento que crescia ali. Charlie era tão indefeso à magia de Renesmee quanto o restante de nós. Dois segundos em seus braços e ela já o dominava.

— Posso voltar amanhã?

— Claro, pai. É claro. Estaremos aqui.

— É melhor que estejam — disse ele com severidade, mas sua expressão era branda, ainda olhando para Renesmee. — Até amanhã então, Nessie.

— Você também, não!

— Hein?

— O nome dela é *Renesmee*. De Renée e Esme, juntos. Sem variações. — Lutei para me acalmar sem respirar fundo. — Quer saber o nome do meio dela?

— Claro.

— Carlie. Com C. Uma mistura de Carlisle e Charlie.

O sorriso de Charlie, do tipo que faz rugas nos olhos, iluminou seu rosto, pegando-me desprevenida.

— Obrigado, Bells.

— Obrigada a *você*, pai. Tanta coisa mudou tão rápido. Minha cabeça não para de girar. Se eu não tivesse você agora, não sei como manteria contato com a... realidade. — Eu estava prestes a dizer *com o que eu era*. Devia ser mais do que ele precisava.

O estômago de Charlie roncou.

— Vá comer, pai. Nós *estaremos* aqui. — Lembrei como era aquela primeira imersão desagradável na fantasia, a sensação de que tudo iria desaparecer na luz do sol nascente.

Charlie assentiu e me devolveu Renesmee com relutância. Olhou para a casa, atrás de mim; seus olhos ficaram meio ansiosos por um minuto enquanto ele esquadrinhava a grande sala iluminada. Todos ainda estavam ali, fora Jacob, que eu podia ouvir assaltando a geladeira na cozinha; Alice estava recostada no primeiro degrau da escada, com a cabeça de Jasper no colo; Carlisle tinha a cabeça curvada sobre o grosso livro em seu colo; Esme cantarolava baixinho, desenhando em um bloco, enquanto Rosalie e Emmett preparavam a fundação para um monumental castelo de cartas debaixo da escada; Edward se encontrava ao piano, tocando muito suavemente para si mesmo. Não havia evidências de que o dia estava chegando ao fim, que podia ser hora de comer ou passar aos preparativos para a noite. Alguma coisa intangível tinha mudado na atmosfera. Os Cullen não se esforçavam tanto quanto habitualmente — a fachada humana tinha cedido um pouco, o bastante para Charlie sentir a diferença.

Ele estremeceu, sacudiu a cabeça e suspirou.

— Até amanhã, Bella. — Franziu a testa e acrescentou: — Não é que você não pareça... bem. Vou me acostumar com isso.

— Obrigada, pai.

Charlie assentiu e caminhou pensativamente para o carro. Fiquei observando enquanto ele se afastava; foi só quando ouvi os pneus alcançarem a via expressa que percebi que eu havia conseguido. Tinha passado o dia todo sem machucar Charlie. Sozinha. Eu *devia mesmo* ter um superpoder!

Pareceu bom demais para ser verdade. Será que eu realmente poderia ter minha família nova e uma parte da antiga ao mesmo tempo? E eu que pensara que o dia anterior havia sido perfeito.

— Uau — sussurrei. Pisquei e senti o terceiro par de lentes de contato se desintegrando.

O som do piano cessou, e os braços de Edward estavam em minha cintura, seu queixo pousando em meu ombro.

— Você tirou a palavra da minha boca.

— Edward, eu consegui!

— Conseguiu. Você foi inacreditável. Toda aquela preocupação em ser uma recém-criada, e você simplesmente pulou essa fase. — Ele riu baixinho.

— Não tenho certeza nem se ela é mesmo uma vampira, que dirá recém--criada — disse Emmett debaixo da escada. — Ela é *mansa* demais.

Todos os comentários constrangedores que ele fizera na frente do *meu pai* tornaram a soar em meus ouvidos, e provavelmente era uma boa coisa que eu estivesse segurando Renesmee. Incapaz de evitar completamente minha reação, rosnei baixo.

— Ahhhh, que medo! — Emmett riu.

Eu sibilei, e Renesmee se agitou em meus braços. Ela piscou algumas vezes, depois olhou em volta, a expressão confusa. Ela cheirou, depois estendeu a mão para o meu rosto.

— Charlie vai voltar amanhã — garanti a ela.

— Ótimo — disse Emmett.

Dessa vez, Rosalie riu com ele.

— Não é inteligente, Emmett — disse Edward com desdém, estendendo as mãos para pegar Renesmee de mim. Ele deu uma piscadela quando hesitei, e então, meio confusa, eu a entreguei a ele.

— O que quer dizer? — perguntou Emmett.

— Não acha que é meio idiota antagonizar com a vampira mais forte da casa?

Emmett lançou a cabeça para trás e riu com desdém.

— *Ah, francamente!*

— Bella — murmurou Edward para mim enquanto Emmett ouvia com atenção —, você se lembra de alguns meses atrás, quando lhe pedi para me fazer um favor depois que fosse imortal?

Isso me lembrou de alguma coisa. Eu repassei as conversas humanas indistintas. Depois de um momento, lembrei e arfei.

— Ah!

Alice deu uma risada longa, como um trinado. A cabeça de Jacob apareceu na esquina da cozinha, a boca cheia de comida.

— O que foi? — grunhiu Emmett.

— De verdade? — perguntei a Edward.

— Confie em mim — disse ele.

Respirei fundo.

— Emmett, o que acha de uma pequena aposta?

Ele se colocou de pé imediatamente.

— Excelente. Vamos lá.

Mordi o lábio por um segundo. Ele era *imenso*.

— A não ser que esteja com muito medo... — disse Emmett.

Endireitei os ombros.

— Você. Eu. Queda de braço. Mesa de jantar. Agora.

O sorriso de Emmett se esticou no rosto.

— Hã... Bella — disse Alice rapidamente —, acho que Esme gosta muito dessa mesa. É uma antiguidade.

— Obrigada — sussurrou Esme para ela.

— Tudo bem — disse Emmett com um sorriso radiante. — Por aqui, Bella.

Eu o segui até a garagem dos fundos; podia ouvir todos os outros nos seguindo. Havia um bloco de granito bastante grande se projetando de um monte de pedras perto do rio, e aquele, evidentemente, era o objetivo de Emmett. Embora a pedra fosse meio arredondada e irregular, daria conta do recado.

Emmett posicionou o cotovelo sobre a pedra e acenou para que eu avançasse.

Eu estava nervosa de novo enquanto olhava os músculos volumosos no braço de Emmett, mas mantive a expressão tranquila. Edward me garantira que eu seria mais forte do que todos por algum tempo. Ele parecia muito confiante, e eu *me sentia* forte. *Mas tão forte assim?*, perguntei-me, olhando os bíceps de Emmett. No entanto, eu não tinha nem dois dias de idade, e isso devia valer alguma coisa. A não ser que nada fosse normal em mim. Talvez eu não fosse tão forte quanto uma recém-criada normal. Talvez fosse esse o motivo de ser tão fácil me controlar.

Tentei parecer despreocupada enquanto colocava o cotovelo na pedra.

— Ok, Emmett. Se eu vencer, você não pode dizer nem mais uma palavra sobre minha vida sexual a ninguém, nem mesmo a Rose. Nada de alusões, nem insinuações... nada.

Os olhos dele se estreitaram.

— Fechado. Se eu vencer, isso vai ficar *muito* pior.

Ele ouviu minha respiração parar e sorriu maliciosamente. Não havia vislumbre de blefe em seus olhos.

— Vai desistir tão fácil, maninha? — escarneceu Emmett. — Não há muita ferocidade em *você*, não é? Aposto que o chalé não tem nem um arranhão.

— Ele riu. — Edward lhe contou quantas casas eu e Rose demolimos?

Trinquei os dentes e agarrei sua mão imensa.

— Um, dois...

— Três — grunhiu ele, tentando baixar minha mão.

Nada aconteceu.

Ah, eu podia sentir a força que ele exercia. Minha mente nova parecia muito boa em todos os tipos de cálculo, e assim eu sabia que se ele não estivesse encontrando nenhuma resistência, sua mão teria atravessado a pedra sem dificuldade. A pressão aumentou, e me perguntei ao acaso se um caminhão de cimento descendo por uma ladeira íngreme a 60km/h teria um poder semelhante. Oitenta quilômetros por hora? Cem? Provavelmente mais.

Mas não era o bastante para me deslocar. Sua mão empurrava a minha com uma força esmagadora, mas não era desagradável. Era até bom, de uma forma estranha. Eu estava agindo com muito cuidado desde que acordara, tentando ao máximo não quebrar as coisas. Era um tipo estranho de alívio usar meus músculos. Deixar que a força fluísse em vez de lutar para reprimi-la.

Emmett grunhiu; sua testa se vincou e todo seu corpo ficou tenso em uma linha rígida orientada para o obstáculo da minha mão imóvel. Deixei que ele suasse — em sentido figurado — por um instante enquanto desfrutava a sensação da força louca que corria pelo meu braço.

Depois de alguns segundos, porém, fiquei meio entediada. Forcei; Emmett perdeu uns dois centímetros.

Eu ri. Emmett rosnou asperamente entredentes.

— Fique de boca fechada — eu o adverti, e então esmaguei sua mão na pedra. Um estalo ensurdecedor ecoou pelas árvores. A pedra tremeu, e um pedaço de cerca de um oitavo da massa soltou-se, caindo no chão, aos pés de Emmett, e eu reprimi o riso.

Podia ouvir as risadas abafadas de Jacob e de Edward.

Emmett chutou o fragmento de pedra, lançando-o do outro lado do rio. Ele cortou ao meio um bordo novo antes de bater na base de um grande abeto, que oscilou e caiu em cima de outra árvore.

— Revanche. Amanhã.

— Não vai diminuir assim tão rápido — eu disse a ele. — Talvez você devesse esperar um mês.

Emmett grunhiu, mostrando os dentes.

— Amanhã.

— Bem, se isso vai deixar você feliz, irmãozão...

Quando se virou para ir embora, Emmett socou o granito, estilhaçando-o numa avalanche de lascas e pó. Foi legal, coisa de criança.

Fascinada com a prova inegável de que eu era mais forte do que o vampiro mais forte que eu conhecia, coloquei a mão na pedra, com os dedos esticados, e então cravei os dedos lentamente, esmagando, em vez de cavando; a consistência fez lembrar queijo duro. Terminei com um punhado de cascalho.

— Legal — murmurei.

Com um sorriso estampado no rosto, subitamente girei num círculo e apliquei um golpe de caratê na pedra com a lateral da mão. A pedra guinchou, gemeu e — com uma grande nuvem de poeira — partiu-se em duas.

Comecei a rir.

Não prestei muita atenção nos risos atrás de mim enquanto socava e chutava o resto da rocha, transformando-a em fragmentos. Estava me divertindo demais, rindo o tempo todo. Foi só quando ouvi uma risadinha nova, um agudo repicar de sinos, que me detive em meu jogo bobo.

— Ela riu?

Todos olhavam Renesmee com a mesma expressão pasma que devia estar em meu rosto.

— Sim — disse Edward.

— Quem *não* está rindo? — murmurou Jacob, revirando os olhos.

— Não me diga que você não extravasou um pouco na sua primeira vez, cachorro — brincou Edward, sem antagonismo na voz.

— É diferente — disse Jacob, e eu vi, surpresa, ele dar um soco de brincadeira no ombro de Edward. — Era para Bella ser adulta. Casada, mãe, essas coisas. Não devia ter mais dignidade?

Renesmee franziu a testa e tocou o rosto de Edward.

— O que ela quer? — perguntei.

— Menos dignidade — disse Edward com um sorriso. — Ela estava se divertindo tanto quanto eu vendo você brincar.

— Eu sou divertida? — perguntei a Renesmee, voltando em disparada e estendendo as mãos para ela ao mesmo tempo em que ela estendia os braços para mim. Eu a peguei de Edward e lhe ofereci a lasca de pedra na minha mão. — Quer tentar?

Ela abriu seu sorriso cintilante e pegou a pedra com as duas mãos. Então apertou, uma pequena ruga se formando entre as sobrancelhas enquanto se concentrava.

Houve um ruído áspero mínimo e um pouco de pó. Ela franziu a testa e estendeu o naco para mim.

— Vou terminar isso — eu disse, transformando a pedra em areia.

Ela bateu palmas e riu; o som delicioso fez com que todos nos juntássemos a ela.

O sol de repente surgiu através das nuvens, lançando longos feixes de rubi e ouro sobre nós dez, e de imediato me perdi na beleza de minha pele à luz do sol poente. Fiquei deslumbrada com ela.

Renesmee afagou as facetas que brilhavam como diamante, depois pôs o braço ao lado do meu. Sua pele tinha uma luminosidade leve, sutil e misteriosa. Nada que a obrigasse a ficar protegida num dia de sol, como minhas centelhas faiscantes. Ela tocou meu rosto, pensando na diferença e sentindo-se desapontada.

— Você é a mais bonita — garanti a ela.

— Não sei se posso concordar com isso — disse Edward, e quando me virei para responder, o sol em seu rosto me deixou num silêncio pasmo.

Jacob tinha a mão diante do rosto, fingindo proteger os olhos do brilho.

— Bella bizarra — comentou ele.

— Que criatura incrível ela é — murmurou Edward, quase concordando, como se o comentário de Jacob fosse elogioso. Ele estava deslumbrante e deslumbrado.

Foi uma sensação estranha — o que não era de surpreender, imagino, uma vez que agora tudo era estranho — essa de ser boa em alguma coisa. Como humana, eu nunca havia sido a melhor em nada. Não tinha problema em lidar com Renée, mas provavelmente muita gente poderia ter feito melhor; Phil parecia estar se saindo bem. Eu era uma boa aluna, mas nunca a primeira da turma. Evidentemente, podia ser excluída de qualquer atividade esportiva. Não tinha talentos artísticos nem musicais, nem outros de que me gabar. Ninguém nunca recebeu um troféu por ler livros. Depois de dezoito anos de mediocridade, eu estava acostumada a estar na média. Percebia agora que havia muito tempo eu desistira de quaisquer aspirações de brilhar em alguma coisa. Eu simplesmente fazia o melhor que podia com o que tinha, sem jamais me sentir à vontade em meu mundo.

Então era muito diferente. Agora eu era surpreendente — para eles e para mim. Era como se tivesse nascido para ser vampira. O pensamento me deu vontade de rir, mas também de cantar. Eu tinha encontrado meu verdadeiro lugar no mundo, o lugar onde me encaixava, o lugar onde brilhava.

27. PLANOS DE VIAGEM

DESDE QUE ME TORNARA VAMPIRA, EU LEVAVA A MITOLOGIA MUITO mais a sério.

Em geral, quando pensava nos meus três primeiros meses como imortal, imaginava como o fio de minha vida devia se mostrar no tear do Destino — quem sabia se isso realmente existia? Eu tinha certeza de que meu fio devia ter mudado de cor; pensava que provavelmente começara como um belo bege, algo que dava apoio e não era nada agressivo, algo que ficaria bem ao fundo. Agora eu tinha a sensação de que devia ser vermelho vivo, ou talvez ouro radiante.

A tapeçaria da família e dos amigos que se entrelaçava à minha volta era algo belo e cintilante, cheio das cores vivas e complementares dos outros.

Fiquei surpresa com algumas das tramas que vim a incluir em minha vida. Os lobisomens, com suas cores sóbrias e amadeiradas, não eram algo que eu esperara; Jacob, é claro, e Seth também. Mas meus velhos amigos Quil e Embry tornaram-se parte do tecido quando se uniram à matilha de Jacob, e até mesmo Sam e Emily eram cordiais. As tensões entre nossas famílias se atenuaram, principalmente por causa de Renesmee. Era fácil amá-la.

Sue e Leah Clearwater também estavam entrelaçadas em nossa vida — outras duas que eu não previra.

Sue parecia ter tomado para si a tarefa de facilitar a transição de Charlie para o mundo do faz de conta. Ela ia com ele à casa dos Cullen na maioria das vezes, embora nunca parecesse verdadeiramente à vontade ali, como o filho e a maior parte da matilha de Jake. Ela não falava muito; só rondava Charlie, protetora. Ela era sempre a primeira pessoa para a qual ele olhava quando Renesmee fazia alguma coisa perturbadoramente precoce — o que acontecia com frequência. Em resposta, Sue olhava Seth como quem diz: *É, nem me fale.*

Leah sentia-se ainda menos à vontade do que Sue e era a única parte de nossa família recém-ampliada francamente hostil à fusão, mas ela e Jacob tinham uma nova camaradagem que a mantinha perto de todos nós. Uma vez perguntei a ele sobre isso — hesitante; eu não queria me intrometer, mas a relação era tão diferente do que eu me acostumara que me deixou curiosa. Ele deu de ombros e me disse que era coisa de matilha. Ela agora era a segunda em comando, sua "beta", como havia muito eu chamara.

— Cheguei à conclusão de que, se tinha de entrar para valer nessa história de alfa — explicou Jacob —, era melhor acatar as formalidades.

A nova responsabilidade fez Leah sentir a necessidade de consultá-lo com frequência, e como ele estava sempre com Renesmee...

Leah não se sentia feliz perto de nós, mas era uma exceção. A felicidade era o principal componente de minha vida, o padrão dominante na tapeçaria. Tanto que meu relacionamento com Jasper agora era muito mais próximo do que eu jamais havia sonhado.

No início, porém, isso me deixava muito irritada.

— Puxa! — queixei-me com Edward numa noite depois que colocamos Renesmee no berço de ferro batido. — Se não matei Charlie e Sue até agora, provavelmente isso não vai mais acontecer. Queria que Jasper parasse de me rondar o tempo todo!

— Ninguém duvida de você, Bella, nem um pouco — garantiu-me ele. — Você sabe como Jasper é... Ele não consegue resistir a um bom clima emocional. Você está tão feliz o tempo todo, amor, que ele gravita para você sem pensar.

E, então, Edward me abraçou com força, porque nada o deixava mais feliz do que meu êxtase transbordante naquela nova vida.

E eu vivia eufórica na maior parte do tempo. Os dias não eram longos o bastante para que eu me fartasse de adorar minha filha; as noites não tinham horas suficientes para satisfazer minha necessidade de Edward.

Mas havia um avesso nessa alegria. Se se virasse o tecido de nossa vida, eu imaginava que o desenho no verso exibiria opacos tons de cinza — de dúvida e medo.

Renesmee falou sua primeira palavra quando tinha exatamente uma semana de idade. A palavra foi *mamãe*, o que me teria feito ganhar o dia, não fosse eu ficar tão assustada com seu avanço, que mal consegui forçar um sorriso para ela em meu rosto paralisado. Não ajudou nada que ela passasse da primeira palavra à primeira frase num fôlego só. "Mamãe, cadê o vovô?", ela havia perguntado, numa potente e límpida voz de soprano, só se dando ao trabalho de falar porque eu estava do outro lado da sala. Já havia perguntado a Rosalie, usando seus meios de comunicação normais (ou anormais, de outro ponto de vista). Rosalie não soubera a resposta, então Renesmee recorrera a mim.

Quando ela andou pela primeira vez, menos de três semanas depois, foi semelhante. Ela simplesmente observou Alice por um longo tempo, vendo a tia arrumar buquês nos vasos espalhados pela sala, bailando de um lado para o outro com os braços cheios de flores. Renesmee ficou de pé, nem um pouco vacilante, e atravessou a sala demonstrando quase a mesma elegância.

Jacob explodira num aplauso, porque claramente era essa a reação que Renesmee queria. A ligação que ele tinha com ela tornava suas próprias reações secundárias; seu primeiro reflexo era sempre dar a Renesmee o que ela precisava. Mas nossos olhos se encontraram e eu vi todo o pânico dos meus refletido nos dele. Bati palmas também, tentando esconder o medo. Edward aplaudiu silenciosamente, ao meu lado, e não precisamos falar para saber que pensávamos o mesmo.

Edward e Carlisle se lançaram à investigação, procurando qualquer resposta, alguma coisa a esperar. Havia muito pouco a ser encontrado, e nada era passível de verificação.

Alice e Rosalie, em geral, começavam nosso dia com um desfile de moda. Renesmee nunca usava a mesma roupa duas vezes — em parte porque crescia rápido demais e as roupas ficavam pequenas, em parte porque Alice e Rosalie estavam tentando fazer um álbum de bebê que parecesse abranger anos, não semanas. Elas tiravam milhares de fotos, documentando cada fase de sua infância acelerada.

Aos três meses, Renesmee podia ser uma menina grande de um ano, ou uma de dois, pequena. Seu corpo não tinha o formato exato do de uma criança dessa idade; ela era mais magra e mais graciosa, as proporções mais equilibradas, como as de um adulto. Seus cachos de bronze pendiam até a cintura; eu não suportava a ideia de cortá-los, mesmo que Alice permitisse. Renesmee podia falar com gramática e articulação impecáveis, mas raras vezes se dava ao trabalho, preferindo simplesmente *mostrar* às pessoas o que queria. Ela não só podia andar, como também correr e dançar. Até mesmo ler ela sabia.

Estava lendo Tennyson para ela uma noite porque o fluxo e o ritmo de sua poesia pareciam repousantes. (Eu tinha de pesquisar constantemente em busca de material novo; Renesmee não gostava de repetição em suas histórias antes de dormir, como supostamente outras crianças queriam, e não tinha paciência com livros de imagens.) Ela estendeu a mão e tocou meu rosto, em sua mente a imagem de nós duas, só que com *ela* segurando o livro. Eu o entreguei a ela, sorrindo.

— "Há uma doce melodia aqui" — ela leu sem hesitar — "que cai mais suave do que pétalas de rosa na relva, ou o orvalho em águas tranquilas entre paredes de granito escuras, em um..."

Estendi a mão como um robô para pegar o livro de volta.

— Se você ler, como vai dormir? — perguntei numa voz que mal ocultava o tremor.

Pelos cálculos de Carlisle, o crescimento do corpo dela desacelerava aos poucos; sua mente continuava a disparar à frente. Mesmo que a taxa de diminuição se mantivesse, ela ainda assim seria uma adulta em no máximo quatro anos.

Quatro anos! E uma velha aos quinze.

Só quinze anos de vida!

Mas ela era tão *saudável*. Cheia de vida, brilhante, radiante e feliz. Seu bem-estar evidente me facilitava aproveitar a felicidade com ela no momento e deixar o futuro para depois.

Carlisle e Edward discutiam nossas opções para o futuro, de cada ângulo, em vozes baixas que eu tentava não ouvir. Eles nunca tinham essas discussões quando Jacob estava por perto, porque *havia* uma maneira segura de deter o envelhecimento, e não era uma coisa que deixaria Jacob animado. Eu não ficava. *É perigoso demais!*, gritavam meus instintos para mim. Jacob e Renesmee pareciam semelhantes de tantas maneiras, ambos seres híbridos, duas coisas ao mesmo tempo. E toda a tradição dos lobisomens insistia que o veneno de vampiro era uma sentença de morte e não um caminho para a imortalidade...

Carlisle e Edward tinham esgotado a pesquisa que podiam fazer a distância, e agora estávamos nos preparando para rastrear antigas lendas em sua fonte. Íamos voltar ao Brasil, começando por lá. Os ticunas tinham lendas sobre crianças como Renesmee... Se outras crianças como ela já tinham existido, talvez ainda perdurasse alguma história da expectativa de vida de crianças semimortais...

A única pergunta real que restava era quando iríamos exatamente.

Eu era o empecilho. Em parte porque queria ficar perto de Forks até depois dos feriados, por causa de Charlie. Mais do que isso, porém, havia uma viagem diferente que eu sabia que viria primeiro — essa era claramente a prioridade. Além disso, devia ser uma viagem solitária.

Aquela foi a única discussão que Edward e eu tivemos desde que eu me tornara vampira. O ponto principal de discórdia era a parte "solitária". Mas os fatos eram o que eram, e meu plano era o único racional. Eu tinha de ir ver os Volturi, e tinha de fazer isso absolutamente só.

Mesmo livre dos antigos pesadelos, de todos os sonhos, era impossível esquecer os Volturi. Nem eles nos deixavam sem lembretes.

Até o dia em que o presente de Aro apareceu, eu não sabia que Alice havia mandado uma participação do casamento aos líderes Volturi; estávamos longe, na ilha de Esme, quando ela teve uma visão da guarda Volturi — Jane e Alec, os gêmeos de poder arrasador, entre eles. Caius pretendia mandar batedores para ver se eu ainda era humana, contra o édito deles (por eu saber sobre o mundo secreto dos vampiros, deveria me tornar um deles ou ser silenciada... para sempre). Então Alice mandara o convite pelo correio, vendo que isso faria com que eles adiassem a viagem enquanto decifravam o significado por trás daquilo. Mas um dia eles viriam. Era certo.

O presente em si não era abertamente ameaçador. Extravagante, sim, quase apavorante na extravagância. A ameaça estava na frase de despedida do bilhete de congratulações de Aro, escrito em tinta preta de próprio punho em um papel branco e pesado:

*Espero ansiosamente a oportunidade
de ver pessoalmente a nova Sra. Cullen.*

O presente se apresentava em uma antiga caixa de madeira entalhada e incrustada com ouro e madrepérola, ornamentada com um arco-íris de pedras preciosas. Alice disse que a caixa em si era um tesouro inestimável, que superaria qualquer joia, menos aquela que continha.

— Sempre me perguntei onde foram parar as joias da coroa quando João da Inglaterra as penhorou no século XIII — disse Carlisle. — Acho que não me surpreende que os Volturi tenham algumas delas.

O colar era simples — ouro trançado em uma corrente grossa, quase em escamas, como uma serpente lisa que se fechava em torno do pescoço. Uma joia pendia da corrente: um diamante branco do tamanho de uma bola de golfe.

O lembrete nada sutil no bilhete de Aro me interessou mais do que a joia. Os Volturi precisavam ver que eu era imortal, que os Cullen tinham obedecido às suas ordens, e precisavam ver isso *logo*. Não podíamos permitir que se aproximassem de Forks. E só havia uma maneira de manter segura nossa vida ali.

— Você não irá sozinha — insistira Edward entredentes, as mãos se fechando com força.

— Eles não vão me machucar — eu disse, tão tranquilizadora quanto pude, forçando minha voz a parecer segura. — Eles não têm motivos. Eu sou uma vampira. Caso encerrado.

— Não. De forma alguma.

— Edward, é a única maneira de protegê-la.

E ele não conseguira argumentar contra isso. Minha lógica era categórica.

Mesmo no curto tempo em que estivera com Aro, pude ver que ele era um colecionador — e seus tesouros mais valiosos eram suas peças *vivas*. Ele cobiçava a beleza, o talento e a raridade em seus seguidores imortais mais do que qualquer joia trancada em seus cofres. Já era muita infelicidade que ele tivesse começado a cobiçar as habilidades de Alice e de Edward. Eu não lhe daria nenhum outro motivo para ter inveja da família de Carlisle. Renesmee era linda, dotada e única — ela era singular. Não podíamos permitir que ele a visse, nem mesmo através dos pensamentos de alguém.

E eu era a única cujos pensamentos ele não podia ouvir. É claro que eu iria só.

Alice não via nenhum problema com minha viagem, mas estava preocupada com o caráter indistinto de suas visões. Disse que algumas vezes elas eram igualmente nebulosas quando havia decisões externas que *podiam* entrar em conflito, mas que ainda não tinham sido resolvidas. Essa incerteza fez Edward, já hesitante, opor-se veementemente ao que eu tinha de fazer. Ele queria ir comigo até minha conexão em Londres, mas eu não deixaria Renesmee sem *ambos* os pais. Carlisle iria, então, o que nos deixou — Edward e eu — um pouco mais relaxados, sabendo que Carlisle só estaria a algumas horas de distância de mim.

Alice continuou investigando o futuro, mas as coisas que encontrava não eram relacionadas com o que procurava. Uma nova tendência no mercado de ações; uma possível visita de reconciliação de Irina, embora a decisão dela não fosse firme; uma tempestade de neve que só chegaria dali a seis semanas; uma ligação de Renée (eu estava ensaiando minha voz "áspera", e me aprimorava a cada dia — para Renée, eu ainda estava doente, mas me recuperando).

Compramos a passagem para a Itália um dia depois de Renesmee completar três meses. Eu pretendia que fosse uma viagem muito curta, então não contei a Charlie sobre ela. Jacob sabia e concordava com Edward. Mas naquele dia a discussão era sobre o Brasil. Jacob estava decidido a ir conosco.

Nós três, Jacob, Renesmee e eu, estávamos caçando juntos. A dieta de sangue animal não era a preferida de Renesmee — e era por isso que Jacob tinha permissão para nos acompanhar. Jacob criara uma competição entre eles, e isso a deixava mais disposta a ir que qualquer outra coisa.

Renesmee sabia com muita clareza a história do bem e do mal no que dizia respeito a caçar humanos; ela só pensava que o sangue doado era uma boa solução conciliatória. O alimento humano a satisfazia e parecia compatível com seu organismo, mas ela reagia a todas as variedades de alimentos sólidos com a mesma resistência martirizada que um dia eu tivera com couve-flor e feijão. O sangue animal era melhor do que *isso*, pelo menos. Renesmee tinha uma natureza competitiva, e o desafio de derrotar Jacob a deixava animada para caçar.

— Jacob — eu disse, tentando argumentar com ele de novo, enquanto Renesmee dançava à nossa frente na longa clareira, procurando um cheiro de que gostasse. — Você tem obrigações aqui. Seth, Leah...

Ele bufou.

— Não sou a babá da minha matilha. Seja como for, todos eles têm responsabilidades em La Push.

— Como você? Oficialmente, você está largando a escola? Se não quer ficar atrás de Renesmee, vai ter de estudar muito mais.

— É só uma licença. Vou voltar à escola quando as coisas... se acalmarem.

Perdi minha concentração na discussão quando ele disse isso, e automaticamente nós dois olhamos para Renesmee. Ela fitava os flocos de neve flutuando acima de sua cabeça, derretendo antes de chegar à relva amarelada na longa campina em forma de uma ponta de flecha, onde estávamos. Seu vestido marfim de babados era um tom mais escuro do que a neve, e os cachos castanho-avermelhados brilhavam, embora o sol estivesse escondido atrás das nuvens.

Enquanto olhávamos, ela se agachou por um instante e então saltou cinco metros no ar. Suas mãozinhas agarraram um floco e ela caiu de pé com leveza.

Ela se virou para nós com seu sorriso perturbador — sinceramente, não era algo com que você pudesse se acostumar — e abriu as mãos para nos mostrar a estrela de gelo numa forma perfeita de oito pontas em sua palma antes de derreter.

— Lindo — disse Jacob a ela. — Mas acho que você está protelando, Nessie.

Ela saltou para Jacob; ele estendeu os braços no momento exato em que ela pulou neles. Eles tinham a sincronia perfeita. Ela fazia isso quando tinha algo a dizer. Ainda preferia não falar.

Renesmee tocou o rosto dele, numa careta adorável, quando todos ouvimos o som de um pequeno rebanho de alces andando na floresta.

— *Claaro* que não está com sede, Nessie — respondeu Jacob, meio sarcástico, porém mais indulgente que qualquer outra coisa. — Você tem medo que eu pegue o maior de novo!

Ela pulou dos braços de Jacob, pousando suavemente no chão, e revirou os olhos — parecia tanto com Edward quando fazia isso! Então correu na direção das árvores.

— Deixe que eu vou — disse Jacob quando eu me inclinei para segui-la. Ele arrancou a camiseta enquanto disparava atrás dela na floresta, já tremendo. — Não conta se você trapacear — gritou ele para Renesmee.

Eu sorri para as folhas que eles deixaram flutuando, sacudindo a cabeça. Às vezes, Jacob era mais criança do que Renesmee.

Fiquei parada, dando a meus caçadores alguns minutos de dianteira. Seria muito simples localizá-los, e Renesmee adoraria me surpreender com o tamanho de sua presa.

A campina estreita estava muito silenciosa, muito vazia. A neve que flutuava afinava acima de mim, quase sumindo. Alice tinha visto que não ia durar muitas semanas.

Em geral, Edward e eu íamos juntos nessas excursões de caça. Mas Edward estava com Carlisle, planejando a viagem ao Rio, conversando na ausência de Jacob... Franzi o cenho. Quando voltasse, eu ficaria do lado de Jacob. Ele *devia* ir conosco. Ele tinha tanto interesse nisso quanto qualquer um de nós — toda a sua vida estava em risco, como a minha.

Enquanto meus pensamentos se perdiam no futuro próximo, meus olhos varreram a encosta da montanha por rotina, procurando presas, procurando perigos. Eu não pensava nisso; o impulso era automático.

Ou talvez *houvesse* um motivo para minha varredura, algum estímulo minúsculo que meus sentidos aguçados tinham captado antes que eu o percebesse conscientemente.

Enquanto meus olhos percorriam a beira de um penhasco distante, destacando o cinza-azulado contra a floresta verde-escura, um brilho de prata — ou seria ouro? — chamou minha atenção.

Meu olhar concentrou-se na cor que não devia estar lá, tão longe na névoa que uma águia não teria sido capaz de distinguir. Eu a fitei.

Ela me fitou de volta.

Que era uma vampira, isso era evidente. Sua pele era branca como o mármore, a textura um milhão de vezes mais lisa do que a pele humana. Mesmo sob as nuvens, ela cintilava um pouco. Se sua pele não a tivesse entregado, sua imobilidade o teria feito. Só os vampiros e as estátuas poderiam ficar tão perfeitamente imóveis.

Seu cabelo era de um louro muito, muito claro, quase prateado. Fora esse o brilho que meus olhos perceberam. Pendia reto como uma régua até a altura do queixo, dividido no meio.

Ela era estranha para mim. Eu tinha certeza absoluta de nunca tê-la visto, mesmo como humana. Nenhum dos rostos em minha memória enevoada era igual àquele. Mas soube imediatamente de quem se tratava, devido aos olhos dourados escuros.

Irina decidira vir, afinal.

Por um momento eu olhei, e ela retribuiu o olhar. Perguntei-me se ela também deduziria logo quem eu era. Eu ergui a mão a meio caminho, prestes a acenar, mas seu lábio se retorceu levemente, tornando seu rosto hostil de repente.

Ouvi o grito de vitória de Renesmee na floresta, ouvi o uivo de Jacob e vi o rosto de Irina se virar por reflexo para o som quando ele ecoou até ela, alguns segundos depois. Seu olhar se voltou para a direita, e eu sabia o que ela estava vendo. Um enorme lobisomem ruivo, talvez o mesmo que havia matado seu Laurent. Quanto tempo ela estivera nos observando? O suficiente para ver nossa conversa afetuosa antes, eu tinha certeza.

Seu rosto teve um espasmo de dor.

Por instinto, abri as mãos na minha frente num gesto de quem se desculpa. Ela se voltou para mim e seu lábio recuou sobre os dentes. Seu queixo travou enquanto ela grunhia.

Quando o som fraco chegou até mim, ela já havia se virado e desaparecido na floresta.

— Droga! — gemi.

Disparei para a floresta atrás de Renesmee e Jacob, sem querer tê-los fora de minhas vistas. Eu não sabia que direção Irina tomara, ou exatamente até que ponto estava furiosa. A vingança era uma obsessão comum para os vampiros, uma obsessão que não era fácil de reprimir.

Correndo a toda, só precisei de dois segundos para alcançá-los.

— O meu é maior — ouvi Renesmee insistir quando irrompi pelos arbustos densos até o pequeno espaço aberto onde eles estavam.

As orelhas de Jacob se achataram quando ele viu minha expressão; ele se agachou, mostrando os dentes — seu focinho estava sujo do sangue de sua presa. Os olhos percorreram a floresta. Eu podia ouvir o rosnado se formando em sua garganta.

Renesmee estava tão alerta quanto Jacob. Abandonando o cervo morto a seus pés, ela saltou em meus braços estendidos, pressionando as mãos curiosas contra o meu rosto.

— Estou exagerando — assegurei-lhes rapidamente. — Está tudo bem, eu acho. Esperem.

Peguei o celular e acionei a discagem rápida. Edward atendeu no primeiro toque. Jacob e Renesmee ouviam com atenção enquanto eu informava Edward.

— Venha e traga Carlisle. — Eu falava tão rápido que me perguntei se Jacob podia me acompanhar. — Vi Irina e ela me viu, mas depois ela viu Jacob, ficou louca e saiu correndo, eu *acho*. Ela não apareceu aqui... pelo menos não ainda... mas parecia muito perturbada, então talvez venha. Se não vier, você e Carlisle têm de ir atrás dela para conversar. Eu me sinto muito mal.

Jacob rosnou.

— Chegaremos em meio minuto — garantiu Edward, e pude ouvir o silvo do vento provocado por sua disparada.

Corremos de volta à longa campina e esperamos em silêncio, enquanto Jacob e eu nos mantínhamos atentos ao som de uma aproximação que não reconhecêssemos.

Quando o som chegou, porém, era muito familiar. E então Edward estava ao meu lado, Carlisle alguns segundos atrás. Fiquei surpresa ao ouvir o ruído de patas pesadas atrás de Carlisle. Ocorreu-me que eu não devia estar surpresa. Com Renesmee correndo um risco mesmo remoto, era claro que Jacob chamaria reforços.

— Ela estava naquela beirada — eu lhes contei, apontando para o local. Se Irina estava fugindo, já teria uma boa dianteira. Será que pararia e ouviria Carlisle? Sua expressão de antes me fez pensar que não. — Talvez vocês devessem ligar para Emmett e Jasper e pedir para irem com vocês. Ela parecia... muito perturbada. Ela grunhiu para mim.

— Como é? — perguntou Edward com raiva.

Carlisle pôs a mão no braço dele.

— Ela está de luto. Vou atrás dela.

— Eu vou com você — insistiu Edward.

Eles trocaram um longo olhar — talvez Carlisle estivesse sopesando a irritação de Edward com a utilidade dele como leitor de pensamentos. Por fim Carlisle assentiu e eles partiram à procura do rastro, sem chamar por Jasper ou Emmett.

Jacob bufou de impaciência e cutucou minhas costas com o focinho. Ele devia querer Renesmee de volta à segurança da casa, só por precaução. Concordei e corremos para casa, com Seth e Leah em nossos flancos.

Renesmee estava complacente em meus braços, uma das mãos ainda pousada em meu rosto. Como a excursão de caça fora abortada, ela teria de se virar com sangue doado. Seus pensamentos eram meio insolentes.

28. O FUTURO

CARLISLE E EDWARD NÃO CONSEGUIRAM ALCANÇAR IRINA ANTES QUE seu rastro desaparecesse no estreito. Eles nadaram até a outra margem para ver se recuperavam o rastro em uma linha reta, mas não havia vestígio dela por quilômetros em nenhuma direção na margem leste.

Foi tudo culpa minha. Ela viera, como tinha previsto Alice, para fazer as pazes com os Cullen, e acabou enfurecida por minha camaradagem com Jacob. Eu queria ter percebido sua presença antes de Jacob se metamorfosear. Queria que tivéssemos ido caçar em outro lugar.

Não havia muito a ser feito. Carlisle ligou para Tanya com a notícia decepcionante. Tanya e Kate não viam Irina desde que decidiram vir a meu casamento, e elas ficaram perturbadas por Irina ter chegado tão perto e não ter voltado para casa; não era fácil para elas perder a irmã, mesmo que a separação fosse temporária. Perguntei-me se aquilo lhe trazia duras lembranças da perda da mãe, tantos séculos antes.

Alice conseguiu pegar alguns vislumbres do futuro imediato de Irina, mas nada concreto. Ela não ia voltar aos Denali, pelo que Alice podia dizer. A imagem era nebulosa. Tudo o que Alice podia ver era que Irina estava perturbada; vagava por regiões cobertas de neve — para o norte? para o leste? —, com uma expressão arrasada. Sem nenhum novo destino além de sua aflição, sem rumo.

Os dias se passaram, e embora evidentemente eu não me esquecesse de nada, Irina e sua dor passaram ao fundo de minha mente. Havia coisas mais importantes a pensar. Eu partiria para a Itália dali a alguns dias. Quando voltasse, todos iríamos para a América do Sul.

Cada detalhe fora repassado mil vezes. Começaríamos pelos Ticunas, rastreando suas lendas na fonte o melhor que pudéssemos. Agora que estava decidido que Jacob iria conosco, ele ocupava com proeminência um lugar nos planos — era improvável que o povo que acreditava em vampiros contasse suas histórias a qualquer um de *nós*. Se chegássemos a um beco sem saída com os Ticunas, havia muitos povos relacionados na área a pesquisar. Carlisle tinha alguns velhos amigos na Amazônia; se conseguíssemos encontrá-los, talvez tivessem informações para nós. Ou pelo menos uma sugestão de onde procurar respostas. Era improvável que os três vampiros da Amazônia tivessem alguma coisa a ver com as lendas de vampiros híbridos, uma vez que eram, todos, mulheres. Não havia como saber quanto tempo nossa pesquisa levaria.

Eu ainda não havia contado a Charlie sobre nossa longa viagem e ruminava sobre o que dizer a ele enquanto a discussão de Edward e Carlisle continuava. Como dar a notícia a ele da maneira correta?

Olhei para Renesmee enquanto deliberava intimamente. Ela estava enroscada no sofá, a respiração lenta, no sono pesado, os cachos esparramados em torno de seu rosto. Em geral, Edward e eu a levávamos para o nosso chalé para colocá-la para dormir, mas naquela noite ficamos com a família, ele e Carlisle imersos em sua sessão de planejamento.

Enquanto isso, Emmett e Jasper estavam mais animados com o planejamento das possibilidades de caça. A Amazônia oferecia uma variação de nossas presas normais. Onças-pintadas e suçuaranas, por exemplo. Emmett tinha a fantasia de lutar com uma anaconda. Esme e Rosalie planejavam o que levar. Jacob estava com a matilha de Sam, colocando as coisas em ordem para sua ausência.

Alice se movia lentamente — para ela — pelo salão, arrumando desnecessariamente o espaço já imaculado, endireitando as guirlandas de Esme que pendiam perfeitas. Ela estava ajeitando de novo os vasos de Esme no console da lareira. Eu podia ver, pelo modo como sua expressão se alternava — consciente, depois inexpressiva, novamente consciente — que ela vasculhava o futuro. Imaginei que tentava ver através dos pontos cegos que Jacob e Renesmee provocavam em suas visões, saber o que esperava por nós na América do Sul, até Jasper falar: "Deixe para lá, Alice; ela não é nossa preocupação", e uma nuvem de serenidade se esgueirou silenciosa e invisível na sala. Alice devia estar preocupada com Irina de novo.

Ela mostrou a língua para Jasper e ergueu um vaso de cristal cheio de rosas brancas e vermelhas, voltando-se para a cozinha. Uma das flores brancas mostrava apenas um minúsculo sinal de que começava a murchar, mas Alice parecia querer a perfeição completa como uma distração para sua falta de visão esta noite.

Olhando Renesmee de novo, não vi quando o vaso escorregou dos dedos de Alice. Só ouvi o silvo do ar assoviando pelo cristal, e meus olhos se voltaram a tempo de ver o vaso se espatifar em dez mil lascas brilhantes no piso de mármore da cozinha.

Ficamos completamente imóveis enquanto o cristal fragmentado quicava e se espalhava para todo lado com um tinido musical, todos os olhos nas costas de Alice.

Meu primeiro pensamento ilógico foi que Alice estava fazendo alguma brincadeira conosco. Porque não era possível que tivesse largado o vaso *por acidente*. Eu mesma podia ter atravessado a sala e pegado o vaso em pleno ar, se não tivesse suposto que ela o pegaria. E, para início de conversa, como ele cairia de seus dedos? Seus dedos perfeitamente seguros...

Eu nunca vira um vampiro deixar cair nada por acidente. Nunca!

E então Alice virou-se para nós, girando o corpo num movimento tão rápido que parecia não ter acontecido.

Seus olhos estavam ali e meio presos no futuro, arregalados, fixos, enchendo-lhe o rosto fino até que pareceram transbordar dele. Olhar em seus olhos era como olhar de dentro de um túmulo; eu me vi sepultada no terror, no desespero e na agonia de seu olhar.

Ouvi Edward arquejar; foi um som entrecortado e meio sufocado.

— *O que foi?* — Jasper grunhiu, saltando para o lado dela num movimento rápido, esmagando o cristal quebrado sob os pés. Ele pegou os ombros de Alice e a sacudiu bruscamente. Ela pareceu chocalhar em silêncio em suas mãos. — *O que foi, Alice?*

Emmett moveu-se em minha visão periférica, os dentes expostos enquanto os olhos disparavam para a janela, antecipando um ataque.

De Esme, Carlisle e Rose, que estavam paralisados, como eu, só vinha o silêncio.

Jasper sacudiu Alice de novo.

— O que *é?*

— Eles estão vindo — Alice e Edward sussurraram juntos, perfeitamente sincronizados. — Todos eles.

Silêncio.

Pela primeira vez, fui a primeira a entender — porque alguma coisa em suas palavras acionou minha própria visão. Era só a lembrança distante de um sonho — fraca, transparente, indistinta, como se eu olhasse através de uma gaze espessa... Em minha cabeça, vi uma fila de preto avançando para mim, o fantasma de meu pesadelo humano semiesquecido. Eu não podia ver o brilho de seus olhos rubi na imagem toldada, ou a cintilação de seus dentes molhados e afiados, mas sabia onde o brilho devia estar...

Mais forte do que a lembrança da visão veio a lembrança da *sensação* — a necessidade esmagadora de proteger a coisa preciosa atrás de mim.

Eu queria pegar Renesmee rapidamente nos braços, escondê-la atrás de minha pele e de meu cabelo, torná-la invisível. Mas não conseguia nem mesmo me virar para olhá-la. Sentia-me não como pedra, mas gelo. Pela primeira vez desde que renascera como vampira, eu senti frio.

Eu mal ouvi a confirmação de meus temores. Não precisava. Eu já sabia.

— Os Volturi — gemeu Alice.

— Todos eles — murmurou Edward ao mesmo tempo.

— Por quê? — sussurrou Alice consigo mesma. — Como?

— Quando? — sussurrou Edward.

— Por quê? — Esme fez eco.

— *Quando?* — repetiu Jasper numa voz de gelo se rachando.

Os olhos de Alice não piscaram, mas era como se um véu os cobrisse; ficaram completamente inexpressivos. Só sua boca mantinha a expressão de pavor.

— Não demorará — disseram ela e Edward ao mesmo tempo. Depois ela falou sozinha. — Há neve na floresta, neve na cidade. Pouco mais de um mês.

— Por quê? — Foi a vez de Carlisle perguntar.

Esme respondeu.

— Eles devem ter um motivo. Talvez para ver...

— Não se trata de Bella — disse Alice com a voz vazia. — Estão vindo todos... Aro, Caius, Marcus, todos os membros da guarda, até as esposas.

— As esposas nunca saem da torre — Jasper a contradisse, numa voz monótona. — Nunca saíram. Nem durante a rebelião do sul. Nem quando os romenos tentaram destroná-los. Nem mesmo quando perseguiram as crianças imortais. Nunca.

— Estão vindo agora — sussurrou Edward.

— Mas *por quê?* — repetiu Carlisle. — Não fizemos nada! E, se fizemos, o que pode ter sido, para provocar *isso*?

— Nós somos muitos — respondeu Edward. — Eles devem querer se assegurar de que... — Ele não terminou.

— Isso não responde à pergunta crucial! Por quê?

Senti que sabia a resposta à pergunta de Carlisle, e no entanto ao mesmo tempo não sabia. Renesmee era o motivo, eu tinha certeza. De algum modo eu sabia, desde o início, que eles viriam atrás dela. Meu subconsciente me alertara antes de eu saber que a estava carregando. Agora isso parecia estranhamente esperado. Como se eu, de algum modo, sempre soubesse que os Volturi viriam tirar a felicidade de mim.

Mas isso ainda não respondia a pergunta.

— Volte, Alice — pediu Jasper. — Procure o que a levou a ver. Investigue.

Alice sacudiu a cabeça devagar, os ombros arriando.

— Veio do nada, Jazz. Eu não procurava por eles, nem por nós. Só procurava Irina. Ela não estava onde eu esperava... — Alice se interrompeu, os olhos novamente à deriva. Ficou fitando o vazio por um longo segundo.

E então sua cabeça se ergueu de súbito, os olhos duros como sílex. Ouvi Edward prender a respiração.

— Ela decidiu procurá-los — disse Alice. — Irina decidiu procurar os Volturi. E então eles vão decidir... É como se a esperassem. Como se a decisão deles já estivesse tomada, e eles só estivessem esperando por ela...

Fez-se silêncio de novo enquanto digeríamos a informação. O que Irina diria aos Volturi que resultaria na visão aterradora de Alice?

— Podemos impedi-la? — perguntou Jasper.

— Não há como. Ela está quase lá.

— O que ela está fazendo? — perguntou Carlisle, mas eu não prestava atenção na discussão. O meu foco estava todo na imagem que dolorosamente ia se formando em minha mente.

Visualizei Irina equilibrada no penhasco, observando. O que ela tinha visto? Uma vampira e um lobisomem que eram amigos. Eu havia me concentrado nessa imagem, que obviamente explicaria sua reação. Mas não era só isso que ela tinha visto.

Também vira a criança. Uma criança extraordinariamente bonita, se exibindo na neve que caía, claramente mais do que humana...

Irina... as irmãs órfãs... Carlisle tinha dito que perder a mãe para a justiça dos Volturi deixara Tanya, Kate e Irina puristas quando se tratava da lei.

Havia apenas meio minuto, Jasper tinha dito ele mesmo as palavras: *Nem mesmo quando perseguiram as crianças imortais...* As crianças imortais — a proibição execrável, o tabu consternador...

Com o passado de Irina, como teria ela qualquer outra interpretação do que vira nesse dia no campo estreito? Ela não chegara perto o bastante para ouvir o coração de Renesmee, sentir o calor irradiando de seu corpo. Para Irina, as bochechas rosadas de Renesmee podiam ser um truque de nossa parte.

Afinal, os Cullen estavam em aliança com os lobisomens. Do ponto de vista de Irina, talvez isso significasse que nada estava fora de nosso alcance...

Irina, torcendo as mãos na vastidão nevada — não pranteando Laurent, afinal, mas sabendo que era seu dever denunciar os Cullen, sabendo o que aconteceria a eles se ela o fizesse. Ao que parecia, sua consciência tinha vencido os séculos de amizade.

E a reação dos Volturi a tal tipo de infração era tão automática que já estava decidido.

Virei-me e me dobrei sobre o corpo adormecido de Renesmee, cobrindo-a com meu cabelo, enterrando meu rosto em seus cachos.

— Pensem no que ela viu naquela tarde — eu disse em voz baixa, interrompendo o que Emmett começava a dizer. — Para alguém que perdeu a mãe por causa das crianças imortais, o que Renesmee pareceria?

O silêncio sobreveio novamente enquanto os outros apreendiam o que eu já sabia.

— Uma criança imortal — sussurrou Carlisle.

Senti Edward se ajoelhar ao meu lado, passando os braços em torno de nós duas.

— Mas ela está errada — continuei. — Renesmee não é como as outras crianças. Elas foram paralisadas, mas ela cresce tanto todos os dias. Elas não tinham controle, mas Renesmee nunca machucou Charlie, nem Sue, nem lhes mostrou coisas que os perturbasse. Ela *consegue* se controlar. Ela já é mais sabida do que a maioria dos adultos. Não haveria motivo...

Continuei tagarelando, esperando que alguém desse um suspiro de alívio, esperando que a tensão gélida na sala relaxasse à medida que percebiam que eu tinha razão. Mas a sala só pareceu ficar mais fria. Por fim minha voz fina foi morrendo, até silenciar.

Ninguém falou por um bom tempo.

Então Edward sussurrou em meu cabelo:

— Esse não é o tipo de crime que eles se deem ao trabalho de julgar, amor. Aro viu a *prova* de Irina nos pensamentos dela. Eles vêm para destruir, não para argumentar.

— Mas eles estão errados — eu disse obstinadamente.

— Eles não vão esperar que mostremos isso.

Sua voz ainda era baixa, gentil, aveludada... e no entanto a dor e a desolação naquele som eram inevitáveis. Sua voz era como os olhos de Alice antes — como o interior de um túmulo.

— O que podemos fazer? — perguntei.

Renesmee estava tão quente e perfeita em meus braços, sonhando tranquilamente. Eu tinha me preocupado tanto com o envelhecimento acelerado de Renesmee — preocupada que ela só tivesse pouco mais de uma década de vida... O medo agora parecia irônico.

Pouco mais de um mês...

Era esse o limite, então? Eu tivera mais felicidade do que a maioria das pessoas experimentava. Havia alguma lei natural que exigia partes iguais de felicidade e tormento no mundo? Será que minha alegria estava desequilibrando a balança? Será que quatro meses eram tudo que eu podia ter?

Foi Emmett quem respondeu a minha pergunta retórica.

— Vamos lutar — disse ele calmamente.

— Não podemos vencer — grunhiu Jasper.

Eu podia imaginar como estaria seu rosto, como seu corpo se curvaria protetoramente sobre o de Alice.

— Bom, não podemos fugir. Não com Demetri por perto. — Emmett fez um ruído de nojo, e entendi por instinto que ele não estava aborrecido com a ideia do rastreador dos Volturi, mas com a ideia de fugir. — E não sei se *não podemos* vencer — disse ele. — Há algumas opções a considerar. Não temos de lutar sozinhos.

Minha cabeça ergueu-se subitamente.

— Não precisa sentenciar os quileutes à morte também, Emmett!

— Fique fria, Bella. — Sua expressão não era diferente de quando ele pensava em lutar com anacondas. Nem a ameaça de aniquilação podia mudar a perspectiva de Emmett, sua capacidade de se empolgar com um desafio. — Eu não me referia à matilha. Mas seja realista... acha que Jacob ou Sam vão ignorar uma invasão? Mesmo que não fosse por Nessie? Para não falar que, graças a Irina, Aro agora também sabe de nossa aliança com a matilha. Mas eu estava pensando em nossos outros amigos.

Carlisle fez eco a mim num sussurro.

— Outros amigos que não temos de sentenciar à morte.

— Olhem, vamos deixar que eles decidam — disse Emmett num tom apaziguador. — Não estou dizendo que tenham de lutar conosco. — Eu podia ver o plano refinando-se em sua mente enquanto ele falava. — Se eles ficarem ao nosso lado, por tempo suficiente para que os Volturi hesitem... Se pudermos obrigá-los a parar e escutar. Embora isso possa acabar com qualquer motivo para uma luta...

Havia uma insinuação de sorriso no rosto de Emmett. Fiquei surpresa que ninguém tivesse dado um murro nele ainda. Era o que eu queria fazer.

— Sim — disse Esme, ansiosa. — Isso faz sentido, Emmett. Tudo que precisamos é que os Volturi parem por um momento. Só o suficiente para *ouvir*.

— Precisaríamos de um bocado de testemunhas — disse Rosalie asperamente, a voz quebradiça como vidro.

Esme assentiu, concordando, como se não tivesse percebido o sarcasmo na voz de Rosalie.

— Isso podemos pedir aos nossos amigos. Que sirvam de testemunhas.

— Nós faríamos isso por eles — afirmou Emmett.

— Vamos perguntar a eles — murmurou Alice. Olhei para ela e vi que seus olhos eram um vazio escuro outra vez. — Eles terão de ser apresentados com muito cuidado.

— Apresentados? — perguntou Jasper.

Alice e Edward olharam para Renesmee. Depois os olhos de Alice ficaram vidrados.

— A família de Tanya — disse ela. — O clã de Siobhan. Os Amun. Alguns dos nômades... Garrett e Mary, certamente. Talvez Alistair.

— E Peter e Charlotte? — perguntou Jasper um pouco temeroso, como se esperasse uma resposta negativa, poupando seu velho irmão da carnificina iminente.

— Talvez.

— As Amazonas? — perguntou Carlisle. — Kachiri, Zafrina e Senna?

Alice pareceu imersa demais em sua visão para responder; por fim, deu de ombros e seus olhos voltaram ao presente. Ela encontrou o olhar de Carlisle por uma fração mínima de segundo, depois baixou a cabeça.

— Não consigo ver.

— O que foi isso? — perguntou Edward, o sussurro uma exigência. — Essa parte na selva. Nós vamos procurar por eles?

— Não consigo ver — repetiu Alice, sem olhar nos olhos dele. Um lampejo de confusão atravessou o rosto de Edward. — Teremos de nos dividir e correr... Antes que a neve se prenda ao chão. Temos de procurar quem pudermos e trazê-los para cá para mostrar a eles. — Ela olhava fixamente de novo.

— Perguntem a Eleazar. Há mais nisso do que apenas uma criança imortal.

O silêncio foi agourento por outro longo tempo enquanto Alice se mantinha em transe. Ela piscou devagar ao sair, os olhos peculiarmente opacos, apesar do fato de claramente estar no presente.

— É demais. Temos de nos apressar — sussurrou ela.

— Alice? — perguntou Edward. — Foi rápido demais... Não entendi. O que era...?

— Não consigo ver! — ela explodiu, gritando com ele. — Jacob está quase aqui!

Rosalie deu um passo na direção da porta da frente.

— Vou cuidar disso...

— Não, deixe-o entrar — disse Alice rapidamente, a voz mais aguda a cada palavra. Ela agarrou a mão de Jasper e começou a puxá-lo para a porta dos fundos. — Verei melhor longe de Nessie também. Tenho de ir. Preciso realmente me concentrar. Preciso ver tudo o que puder. Tenho de ir. Venha, Jasper, não há tempo a perder!

Todos podíamos ouvir Jacob na escada. Alice puxou, impaciente, a mão de Jasper. Ele a seguiu rapidamente, a confusão em seus olhos, assim como nos de Edward. Eles saíram em disparada pela porta, para a noite prateada.

— Rápido! — ela gritou para nós. — Vocês precisam encontrar todos eles!

— Encontrar o quê? — perguntou Jacob, fechando a porta da frente depois de entrar. — Aonde Alice foi?

Ninguém respondeu; nós todos só olhávamos o vazio.

Jacob sacudiu a água do cabelo e meteu os braços pelas mangas da camiseta, os olhos em Renesmee.

— Ei, Bells! Pensei que a essa altura vocês já teriam ido para casa...

Ele finalmente olhou para mim, piscou e então me olhou fixamente. Vi sua expressão quando a atmosfera da sala finalmente o tocou. Ele baixou os olhos arregalados para a água esparramada no chão, as rosas espalhadas, os cacos de cristal. Seus dedos tremeram.

— O que foi? — perguntou ele. — O que aconteceu?

Não me ocorria por onde começar. Ninguém mais encontrava as palavras.

Jacob atravessou a sala em três passos longos e se ajoelhou ao lado de Renesmee e de mim. Eu podia sentir o calor saindo de seu corpo enquanto tremores desciam pelos braços até as mãos.

— Ela está bem? — perguntou ele, tocando a testa de Renesmee, inclinando a cabeça para ouvir seu coração. — Não me assuste, Bella, por favor!

— Não há nada de errado com Renesmee — consegui dizer, engasgada, quebrando as palavras em lugares estranhos.

— Então, é com quem?

— Com todos nós, Jacob — sussurrei. E lá estava em minha voz também, o som do interior de um túmulo. — Acabou. Fomos todos sentenciados à morte.

29. DESERÇÃO

FICAMOS SENTADOS ALI A NOITE TODA, ESTÁTUAS DE HORROR E PEsar, e Alice não voltou.

Estávamos todos no limite — frenéticos na imobilidade completa. Carlisle mal fora capaz de mover os lábios para explicar tudo a Jacob. Contar a história toda pareceu torná-la pior; até Emmett ficou em silêncio e imóvel a partir daí.

Foi apenas quando o sol nasceu e eu percebi que Renesmee logo estaria se agitando sob as minhas mãos que me perguntei pela primeira vez o que podia estar retardando tanto Alice. Eu esperava saber mais antes de enfrentar a curiosidade de minha filha. Ter algumas respostas. Uma minúscula esperança para eu poder sorrir e evitar que a verdade a apavorasse também.

Meu rosto parecia para sempre fixo numa máscara rígida que exibira a noite toda. Eu não sabia se ainda tinha a capacidade de sorrir.

Jacob roncava no canto, uma montanha de pelos no chão, contorcendo-se ansioso em seu sono. Sam sabia de tudo — os lobos estavam se preparando para o que viria. Não que essa preparação fosse servir para alguma coisa além de matá-los, com o restante de minha família.

O sol entrou pelas vidraças dos fundos, cintilando na pele de Edward. Meus olhos não haviam se desviado dos dele desde a partida de Alice. Nós tínhamos nos olhado a noite toda, fitando o que nenhum de nós suportaria perder: o outro. Vi meu reflexo cintilar em seus olhos agoniados quando o sol tocou minha pele.

Suas sobrancelhas se moveram infinitesimalmente, depois os lábios.

— Alice — disse ele.

O som de sua voz era como gelo rachando à medida que derretia. Todos nós nos fragmentamos um pouco, relaxamos um pouco. Nos movemos de novo.

— Ela está fora há muito tempo — murmurou Rosalie, surpresa.

— Onde poderia estar? — perguntou-se Emmett, dando um passo para a porta.

Esme pôs a mão no braço dele.

— Não queremos perturbar...

— Ela nunca levou tanto tempo — disse Edward. Uma nova preocupação estilhaçou a máscara que seu rosto assumira. Suas feições estavam vivas de novo, os olhos subitamente arregalados por um novo medo, um pânico a mais. — Carlisle, não acha... uma medida preventiva... Alice teria tido tempo de ver se eles mandassem alguém atrás dela?

O rosto de pele translúcida de Aro encheu minha cabeça. Aro, que tinha examinado todos os cantos da mente de Alice, que sabia tudo de que ela era capaz...

Emmett praguejou alto o bastante para Jacob pôr-se de pé num salto, com um rosnado. No quintal, seu rosnado foi imitado pela matilha. Minha família já estava em ação acelerada.

— Fique com Renesmee! — eu quase gritei para Jacob enquanto disparava porta afora.

Eu ainda era mais forte do que os outros, e usei essa força para me impelir adiante. Ultrapassei Esme em alguns saltos e Rosalie com algumas passadas a mais. Corri pela floresta densa até estar bem atrás de Edward e Carlisle.

— Será que eles poderiam surpreendê-la? — perguntou Carlisle, a voz estável como se estivesse parado e não correndo a toda velocidade.

— Não vejo como — respondeu Edward. — Mas Aro a conhece melhor do que qualquer outro. Melhor do que eu.

— Será uma armadilha? — gritou Emmett atrás de nós.

— Talvez — disse Edward. — O único cheiro é de Alice e Jasper. Aonde eles foram?

O rastro de Alice e Jasper descrevia um grande arco; estendia-se, primeiro, a leste da casa, mas ia para o norte na outra margem do rio, depois voltava para oeste, após alguns quilômetros. Cruzamos o rio de novo, os seis saltando com um segundo de diferença. Edward corria na frente, totalmente concentrado.

— Sentiu o cheiro? — perguntou Esme alguns momentos depois de saltarmos o rio pela segunda vez. Ela estava mais atrás, na extremidade esquerda de nosso grupo de busca. Ela apontou na direção do sul.

— Fiquem na trilha principal... estamos quase na fronteira quileute — ordenou Edward, sucinto. — Permaneçam juntos. Vejam se viraram para o norte ou para o sul.

Eu não estava familiarizada com a fronteira do tratado como o restante deles, mas podia sentir o cheiro de lobo na brisa que soprava do leste. Edward e Carlisle reduziram um pouco, por hábito, e pude ver suas cabeças virarem de um lado a outro, esperando que o rastro virasse.

Então o cheiro de lobo tornou-se mais forte, e a cabeça de Edward se ergueu. Ele parou subitamente. Todos também ficamos paralisados.

— Sam? — perguntou Edward numa voz monótona. — O que foi?

Sam saiu das árvores a algumas centenas de metros, andando rapidamente em nossa direção na forma humana, flanqueado por dois lobos grandes — Paul e Jared. Levou algum tempo para que Sam nos alcançasse; sua velocidade humana me deixou impaciente. Eu não queria ter tempo para pensar no que acontecia. Queria estar em movimento, fazer alguma coisa. Queria ter meus braços em torno de Alice, ter certeza absoluta de que ela estava em segurança.

Vi o rosto de Edward ficar lívido enquanto ele lia o que Sam pensava. Sam o ignorou, olhando diretamente para Carlisle quando parou de andar e começou a falar.

— Pouco depois da meia-noite, Alice e Jasper vieram a este ponto e pediram permissão para atravessar nosso território até o oceano. Eu lhes dei a permissão e os acompanhei até a costa. Eles entraram imediatamente na água e não voltaram. No trajeto até lá, Alice me disse que era de máxima importância que eu não contasse nada a Jacob sobre tê-la visto até que eu falasse com você. Eu devia esperar aqui que você viesse procurá-la e então lhe entregar este bilhete. Ela me disse para obedecer como se a vida de todos nós dependesse disso.

A expressão de Sam era sombria ao estender a folha de papel dobrada, coberta por um texto em letras pretas miúdas. Era uma folha de livro; meus olhos afiados liam as palavras impressas enquanto Carlisle abria para ver o outro lado. O lado de frente para mim era a página de copyright de *O mercador de Veneza*. Meu cheiro preencheu levemente o ar enquanto Carlisle abria o papel. Percebi que era uma folha arrancada do meu livro. Eu trouxera algumas coisas da casa de Charlie para o chalé; algumas mudas de roupa normal, todas as cartas da minha mãe e meus livros preferidos. Minha coleção surrada de brochuras de Shakespeare estava, na véspera, de manhã, na estante da pequena sala de estar do chalé...

— Alice decidiu nos deixar — sussurrou Carlisle.

— Como é? — gritou Rosalie.

Carlisle virou a folha para que todos pudéssemos ler.

Não procurem por nós. Não há tempo a perder. Lembrem: Tanya, Siobhan, Amun, Alistair, todos os nômades que puderem encontrar. Vamos procurar Peter e Charlotte no caminho. Lamentamos muito ter de deixar vocês desta forma, sem despedidas nem explicações. É o único jeito para nós. Nós os amamos.

Ficamos paralisados de novo, o silêncio completo, exceto pelo som do coração dos lobos, sua respiração. Seus pensamentos deviam ser altos também. Edward foi o primeiro a se mexer, falando em resposta ao que ouvia na mente de Sam.

— Sim, as coisas estão perigosas assim mesmo.

— O bastante para abandonar a família? — perguntou Sam em voz alta, em tom de censura. Estava claro que ele não lera o bilhete antes de o entregar a Carlisle. Agora estava aborrecido, como se estivesse arrependido por ter dado ouvidos a Alice.

A expressão de Edward era rígida — para Sam devia parecer raiva ou arrogância, mas eu podia ver a dor nas linhas de seu rosto.

— Não sabemos o que ela viu — disse Edward. — Alice não é nem insensível, nem covarde. Só tem mais informações do que nós.

— *Nós* não... — Sam começou.

— Vocês são ligados de forma diferente de nós — rebateu Edward. — *Nós* ainda temos nosso livre-arbítrio.

O queixo de Sam se ergueu, e seus olhos de repente adquiriram uma completa escuridão.

— Mas vocês devem dar atenção ao aviso — continuou Edward. — Não se trata de algo em que queriam se envolver. Ainda podem evitar o que Alice viu.

Sam deu um sorriso sombrio.

— *Nós* não fugimos.

Atrás dele, Paul bufou.

— Não leve sua família a um massacre só por orgulho — interveio Carlisle em voz baixa.

Sam olhou para Carlisle com uma expressão mais branda.

— Como Edward assinalou, não temos o mesmo tipo de liberdade de vocês. Agora Renesmee é parte da nossa família tanto quanto é da sua. Jacob não pode abandoná-la, e nós não podemos abandonar Jacob. — Seus olhos pousaram no bilhete de Alice e os lábios formaram uma linha fina.

— Você não a conhece — disse Edward.

— Você conhece? — perguntou Sam bruscamente.

Carlisle pôs a mão no ombro de Edward.

— Temos muito que fazer, filho. Qualquer que tenha sido a decisão de Alice, seríamos tolos de não seguir seu conselho agora. Vamos para casa e pôr mãos à obra.

Edward assentiu, o rosto ainda rígido de dor. Atrás de mim, pude ouvir o choro baixo e sem lágrimas de Esme.

Eu não sabia como chorar naquele corpo; não conseguia fazer nada a não ser olhar fixamente. Ainda não sentia nada. Tudo parecia irreal, como se eu estivesse sonhando de novo depois de todos aqueles meses. Tendo um pesadelo.

— Obrigado, Sam — disse Carlisle.

— Eu lamento — respondeu Sam. — Não devíamos tê-la deixado passar.

— Você fez o que era certo — disse-lhe Carlisle. — Alice é livre para fazer o que quiser. Eu não negaria a ela essa liberdade.

Eu sempre pensara nos Cullen como um todo, uma unidade indivisível. De repente, lembrei-me de que nem sempre tinha sido assim. Carlisle havia criado Edward, Esme, Rosalie e Emmett; Edward me criara. Éramos fisicamente ligados por sangue e veneno. Nunca pensei em Alice e Jasper como diferentes — como adotados na família. Mas, na verdade, Alice *havia* adotado os Cullen. Ela havia aparecido com seu passado desconectado, trazendo Jasper com o dele, e se ajustou à família que já estava lá. Tanto ela quanto Jasper haviam conhecido outra vida fora da família Cullen. Será que ela realmente escolhera seguir outro caminho depois de ver que a vida com os Cullen tinha chegado ao fim?

Estávamos condenados, então, não estávamos? Não havia esperança nenhuma. Nem um raio, uma chama que pudesse ter convencido Alice de que tinha uma chance ao nosso lado.

O ar luminoso da manhã de repente pareceu mais espesso, mais escuro, como se obscurecido pelo meu desespero.

— *Eu não* vou desistir sem lutar — rosnou baixo Emmett. — Alice nos disse o que fazer. Vamos fazê-lo.

Os outros concordaram com expressões decididas, e percebi que eles estavam apostando em qualquer possibilidade que Alice nos dera. Que eles não iriam se entregar à desesperança e esperar a morte.

Sim, todos iríamos lutar. O que mais poderíamos fazer? E, aparentemente, envolveríamos outros, porque Alice assim dissera antes de nos deixar.

Como não seguiríamos o último aviso de Alice? Os lobos também lutariam conosco por Renesmee.

Nós iríamos lutar, eles iriam lutar, e todos morreríamos.

Eu não sentia a mesma determinação que os demais pareciam sentir. Alice conhecia as probabilidades. Ela estava nos dando a única chance que podia ver, mas a chance era ínfima demais para que a própria Alice apostasse nela.

Eu já me sentia derrotada quando dei as costas aos olhos críticos de Sam e segui Carlisle para casa.

Agora corríamos automaticamente, não com a mesma pressa apavorada de antes. Quando nos aproximamos do rio, a cabeça de Esme se ergueu.

— Havia aquele outro rastro. Era fresco.

Ela fez um gesto com a cabeça indicando o caminho à frente, na direção de onde tinha chamado a atenção de Edward no caminho para cá. Enquanto corríamos para *salvar* Alice...

— Deve ser anterior. Era só de Alice, sem Jasper — disse Edward, desanimado.

O rosto de Esme franziu-se, e ela concordou.

Eu vaguei para a direita, ficando um pouco para trás. Tinha certeza de que Edward estava com a razão, mas ao mesmo tempo... Afinal, como o bilhete de Alice acabara na página de um livro meu?

— Bella? — perguntou Edward numa voz sem emoção enquanto eu hesitava.

— Quero seguir o rastro — eu disse a ele, farejando o leve aroma de Alice que se afastava da trilha de sua fuga. Eu era nova nisso, mas o cheiro era o mesmo para mim, só não havia o de Jasper.

Os olhos dourados de Edward estavam vazios.

— Deve levar de volta à casa.

— Então encontrarei vocês lá.

De início pensei que ele me deixaria ir sozinha, mas depois, quando avancei alguns passos, seus olhos inexpressivos ganharam vida.

— Vou com você — disse ele baixinho. — Encontramos vocês em casa, Carlisle.

Carlisle assentiu, e os outros partiram. Esperei até que eles estivessem fora de vista, e então olhei interrogativamente para Edward.

— Eu não deixaria que você se afastasse de mim — explicou ele em voz baixa. — Dói só de imaginar.

Entendi, sem mais explicações. Pensei em estar separada dele agora e percebi que teria sentido a mesma dor, por mais breve que fosse a separação.

Havia muito pouco tempo para ficarmos juntos.

Estendi a mão e ele a pegou.

— Vamos correr — disse ele. — Renesmee vai estar acordada.

Eu assenti, e estávamos correndo outra vez.

Provavelmente, era tolice perder tempo longe de Renesmee só para matar minha curiosidade. Mas o bilhete me incomodava. Alice poderia tê-lo entalhado numa pedra ou tronco de árvore se não tivesse onde escrever. Poderia ter roubado um bloco de Post-its de uma das casas na estrada. Por que meu livro? Quando ela o pegou?

De fato, o rastro levava ao chalé por uma rota tortuosa que se mantinha afastada da casa dos Cullen e dos lobos no bosque próximo. As sobrancelhas de Edward se estreitaram em perplexidade quando ficou evidente aonde levava a trilha.

Ele tentou raciocinar.

— Ela deixou Jasper esperando e veio aqui?

Estávamos quase no chalé e eu me sentia inquieta. Fiquei feliz por ter a mão de Edward na minha, mas também tinha a impressão de que devia estar ali sozinha. Arrancar a página e levá-la de volta a Jasper era uma coisa estranha para Alice fazer. Era como se houvesse uma mensagem em sua atitude — um recado que eu não entendia. Mas era o meu livro, então o recado *devia* ser para mim. Se fosse alguma coisa que ela quisesse que Edward soubesse, não teria arrancado uma página de um dos livros dele...?

— Me dê um minuto — eu disse, soltando sua mão quando chegamos à porta.

Sua testa se vincou.

— Bella?

— Por favor. Trinta segundos.

Não esperei que ele respondesse. Entrei rapidamente, fechando a porta depois de entrar. Segui direto para a estante. O cheiro de Alice era fresco — tinha menos de um dia. Um fogo que eu não havia acendido ardia lentamente na lareira. Peguei *O mercador de Veneza* na estante e abri na folha de rosto.

Ali, ao lado da borda irregular deixada pela página arrancada, debaixo das palavras "*O mercador de Veneza*, de William Shakespeare", havia um bilhete.

Destrua isto.

Abaixo lia-se um nome e um endereço em Seattle.

Quando Edward passou pela porta depois de treze segundos, em vez de trinta, eu olhava o livro queimando.

— O que está havendo, Bella?

— Ela esteve aqui. Arrancou uma folha do meu livro para escrever o bilhete.

— Por quê?

— Não sei.

— Por que o está queimando?

— Eu... Eu... — Franzi a testa, deixando que a frustração e a dor transparecessem no meu rosto. Eu não sabia o que Alice estava tentando me dizer, só que ela fizera um grande esforço para esconder de todos, menos de mim. A única pessoa cuja mente Edward não podia ler. Então ela devia querer mantê-lo afastado, e provavelmente por um bom motivo. — Me pareceu adequado.

— Não sabemos o que ela está fazendo — disse ele em voz baixa.

Olhei as chamas. Eu era a única pessoa no mundo que podia mentir para Edward. Era o que Alice queria de mim? Seu último pedido?

— Quando estávamos no avião para a Itália — sussurrei, mas não era uma mentira, talvez só no contexto —, a caminho de resgatar você... ela mentiu para Jasper para que ele não viesse atrás de nós. Sabia que ele morreria se enfrentasse os Volturi. Estava disposta a morrer, em vez de colocá-lo em perigo. Disposta a morrer por mim também. Disposta a morrer por você.

Edward não respondeu.

— Ela tem suas prioridades — eu disse. E perceber que minha explicação não parecia mentira fez doer meu coração imóvel.

— Não acredito nisso — disse Edward. Ele não disse isso como se discutisse comigo, mas como se discutisse consigo mesmo. — Talvez só Jasper esteja em perigo. O plano dela funcionaria para o restante de nós, mas ele se perderia se ficasse. Talvez...

— Ela podia ter nos contado isso. Mandá-lo embora.

— Mas Jasper teria ido? Talvez ela estivesse mentindo para ele de novo.

— Talvez — fingi concordar. — Precisamos ir para casa. Não há tempo.

Edward pegou minha mão e corremos.

O bilhete de Alice não me deu esperanças. Se houvesse alguma maneira de evitar a carnificina que estava por vir, Alice teria ficado. Eu não via outra possibilidade. Então era outra coisa que ela estava me dando. Não uma maneira de escapar. Mas o que mais ela pensaria que eu iria querer? Talvez uma maneira de salvar *alguma coisa*? Haveria alguma coisa que eu ainda podia salvar?

Carlisle e os outros não haviam ficado ociosos em nossa ausência. Tínhamos estado separados deles por apenas cinco minutos, e eles já estavam preparados para partir. No canto, Jacob era humano de novo, com Renesmee no colo, os dois nos fitando de olhos arregalados.

Rosalie tinha trocado o vestido de seda por jeans que pareciam resistentes, tênis de corrida e uma blusa feita do tecido grosso que os mochileiros usam em longas excursões. Esme estava vestida da mesma forma. Havia um globo na mesa de centro, mas eles já o haviam olhado e só estavam à nossa espera.

O clima era mais positivo agora do que antes; era bom para eles estar em ação. Suas esperanças dependiam das instruções de Alice.

Olhei o globo e me perguntei aonde iríamos primeiro.

— Vamos ficar aqui? — perguntou Edward, olhando para Carlisle. Ele não parecia satisfeito.

— Alice disse que teríamos de mostrar Renesmee às pessoas e que precisávamos ter muito cuidado com isso — disse Carlisle. — Vamos enviar quem conseguirmos encontrar para você aqui... Edward, você será o melhor nesse campo minado em particular.

Edward assentiu rapidamente, ainda não satisfeito.

— Tem muito terreno para cobrir.

— Vamos nos dividir — respondeu Emmett. — Rose e eu procuraremos pelos nômades.

— Você ficará muito ocupado aqui — disse Carlisle. — A família de Tanya chegará pela manhã, e eles não têm ideia do motivo. Primeiro, você tem de convencê-los a não reagir como Irina. Segundo, tem de descobrir o que Alice quis dizer sobre Eleazar. Então, depois de tudo isso, será que vão ficar para testemunhar por nós? E recomeça tudo quando os outros vierem... se conseguirmos convencer alguém a vir aqui, em primeiro lugar. — Carlisle suspirou. — Sua tarefa pode ser a mais difícil. Voltaremos para ajudar assim que for possível.

Carlisle pôs a mão no ombro de Edward por um segundo e me deu um beijo na testa. Esme abraçou nós dois e Emmett nos deu um soco no braço. Rosalie forçou um sorriso para mim e Edward, soprou um beijo para Renesmee e, então, fez uma careta de despedida para Jacob.

— Boa sorte — disse-lhes Edward.

— Para você também — disse Carlisle. — Todos vamos precisar.

Eu os observei partir, desejando poder sentir a esperança que os animava, e desejando poder ficar sozinha com o computador por alguns segundos. Eu precisava descobrir quem era J. Jenks e por que Alice tinha se esforçado tanto para dar esse nome só a mim.

Renesmee se retorceu nos braços de Jacob para tocar seu rosto.

— Não sei se os amigos de Carlisle virão. Espero que sim. Parece que agora somos bem poucos — murmurou Jacob para ela.

Então ela sabia. Renesmee já entendia perfeitamente bem o que estava acontecendo. Aquela história de lobisomem-*imprinted*-dá-ao-objeto-de-seu--*imprinting*-o-que-ele-quer já estava cansando. Protegê-la não era mais importante do que responder a suas perguntas?

Olhei com cuidado o rosto dela. Ela não parecia assustada, só ansiosa e muito séria enquanto conversava com Jacob daquele seu jeito silencioso.

— Não, não podemos ajudar; temos de ficar aqui — continuou ele. — As pessoas virão para ver *você*, não a paisagem.

Renesmee franziu a testa para ele.

— Não, eu não tenho de ir a lugar nenhum — ele lhe disse. Então olhou para Edward, o rosto atordoado com a percepção de que podia estar errado. — Tenho?

Edward hesitou.

— Desembuche — disse Jacob, a voz rude com a tensão. Ele estava em seu limite, como o restante de nós.

— Os vampiros que virão nos ajudar não são como nós — disse Edward. — A família de Tanya é a única além da nossa que tem respeito pela vida humana, e mesmo eles não têm os lobisomens em alta conta. Acho que pode ser mais seguro...

— Eu posso me cuidar — interrompeu Jacob.

— Mais seguro para Renesmee — continuou Edward —, se a escolha de acreditar em nossa história sobre ela não for contaminada por uma associação com lobisomens.

— Alguns amigos. Eles se voltariam contra vocês só por causa das companhias com quem vocês andam agora?

— Acho que eles seriam tolerantes em circunstâncias normais. Mas você precisa entender... aceitar Nessie não vai ser uma coisa simples para nenhum deles. Por que tornar isso mais difícil, o pouco que seja?

Carlisle havia explicado as leis sobre as crianças imortais a Jacob na noite anterior.

— As crianças imortais eram assim tão ruins? — perguntou ele.

— Você nem imagina a profundidade das cicatrizes que deixaram na psique coletiva dos vampiros.

— Edward... — Ainda era estranho ouvir Jacob falar o nome de Edward sem amargura.

— Eu sei, Jake. Sei como é difícil ficar longe dela. Vamos agir de improviso... Ver como eles reagem a ela. De qualquer forma, Nessie deverá ficar incógnita alternadamente nas próximas semanas. Ela vai precisar ficar no chalé até o momento certo de a apresentarmos. Se você puder manter uma distância segura da casa principal...

— Posso fazer isso. Visitas de manhã, que tal?

— Sim. Nossos amigos mais próximos. Neste caso em particular, deve ser melhor se esclarecermos as coisas o quanto antes. Você pode ficar aqui. Tanya sabe sobre você. Ela até conheceu Seth.

— Tudo bem.

— Você deve contar a Sam o que está acontecendo. Pode haver estranhos no bosque em breve.

— Bem lembrado. Embora ele merecesse o silêncio depois da noite passada.

— Ouvir Alice em geral é o certo a fazer.

Os dentes de Jacob trincaram, e pude ver que ele compartilhava os sentimentos de Sam sobre o que Alice e Jasper fizeram.

Enquanto os dois conversavam, caminhei até a janela dos fundos, tentando parecer perturbada e ansiosa. Não era difícil fazer isso. Encostei a cabeça na parede que se curvava a partir da sala de estar, levando à sala de jantar, ao lado de uma das mesas de computador. Corri os dedos pelo teclado enquanto olhava para a floresta, tentando fazer parecer uma atitude distraída. Será que os vampiros faziam coisas de forma distraída? Não achei que estivessem prestando atenção em mim, mas não me virei para ter certeza. O monitor ganhou vida. Passei os dedos pelo teclado novamente. Depois tamborilei os dedos suavemente na mesa de madeira, só para parecer ao acaso. Mais um afago no teclado.

Examinei a tela com minha visão periférica.

Nenhum J. Jenks, mas havia um Jason Jenks. Advogado. Rocei o teclado, tentando manter um ritmo, como quem, preocupado, afaga um gato esquecido no colo. A firma de Jason Jenks tinha um site sofisticado, mas o endereço na página era outro. Em Seattle, mas com um código postal diferente. Anotei o número do telefone e depois toquei o teclado no ritmo. Dessa vez procurei o endereço, mas nada apareceu, como se o endereço não existisse. Eu queria olhar um mapa, mas concluí que estava abusando demais da sorte. Mais uma dedilhada, para deletar o histórico...

Continuei olhando pela janela e rocei a mão na mesa algumas vezes. Ouvi passos leves vindo em minha direção e me virei com o que eu esperava que fosse a mesma expressão de antes.

Renesmee me estendeu os braços e eu abri os meus. Ela se atirou neles, com um forte cheiro de lobisomem, e aninhou a cabeça em meu pescoço.

Eu não sabia se podia suportar aquilo. Por mais que temesse por minha vida, pela de Edward, pelo resto da família, não era a mesma coisa que o terror esmagador que sentia por minha filha. Devia haver um jeito de salvá-la, mesmo que fosse a única coisa que eu pudesse fazer.

De repente, eu soube que isso era tudo o que eu queria. O resto eu suportaria, se fosse necessário, mas não a vida dela em risco. Isso não.

Ela era o que eu simplesmente *precisava* salvar.

Será que Alice sabia como eu me sentiria?

A mão de Renesmee tocou meu rosto de leve.

Ela me mostrou meu próprio rosto, o de Edward, o de Jacob, de Rosalie, Esme, Carlisle, Alice, Jasper, e foi passando cada vez mais rápido pelos rostos de toda a família. Seth e Leah. Charlie, Sue e Billy. Repetidamente. Preocupada, como o resto de nós. No entanto, ela estava só preocupada. Jake a havia poupado do pior, até onde pude perceber. A parte sobre não termos esperança, sobre todos morrermos no prazo de um mês.

Ela parou no rosto de Alice, saudosa e confusa. Onde estava Alice?

— Não sei — sussurrei. — Mas ela é Alice. Está fazendo a coisa certa, como sempre.

A coisa certa para Alice, em todo caso. Odiava pensar nela dessa maneira, mas de que outra maneira a situação poderia ser compreendida?

Renesmee suspirou, e a saudade se intensificou.

— Também sinto falta dela.

Senti meu rosto tentando encontrar a expressão que combinasse com o pesar que eu sentia. Meus olhos estavam estranhos e secos; eles piscaram contra a sensação desagradável. Mordi o lábio. Quando respirei novamente, o ar se prendeu em minha garganta, como se eu estivesse sufocando.

Renesmee se afastou para me olhar e vi meu rosto espelhado em seus pensamentos e em seus olhos. Eu tinha a mesma expressão de Esme esta manhã.

Então chorar era assim.

Os olhos de Renesmee cintilaram úmidos enquanto ela olhava meu rosto. Ela o afagou, sem me mostrar nada, só tentando me acalmar.

Eu nunca tinha pensado em ver o vínculo mãe-filha invertido entre nós, como sempre fora com Renée e comigo. Mas eu não tinha uma visão muito clara do futuro.

Uma lágrima se formou na borda do olho de Renesmee. Eu a enxuguei com um beijo. Ela tocou o olho com surpresa e depois olhou a ponta do dedo molhada.

— Não chore — eu disse a ela. — Vai ficar tudo bem. Você vai ficar bem. Eu vou encontrar uma maneira de tirar você dessa.

Mesmo que não pudesse fazer mais nada, eu salvaria minha Renesmee. Eu estava mais certa do que nunca de que era isso que Alice me daria. Ela saberia. Ela teria me deixado uma saída.

30. IRRESISTÍVEL

HAVIA MUITO EM QUE PENSAR.

Como eu iria conseguir ficar sozinha para pesquisar sobre J. Jenks e por que Alice queria que eu soubesse dele?

Se a pista de Alice não tivesse nenhuma relação com Renesmee, o que eu poderia fazer para salvar minha filha?

Como Edward e eu iríamos explicar tudo à família de Tanya de manhã? E se eles reagissem como Irina? E se tudo acabasse numa luta?

Eu não sabia lutar. Como eu aprenderia em apenas um mês? Haveria alguma chance de que fosse rápido o bastante para representar perigo para qualquer um dos Volturi? Ou eu estava condenada a ser totalmente inútil? Só mais uma recém-criada liquidada com facilidade?

Eu precisava de muitas respostas, mas não tinha chance de fazer as perguntas.

Querendo alguma normalidade para Renesmee, eu insistira em levá-la para nosso chalé na hora de dormir. Jacob ficava mais à vontade na forma de lobo no momento; era mais fácil lidar com o estresse quando ele se sentia preparado para uma luta. Queria poder sentir o mesmo, poder me sentir preparada. Ele corria pelo bosque, novamente em guarda.

Depois de Renesmee adormecer profundamente, eu a coloquei em sua cama e fui para a sala, a fim de fazer minhas perguntas a Edward. Pelo menos aquelas que eu podia fazer; um dos problemas mais difíceis era tentar esconder alguma coisa dele, mesmo com a vantagem de meus pensamentos indecifráveis.

Ele estava de costas para mim, olhando o fogo.

— Edward, eu...

Ele girou e atravessou a sala, sem que parecesse transcorrer tempo nenhum, nem mesmo a menor fração de segundo. Eu só tive tempo de registrar a expressão feroz em seu rosto antes de seus lábios pressionarem os meus e seus braços se fecharem à minha volta como vigas de aço.

Não pensei em minhas perguntas pelo resto daquela noite. Não precisei de muito tempo para entender o motivo de seu estado de espírito — de ainda menos para sentir exatamente o mesmo.

Eu estivera projetando anos de carência antes que pudesse organizar de alguma forma a paixão avassaladora que sentia fisicamente por ele. E, em seguida, séculos para desfrutá-la. Se tínhamos só um mês juntos... Bom, eu não via como suportar esse fim. No momento eu não podia deixar de ser egoísta. Só queria amá-lo ao máximo no tempo limitado que me fora dado.

Foi difícil me afastar dele quando o sol nasceu, mas tínhamos um trabalho a fazer, um trabalho que podia ser mais difícil do que a busca que o restante da família empreendia. Assim que me deixei pensar no que estava por vir, fiquei tensa; parecia que meus nervos estavam sendo esticados, cada vez mais.

— Queria que houvesse uma maneira de conseguirmos a informação de Eleazar antes de contarmos a eles sobre Nessie — murmurou Edward enquanto nos vestíamos às pressas no imenso closet, que me fazia lembrar de Alice mais do que eu queria no momento. — Só por precaução.

— Mas ele não entenderia a pergunta — concordei. — Acha que eles vão nos deixar explicar?

— Não sei.

Tirei da cama Renesmee, ainda adormecida, e a segurei tão perto que meu rosto se enterrou em seus cachos; seu cheiro doce, tão próximo, superava qualquer outro aroma.

Eu não podia perder um segundo que fosse do dia de hoje. Havia respostas que eu procurava, e não sabia quanto tempo Edward e eu teríamos a sós. Se corresse tudo bem com a família de Tanya, com sorte teríamos companhia por um longo tempo.

— Edward, você me ensina a lutar? — pedi a ele, atenta à sua reação, enquanto ele segurava a porta para mim.

Foi o que eu esperava. Ele ficou paralisado, depois seus olhos me percorreram com um significado profundo, como se me vissem pela primeira ou pela última vez. Seus olhos demoraram-se em nossa filha dormindo em meus braços.

— Se houver uma luta, não há muito que qualquer um de nós possa fazer — esquivou-se ele.

Mantive a voz tranquila.

— Você me deixaria totalmente indefesa?

Ele engoliu em seco convulsivamente, e a porta estremeceu, as dobradiças protestando, enquanto sua mão a apertava. Depois ele assentiu.

— Considerando dessa maneira... Creio que devemos pôr mãos à obra assim que pudermos.

Eu também concordei, e partimos para a grande casa. Não corremos.

Perguntei-me o que eu poderia fazer que, concretamente, fizesse alguma diferença. Eu era um pouquinho especial, à minha maneira — se ter um crânio extraordinariamente denso pudesse mesmo ser considerado especial. Teria alguma utilidade para ele?

— Na sua opinião, qual é a maior vantagem deles? Eles têm algum ponto fraco?

Edward não teve de perguntar para saber que eu falava dos Volturi.

— Alec e Jane são sua maior força de ataque — disse ele sem emoção, como se estivéssemos falando de um time de basquete. — Seus defensores raras vezes veem alguma ação.

— Porque Jane pode queimar você onde você estiver... pelo menos mentalmente. O que Alec faz? Você não disse uma vez que ele era ainda mais perigoso que Jane?

— Sim. De certo modo, ele é o antídoto de Jane. Ela faz você sentir a pior dor imaginável. Alec, por outro lado, faz com que você não sinta nada. Absolutamente nada. Às vezes, quando estão se sentindo generosos, os Volturi deixam que Alec anestesie a pessoa antes de executá-la. Se ela se rendeu ou agradou a eles de alguma forma.

— Anestesiar? Mas como isso pode ser mais perigoso do que Jane?

— Porque ele elimina completamente seus sentidos. Sem dor, mas também sem visão, nem audição, nem olfato. Privação sensorial completa. Você fica absolutamente só no escuro. Nem sente quando o queimam.

Estremeci. Era o melhor que podíamos esperar? Não ver nem sentir a morte quando ela viesse?

— Isso o torna tão perigoso quanto Jane — continuou Edward, na mesma voz neutra —, no sentido de que ambos podem incapacitá-la, fazer de você um alvo indefeso. A diferença entre eles é como a diferença entre mim e Aro. Aro ouve a mente de uma pessoa de cada vez. Jane só pode machucar o objeto de seu foco. Eu posso ouvir todos ao mesmo tempo.

Senti frio ao perceber aonde ele queria chegar.

— E Alec pode incapacitar todos nós ao mesmo tempo? — sussurrei.

— Sim — disse ele. — Se ele usar seu dom contra nós, todos ficaremos cegos e surdos até que eles nos matem... Talvez eles simplesmente nos queimem, sem se incomodar em nos dilacerar primeiro. Ah, podemos tentar lutar, mas é mais provável que nos machuquemos uns aos outros do que atinjamos algum deles.

Andamos em silêncio por alguns segundos.

Uma ideia se formava em minha mente. Não era muito promissora, mas era melhor que nada.

— Acha que Alec é um bom lutador? — perguntei. — Além do que ele pode fazer, quero dizer. Se ele tivesse de lutar sem o dom. Pergunto-me se ele já tentou...

Edward me olhou bruscamente.

— No que está pensando?

Eu olhava à frente.

— Bom, provavelmente ele não pode fazer isso comigo, pode? Se ele for como Aro, Jane e você. Talvez... se ele nunca teve de se defender... e eu aprendesse alguns truques...

— Ele está com os Volturi há séculos — Edward me interrompeu, a voz de repente em pânico. Ele devia estar vendo em sua mente a mesma imagem que eu: os Cullen indefesos, pilares insensíveis no campo da morte; todos, menos eu. Eu seria a única que *poderia* lutar. — Sim, você, sem dúvida, é imune ao poder dele, mas ainda é uma recém-criada, Bella. Não posso fazer de você uma lutadora assim tão boa em apenas algumas semanas. Tenho certeza de que ele recebeu treinamento.

— Talvez sim, talvez não. É a única coisa que posso fazer, e ninguém mais pode. Mesmo que eu só consiga *distraí-lo* por algum tempo... Será que eu poderia durar tempo suficiente para dar uma chance aos outros?

— Por favor, Bella — disse Edward entredentes. — Não vamos falar disso.

— Seja razoável.

— Vou tentar lhe ensinar o que eu puder, mas, por favor, não me faça pensar em você se sacrificando para retardá-lo... — Ele engasgou e não terminou a frase.

Assenti. Eu guardaria meus planos para mim, então. Primeiro Alec, e depois, se eu milagrosamente tivesse a sorte de vencer, Jane. Se eu conseguisse só equilibrar as coisas — eliminar a vantagem ofensiva esmagadora dos Volturi — talvez então houvesse uma possibilidade... Minha mente disparava. E se eu *fosse* mesmo capaz de distraí-los, ou até de eliminá-los? Sinceramente, por que Jane ou Alec teriam tido a necessidade de aprender habilidades de batalha? Eu não podia imaginar a pequena e petulante Jane abrindo mão de sua vantagem, mesmo que fosse para aprender.

Se eu conseguisse matá-los, que diferença isso faria!

— Tenho de aprender tudo. O máximo que você puder enfiar em minha cabeça no próximo mês — murmurei.

Ele agiu como se eu não tivesse dito nada.

Quem seria o próximo, então? Era melhor eu ter meus planos em ordem para que não houvesse hesitação em meu ataque, se eu sobrevivesse ao de Alec. Tentei pensar em outra situação em que meu crânio espesso me daria vantagem. Eu não sabia o bastante sobre o que os outros faziam. Evidentemente, lutadores como o imenso Felix estavam além de minha capacidade. Eu só podia tentar dar a Emmett uma luta justa com ele. Não sabia muito sobre o restante da guarda Volturi, além de Demetri...

Meu rosto estava perfeitamente impassível enquanto eu pensava em Demetri. Sem dúvida, ele seria um lutador. Não havia outra maneira de ele ter sobrevivido por tanto tempo, sempre como ponta-de-lança de qualquer ataque. E ele devia sempre liderar, porque era o rastreador — o melhor rastreador do mundo, sem dúvida. Se houvesse um melhor, os Volturi já teriam trocado. Aro não se cercava do segundo escalão.

Se Demetri não existisse, então *poderíamos* fugir. Os que restassem entre nós, em todo caso. Minha filha, quente em meus braços... Alguém podia fugir com ela. Jacob ou Rosalie, quem restasse.

E... se Demetri não existisse, então Alice e Jasper poderiam ficar seguros para sempre. Fora isso o que Alice vira? Que parte de nossa família continuaria? Eles dois, pelo menos.

Poderia eu invejá-la por isso?

— Demetri... — eu disse.

— Demetri é meu — disse Edward numa voz dura e tensa. Olhei para ele rapidamente, e vi que sua expressão se tornara violenta.

— Por quê? — sussurrei.

Ele não respondeu, de início. Estávamos no rio quando ele finalmente murmurou:

— Por Alice. A única forma de eu agradecer a ela os últimos cinquenta anos.

Então seus pensamentos estavam alinhados aos meus.

Ouvi as patas pesadas de Jacob no chão congelado. Em segundos, ele estava andando a meu lado, os olhos escuros pousados em Renesmee.

Assenti para ele, depois voltei às minhas perguntas. Havia tão pouco tempo!

— Edward, por que acha que Alice nos disse para perguntar a Eleazar sobre os Volturi? Ele esteve na Itália recentemente ou coisa assim? O que ele pode saber?

— Eleazar conhece tudo sobre os Volturi. Eu me esqueci de que você não sabia. Ele foi um deles.

Eu sibilei involuntariamente. Jacob grunhiu a meu lado.

— Como é? — perguntei, imaginando o belo homem de cabelos escuros de nosso casamento envolto num manto longo e cinzento.

O rosto de Edward agora era mais suave — ele sorria um pouco.

— Eleazar é uma pessoa muito gentil. Ele não estava inteiramente satisfeito com os Volturi, mas respeitava a lei e sua necessidade de ser mantida. Ele achava que estava trabalhando para o bem maior. E não lamenta o período que passou com eles. Mas, quando conheceu Carmen, descobriu seu lugar no mundo. Eles são muito parecidos, muito compassivos para dois vampiros. — Ele sorriu de novo. — Então conheceram Tanya e as irmãs, e nunca olharam para trás. Eles combinam bem com esse estilo de vida. Se não tivessem encontrado Tanya, imagino que teriam descoberto por conta própria uma maneira de viver sem sangue humano.

As imagens em minha mente se chocavam. Eu não conseguia combiná-las. Um soldado Volturi compassivo?

Edward olhou para Jacob e respondeu a uma pergunta silenciosa.

— Não, ele não era um dos guerreiros, por assim dizer. Tinha um dom que os Volturi achavam conveniente.

Jacob deve ter feito a pergunta óbvia.

— Ele tinha uma percepção instintiva dos dons dos outros... As habilidades extras que alguns vampiros têm — disse-lhe Edward. — Ele podia dar a Aro uma ideia geral do que determinado vampiro era capaz, bastando que se aproximasse dele. Isso era útil quando os Volturi entravam em batalha. Ele podia alertá-los se alguém no grupo oposto tivesse uma habilidade que lhes pudesse trazer problemas. Isso era raro; era preciso uma habilidade e tanto para criar algum inconveniente para os Volturi por um instante. Com mais frequência, o alerta daria a Aro a chance de salvar alguém que poderia ser útil a ele. O dom de Eleazar funciona com humanos também, até certo ponto. Mas, com eles, ele precisa se concentrar muito, porque a capacidade latente é muito nebulosa. Aro o fazia testar as pessoas que queriam se juntar a eles, para ver se tinham algum potencial. Aro lamentou vê-lo ir embora.

— E o deixaram ir? — perguntei. — Simples assim?

Seu sorriso agora ficou mais sombrio, meio torto.

— Não se presuma que os Volturi sejam os vilões, como parecem a você. Eles são a fundação de nossa paz e civilização. Cada membro da guarda escolhe servi-los. Dá muito prestígio; todos têm orgulho de estar lá, não são obrigados a isso.

Olhei mal-humorada para o chão.

— Eles só são considerados horrendos e cruéis pelos criminosos, Bella.

— Nós não somos criminosos.

Jacob bufou, concordando.

— Eles não sabem disso.

— Acha realmente que podemos fazê-los parar e ouvir?

Edward hesitou por um instante mínimo, e deu de ombros.

— Se encontrarmos um número suficiente de amigos que possam ficar ao nosso lado. Talvez.

Se. De repente eu senti a urgência do que tínhamos pela frente. Edward e eu começamos a nos movimentar mais rápido, partindo numa corrida. Jacob nos alcançou rapidamente.

— Tanya não deve demorar muito — disse Edward. — Precisamos estar preparados.

Mas como nos preparar? Nós organizamos e reorganizamos, pensamos e repensamos. Renesmee à plena vista? Ou escondida de início? Jacob na sala? Ou do lado de fora? Ele disse à matilha que ficasse por perto, mas invisível. Deveria ele fazer o mesmo?

No final, Renesmee, Jacob — de novo em sua forma humana — e eu ficamos à espera na sala de jantar, fora do campo de visão de quem estivesse à porta de entrada, sentados à grande mesa polida. Jacob me deixou segurar Renesmee; ele queria espaço para o caso de ter de se metamorfosear rapidamente.

Embora eu estivesse feliz por tê-la em meus braços, isso fazia com que eu me sentisse inútil. Lembrava-me de que, numa luta com vampiros maduros, eu não passava de um alvo fácil; eu não precisava de minhas mãos livres.

Tentei me lembrar de Tanya, Kate, Carmen e Eleazar no casamento. Seus rostos eram obscuros em minhas lembranças mal iluminadas. Eu só sabia que eram bonitos: duas louras e dois morenos. Não conseguia lembrar se havia alguma gentileza em seus olhos.

Edward estava imóvel junto à vidraça dos fundos, olhando a porta da frente. Não parecia ver a sala diante de si.

Ouvíamos os carros zunindo pela rodovia, nenhum deles reduzindo a velocidade.

Renesmee se aninhou em meu pescoço, a mão em meu rosto, mas não vinha nada em minha mente. Ela não tinha imagens para o que sentia agora.

— E se eles não gostarem de mim? — ela sussurrou, e nossos olhos se voltaram para seu rosto.

— É claro que vão... — Jacob começou a dizer, mas eu o silenciei com um olhar.

— Eles não entendem você, Renesmee, porque nunca viram nada parecido — eu disse a ela, sem querer lhe fazer promessas que poderiam não se cumprir. — O problema é fazê-los entender.

Ela suspirou, e em minha mente lampejaram imagens de todos nós em uma única explosão. Vampiros, humanos, lobisomens. Ela não se encaixava em nenhum deles.

— Você é especial, e isso não é ruim.

Ela sacudiu a cabeça, discordando. Pensou em nossos rostos tensos e disse:

— A culpa é minha.

— Não — Jacob, Edward e eu dissemos exatamente no mesmo momento, mas antes que pudéssemos argumentar ouvimos o som que esperávamos: o motor de um carro reduzindo a velocidade na rodovia, os pneus passando do asfalto para a terra macia.

Edward correu para ficar à espera perto da porta. Renesmee escondeu o rosto em meu cabelo. Jacob e eu nos olhamos por sobre a mesa, o desespero em nossos rostos.

O carro passou rapidamente pelo bosque, mais rápido do que Charlie ou Sue. Nós o ouvimos entrar na campina e parar junto à varanda da frente. Quatro portas se abriram e se fecharam. Eles não falaram ao se aproximar da porta. Edward a abriu antes que pudessem bater.

— Edward! — disse, entusiasmada, uma voz de mulher.

— Olá, Tanya. Kate, Eleazar, Carmen.

Três cumprimentos murmurados.

— Carlisle falou que precisava conversar conosco imediatamente — disse a primeira voz, Tanya. Eu podia perceber que estavam todos ainda do lado de fora. Imaginei Edward na porta, bloqueando a entrada. — Qual é o problema? Aborrecimentos com os lobisomens?

Jacob revirou os olhos.

— Não — disse Edward. — Nossa trégua com os lobisomens está mais forte que nunca.

Uma mulher riu.

— Não vai nos convidar a entrar? — perguntou Tanya. E então continuou, sem esperar uma resposta. — Onde está Carlisle?

— Carlisle teve de sair.

Houve um curto silêncio.

— O que está havendo, Edward? — perguntou Tanya.

— Se puder me conceder o benefício da dúvida por alguns minutos — respondeu ele —, tenho algo difícil de explicar e vou precisar que vocês sejam receptivos até que entendam.

— Carlisle está bem? — uma voz de homem perguntou ansiosamente. Eleazar.

— Nenhum de nós está muito bem, Eleazar — disse Edward, e então afagou alguma coisa, talvez o ombro de Eleazar. — Mas fisicamente Carlisle está bem.

— Fisicamente? — perguntou Tanya. — O que quer dizer?

— Quero dizer que toda a minha família corre um grave risco. Mas, antes que eu explique, peço que me prometam uma coisa. Ouçam tudo o que eu disser antes de reagir. Eu imploro que me ouçam.

Um silêncio mais longo recebeu seu pedido. Durante o silêncio tenso, Jacob e eu nos fitamos sem dizer nada. Seus lábios castanho-avermelhados estavam pálidos.

— Estamos ouvindo — disse Tanya por fim. — Vamos ouvir tudo antes de julgar.

— Obrigado, Tanya — agradeceu Edward com fervor. — Não iríamos envolver vocês nisso, se tivéssemos alternativa.

Edward se moveu. Ouvimos quatro conjuntos de passos porta adentro.

Alguém farejou.

— Eu sabia que havia lobisomens envolvidos — murmurou Tanya.

— Sim, e estão do nosso lado. De novo.

O lembrete silenciou Tanya.

— Onde está sua Bella? — perguntou umas das vozes de mulher. — Como está ela?

— Ela estará conosco em breve. Está bem, obrigado. Está se adaptando à imortalidade com uma finesse impressionante.

— Fale-nos do perigo, Edward — disse Tanya em voz baixa. — Vamos ouvir e estaremos do seu lado, que é o nosso lugar.

Edward respirou fundo.

— Gostaria que primeiro testemunhassem por si mesmos. Escutem... no outro cômodo. O que estão ouvindo?

Fez-se silêncio, depois houve movimento.

— Só ouçam primeiro, por favor — pediu Edward.

— Um lobisomem, imagino. Posso ouvir seu coração — disse Tanya.

— O que mais? — perguntou Edward.

Houve uma pausa.

— O que é essa palpitação? — perguntou Kate, ou Carmen. — É... uma espécie de ave?

— Não, mas lembre-se do que está ouvindo. Agora, que cheiro estão sentindo? Além do cheiro de lobisomem.

— Há um humano aqui? — sussurrou Eleazar.

— Não — discordou Tanya. — Não é humano... mas... mais perto do humano que os outros cheiros daqui. O que é isso, Edward? Não acho que tenha sentido essa fragrância antes.

— Certamente não sentiu, Tanya. Por favor, *por favor*, lembrem-se de que se trata de algo inteiramente novo para vocês. Deixem de lado as ideias preconcebidas.

— Eu lhe prometi que ouviria, Edward.

— Tudo bem, então. Bella? Traga Renesmee, por favor.

Minhas pernas pareciam estranhamente entorpecidas, mas eu sabia que a sensação estava toda em minha cabeça. Obriguei-me a não me refrear, a não me movimentar lentamente, enquanto me levantava e andava os poucos passos até a esquina da sala. O calor do corpo de Jacob ardia atrás de mim enquanto ele seguia de perto os meus passos.

Dei um passo para a sala maior e então parei, incapaz de me obrigar a avançar. Renesmee respirou fundo e espiou por baixo de meu cabelo, os ombrinhos rígidos, esperando uma rejeição.

Pensei estar preparada para a reação deles. Para acusações, para gritos, para a imobilidade de seu estresse profundo.

Tanya recuou quatro passos, os cachos vermelhos tremendo, como um humano confrontado com uma cobra venenosa. Kate saltou até a porta da frente e se apoiou na parede. Um silvo de choque saiu por seus dentes trincados. Eleazar se lançou na frente de Carmen, agachando-se, numa atitude protetora.

— Ah, *por favor* — ouvi Jacob queixar-se à meia-voz.

Edward pôs o braço em volta de mim e de Renesmee.

— Vocês prometeram ouvir — lembrou ele.

— Algumas coisas não podem ser ouvidas! — exclamou Tanya. — Como pôde, Edward? Sabe o que isso significa?

— Temos de sair daqui — disse Kate com ansiedade, a mão na maçaneta.

— Edward... — Eleazar parecia não ter palavras.

— Esperem — pediu Edward, a voz agora um pouco mais dura. — Lembrem-se do que estão ouvindo, do cheiro que estão sentindo. Renesmee não é o que vocês pensam.

— Não há exceções a essa regra, Edward — rebateu Tanya.

— Tanya — disse Edward bruscamente —, você pode ouvir o coração dela batendo! Pare e pense no que isso significa.

— O coração dela batendo? — sussurrou Carmen, espiando por trás do ombro de Eleazar.

— Ela não é uma criança totalmente vampira — respondeu Edward, dirigindo sua atenção para a expressão menos hostil de Carmen. — Ela é parte humana.

Os quatro vampiros o fitaram como se ele falasse uma língua que nenhum deles conhecia.

— Ouçam-me. — A voz de Edward mudou para um tom aveludado de persuasão. — Renesmee é única. Eu sou o pai dela. Não o seu criador... mas o pai biológico.

A cabeça de Tanya sacudia, um movimento mínimo. Ela não parecia estar ciente disso.

— Edward, não pode esperar que nós... — começou Eleazar.

— Me dê outra explicação possível, Eleazar. Você pode sentir o calor do corpo dela no ar. O sangue corre em suas veias, Eleazar. Você pode sentir o cheiro.

— Como? — sussurrou Kate.

— Bella é a mãe biológica — disse-lhe Edward. — Ela concebeu e deu à luz Renesmee enquanto ainda era humana. Isso quase a matou. Fui obrigado a injetar veneno em seu coração para salvá-la.

— Nunca ouvi falar numa coisa assim — disse Eleazar. Seus ombros ainda estavam rígidos, a expressão, fria.

— As relações físicas entre vampiros e humanos não são comuns — respondeu Edward com um toque de humor ácido na voz. — Os sobreviventes humanos desses encontros são ainda menos comuns. Não concordam, primas?

Tanto Kate quanto Tanya o olharam de cara fechada.

— Ora, vamos, Eleazar. Sem dúvida, você pode ver a semelhança.

Foi Carmen quem respondeu às palavras de Edward. Ela contornou Eleazar, ignorando seu alerta semiarticulado, e andou com cuidado para se colocar bem à minha frente. Inclinou-se levemente, olhando com atenção o rosto de Renesmee.

— Você parece ter os olhos de sua mãe — disse ela numa voz calma e baixa —, mas o rosto é de seu pai. — E, então, como se não pudesse evitar, sorriu para Renesmee.

O sorriso de resposta de Renesmee foi deslumbrante. Ela tocou meu rosto sem desviar os olhos de Carmen. Imaginou tocar o rosto de Carmen, perguntando-se se haveria algum problema.

— Importa-se se Renesmee lhe falar? — perguntei a Carmen. Eu ainda estava estressada demais para que minha voz parecesse mais do que um sussurro. — Ela tem um dom para explicar as coisas.

Carmen ainda sorria para Renesmee.

— Você fala, pequenininha?

— Sim — respondeu Renesmee em seu impressionante tom de soprano. Toda a família de Tanya se retraiu ao som de sua voz, exceto Carmen. — Mas posso lhe mostrar mais do que posso falar.

Ela colocou a mão gordinha no rosto de Carmen.

Carmen enrijeceu como se tivesse sido atingida por um choque elétrico. Eleazar estava ao seu lado num instante, as mãos em seus ombros como se fosse puxá-la para longe.

— Espere — disse Carmen sem fôlego, os olhos fixos nos de Renesmee.

Renesmee "mostrou" a Carmen sua explicação por um longo tempo. O rosto de Edward estava concentrado enquanto ele observava com Carmen, e eu desejei poder ouvir o que ele ouvia. Jacob mudou o peso do corpo com impaciência atrás de mim, e eu sabia que ele desejava o mesmo.

— O que Nessie está mostrando a ela? — grunhiu ele.

— Tudo — murmurou Edward.

Mais um minuto se passou e Renesmee baixou a mão do rosto de Carmen. Ela sorriu, cativante, para a vampira perplexa.

— Ela é mesmo sua filha, olhe para isso! — sussurrou Carmen, voltando seus olhos topázio arregalados para Edward. — Um dom tão nítido! Só podia ter vindo de um pai muito talentoso.

— Acredita no que ela lhe mostrou? — perguntou Edward, a expressão intensa.

— Sem dúvida — disse Carmen simplesmente.

O rosto de Eleazar estava rígido de aflição.

— Carmen!

Carmen tomou as mãos dele nas suas e as apertou.

— Por mais impossível que pareça, Edward não falou nada além da verdade. Deixe que a criança lhe mostre.

Carmen puxou Eleazar para mais perto de mim e assentiu para Renesmee.

— Mostre a ele, *mi querida*.

Renesmee sorriu, claramente deliciada com a aceitação de Carmen, e tocou de leve a testa de Eleazar.

— *Ay caray!* — cuspiu ele, e afastou-se dela bruscamente.

— O que ela fez com você? — perguntou Tanya, chegando mais perto com cautela. Kate também avançou um pouco.

— Ela só está tentando lhe mostrar o lado dela da história — disse-lhe Carmen numa voz tranquilizadora.

Renesmee franziu a testa com impaciência.

— Observe, por favor — ela ordenou a Eleazar. Esticou a mão para ele e então deixou alguns centímetros entre seus dedos e o rosto dele, esperando.

Eleazar olhou-a com desconfiança e em seguida para Carmen, em busca de ajuda. Ela assentiu, estimulando-o. Eleazar respirou fundo e se inclinou para mais perto, até que sua testa tocasse a mão dela novamente.

Ele estremeceu no início, mas dessa vez manteve-se parado, os olhos fechados, concentrado.

— Ahh! — ele suspirou, quando os olhos reabriram alguns minutos depois. — Entendo.

Renesmee sorriu para ele. Ele hesitou, e então devolveu um sorriso levemente indeciso.

— Eleazar? — perguntou Tanya.

— É tudo verdade, Tanya. Esta não é uma criança imortal. Ela é meio humana. Venha. Veja por si mesma.

Em silêncio, Tanya assumiu seu lugar cautelosamente na minha frente, e depois Kate, as duas demonstrando surpresa com a primeira imagem que lhes veio com o toque de Renesmee. Mas em seguida, como Carmen e Eleazar, elas pareceram completamente conquistadas assim que acabou.

Olhei para o rosto tranquilo de Edward, perguntando-me se podia ser assim tão fácil. Seus olhos dourados estavam claros, não havia sombra neles. Isso não era nenhuma ilusão, então.

— Obrigado por ouvirem — disse ele em voz baixa.

— Mas você nos alertou de um *grave risco* — disse Tanya. — Não diretamente desta criança, pelo que vejo, mas certamente dos Volturi. Como eles descobriram sobre ela? Quando eles virão?

Não foi surpresa que ela compreendesse rapidamente. Afinal, o que poderia ser uma ameaça para uma família tão forte como a minha? Só os Volturi.

— Quando Bella viu Irina naquele dia nas montanhas — explicou Edward —, ela estava com Renesmee.

Kate sibilou, os olhos estreitando-se em fendas.

— *Irina* fez isso? Com você? Com Carlisle? *Irina?*

— Não — sussurrou Tanya. — Outra pessoa...

— Alice a viu procurar os Volturi — disse Edward. Perguntei-me se os outros perceberam o modo como ele estremeceu um pouco quando falou o nome de Alice.

— Como Irina pôde fazer isso? — perguntou Eleazar a ninguém em particular.

— Imagine se você tivesse visto Renesmee a distância. Se não tivesse esperado por nossa explicação.

Os olhos de Tanya endureceram.

— Não importa o que ela tenha pensado... Vocês são nossa família.

— Não há nada que possamos fazer agora sobre a decisão de Irina. É tarde demais. Alice nos deu um mês.

Tanya e Eleazar inclinaram a cabeça. A testa de Kate se franziu.

— Tanto tempo? — perguntou Eleazar.

— Todos eles estão vindo. Isso requer alguns preparativos.

Eleazar arquejou.

— A guarda toda?

— Não só a guarda — disse Edward, o queixo tenso. — Aro, Caius, Marcus. Até as esposas.

O choque vidrou-se nos olhos de todos.

— Impossível — disse Eleazar monotonamente.

— Eu teria dito o mesmo dois dias atrás — disse Edward.

Eleazar fechou a cara e quando falou foi quase um grunhido.

— Mas isso não faz nenhum sentido. Por que eles colocariam a si e às esposas em perigo?

— Não faz sentido desse ângulo. Alice disse que havia mais nisso do que só a punição pelo que eles pensam que fizemos. Ela achou que você poderia nos ajudar.

— Mais do que punição? Mas o que mais pode haver? — Eleazar começou a andar, indo para a porta e voltando como se estivesse sozinho, as sobrancelhas franzidas enquanto fitava o chão.

— Onde estão os outros, Edward? Carlisle, Alice e os outros? — perguntou Tanya.

A hesitação de Edward foi quase imperceptível. Ele respondeu a parte da pergunta apenas.

— Procurando amigos que possam nos ajudar.

Tanya se inclinou para ele, estendendo as mãos.

— Edward, não importa quantos amigos possa reunir, não podemos ajudá-los a *vencer*. Só podemos morrer com vocês. Você deve saber disso. É claro que talvez nós quatro mereçamos isso, depois do que Irina fez, depois de termos decepcionado vocês no passado... por causa dela também.

Edward sacudiu a cabeça rapidamente.

— Não estamos pedindo que lutem e morram conosco, Tanya. Você sabe que Carlisle jamais pediria isso.

— Então o que é, Edward?

— Queremos testemunhas. Se pudermos fazer com que eles parem, só por um momento. Se nos deixarem explicar... — Ele tocou o rosto de Renesmee; ela pegou a mão dele e a colocou em sua pele. — É difícil duvidar de nossa história quando se vê por si mesmo.

Tanya assentiu devagar.

— Acha que o passado dela vai importar muito a eles?

— Só como uma previsão de seu futuro. A questão da restrição era para nos proteger da exposição, dos excessos de crianças que não podiam ser domadas.

— Eu não sou perigosa — interveio Renesmee. Ouvi sua voz clara e alta com ouvidos novos, imaginando como soava aos outros. — Nunca machuquei vovô, nem Sue, nem Billy. Eu adoro os humanos. E as pessoas-lobo, como o meu Jacob. — Ela soltou a mão de Edward para afagar o braço de Jacob.

Tanya e Kate trocaram um rápido olhar.

— Se Irina não tivesse vindo tão cedo — refletiu Edward —, podíamos ter evitado tudo isso. Renesmee cresce a um ritmo sem precedentes. Quando o mês chegar ao fim, ela terá alcançado mais meio ano de desenvolvimento.

— Bom, isso é algo que certamente podemos testemunhar — disse Carmen num tom decidido. — Podemos jurar que vimos nós mesmos seu amadurecimento. Como os Volturi podem ignorar essa evidência?

— Sim, como? — murmurou Eleazar, mas ele não tirou os olhos do chão, e continuou andando como se não estivesse prestando atenção em nada.

— Sim, podemos ser suas testemunhas — disse Tanya. — Certamente. Vamos considerar o que mais podemos fazer.

— Tanya — protestou Edward, ouvindo mais em seus pensamentos do que havia em suas palavras —, não esperamos que lutem conosco.

— Se os Volturi não quiserem ouvir nosso testemunho, não podemos simplesmente ficar parados — insistiu Tanya. — É claro que estou falando por mim.

Kate bufou.

— Duvida tanto assim de mim, irmã?

Tanya abriu um sorriso largo para ela.

— *É* uma missão suicida, afinal.

Kate abriu um sorriso e então deu de ombros, indiferente.

— Estou dentro.

— Eu também farei o que puder para proteger a criança — concordou Carmen. Depois, como se não conseguisse resistir, estendeu os braços para Renesmee. — Posso segurar você, *bebé linda*?

Renesmee se lançou, ávida, para Carmen, deliciada com a nova amiga. Carmen a abraçou, sussurrando para ela em espanhol.

Exatamente como acontecera com Charlie e, antes, com todos os Cullen. Renesmee era irresistível. O que havia nela que atraía todos, que os fazia dispostos até a arriscar a vida em sua defesa?

Por um momento, pensei que talvez fosse possível o que estávamos tentando. Talvez Renesmee pudesse fazer o impossível, e conquistar nossos inimigos como fez com nossos amigos.

Mas, então, me lembrei de que Alice nos havia deixado, e minha esperança desapareceu com a mesma rapidez com que surgira.

31. TALENTOSOS

— QUAL É A PARTICIPAÇÃO DOS LOBISOMENS NISSO? — PERGUNTOU Tanya, olhando Jacob.

Jacob falou antes que Edward pudesse responder.

— Se os Volturi não pararem para ouvir sobre Nessie, quer dizer, Renesmee — ele se corrigiu, lembrando que Tanya não entenderia o apelido idiota —, *nós* vamos impedi-los.

— É muita coragem, criança, mas isso seria impossível até para lutadores mais experientes que vocês.

— Vocês não sabem do que somos capazes.

Tanya deu de ombros.

— É sua vida. Faça dela o que quiser.

Os olhos de Jacob passaram para Renesmee — ainda nos braços de Carmen, com Kate rodeando-as — e foi fácil ler a ânsia neles.

— Ela é especial, essa pequenina — refletiu Tanya. — É difícil resistir a ela.

— Uma família muito talentosa — murmurou Eleazar enquanto andava. Seu ritmo acelerava; ele disparava da porta até Carmen e voltava a cada segundo. — Um leitor de pensamentos como pai, um escudo como mãe, e, então, seja qual for a magia com que essa criança extraordinária nos enfeitiçou. Pergunto-me se há um nome para o que ela faz, ou se é a norma para um híbrido de vampiro. Como se uma coisa dessas pudesse ser considerada normal! Um híbrido de vampiro, imagine!

— Com licença — disse Edward numa voz perplexa. Ele estendeu a mão e segurou o ombro de Eleazar quando ele estava prestes a voltar à porta. — De que chamou minha esposa?

Eleazar olhou para Edward com curiosidade, o ritmo maníaco esquecido por um momento.

— Um escudo, eu *penso*. Ela está me bloqueando agora, então não tenho certeza.

Eu encarei Eleazar, a testa franzida, confusa. Escudo? O que ele quis dizer com bloqueá-lo? Eu estava parada bem ao lado dele, não estava nem um pouco na defensiva.

— Um escudo? — repetiu Edward, aturdido.

— Ora, ora, Edward! Se eu não consigo ler a mente dela, duvido de que você possa. Consegue ouvir os pensamentos dela agora? — perguntou Eleazar.

— Não — murmurou Edward. — Mas nunca fui capaz de fazer isso. Mesmo quando ela era humana.

— Nunca? — Eleazar piscou. — Que interessante. Isso indicaria um talento latente muito poderoso, tendo se manifestado com tanta clareza antes da transformação. Não consigo encontrar uma brecha em seu escudo para dar um sentido a isso. No entanto ela ainda deve estar crua... só tem alguns meses de idade. — O olhar que ele dirigiu a Edward agora era quase exasperado. — E ao que parece não tem consciência nenhuma do que está fazendo. Totalmente inconsciente. Que ironia. Aro me mandou pelo mundo todo em busca de anomalias como essa, e você simplesmente tropeça com ela por acaso e nem percebe o que tem. — Eleazar sacudiu a cabeça, incrédulo.

Eu franzi o cenho.

— Do que está falando? Como eu posso ser um *escudo*? O que isso significa? — Eu só conseguia visualizar uma ridícula armadura medieval.

Eleazar inclinou a cabeça para o lado enquanto me examinava.

— Creio que éramos excessivamente formais sobre isso na guarda. Na verdade, classificar talentos é uma atividade subjetiva e fortuita; todo talento é único, nunca vemos duas coisas exatamente iguais. Mas você, Bella, é muito fácil de classificar. Os talentos que são puramente defensivos, que protegem algum aspecto do portador, sempre são chamados *escudos*. Você já testou suas habilidades? Bloqueando alguém além de mim e seu parceiro?

Precisei de alguns segundos, apesar da rapidez com que meu novo cérebro trabalhava, para organizar minha resposta.

— Só funciona com certas coisas — eu lhe disse. — Minha cabeça é meio... privativa. Mas isso não impede Jasper de interferir em meu humor ou Alice de ver meu futuro.

— Uma defesa puramente mental. — Eleazar assentiu para si mesmo. — Limitada, mas forte.

— Aro não conseguiu ouvi-la — interveio Edward. — Embora ela fosse humana quando se conheceram.

Os olhos de Eleazar se arregalaram.

— Jane tentou me ferir, mas não conseguiu — eu disse. — Edward acha que Demetri não é capaz de me localizar e que Alec também não pode me incomodar. Isso é bom?

Eleazar, ainda boquiaberto, assentiu.

— Muito.

— Um escudo! — disse Edward, a satisfação profunda impregnando sua voz. — Nunca pensei dessa maneira. O único que conheci antes é Renata, e o que ela faz é muito diferente.

Eleazar se recuperou um pouco.

— Sim, nenhum talento chega a se manifestar da mesma maneira, porque ninguém *pensa* da mesma maneira.

— Quem é Renata? O que ela faz? — perguntei. Renesmee também estava interessada, afastando-se de Carmen para poder ver por trás de Kate.

— Renata é a guarda-costas de Aro — disse-me Eleazar. — Um tipo muito prático de escudo, e muito forte.

Eu me lembrava vagamente de um pequeno grupo de vampiros adejando em torno de Aro em sua torre macabra — alguns, homens, outros, mulheres. Não conseguia me lembrar dos rostos das mulheres na memória desconfortável e apavorante. Uma delas devia ser Renata.

— Fico imaginando... — Eleazar refletia. — Entenda, Renata é um escudo poderoso contra um ataque físico. Se alguém se aproximar dela... ou de Aro, pois ela sempre está ao lado dele numa situação hostil... se vê... desviado. Há uma força em volta dela que repele, embora seja quase imperceptível. Você simplesmente se vê indo para um lado diferente do que pretendia, com uma confusa sensação de não saber por que queria ir para o outro lado. Ela pode projetar seu escudo vários metros à frente. E também protege Caius e Marcus, quando eles precisam, mas a prioridade é Aro.

"O que ela faz não é realmente físico. Como a grande maioria de nossos dons, acontece dentro da mente. Se ela tentasse manter *você* a distância, quem venceria? — Ele sacudiu a cabeça. — Nunca soube dos dons de Aro ou de Jane sendo obstruídos."

— Mamãe, você é especial — disse-me Renesmee sem surpresa nenhuma, como se estivesse comentando a cor de minhas roupas.

Eu me senti desorientada. Eu já não conhecia o meu dom? Eu tinha meu superautocontrole que me permitira pular o horrível primeiro ano de recém-criada. Os vampiros só tinham uma capacidade extra, certo?

Ou Edward estivera certo no início? Antes que Carlisle sugerisse que meu autocontrole poderia ser sobrenatural, Edward havia pensado que minha repressão era apenas fruto de uma boa preparação — *foco e atitude*, ele havia declarado.

Quem tinha razão? Haveria *mais* que eu pudesse fazer? Um nome e uma categoria para o que eu era?

— Pode projetar? — perguntou Carmen, interessada.

— Projetar? — indaguei.

— Expandir para além de você — explicou Kate. — Formar um escudo para outra pessoa.

— Não sei. Nunca tentei. Não sabia que deveria fazer isso.

— Ah, pode ser que não consiga — disse Kate rapidamente. — Deus sabe que venho trabalhando nisso há séculos, e o melhor que consigo fazer é passar uma corrente por minha pele.

Eu a olhei, aturdida.

— Kate tem uma habilidade ofensiva — explicou Edward. — Parecida com a de Jane.

Eu recuei, afastando-me de Kate automaticamente, e ela riu.

— Não sou sádica — ela me tranquilizou. — É só uma coisa muito boa em uma luta.

As palavras de Kate começavam a assentar em minha mente, fazendo conexões. *Formar um escudo para outra pessoa*, dissera ela. Como se houvesse uma maneira de eu incluir outra pessoa em minha mente estranha, peculiar e silenciosa.

Lembrei-me de Edward encolhido nas pedras antigas do torreão do castelo dos Volturi. Embora essa fosse uma lembrança da época de humana, era mais aguda, mais dolorosa que a maioria das outras — como se estivesse gravada no tecido do meu cérebro.

E se eu pudesse impedir que isso acontecesse de novo? E se eu pudesse protegê-lo? Proteger Renesmee? E se houvesse a mais leve possibilidade de eu funcionar como um escudo para eles também?

— Tem de me ensinar a fazer isso! — insisti, agarrando o braço de Kate sem pensar. — Precisa me mostrar como!

Kate estremeceu com meu aperto.

— Talvez... se parar de tentar esmagar meu braço.

— Epa! Desculpe-me!

— Você está escudando, com certeza — disse Kate. — O movimento que fiz devia ter provocado um choque em seu braço. Não sentiu nada agora?

— Isso não era necessário, Kate. Ela não teve intenção de fazer nenhum mal — murmurou Edward à meia-voz.

Nenhuma de nós duas prestava atenção nele.

— Não, não senti nada. Você estava fazendo a coisa da corrente elétrica?

— Estava. Humm. Nunca conheci ninguém que não sentisse, imortal ou não.

— Você disse que projeta? Em sua pele?

Kate assentiu.

— Costumava ser só nas palmas das mãos. Meio como Aro.

— Ou Renesmee — interveio Edward.

— Mas depois de muita prática posso irradiar a corrente por todo o meu corpo. É uma boa defesa. Qualquer um que tente tocar em mim cai como um humano que tenha recebido um disparo de uma arma de eletrochoque. A pessoa só fica fora de combate por um segundo, mas é tempo suficiente.

Eu só ouvia Kate parcialmente, meus pensamentos disparando em torno da ideia de que eu podia proteger minha pequena família se pudesse aprender com bastante rapidez. Eu queria fervorosamente poder ser boa nessa história de projetar, como misteriosamente eu era em todos os outros aspectos da vida de vampira. Minha vida humana não havia me preparado para coisas que vinham naturalmente, e eu não conseguia confiar que aquela aptidão durasse.

Era como se eu jamais tivesse desejado algo tanto quanto aquilo: poder proteger os que eu amava.

Porque estava tão preocupada não percebi o diálogo silencioso que acontecia entre Edward e Eleazar até que se tornou uma conversa em voz alta.

— Pode pensar numa exceção que seja? — perguntou Edward.

Olhei para eles, tentando entender o comentário, e percebi que todos os outros já fitavam os dois homens. Eles estavam inclinados um para o outro, concentrados, a expressão de Edward rígida com a suspeita, a de Eleazar infeliz e relutante.

— Não quero pensar neles dessa maneira — disse Eleazar entredentes. Fiquei surpresa com a súbita mudança no clima.

— Se tiver razão... — recomeçou Eleazar.

Edward o interrompeu.

— O pensamento foi seu, não meu.

— Se *eu* tiver razão... não consigo nem entender o que significaria. Mudaria tudo sobre o mundo que criamos. Mudaria o significado da minha vida. Do que já fiz parte.

— Suas intenções sempre foram as melhores, Eleazar.

— E isso importaria? O que eu fiz? Quantas vidas...

Tanya pôs a mão no ombro de Eleazar, num gesto reconfortante.

— O que perdemos, meu amigo? Quero saber para poder argumentar com esses pensamentos. Você nunca fez nada que valesse se castigar dessa maneira.

— Ah, não fiz? — murmurou Eleazar. Então se afastou da mão dela e recomeçou a andar de um lado para o outro, mais rápido até do que antes.

Tanya o observou por meio segundo e então se concentrou em Edward.

— Explique.

Edward assentiu, os olhos tensos seguindo Eleazar enquanto falava.

— Ele estava tentando entender por que tantos dos Volturi viriam aqui nos castigar. Não é assim que eles agem. Certamente, somos o maior clã maduro com que já lidaram, mas no passado outros grupos se uniram para se proteger e nunca representaram um grande desafio, apesar de seu número. Nós temos vínculos mais fortes, e isso é um fator, mas não tão grande.

"Ele estava se lembrando de outras vezes em que os grupos foram castigados, por uma ou outra coisa, e ocorreu-lhe um padrão. Um que o restante da guarda nunca teria percebido, uma vez que era Eleazar quem passava as informações secretas pertinentes a Aro, em particular. Um padrão que só se repetia de dois em dois séculos aproximadamente."

— Que padrão era esse? — perguntou Carmen, observando Eleazar, como fazia Edward.

— Aro não costuma comparecer pessoalmente a uma expedição de punição — disse Edward. — Mas, no passado, quando Aro queria uma coisa em particular, não demorava muito a surgir uma evidência de que esse ou aquele clã tinha cometido algum crime imperdoável. Os anciãos decidiam ver a guarda administrar a justiça. E então, depois que o clã estava quase destruído, Aro dava o perdão a um membro cujos pensamentos, afirmava ele, eram de arrependimento. Esse vampiro, porém, sempre tinha um dom que Aro admirava. A pessoa sempre recebia um lugar na guarda. O vampiro talentoso era persuadido rapidamente, sempre grato demais pela honraria. Nunca houve exceções.

— Deve ser uma coisa inebriante ser escolhido — Kate comentou.

— Ah! — rosnou Eleazar, ainda em movimento.

— Existe um membro da guarda — disse Edward, explicando a reação irritada de Eleazar. — O nome dela é Chelsea. Ela tem influência sobre os laços emocionais entre as pessoas. Ela tanto pode afrouxar quanto apertar esses laços. Pode fazer alguém se sentir ligado aos Volturi, querer fazer parte deles, querer *agradar a eles...*

Eleazar parou abruptamente.

— Todos nós entendíamos por que Chelsea era importante. Numa luta, se pudéssemos separar grupos aliados, podíamos derrotá-los com muito mais facilidade. Se pudéssemos distanciar emocionalmente dos culpados os membros inocentes de um clã, a justiça podia ser feita sem brutalidade desnecessária. Os culpados podiam ser punidos sem interferências e os inocentes podiam ser poupados. Caso contrário, era impossível evitar que o clã lutasse como um todo. Então Chelsea rompia esses laços que os vinculavam. Parecia uma grande gentileza para mim, prova da misericórdia de Aro. Sim, eu desconfiava de que Chelsea fortalecia o vínculo de nosso grupo, mas isso também era bom. Nos tornava mais eficazes. Ajudava-nos a coexistir com mais tranquilidade.

Isso me esclarecia antigas lembranças. Antes não fazia sentido para mim como a guarda obedecia a seus senhores com tanta satisfação, com a devoção quase de um amante.

— Qual a força desse dom de Chelsea? — perguntou Tanya com certa tensão na voz. Seu olhar rapidamente tocou cada membro de sua família.

Eleazar deu de ombros.

— Eu consegui partir com Carmen. — Depois ele sacudiu a cabeça. — Mas qualquer coisa mais fraca do que o laço entre parceiros corre perigo. Num clã normal, pelo menos. Mas esses vínculos são mais fracos do que os que há em nossa família. Abster-se de sangue humano nos torna mais civilizados... permite que formemos verdadeiros vínculos de amor. Duvido de que ela possa desfazer nossas alianças, Tanya.

Tanya assentiu, parecendo tranquilizada, enquanto Eleazar continuava com sua análise.

— Só posso pensar que a razão para Aro ter decidido vir pessoalmente, trazendo tantos deles, é que seu objetivo não é punição, mas aquisição —

disse Eleazar. — Ele precisa estar presente para controlar a situação. Mas precisa de toda a guarda para se proteger de um clã tão grande e talentoso. Por outro lado, isso deixa os outros anciãos desprotegidos em Volterra. É arriscado demais... Alguém poderia tentar se aproveitar disso. Então todos vêm juntos. De que outra maneira ele poderia ter certeza de preservar os dons que quer? Deve querer muito esses dons — refletiu Eleazar.

A voz de Edward era baixa como uma respiração.

— Pelo que vi dos pensamentos dele na primavera passada, Aro nunca quis nada tanto quanto quer Alice.

Senti minha boca se escancarar, lembrando-me das imagens de pesadelo que tivera havia muito tempo: Edward e Alice de mantos escuros com olhos injetados de sangue, os rostos frios e distantes enquanto se mantinham próximos como sombras, as mãos de Aro nas deles... Será que Alice vira isso mais recentemente? Será que ela tinha visto Chelsea tentando arrancar dela seu amor por nós, vinculá-la a Aro, Caius e Marcus?

— Foi por isso que Alice partiu? — perguntei, minha voz falhando ao dizer seu nome.

Edward pôs a mão em meu rosto.

— Deve ser. Para impedir que Aro conquiste o que ele mais quer. Para deixar seu poder longe das mãos dele.

Ouvi Tanya e Kate murmurando com vozes perturbadas e me lembrei de que elas não sabiam sobre Alice.

— Ele quer você também — sussurrei.

Edward deu de ombros, o rosto de repente um pouco tranquilo demais.

— Não tanto quanto quer ela. Não posso lhe dar mais do que ele já tem. E é claro que isso depende de ele encontrar uma maneira de me obrigar a fazer o que ele quer. Ele me conhece, e sabe que isso é improvável. — Ele ergueu sardonicamente uma sobrancelha.

Eleazar desaprovava a indiferença de Edward.

— Ele também sabe de suas fraquezas — assinalou Eleazar, e então olhou para mim.

— Não é algo que precisemos discutir agora — disse Edward rapidamente.

Eleazar ignorou a sugestão e prosseguiu:

— Ele deve querer sua parceira também, de qualquer maneira. Deve estar intrigado com um talento que conseguiu desafiá-lo em sua encarnação humana.

Edward estava pouco à vontade com o tema, que também não era agradável para mim. Se Aro quisesse me forçar a fazer alguma coisa — qualquer coisa —, tudo o que precisava fazer era ameaçar Edward, e então eu concordaria. E vice-versa.

Seria a morte a menor das preocupações? Seria a captura o que deveríamos temer?

Edward mudou de assunto.

— Acho que os Volturi estavam esperando por isso... por um pretexto. Eles não podiam saber de que forma viria a desculpa que queriam, mas o plano já estava pronto para quando acontecesse. É por isso que Alice viu sua decisão antes de Irina chegar a eles. A decisão já estava tomada, só esperando por um pretexto.

— Se os Volturi estão abusando da confiança que todos os imortais depositaram neles... — murmurou Carmen.

— Isso importa? — perguntou Eleazar. — Quem acreditaria? E mesmo que outros possam ser convencidos de que os Volturi estão explorando seu poder, isso faria alguma diferença? Ninguém pode se opor a eles.

— Mas alguns de nós, aparentemente, são bem loucos para tentar — sussurrou Kate.

Edward sacudiu a cabeça.

— Vocês só estão aqui para testemunhar, Kate. Qualquer que seja o objetivo de Aro, não creio que esteja pronto para manchar a reputação dos Volturi por isso. Se pudermos derrubar o argumento dele contra nós, será obrigado a nos deixar em paz.

— É claro — murmurou Tanya.

Ninguém pareceu convencido. Por alguns longos minutos ninguém disse nada.

Então ouvi o som de pneus que saíam da rodovia asfaltada para a estrada de terra dos Cullen.

— Ah, droga! Charlie — murmurei. — Talvez os Denali possam subir até que...

— Não — disse Edward numa voz distante. Seus olhos estavam longe, fitando a porta sem ver. — Não é o seu pai. — Seu olhar se concentrou em mim. — Alice mandou Peter e Charlotte, afinal... Hora de nos prepararmos para o próximo round.

32. COMPANHIA

A ENORME CASA DOS CULLEN ESTAVA MAIS APINHADA DE HÓSPEDES do que qualquer um julgaria poder ser confortável. Só deu certo porque nenhum dos visitantes dormia. A hora das refeições, porém, era arriscada. Nossos hóspedes cooperavam como lhes era possível. Deram a Forks e a La Push uma boa distância, só caçando fora do estado; Edward era um anfitrião gentil, emprestando seus carros quando necessário, sem pensar duas vezes. A transigência me deixava muito pouco à vontade, embora eu tentasse dizer a mim mesma que, de qualquer maneira, todos estariam caçando em algum lugar do mundo.

Jacob estava mais perturbado ainda. Os lobisomens existiam para evitar a perda de vidas humanas, e ali estava o assassinato desenfreado sendo tolerado pouco além das fronteiras das matilhas. Mas, nessas circunstâncias, com Renesmee em tamanho perigo, ele mantinha a boca fechada e com os olhos fuzilava o chão, em vez dos vampiros.

Eu estava impressionada com a tranquila acolhida dos vampiros visitantes a Jacob; os problemas que Edward previra nunca se materializaram. Jacob parecia mais ou menos invisível a eles, não era bem uma pessoa, mas também não era comida. Eles o tratavam como as pessoas que não gostam de animais tratam os bichinhos de estimação dos amigos.

Leah, Seth, Quil e Embry foram designados a correr com Sam por ora, e Jacob os teria acompanhado com satisfação, mas não suportava a ideia de ficar longe de Renesmee, e Renesmee estava ocupada fascinando a estranha coleção de amigos de Carlisle.

Repassamos a cena da apresentação de Renesmee ao clã Denali uma meia dúzia de vezes. Primeiro para Peter e Charlotte, que Alice e Jasper nos mandaram sem lhes dar qualquer explicação; como a maioria das pessoas que conheciam Alice, eles confiaram em suas instruções, apesar da falta de informações. Alice não lhes dissera nada sobre a direção que ela e Jasper estavam seguindo. Ela tampouco prometera vê-los novamente no futuro.

Peter e Charlotte nunca tinham visto uma criança imortal. Embora conhecessem a regra, sua reação negativa não foi tão forte quanto a dos vampiros Denali. A curiosidade os impeliu a permitir a "explicação" de Renesmee. E pronto. Agora eles estavam tão empenhados em testemunhar quanto a família de Tanya.

Carlisle havia mandado amigos da Irlanda e do Egito.

O clã irlandês chegou primeiro, e foi surpreendentemente fácil convencê-los. Siobhan — uma mulher de forte presença cujo corpo imenso era ao mesmo tempo lindo e hipnotizante ao se movimentar em suaves ondulações — era a líder, mas tanto ela quanto o parceiro, de expressão severa, Liam, estavam havia muito acostumados a confiar no julgamento da integrante mais nova do clã. A pequena Maggie, com os flexíveis cachos ruivos, não era fisicamente imponente como os outros dois, mas tinha um dom para saber quando estavam lhe dizendo uma mentira, e seus vereditos nunca eram contestados. Maggie declarou que Edward falava a verdade, e Siobhan e Liam aceitaram nossa história antes mesmo de tocar Renesmee.

Amun e os outros vampiros egípcios eram outra história. Mesmo depois de dois membros jovens de seu clã, Benjamin e Tia, terem sido convencidos pela explicação de Renesmee, Amun recusou-se a tocar nela e ordenou a seu clã que fosse embora. Benjamin — um vampiro estranhamente animado que mais parecia um menino e era totalmente confiante e totalmente descuidado ao mesmo tempo — convenceu Amun a ficar, com algumas ameaças sutis sobre desfazer sua aliança. Amun ficou, mas continuou se recusando a tocar Renesmee e não permitiu que sua parceira, Kebi, tampouco o fizesse. Formavam um grupo improvável — embora os egípcios fossem tão parecidos, com o cabelo preto e a tez marrom, que facilmente passariam por uma família biológica. Amun era o membro mais antigo e o líder sem papas na língua. Kebi nunca se afastava de Amun mais do que sua sombra, e nunca a ouvi dizer uma única palavra. Tia, a parceira de Benjamin, também era uma mulher silenciosa, embora houvesse, quando falava, um grande discernimento e gravidade em tudo o que dizia. Ainda assim, era em torno de Benjamin que todos pareciam girar, como se ele tivesse um magnetismo invisível de que os outros dependiam para ter equilíbrio. Vi Eleazar fitar o rapaz com os olhos arregalados e imaginei que Benjamin tivesse um talento que atraía os outros para ele.

— Não é isso — disse-me Edward quando ficamos a sós naquela noite. — Seu dom é tão singular que Amun tem pavor de perdê-lo. Exatamente como havíamos planejado evitar que Aro tomasse conhecimento de Renesmee — ele suspirou —, Amun vem mantendo Benjamin longe da atenção de Aro. Amun criou Benjamin, sabendo que ele seria especial.

— O que ele faz?

— Uma coisa que Eleazar nunca viu. Uma coisa de que eu nunca ouvi falar. Algo contra o qual nem seu escudo poderia agir. — Ele me dirigiu seu sorriso torto. — Ele pode influenciar os elementos... a terra, o vento, a água e o fogo. Uma manipulação física verdadeira, sem ilusões mentais. Benjamin ainda está testando suas habilidades, e Amun tenta moldá-lo como uma arma. Mas você vê como Benjamin é independente. Ele não será usado.

— Você gosta dele — deduzi pelo seu tom de voz.

— Ele tem um senso muito claro do certo e do errado. Eu gosto da atitude dele.

A atitude de Amun era bem diferente, e ele e Kebi mantinham-se reservados, embora Benjamin e Tia estivessem se tornando bons amigos do clã Denali e do clã irlandês. Tínhamos esperança de que a volta de Carlisle atenuasse a tensão com Amun.

Emmett e Rose mandaram os amigos nômades de Carlisle que conseguiram localizar.

Garrett chegou primeiro — um vampiro alto e magro, com ávidos olhos rubi e cabelos compridos cor de areia, que ele mantinha amarrados atrás com uma tira de couro —, e imediatamente ficou claro que se tratava de um aventureiro. Imaginei que poderíamos ter-lhe apresentado qualquer desafio e ele aceitaria, só para se testar. Rapidamente se entendeu com as irmãs Denali, fazendo perguntas interminaveis sobre seu estilo de vida incomum. Perguntei-me se o vegetarianismo era outro desafio que ele tentaria, só para ver se poderia conseguir.

Mary e Randall também vieram — já amigos, embora não tivessem viajado juntos. Eles ouviram a história de Renesmee e ficaram para testemunhar, como os outros. Como os Denali, refletiam sobre o que fariam se os Volturi não parassem para ouvir explicações. Os três nômades brincavam com a ideia de tomar nosso partido.

Evidentemente, Jacob ia ficando mais taciturno a cada novo acréscimo. Ele mantinha distância quando podia, e quando não podia resmungava com Renesmee que alguém precisaria providenciar um índice se esperasse que ele fosse guardar todos os nomes dos novos sanguessugas.*

Carlisle e Esme voltaram uma semana depois de partirem; Emmett e Rosalie, alguns dias mais tarde, e todos nos sentimos melhor quando eles chegaram em casa. Carlisle trouxe mais um amigo, embora *amigo* pudesse não ser o termo certo. Alistair era um vampiro inglês misantropo que considerava Carlisle seu conhecido mais próximo, embora mal tolerasse mais de uma visita por século. Alistair preferia vagar só, e Carlisle havia lhe cobrado uma série de favores para levá-lo ali. Ele esquivava-se a qualquer companhia, e ficou claro que não tinha admiradores nos clãs reunidos.

O taciturno vampiro de cabelos escuros aceitou a palavra de Carlisle sobre a origem de Renesmee, recusando-se, como Amun, a tocar nela. Edward contou a Carlisle, a Esme e a mim que Alistair tinha medo de estar ali, mas estava mais temeroso de não saber as consequências. Ele desconfiava profundamente de qualquer autoridade, e portanto tinha uma suspeita natural dos Volturi. O que estava acontecendo agora parecia confirmar todos os seus temores.

— É claro que eles vão saber que eu estive aqui — ouvimos Alistair resmungar consigo mesmo no sótão, seu lugar preferido para ficar amuado. — A essa altura, não há como esconder isso de Aro. Séculos de fuga, é o que vai significar. Todos com quem Carlisle falou na última década estarão na lista deles. Nem acredito que me deixei envolver nessa confusão. Que bela maneira de tratar os amigos!

Mas se ele tivesse razão sobre ter de fugir dos Volturi, pelo menos tinha mais esperanças de fazer isso do que o restante de nós. Alistair era um rastreador, embora não tão preciso e eficiente quanto Demetri. Alistair só sentia um impulso evasivo na direção do que procurava. Mas o impulso seria suficiente para dizer a ele que direção tomar: a direção contrária à de Demetri.

E, então, chegou outro par de amigos inesperados — inesperados porque nem Carlisle nem Rosalie tinham conseguido entrar em contato com as Amazonas.

— Carlisle — a mais alta das duas mulheres muito altas e selvagens o cumprimentou quando chegaram. As duas pareciam ter sido esticadas:

---

* Ver *página 569*.

braços e pernas compridos, dedos longos, tranças pretas longas e rostos compridos, com nariz comprido. Elas se vestiam com peles de animais: coletes e calças justas de couro, amarradas nas laterais com tiras também de couro. Não eram apenas suas roupas que as faziam parecer ferozes, mas tudo nelas, dos olhos carmim inquietos aos movimentos repentinos e velozes. Eu nunca havia conhecido vampiros tão pouco civilizados.

Mas Alice as enviara, e essa era uma notícia no mínimo interessante. Por que Alice estava na América do Sul? Só porque ela vira que ninguém mais conseguiria entrar em contato com as Amazonas?

— Zafrina e Senna! Mas onde está Kachiri? — perguntou Carlisle. — Nunca vi vocês três separadas.

— Alice nos disse que precisávamos nos separar — respondeu Zafrina com a voz grave e áspera que combinava com sua aparência selvagem. — É desagradável estarmos afastadas, mas Alice nos garantiu que vocês precisavam de nós aqui, enquanto ela precisava muito de Kachiri em outro lugar. Foi só o que nos disse, além de que havia muita pressa...? — A declaração de Zafrina terminou em pergunta, e com o tremor de nervosismo que nunca cedia por mais que eu repetisse o gesto, eu trouxe Renesmee para conhecê-las.

Apesar da aparência feroz, elas ouviram com muita calma nossa história, depois permitiram que Renesmee provasse o argumento. Ficaram tão encantadas com Renesmee quanto os outros vampiros, mas eu não conseguia deixar de me preocupar ao observar seus movimentos rápidos e repentinos tão perto dela. Senna sempre estava ao lado de Zafrina, nunca falava, mas não eram como Amun e Kebi. As atitudes de Kebi pareciam obedientes; Senna e Zafrina eram mais como dois membros de um organismo — só que Zafrina era a porta-voz.

A notícia sobre Alice foi estranhamente reconfortante. Era evidente que ela estava em alguma missão oculta enquanto evitava o que Aro planejava para ela.

Edward ficou emocionado por ter as Amazonas conosco, porque Zafrina era enormemente talentosa; seu dom podia ser uma arma ofensiva muito perigosa. Não que Edward fosse pedir a Zafrina que ficasse do nosso lado na batalha, mas se os Volturi não parassem quando vissem nossas testemunhas, talvez parassem por um tipo de cena diferente.

— É uma ilusão muito realista — explicou Edward quando ficou claro que eu não conseguia ver nada, como sempre. Zafrina estava intrigada e maravilhada com minha imunidade, algo que ela nunca havia encontrado, e adejava inquieta enquanto Edward descrevia o que eu não estava vendo. Os olhos de Edward se desfocaram um pouco enquanto ele continuava. — Ela pode fazer a maioria das pessoas ver apenas o que ela quer que vejam... Por exemplo, agora mesmo estou sozinho no meio de uma floresta tropical. É tão claro que eu poderia mesmo acreditar, a não ser pelo fato de que ainda sinto você em meus braços.

Os lábios de Zafrina se retorceram em sua versão de sorriso. Um segundo depois, os olhos de Edward entraram em foco de novo e ele sorriu.

— Impressionante — disse ele.

Renesmee estava fascinada com a conversa e estendeu a mão sem medo para Zafrina.

— Posso ver? — perguntou ela.

— O que gostaria de ver? — indagou Zafrina.

— O que mostrou a papai.

Zafrina assentiu e fiquei observando ansiosa os olhos de Renesmee fitarem o vazio. Um segundo depois, o sorriso deslumbrante de Renesmee iluminou seu rosto.

— Mais — exigiu ela.

Depois disso, foi difícil manter Renesmee longe de Zafrina e de seus *lindos quadros*. Eu me preocupava, porque tinha certeza de que Zafrina era capaz de criar imagens nada bonitas. Mas, pelos pensamentos de Renesmee, eu também pude ter as visões de Zafrina — eram tão nítidas quanto as lembranças de Renesmee, como se fossem reais —, e assim julguei por mim mesma se eram adequadas ou não.

Embora não abrisse mão dela facilmente, eu tinha de admitir que era bom que Zafrina mantivesse Renesmee entretida. Eu precisava de minhas mãos. Tinha tanto o que aprender, física e mentalmente, e o tempo era muito curto.

Minha primeira tentativa de aprender a lutar não foi boa.

Edward me derrubou em dois segundos. Mas, em vez de me deixar lutar para me libertar — o que eu certamente poderia ter feito —, ele saltou e se afastou de mim. Eu logo entendi que alguma coisa estava errada; ele estava imóvel como pedra, olhando o outro lado da campina onde treinávamos.

— Desculpe-me, Bella — disse ele.

— Eu estou bem — afirmei. — Vamos fazer de novo.

— Não posso.

— Como assim, não pode? Acabamos de começar.

Ele não respondeu.

— Escute, sei que não sou boa nisso, mas não posso ficar melhor se você não me ajudar.

Ele não disse nada. De brincadeira, saltei sobre ele. Ele não se defendeu, e nós dois caímos no chão. Ele se manteve imóvel enquanto eu pressionava os lábios em sua jugular.

— Ganhei — anunciei.

Seus olhos se estreitaram, mas ele não disse nada.

— Edward? Qual é o problema? Por que não quer me ensinar?

Um minuto inteiro se passou antes que ele falasse.

— Eu simplesmente não... suporto. Emmett e Rosalie sabem tanto quanto eu. Tanya e Eleazar devem saber mais. Peça a outra pessoa.

— Isso não é justo! Você é *bom* nisso. Você ajudou Jasper antes... Lutou com ele e todos os outros também. Por que não comigo? O que eu fiz de errado?

Ele suspirou, exasperado. Seus olhos estavam escuros, sem ouro nenhum para clarear o preto.

— Olhar você assim, analisá-la como um alvo. Ver todas as maneiras como posso matá-la... — Ele se encolheu. — Torna tudo real demais para mim. Não temos muito tempo, então não fará diferença quem é seu professor. Qualquer um pode lhe ensinar os fundamentos.

Eu fechei a cara.

Ele tocou meu lábio inferior que fazia beicinho e sorriu.

— Além disso, é desnecessário. Os Volturi vão parar. Vamos fazê-los entender.

— E se não pararem? Eu *preciso* aprender.

— Encontre outro professor.

Essa não foi nossa última conversa sobre o assunto, mas eu não o demovi nem um milímetro de sua decisão.

Emmett estava mais do que disposto a ajudar, embora suas aulas me parecessem mais uma vingança por todas as quedas de braço perdidas. Se eu ainda pudesse ter hematomas, estaria roxa da cabeça aos pés. Rose, Tanya e Eleazar eram pacientes e me davam apoio. Suas aulas lembravam-me das instruções de luta de Jasper aos outros em junho passado, embora essas lembranças fossem indistintas e nebulosas. Alguns dos visitantes achavam minha educação divertida, e alguns até ofereciam ajuda. O nômade Garrett assumiu algumas rodadas — ele era um professor surpreendentemente bom;

interagia com tanta facilidade com os outros que me perguntei por que ele nunca havia encontrado um clã. Até lutei uma vez com Zafrina, enquanto Renesmee assistia, nos braços de Jacob. Aprendi vários truques, mas não pedi a ajuda dela de novo. Na verdade, embora eu gostasse muito de Zafrina e soubesse que ela não iria me ferir, eu morria de medo daquela mulher.

Aprendi muitas coisas com meus professores, mas tinha a sensação de que meu conhecimento ainda era tremendamente básico. Não fazia ideia de quantos segundos resistiria a Alec e Jane. Só rezava para que fosse tempo suficiente para ajudar.

Cada minuto do dia em que não estava com Renesmee ou aprendendo a lutar eu estava no quintal dos fundos trabalhando com Kate, tentando estender meu escudo interno além do meu cérebro, para proteger outra pessoa. Edward me estimulava nesse treinamento. Sabia que ele esperava que eu encontrasse uma maneira de contribuir que me satisfizesse e ao mesmo tempo me mantivesse fora da linha de fogo.

Era muito difícil. Não havia onde me agarrar, nada sólido com que trabalhar. Eu só tinha meu desejo feroz de ser útil, de ser capaz de manter Edward, Renesmee e o maior número possível dos membros de minha família seguros comigo. Tentei repetidas vezes forçar o escudo nebuloso para fora, com um pequeno sucesso vez ou outra. Era como se eu estivesse lutando para esticar um elástico invisível — um elástico que mudava a qualquer momento da tangibilidade concreta para a fumaça imaterial.

Só Edward estava disposto a ser nossa cobaia — a receber choque após choque de Kate enquanto eu lutava sem competência nenhuma com o interior de minha mente. Trabalhávamos por horas seguidas a cada vez, e parecia que eu devia estar coberta de suor pelo esforço, mas é claro que meu corpo perfeito não me traía dessa maneira. Meu cansaço era inteiramente mental.

Matava-me que fosse Edward que tivesse de sofrer, meus braços inutilmente em volta dele enquanto ele se encolhia uma vez atrás da outra com a carga "baixa" de Kate. Tentei ao máximo esticar meu escudo em torno de nós; de vez em quando eu conseguia, e então voltava a fracassar.

Eu odiava aquele treino, e queria que Zafrina ajudasse, em vez de Kate. Então, só o que Edward teria de fazer era olhar as ilusões de Zafrina até que eu pudesse impedi-lo de ver. Mas Kate insistia sobre eu precisar de uma motivação melhor — e com isso ela se referia ao meu ódio ao ver a dor de Edward. Eu estava começando a duvidar de sua declaração no primeiro dia em que nos conhecemos — que não era sádica no uso de seu dom. Ela parecia estar se divertindo à minha custa.

— Ei — disse Edward animadamente, tentando esconder qualquer prova de sofrimento na voz. Qualquer coisa para evitar que eu quisesse treinar luta. — Essa mal foi uma picada. Bom trabalho, Bella.

Respirei fundo, tentando apreender exatamente o que fizera certo. Testei o elástico, lutando para forçá-lo a continuar sólido enquanto o estendia para longe de mim.

— De novo, Kate — grunhi entre os dentes trincados.

Kate colocou a palma da mão no ombro de Edward.

Ele suspirou de alívio.

— Desta vez, nada.

Ela ergueu uma sobrancelha.

— Esse não foi baixo.

— Que bom — bufei.

— Prepare-se — ela me disse, estendendo a mão para Edward de novo.

Dessa vez ele tremeu e um silvo baixo saiu por entre seus dentes.

— Desculpe! Desculpe! Desculpe! — entoei, mordendo o lábio. Por que eu não conseguia fazer isso direito?

— Está fazendo um trabalho maravilhoso, Bella — disse Edward, apertando-me contra o seu peito. — Você só está trabalhando nisso há alguns dias e já projeta esporadicamente. Kate, diga a ela como está se saindo bem.

Kate franziu os lábios.

— Não sei. Evidentemente, ela tem uma capacidade tremenda, e só estamos começando a explorá-la. Ela pode fazer melhor, eu tenho certeza. Só precisa de incentivo.

Eu a fitei, incrédula, meus lábios automaticamente recuando sobre os dentes. Como Kate podia pensar que me faltava motivação com ela dando choques em Edward bem na minha frente?

Ouvi murmúrios da plateia que vinha aumentando constantemente, à medida que eu treinava — só Eleazar, Carmen e Tanya no início; depois Garrett havia se aproximado; em seguida, Benjamin e Tia, Siobhan e Maggie, e agora até Alistair espiava de uma janela no terceiro andar. Os espectadores concordavam com Edward: achavam que eu estava me saindo bem.

— Kate... — disse Edward num tom de advertência enquanto um novo curso de ação ocorria a ela; mas Kate já estava em ação. Ela disparou ao longo da curva do rio até onde Zafrina, Senna e Renesmee andavam devagar, a mão de Renesmee na de Zafrina enquanto elas trocavam imagens. Jacob as acompanhava, alguns passos atrás.

— Nessie — disse Kate (os recém-chegados haviam rapidamente adotado o apelido irritante) —, gostaria de vir ajudar sua mãe?

— Não — eu disse, quase um rosnado.

Edward me abraçou, tentando me tranquilizar. Eu me livrei de seus braços assim que Renesmee voou pelo quintal até mim, com Kate, Zafrina e Senna atrás dela.

— De jeito nenhum, Kate — sibilei.

Renesmee estendeu a mão para mim e, automaticamente, abri os braços. Ela se enroscou em mim, colocando a cabeça na concavidade sob meu ombro.

— Mas, mamãe, eu *quero* ajudar — disse ela, num tom decidido. Sua mão pousou em meu pescoço, reforçando seu desejo com imagens de nós duas juntas, uma equipe.

— Não — eu disse, recuando rapidamente. Kate, deliberadamente, dera um passo na minha direção, a mão estendida para nós.

— Fique longe de nós, Kate — eu a alertei.

— Não. — Ela começou a avançar. Sorria como uma caçadora acuando a presa.

Movi Renesmee de modo que ela se segurasse nas minhas costas, ainda recuando num passo que acompanhava o de Kate. Agora minhas mãos estavam livres, e se Kate quisesse que as mãos *dela* continuassem intactas, era melhor manter distância.

Kate, provavelmente, não entendia, sem jamais ter conhecido a paixão de uma mãe pela filha. Ela não devia ter percebido o quanto já tinha ido *longe demais*. Eu estava tão furiosa que minha visão assumiu um estranho tom avermelhado e minha língua tinha gosto de metal em brasa. A força que em geral eu reprimia fluía em meus músculos, e eu sabia que podia esmagá-la até transformá-la em um pedregulho duro feito diamante se ela me forçasse a isso.

A raiva destacou cada aspecto de meu ser. Eu podia até sentir a elasticidade de meu escudo mais exatamente agora — sentir que não era tanto um elástico, mas uma camada, uma película fina que me cobria da cabeça aos pés. Com a raiva ondulando pelo meu corpo, eu o percebia melhor, tinha mais domínio sobre ele. Eu o estendi em torno de mim, projetando-o para fora, envolvendo Renesmee completamente nele, para o caso de Kate ultrapassar minha defesa.

Kate deu outro passo calculado para a frente, e um rosnado feroz raspou minha garganta e passou por meus dentes trincados.

— Cuidado, Kate — alertou Edward.

Kate deu outro passo, e então cometeu um erro que até uma inexperiente como eu podia reconhecer. A apenas um curto salto de mim ela desviou o olhar, passando sua atenção de mim para Edward.

Renesmee estava segura em minhas costas; eu me preparei para saltar.

— Pode ouvir alguma coisa de Nessie? — perguntou Kate a ele, a voz calma e estável.

Edward disparou para o espaço entre nós, bloqueando meu trajeto até Kate.

— Não, absolutamente nada — respondeu ele. — Agora dê a Bella um tempo para se acalmar, Kate. Você não devia irritá-la desse jeito. Sei que ela não parece ter a idade que tem, mas só tem meses de idade.

— Não temos tempo para fazer isso com gentileza, Edward. Vamos precisar pressioná-la. Só temos algumas semanas, e ela tem o potencial para...

— Recue um minuto, Kate.

Kate franziu a testa, mas levou o aviso de Edward mais a sério do que o meu.

A mão de Renesmee estava em meu pescoço; ela estava se lembrando do ataque de Kate, mostrando-me que não houvera intenção de mal nenhum, que papai estava envolvido...

Isso não me apaziguou. O espectro de luz que eu via ainda parecia tingido de carmim. Mas eu estava mais controlada e podia ver a sabedoria das palavras de Kate. A raiva me ajudava. Eu aprenderia mais rápido sob pressão.

Isso não queria dizer que eu gostasse.

— Kate — grunhi. Pousei a mão na parte inferior das costas de Edward. Ainda podia sentir meu escudo como um manto forte e flexível em torno de Renesmee e de mim. Eu o estendi mais um pouco, forçando-o em volta de Edward. Não havia sinal de falha no tecido elástico, nenhuma ameaça de rasgar. Eu arquejava com o esforço, e minhas palavras saíram ofegantes em vez de furiosas. — De novo — eu disse a Kate. — Só Edward.

Ela revirou os olhos, mas avançou e colocou a palma da mão no ombro de Edward.

— Nada — disse Edward. Ouvi o sorriso em sua voz.

— E agora? — perguntou Kate.

— Nada ainda.

— E agora? — Dessa vez, havia tensão em sua voz.

— Absolutamente nada.

Kate grunhiu e se afastou.

— Podem ver isso? — perguntou Zafrina em sua voz grave, olhando fixamente para nós três. Ela falava com um sotaque carregado, as palavras ganhando intensidade em sílabas inesperadas.

— Não vejo nada que não devesse — disse Edward.

— E você, Renesmee? — perguntou Zafrina.

Renesmee sorriu para Zafrina e sacudiu a cabeça.

Minha fúria havia passado quase inteiramente, e eu trincava os dentes, arfando mais rápido enquanto forçava o escudo elástico; parecia ficar mais pesado quanto mais tempo eu o estendia. Ele puxava de volta, arrastando-se para dentro.

— Ninguém entre em pânico — alertou Zafrina ao pequeno grupo que me olhava. — Quero ver até que ponto ela pode estendê-lo.

Houve uma arfar de choque de todos os presentes — Eleazar, Carmen, Tanya, Garrett, Benjamin, Tia, Siobhan, Maggie —, todos exceto Senna, que parecia preparada para o que Zafrina estava fazendo. Os olhos dos outros ficaram vazios, a expressão ansiosa.

— Levantem a mão quando recuperarem a visão — instruiu Zafrina. — Agora, Bella. Veja quantos você consegue incluir em seu escudo.

Minha respiração saiu numa baforada. Kate era a pessoa mais próxima de mim, depois de Edward e Renesmee, mas mesmo ela estava a uns três metros de distância. Eu cerrei a mandíbula e fiz força, tentando lançar a proteção resistente e teimosa àquela distância. Centímetro por centímetro, eu a impeli até Kate, lutando com a reação que puxava de volta a cada fração que eu conquistava. Enquanto eu trabalhava, olhava apenas a expressão ansiosa de Kate, e gemi de alívio quando seus olhos piscaram e ganharam foco. Ela levantou a mão.

— Fascinante! — murmurou Edward. — É como um vidro espelhado. Posso ler tudo o que eles estão pensando, mas eles não podem me alcançar por trás disso. E posso ouvir Renesmee, embora não pudesse quando eu estava de fora. Aposto que Kate agora pode me dar um choque, porque ela está sob o guarda-chuva. Mas ainda não posso ouvir você... Hummm. Como isso funciona? Eu me pergunto se...

Ele continuou a murmurar consigo mesmo, mas eu não podia ouvir as palavras. Cerrei os dentes, lutando para forçar o escudo até Garrett, que era quem estava mais perto de Kate. Sua mão se levantou.

— Muito bom — Zafrina me cumprimentou. — Agora...

Mas ela falara cedo demais; com um arquejo agudo, senti meu escudo se retrair como um elástico esticado demais, voltando num estalo à forma original. Renesmee, experimentando a cegueira que Zafrina havia conjurado para os outros, tremeu em minhas costas. Fatigada, lutei contra o elástico, forçando o escudo a incluí-la novamente.

— Posso descansar um minuto? — ofeguei. Desde que me tornara vampira, não sentira necessidade de descanso uma única vez até aquele momento. Era enervante sentir-me tão exausta e tão forte ao mesmo tempo.

— Claro — disse Zafrina, e os espectadores relaxaram quando ela os deixou enxergar de novo.

— Kate — chamou Garrett enquanto os outros murmuravam e se afastavam um pouco, perturbados com o momento de cegueira; os vampiros não estavam acostumados a se sentir vulneráveis. Garrett era o único imortal sem dons que parecia atraído a minhas sessões de treino. Perguntei-me qual seria a isca para o aventureiro.

— Eu não faria isso, Garrett — alertou Edward.

Garrett continuou caminhando na direção de Kate, apesar da advertência, os lábios franzidos com a curiosidade.

— Dizem que você pode derrubar um vampiro.

— Sim — ela concordou. Depois, com um sorriso, agitou os dedos de brincadeira em sua direção. — Curioso?

Garrett deu de ombros.

— É algo que nunca vi. Parece um certo exagero...

— Talvez — disse Kate, o rosto sério de repente. — Talvez só funcione com os fracos e os jovens. Não sei bem. Mas você parece forte. Talvez possa resistir ao meu dom. — Ela estendeu a mão para ele, a palma voltada para cima, num convite claro. Seus lábios se retorceram, e eu tinha certeza de que sua expressão grave era uma tentativa de convencê-lo.

Garrett sorriu diante do desafio. Muito confiante, tocou a palma da mão dela com o indicador.

E depois, com um arquejo sonoro, seus joelhos se dobraram e ele caiu para trás. Sua cabeça atingiu um pedaço de granito com um estalo agudo. Foi chocante assistir. Meus instintos se retraíram ao ver um imortal incapacitado daquela maneira; era profundamente errado.

— Eu avisei — murmurou Edward.

As pálpebras de Garrett tremeram por alguns segundos e, então, seus olhos se arregalaram. Ele fitou a sorridente Kate, e um sorriso maravilhado iluminou seu rosto.

— Uau! — disse ele.

— Gostou dessa? — perguntou ela ceticamente.

— Eu não sou louco — ele riu, sacudindo a cabeça enquanto se ajoelhava devagar —, mas isso foi incrível!

— É o que me dizem.

Edward revirou os olhos.

E, então, houve uma pequena comoção no jardim diante da casa. Ouvi a voz de Carlisle acima de um balbucio de vozes surpresas.

— Alice mandou vocês? — perguntou ele a alguém, a voz insegura, levemente contrariada.

Outro hóspede inesperado?

Edward entrou correndo na casa e a maioria dos outros o imitou. Segui mais devagar, Renesmee ainda empoleirada em minhas costas. Eu daria um momento a Carlisle. Deixaria que ele recebesse os novos hóspedes, preparando-os para a ideia do que estava por vir.

Puxei Renesmee para os meus braços enquanto contornava a casa, com cautela, para entrar pela porta da cozinha, ouvindo o que não podia ver.

— Ninguém nos mandou — uma voz grave e sussurrada respondeu à pergunta de Carlisle. Imediatamente recordei as vozes antigas de Aro e Caius, e fiquei paralisada na cozinha.

Eu sabia que a sala da frente estava lotada — quase todos tinham ido para lá ver os visitantes mais recentes —, mas não havia ruído nenhum. Respiração superficial, era só.

A voz de Carlisle estava desconfiada quando perguntou:

— Então, o que os traz aqui agora?

— As notícias se espalham — respondeu uma voz diferente, tão suave quanto a primeira. — Ouvimos insinuações de que os Volturi estavam agindo contra vocês. E boatos de que vocês não iriam enfrentá-los sozinhos. Obviamente, os boatos eram verdadeiros. É uma reunião impressionante.

— Não estamos desafiando os Volturi — respondeu Carlisle num tom tenso. — Houve um mal-entendido, é só isso. Um mal-entendido muito grave, certamente, mas que esperamos esclarecer. O que vocês veem são testemunhas. Só precisamos que os Volturi ouçam. Nós não...

— Não nos importamos com o que eles dizem que vocês fizeram — interrompeu a primeira voz. — E não ligamos se infringiram a lei.

— Por mais extraordinária que tenha sido a infração — acrescentou a segunda.

— Estamos esperando há um milênio e meio que a escória da Itália seja desafiada — disse a primeira. — Se há alguma chance de eles caírem, estaremos aqui para ver.

— Ou até para ajudar a derrotá-los — acrescentou a segunda. Eles falavam numa sequência suave, as vozes tão parecidas que ouvidos menos sensíveis suporiam que se tratava de uma só pessoa. — Se acharmos que vocês têm alguma chance de sucesso.

— Bella? — Edward me chamou com a voz severa. — Traga Renesmee aqui, por favor. Talvez devamos testar as declarações de nossos visitantes romenos.

Ajudava saber que provavelmente metade dos vampiros no outro cômodo viria em defesa de Renesmee se os romenos ficassem perturbados com ela. Eu não gostava de suas vozes, nem da ameaça sombria em suas palavras.

Quando entrei na sala, pude ver que não estava sozinha nessa avaliação. A maioria dos vampiros imóveis os encarava fixamente com olhos hostis, e alguns — Carmen, Tanya, Zafrina e Senna — sutilmente reposicionaram-se, em defensiva, entre os recém-chegados e Renesmee.

Os vampiros na porta eram magros e baixos, um de cabelos pretos e outro com o cabelo de um louro tão claro que parecia cinza-claro. Tinham a mesma pele pulverulenta dos Volturi, embora não parecesse ser tanto quanto a dos italianos. Mas eu não podia ter certeza disso, pois nunca vira os Volturi, a não ser com olhos humanos; não podia fazer uma comparação perfeita. Seus olhos estreitos e penetrantes eram vinho-escuro, sem a película leitosa. Eles usavam roupas pretas muito simples, que podiam passar por modernas, mas sugeriam modelos mais antigos.

O de cabelos pretos sorriu quando entrei em seu campo de visão.

— Ora, ora, Carlisle. Vocês *foram* mesmo desobedientes, não é?

— Ela não é o que você pensa, Stefan.

— E não nos importamos nem um pouco — respondeu o louro. — Como já dissemos.

— Então são bem-vindos para observar, Vladimir, mas não está em nossos planos desafiar os Volturi, como *nós* já dissemos.

— Então vamos só cruzar os dedos — começou Stefan.
— E esperar que tenhamos sorte — concluiu Vladimir.

No fim, tínhamos reunido dezessete testemunhas — os irlandeses, Siobhan, Liam e Maggie; os egípcios, Amun, Kebi, Benjamin e Tia; as Amazonas, Zafrina e Senna; os romenos, Vladimir e Stefan, e os nômades, Charlotte e Peter, Garrett, Alistair, Mary e Randall — para complementar nossa família de onze. Tanya, Kate, Eleazar e Carmen insistiam em contar como parte de nossa família.

Além dos Volturi, devia ser a maior reunião amistosa de vampiros maduros na história dos imortais.

Todos estávamos começando a ter um pouco de esperança. Nem eu mesma consegui evitar isso. Renesmee havia conquistado tantos em tão pouco tempo! Os Volturi só tinham de ouvir por uma mínima fração de segundo...

Os últimos dois romenos sobreviventes — concentrados apenas em seu amargo ressentimento contra aqueles que tinham tomado seu império mil e quinhentos anos antes — acompanhavam tudo sem interferir. Eles não tocavam em Renesmee, mas não demonstravam aversão a ela. Pareciam misteriosamente deliciados com nossa aliança com os lobisomens. Observavam meu treinamento do escudo com Zafrina e Kate, viam Edward responder a perguntas silenciosas, olhavam Benjamin formar gêiseres de água do rio ou lufadas repentinas de vento do ar parado apenas com a mente, e seus olhos brilhavam com a esperança feroz de que os Volturi finalmente houvessem encontrado adversários à altura.

Não esperávamos as mesmas coisas, mas todos tínhamos esperança.

33. FALSIFICAÇÃO

— CHARLIE, AINDA TEMOS O PROBLEMA DO QUE É ESTRITAMENTE NEcessário saber. Sei que faz mais de uma semana que você não vê Renesmee, mas uma visita neste momento não é uma boa ideia. Que tal eu levar Renesmee para ver você?

Charlie ficou em silêncio por tanto tempo que me perguntei se ele tinha ouvido a tensão por baixo de minha fachada.

Mas depois ele resmungou: "O que é necessário saber, *argh*", e percebi que foi só sua cautela com o sobrenatural que o fez demorar a responder.

— Tudo bem, garota — disse Charlie. — Pode trazê-la esta manhã? Sue vai me trazer o almoço. Ela ficou tão apavorada com minha comida quanto você quando veio para cá.

Charlie riu, depois suspirou pelos velhos tempos.

— Hoje de manhã está perfeito. — Quanto mais cedo, melhor. Eu já havia adiado aquilo demais.

— Jake virá com vocês?

Embora Charlie não soubesse de nada sobre *imprinting* de lobisomens, ninguém deixaria de perceber a ligação entre Jacob e Renesmee.

— Provavelmente. — Não havia como Jacob perder voluntariamente um tempo com Renesmee e sem os sanguessugas.

— Talvez eu deva convidar Billy também — refletiu Charlie. — Mas... humm. Talvez outra hora.

Eu só estava prestando atenção em Charlie parcialmente — mas era o suficiente para perceber a estranha relutância em sua voz quando falou de Billy, mas não o suficiente para me preocupar com o motivo. Charlie e Billy eram adultos; se havia alguma coisa acontecendo entre eles, podiam resolver sozinhos. Eu tinha muito mais coisas importantes com que ficar obcecada.

— A gente se vê daqui a pouco — eu falei, e desliguei.

Havia mais nessa viagem do que proteger meu pai dos vinte e sete vampiros naquela estranha reunião — que tinham jurado, todos, não matar ninguém num raio de quinhentos quilômetros, mas ainda assim... Evidentemente, nenhum ser humano devia chegar perto daquele grupo. Essa foi a desculpa que eu dera a Edward: eu ia levar Renesmee para Charlie, para que ele não decidisse ir ali. Era um bom motivo para sair da casa, mas não era minha verdadeira razão.

— Por que não podemos ir na sua Ferrari? — reclamou Jacob quando me encontrou na garagem. Eu já estava no Volvo de Edward com Renesmee.

Edward tinha tido a chance de revelar meu carro de *depois*; como ele havia suspeitado, eu não fora capaz de mostrar o entusiasmo adequado. É claro, era um carro lindo e veloz, mas eu gostava de *correr*.

— É chamativo demais — respondi. — A gente podia ir a pé, mas isso deixaria Charlie apavorado.

Jacob grunhiu, mas sentou-se no banco da frente. Renesmee passou do meu colo para o dele.

— Como você está? — perguntei-lhe enquanto saía da garagem.

— Como acha que estou? — respondeu Jacob com amargura. — Estou enjoado de todos esses sanguessugas fedorentos. — Ele viu minha expressão e falou antes que eu pudesse responder. — É, eu sei, eu sei. Eles são boa gente, estão aqui para ajudar, vão salvar todos nós etc. etc. Diga o que quiser, ainda acho que Drácula Um e Drácula Dois são de arrepiar.

Eu tive de sorrir. Os romenos também não eram meus hóspedes preferidos.

— Nisso eu não discordo de você.

Renesmee sacudiu a cabeça, mas não disse nada; ao contrário do restante de nós, ela achava os romenos estranhamente fascinantes. Ela fizera o esforço de falar com eles em voz alta já que eles não a deixaram tocar neles. Sua pergunta foi sobre sua pele incomum, e embora eu tivesse medo de que eles se ofendessem, fiquei feliz que ela perguntasse. Eu também estava curiosa.

Eles não pareceram se aborrecer com o interesse dela. Talvez um pouco pesarosos.

— Ficamos sentados imóveis por muito tempo, criança — respondeu Vladimir, com Stefan assentindo mas sem continuar as frases de Vladimir, como costumava fazer. — Contemplando nossa própria divindade. Era um sinal de nosso poder que tudo viesse a nós. Presas, diplomatas, aqueles que buscavam nossos favores. Ficávamos sentados em nossos tronos e nos considerávamos deuses. Por muito tempo não percebemos que estávamos mudando... quase nos petrificando. Creio que os Volturi nos fizeram um favor quando queimaram nossos castelos. Stefan e eu pelo menos paramos de nos petrificar. Agora os olhos dos Volturi estão cobertos por uma camada poeirenta, mas os nossos são brilhantes. Imagino que isso nos dará uma vantagem quando arrancarmos os deles das órbitas.

Tentei manter Renesmee longe deles depois disso.

— Quanto tempo vamos ficar com Charlie? — perguntou Jacob, interrompendo meus pensamentos. Ele ia relaxando visivelmente à medida que nos afastávamos da casa e de todos os novos companheiros. Fiquei feliz de não contar como vampira para ele. Eu ainda era apenas Bella.

— Por um bom tempo, na verdade.

O tom de minha voz atraiu sua atenção.

— Há alguma coisa aqui, além de visitar seu pai?

— Jake, você sabe como é bom em controlar seus pensamentos perto de Edward?

Ele ergueu uma sobrancelha preta e grossa.

— Sim?

Eu apenas assenti, desviando os olhos para Renesmee. Ela olhava pela janela, e não sabia até que ponto estava interessada em nossa conversa, mas decidi não me arriscar a continuar.

Jacob esperou que eu acrescentasse alguma coisa, depois seu lábio inferior se projetou enquanto ele pensava no pouco que eu tinha dito.

Enquanto seguíamos em silêncio, eu apertava os olhos com as lentes de contato irritantes, olhando a chuva fria; não estava frio o bastante para nevar. Meus olhos não eram mais tão assustadores como no início — estavam mais para um laranja-avermelhado opaco do que para o carmim vivo. Logo eles estariam âmbar, o que me permitiria livrar-me das lentes. Eu esperava que a mudança não perturbasse Charlie demais.

Jacob ainda ruminava nossa conversa truncada quando chegamos à casa de Charlie. Não falamos enquanto andávamos num passo humano rápido pela chuva. Meu pai esperava por nós; abriu a porta antes que batêssemos.

— Oi, meninos! Parece que já se passaram anos! Olhe só você, Nessie! Venha com o vovô! Eu juro que você cresceu uns quinze centímetros. E parece tão magrinha, Ness. — Ele me lançou um olhar zangado. — Não estão alimentando você direito por lá?

— É só um surto de crescimento — murmurei. — Oi, Sue — cumprimentei sobre o ombro dele. O cheiro de frango, tomate, alho e queijo vinha da cozinha; provavelmente, era um cheiro bom para todo mundo. Eu também senti cheiro de pinheiro fresco e espuma de embalagem.

Renesmee mostrou suas covinhas. Ela nunca falava na frente de Charlie.

— Bom, vamos sair do frio, crianças. Onde está meu genro?

— Recebendo amigos — disse Jacob, e então bufou. — Tem *muita* sorte de estar fora do circuito, Charlie. É só o que vou dizer.

Eu dei um soco de leve no rim de Jacob enquanto Charlie se encolhia.

— Ai — gemeu Jacob baixinho.

Bom, eu *pensei* que tivesse socado de leve.

— Na verdade, Charlie, eu tenho umas coisas para fazer.

Jacob me olhou, mas não disse nada.

— Atrasada em suas compras de Natal, Bells? Só tem alguns dias, sabe disso.

— É, compras de Natal — eu disse, pouco convincente. Isso explicava a espuma. Charlie devia estar arrumando a velha decoração.

— Não se preocupe, Nessie — sussurrou ele no ouvido dela. — Eu compenso se sua mãe falhar.

Revirei os olhos para ele, mas na verdade eu não tinha me lembrado das festas de fim de ano.

— O almoço está na mesa — chamou Sue da cozinha. — Vamos, meninos.

— Até mais tarde, pai — eu disse, e troquei um rápido olhar com Jacob. Mesmo que ele não pudesse deixar de pensar nisso perto de Edward, pelo menos não havia muito para ele compartilhar. Ele não fazia a menor ideia do que eu estava aprontando.

Não que eu fizesse alguma ideia tampouco, pensei comigo mesma enquanto entrava no carro.

As estradas estavam escorregadias e escuras, mas dirigir não me intimidava mais. Meus reflexos davam conta da tarefa e eu mal prestava atenção na estrada. O problema era evitar que minha velocidade chamasse atenção quando eu tinha companhia. Queria terminar a missão naquele dia, para ter o mistério resolvido e poder voltar à tarefa vital de aprender. Aprender a proteger alguns e a matar outros.

Estava ficando cada vez melhor com meu escudo. Kate não sentia necessidade de me motivar mais — não era difícil encontrar motivos para sentir raiva, agora que eu sabia que era essa a chave — e assim eu trabalhava principalmente com Zafrina. Ela estava satisfeita com minha extensão: eu era capaz de cobrir uma área de quase três metros por mais de um minuto, embora isso me deixasse exausta. Nessa manhã, ela tentara descobrir se eu conseguia afastar completamente o escudo da minha mente. Eu não via a utilidade disso, mas Zafrina achava que ajudaria a me fortalecer, como se exercitasse os músculos da barriga e das costas em vez de apenas os dos braços. Você acaba conseguindo erguer mais peso quando todos os músculos estão mais fortes.

Eu não era muito boa naquilo. Só tive um vislumbre do rio na selva que ela tentava me mostrar.

Mas havia diferentes maneiras de me preparar para o que vinha e, restando apenas duas semanas, eu me preocupava que pudesse estar negligenciando a mais importante. Naquele dia corrigiria essa omissão.

Havia memorizado os mapas adequados e não tive problemas para encontrar o endereço que não existia on-line, o de J. Jenks. Meu próximo passo seria Jason Jenks, no outro endereço, o que Alice não me dera.

Dizer que aquele não era um bom bairro seria pouco. O carro mais discreto dos Cullen ainda era uma afronta naquela rua. Meu antigo Chevy teria parecido robusto ali. Como humana, eu teria trancado as portas e fugido dali o mais rápido que me fosse possível. Agora eu me sentia um pouco fascinada. Tentei imaginar Alice naquele lugar, mas não consegui.

Os prédios — todos de três andares, estreitos, meio inclinados, como se curvados pela chuva — eram, em sua maioria, construções antigas, divididas em vários apartamentos. Era difícil saber de que cor deveria ser a pintura que descascava. Tudo havia desbotado em tons de cinza. Alguns edifícios tinham um comércio no térreo: um bar sujo com as janelas pintadas de preto, uma loja de produtos esotéricos com mãos de néon e cartas de tarô brilhando espasmodicamente na porta, um estúdio de tatuagem e uma creche com fita adesiva segurando a janela da frente quebrada. Não havia lâmpadas dentro de nenhum dos estabelecimentos, embora lá fora estivesse bastante escuro para que os humanos precisassem de luz. Eu podia ouvir o murmúrio baixo de vozes ao longe; parecia da tevê.

Havia algumas pessoas por ali, duas andando pela chuva em direções opostas e uma sentada na pequena varanda de um escritório de advocacia vagabundo, cuja janela era coberta de compensado, lendo um jornal úmido e assoviando. O som era animado demais para o ambiente.

Fiquei tão confusa com o assovio despreocupado que de início não percebi que o prédio abandonado ficava exatamente onde deveria estar o endereço que eu procurava. Não havia números na placa dilapidada, mas o estúdio de tatuagem ao lado ficava a apenas dois números depois.

Parei junto ao meio-fio e deixei o carro em ponto morto por um segundo. Eu ia entrar nessa espelunca de uma maneira ou de outra, mas como fazer isso sem que o cara do assovio desse pela minha presença? Eu podia estacionar na rua seguinte e voltar... Mas devia haver mais testemunhas daquele lado. Quem sabe pelo telhado? Estava bem escuro para esse tipo de coisa?

— Ei, moça — chamou-me o homem do assovio.

Abri a janela do carona como se não conseguisse ouvi-lo.

O homem deixou o jornal de lado e suas roupas me surpreenderam, agora que eu podia vê-las. Por baixo do sobretudo esfarrapado ele estava um pouco bem vestido demais. Não havia brisa para me trazer o cheiro, mas o brilho de sua camisa vermelho-escura me pareceu de seda. Seu cabelo crespo preto estava desgrenhado, mas a pele escura era lisa e perfeita, os dentes brancos e bonitos. Uma contradição.

— Talvez não seja bom estacionar o carro aqui, moça — disse ele. — Pode não estar aqui quando voltar.

— Obrigada pelo aviso — eu disse.

Desliguei o motor e saí. Talvez meu amigo do assovio pudesse me dar as respostas de que eu precisava mais rápido do que entrando no prédio. Abri minha grande sombrinha cinza — não que eu me importasse em proteger meu vestido de cashmere. Era uma coisa que uma humana faria.

O homem estreitou os olhos, tentando ver meu rosto na chuva, e então seus olhos se arregalaram. Ele engoliu em seco e ouvi seu coração se acelerar à medida que eu me aproximava.

— Estou procurando uma pessoa — comecei.

— Eu sou uma pessoa — propôs ele com um sorriso. — O que posso fazer por você, linda?

— Você é J. Jenks? — perguntei.

— Ah! — disse ele, e sua expressão mudou da expectativa para a compreensão. Ele se levantou e me examinou com os olhos semicerrados. — Por que está procurando J?

— Isso é problema meu. — Mesmo porque eu não tinha a menor ideia. — Você é J?

— Não.

Ficamos nos encarando por um longo momento enquanto seus olhos afiados subiam e desciam pelo vestido cinza-perolado que eu usava. Seu olhar finalmente parou no meu rosto.

— Você não parece uma cliente comum.

— Provavelmente porque não sou comum — admiti. — Mas preciso vê-lo o mais rápido possível.

— Não sei bem o que fazer — admitiu ele.

— Por que não me diz seu nome?

Ele sorriu.

— Max.

— É um prazer conhecê-lo, Max. Agora, por que não me diz o que entende por *comum*?

Seu sorriso se transformou numa careta.

— Bem, os clientes comuns de J não se parecem nada com você. Gente como você não se dá ao trabalho de vir ao escritório do centro. Vai direto para o escritório elegante dele no arranha-céu.

Repeti o outro endereço que eu tinha, em tom de pergunta.

— Sim, o lugar é esse — disse ele, desconfiado de novo. — Por que não foi até lá?

— Foi este o endereço que recebi... de uma fonte muito confiável.

— Se tivesse boas intenções, não estaria aqui.

Eu franzi os lábios. Eu nunca fui muito boa com blefes, mas Alice não havia me deixado muitas alternativas.

— Talvez eu não seja do bem.

A expressão dele era de desculpas.

— Olhe, moça...

— Bella.

— Certo. Bella. Escute, eu preciso desse emprego. J me paga muito bem para ficar por aqui o dia todo. Quero ajudá-la, sinceramente, mas... e é claro que estou falando por hipótese, está bem? Ou extraoficialmente, ou o que servir para você... mas se eu deixar passar alguém que possa metê-lo numa encrenca, eu perco o emprego. Entende minha situação?

Pensei por um minuto, mordendo o lábio.

— Nunca viu ninguém como eu aqui? Bom, *mais ou menos* como eu. Minha irmã é bem mais baixa e tem cabelo preto arrepiado.

— O J conhece sua irmã?

— Acho que sim.

Max ponderou por um momento. Eu sorri para ele e sua respiração falhou.

— Vou fazer o seguinte: vou ligar para J e descrever você a ele. Deixe que ele tome a decisão.

O que J. Jenks sabia? Será que minha descrição significaria alguma coisa para ele? Eram pensamentos inquietantes.

— Meu sobrenome é Cullen — eu disse a Max, perguntando-me se não estava passando informações demais. Eu estava começando a ficar irritada com Alice. Será que eu realmente tinha de ficar tão no escuro? Ela podia ter me dito uma ou duas coisinhas...

— Cullen, entendi.

Eu o vi discar, pegando facilmente o número. Bom, eu poderia ligar eu mesma para J. Jenks, se não desse certo.

— Oi, J, é Max. Sei que não devia ligar para esse número, a não ser numa emergência...

É uma emergência?, ouvi fraquinho do outro lado da linha.

— Bom, não exatamente. Tem uma garota que quer ver você...

Não vejo emergência nenhuma nisso. Por que você não seguiu o procedimento normal?

— Não segui o procedimento normal porque ela não parece nada normal...

Ela é policial?!

— Não...

Você não pode ter certeza disso. Ela parece uma dos Kubarev...?

— Não... Deixe-me falar, está bem? Ela disse que você conhece a irmã dela ou coisa assim.

Não é provável. Como ela é?

— Ela é... — Seus olhos foram do meu rosto até meus sapatos, mostrando aprovação. — Bom, ela parece uma supermodelo, é o que parece. — Eu sorri e ele piscou para mim, depois continuou: — Um corpo de arrasar, branca feito algodão, cabelo castanho-escuro quase na cintura, precisa de uma boa noite de sono... Alguma coisa disso é familiar?

Não, não é. Não estou satisfeito que você tenha deixado que seu fraco por mulheres bonitas interrompesse...

— É, eu sou um idiota quando se trata de mulheres bonitas, qual é o problema disso? Lamento ter incomodado você, cara. Esqueça.

— Nome — sussurrei.

— Ah, sim. Espere — disse Max. — Ela diz que o nome dela é Bella Cullen. Isso ajuda?

Houve um silêncio mortal, e então a voz do outro lado começou de repente a gritar, usando um monte de palavras que não se ouve com frequência do lado de fora das paradas de caminhoneiros. A expressão de Max mudou; as piadas desapareceram e seus lábios ficaram pálidos.

— Porque você não perguntou! — gritou Max de volta, em pânico.

Houve outra pausa enquanto J se recompunha.

Bonita e pálida?, perguntou J, um pouco mais calmo.

— Foi o que eu disse, não foi?

Bonita e pálida? O que aquele homem sabia de vampiros? Ele era um de nós? Eu não estava preparada para esse tipo de confronto. Trinquei os dentes. No que Alice tinha me metido?

Max esperou um minuto ouvindo outra rodada de insultos e instruções aos gritos, depois me fitou com olhos que estavam quase assustados.

— Mas você só recebe os clientes do centro às quintas... Tudo bem, tudo bem! Entendi. — E desligou o celular.

— Ele quer me ver? — perguntei animada.

Max tinha a expressão carregada.

— Poderia ter me dito que era uma cliente prioritária.

— Eu não sabia que era.

— Pensei que você fosse policial — admitiu ele. — Quer dizer, você não parece uma policial, mas age de uma forma estranha, linda.

Eu dei de ombros.

— Cartel de drogas? — conjecturou ele.

— Quem, eu? — perguntei.

— É. Ou seu namorado ou coisa assim.

— Não, desculpe. Não sou muito fã de drogas, nem meu marido. *Drogas, tô fora*, essas coisas.

Max praguejou baixo.

— Casada. Não tenho mesmo sorte.

Eu sorri.

— Máfia?

— Não.

— Contrabando de diamantes?

— Francamente! É com esse tipo de gente que você lida, Max? Talvez esteja precisando de um emprego novo.

Eu tinha de admitir, estava me divertindo um pouco. Eu não havia interagido com humanos, além de Charlie e Sue. Era divertido vê-lo se atrapalhar.

Também fiquei satisfeita ao constatar como era fácil não o matar.

— Deve estar envolvida em alguma coisa grande. E ruim — refletiu ele.

— Não é nada disso.

— É o que todos dizem. Mas quem mais precisa de documentos? Ou pode pagar o preço de J por eles, eu deveria dizer. Não é da minha conta, seja como for — disse ele, depois murmurou a palavra *casada* de novo.

Ele me deu um endereço inteiramente novo, com orientações básicas, e então ficou observando, com olhos desconfiados e desapontados, enquanto eu me afastava.

Àquela altura, eu estava preparada para quase tudo — uma espécie de covil high-tech de vilão de James Bond me parecia adequado. Então pensei que Max devia ter me dado o endereço errado, como um teste. Ou talvez o covil fosse subterrâneo, debaixo desse centro comercial comum, aninhado contra uma encosta arborizada em um belo bairro residencial.

Parei numa vaga e olhei uma placa discreta e de bom gosto onde se lia: JASON SCOTT, ADVOGADO.

Por dentro, o escritório era bege com toques de verde-claro, inofensivo e comum. Não havia cheiro de vampiro, e isso me ajudou a relaxar. Nada a não ser cheiros humanos desconhecidos. Via-se um aquário engastado na parede, e uma recepcionista de beleza suave sentada atrás da mesa.

— Olá — ela me cumprimentou. — Como posso ajudá-la?

— Quero ver o Sr. Scott.

— Tem hora marcada?

— Não exatamente.

Ela deu um leve sorriso.

— Então pode demorar um pouco. Por que não se senta enquanto eu...

April!, uma voz exigente de homem gritou pelo telefone em sua mesa. *Estou esperando a Sra. Cullen em breve.*

Eu sorri e apontei para mim.

Mande-a entrar imediatamente. Entendeu? Não importa o que interromper.

Pude ouvir mais alguma coisa em sua voz além da impaciência. Estresse. Nervosismo.

— Ela acaba de chegar — disse April assim que pôde falar.

O quê? Mande-a entrar! O que está esperando?

— Agora mesmo, Sr. Scott! — Ela se levantou, agitando as mãos enquanto ia na frente pelo corredor curto, oferecendo-me café, chá ou qualquer outra coisa que eu quisesse.

— Aí está — disse ela ao me fazer entrar em um escritório imponente, com mesa de madeira pesada e estante.

— Feche a porta depois de sair — ordenou uma voz estridente de tenor.

Examinei o homem atrás da mesa enquanto April fazia uma retirada apressada. Ele era baixo e careca, devia ter uns 55 anos e uma barriga volumosa. Usava gravata de seda vermelha com uma camisa listrada de azul e branco, e o blazer azul-marinho estava pendurado nas costas da cadeira. Ele também tremia, pálido, com um tom doentio, o suor porejando-lhe a testa; imaginei uma úlcera se agitando sob o pneu em sua cintura.

J se recuperou e levantou-se, vacilante, da cadeira. Estendeu a mão acima da mesa.

— Sra. Cullen. Que prazer enorme.

Fui até ele e apertei sua mão rapidamente. Ele se encolheu um pouco com o toque de minha pele fria, mas não pareceu particularmente surpreso com isso.

— Sr. Jenks. Ou prefere Scott?

Ele tremeu de novo.

— Como quiser, é claro.

— Que tal me chamar de Bella e eu chamá-lo de J?

— Como velhos amigos — ele concordou, passando um lenço de seda na testa. Indicou com um gesto que eu me sentasse e se acomodou em sua cadeira.

— Devo perguntar: finalmente estou conhecendo a adorável esposa do Sr. Jasper?

Pensei nisso por um segundo. Então aquele homem conhecia Jasper e não Alice. Conhecia-o e parecia ter medo dele também.

— A cunhada dele, na verdade.

Ele franziu os lábios, como se estivesse procurando significados com o mesmo desespero que eu.

— Espero que o Sr. Jasper esteja bem de saúde — disse ele com cautela.

— Tenho certeza de que está com uma saúde excelente. Atualmente está em férias prolongadas.

Isso pareceu esclarecer parte da confusão de J. Ele assentiu consigo mesmo e entrelaçou os dedos.

— Pois bem. Devia ter vindo ao escritório principal. Meus assistentes lá a teriam colocado diretamente em contato comigo... Não precisava passar por canais menos hospitaleiros.

Eu me limitei a assentir. Não sabia por que Alice me dera o endereço do gueto.

— Ah, bem, mas está aqui agora. O que posso fazer por você?

— Documentos — eu disse, tentando fazer com que minha voz desse a impressão de que eu sabia do que falava.

— Certamente — concordou J de pronto. — Estamos falando de certidões de nascimento, certidões de óbito, carteiras de habilitação, passaportes, cartões do seguro social...?

Respirei fundo e sorri. Eu devia muito a Max.

E depois meu sorriso desapareceu. Alice havia me mandado ali por um motivo, e eu tinha certeza de que era para proteger Renesmee. Seu último presente para mim. O que ela sabia que eu precisava.

A única razão para Renesmee precisar de um falsificador era se precisasse fugir. E o único motivo para Renesmee fugir seria se perdêssemos.

Se Edward e eu fugíssemos com ela, não íamos precisar desses documentos. Eu sabia que Edward tinha como conseguir ou fazer ele mesmo carteiras de identidade, e tinha certeza de que ele conhecia maneiras de escapar sem elas. Podíamos correr com ela por milhares de quilômetros. Podíamos nadar com ela um oceano inteiro.

Se nós estivéssemos por perto para salvá-la.

E a questão de guardar segredo de Edward. Porque havia uma boa possibilidade de que tudo que ele sabia, Aro soubesse. Se perdêssemos, Aro certamente conseguiria a informação que desejava antes de destruir Edward.

Era como eu suspeitava. Não podíamos vencer. Mas devíamos ter uma boa chance de matar Demetri antes de perdermos, dando a Renesmee chance de fuga.

Meu coração imóvel parecia uma rocha em meu peito — um peso esmagador. Toda a minha esperança desapareceu como névoa no sol. Meus olhos formigavam.

Quem eu encarregaria disso? Charlie? Mas ele era tão indefeso como humano. E como eu faria Renesmee chegar a ele? Ele não estaria perto daquela luta. Então, só restava uma pessoa. Na verdade, nunca houve mais ninguém.

Eu pensara tudo isso com tanta rapidez que J nem percebeu minha pausa.

— Duas certidões de nascimento, dois passaportes, uma carteira de habilitação — eu disse numa voz baixa e tensa.

Se ele percebeu a mudança em minha expressão, fingiu que não.

— Nomes?

— Jacob... Wolfe. E... Vanessa Wolfe. — Nessie parecia um bom apelido para Vanessa. Jacob se divertiria com a história do Wolfe.

A caneta dele arranhou rapidamente um bloco de papel.

— Nomes do meio?

— Basta colocar alguma coisa genérica.

— Como quiser. Idades?

— Vinte e sete para o homem, 5 para a menina. — Jacob podia passar por 27. Ele era imenso. E no ritmo que Renesmee crescia, era melhor estimar para cima. Ele podia ser o padrasto dela...

— Vou precisar de fotos, se preferir os documentos acabados — disse J, interrompendo meus pensamentos. — O Sr. Jasper, em geral, preferia terminá-los ele mesmo.

Bom, isso explicava por que ele não sabia como Alice era.

— Espere — eu disse.

Essa foi sorte. Eu tinha várias fotos da família em minha carteira, e uma perfeita — Jacob segurando Renesmee nos degraus da varanda —, tirada apenas um mês antes. Alice tinha me dado havia alguns dias... Oh! Talvez não fosse tanta sorte afinal. Alice sabia que eu tinha aquela foto. Talvez ela até tenha tido algum leve lampejo de que eu precisaria dela antes de me dar.

— Aqui está.

J examinou a foto por um momento.

— Sua filha é muito parecida com a senhora.

Eu fiquei tensa.

— É mais parecida com o pai.

— Que não é este homem. — Ele tocou o rosto de Jacob.

Meus olhos se estreitaram e novas gotas de suor surgiram na cabeça brilhante de J.

— Não. Este é um amigo muito íntimo da família.

— Perdoe-me — murmurou ele, e a caneta começou a arranhar de novo.
— Em quanto tempo precisa dos documentos?

— Posso recebê-los em uma semana?

— Este é um pedido urgente. Custará o dobro... Mas perdoe-me. Esqueci com quem estou falando.

Estava claro que ele conhecia Jasper.

— Basta me dar o valor.

Ele pareceu hesitar em dizer em voz alta, embora eu tivesse certeza, tendo lidado com Jasper, que devia saber que o preço não seria empecilho. Mesmo sem levar em consideração que existiam em todo o mundo contas robustas nos vários nomes dos Cullen, havia, escondido em toda a casa, dinheiro suficiente para manter um pequeno país por uma década; isso me lembrou que sempre havia cem anzóis nos fundos de qualquer gaveta da casa de Charlie. Eu duvidava de que alguém daria falta da pequena pilha que eu havia retirado nos meus preparativos para aquele dia.

J escreveu o valor na base do bloco.

Assenti calmamente. Eu tinha mais do que isso. Abri a bolsa de novo e contei o valor correto — eu tinha tudo preso com clipes em bolos de cinco mil dólares, então não demorei nada.

— Aqui está.

— Ah, Bella, não precisa me dar toda a soma agora. Costuma-se guardar a metade para garantir a entrega.

Eu sorri languidamente para o homem nervoso.

— Mas eu confio em você, J. Além disso, vou lhe dar uma bonificação... A mesma quantia quando receber os documentos.

— Isso não é necessário, eu lhe asseguro.

— Não se preocupe. — Não que eu pudesse levar comigo aquela quantia. — Então vamos nos encontrar aqui na semana que vem, no mesmo horário?

Ele me olhou, preocupado.

— Na verdade, prefiro fazer essas transações em lugares não relacionados com meus vários negócios.

— Claro. Sei que não estou fazendo isso da maneira esperada.

— Estou acostumado a não ter expectativas quando se trata da família Cullen. — Ele fez uma careta e rapidamente recompôs o rosto. — Vamos nos encontrar daqui a uma semana, às oito da noite, no restaurante The Pacifico? Fica em Union Lake e a comida é extraordinária.

— Perfeito. — Não que eu fosse acompanhá-lo no jantar. Ele na verdade não ia gostar muito se eu o fizesse.

Levantei-me e apertei sua mão de novo. Dessa vez ele não se retraiu. Mas parecia ter uma nova preocupação. Sua boca estava repuxada, as costas tensas.

— Você vai ter algum problema com esse prazo? — perguntei.

— Como? — Ele me olhou, pego de surpresa por minha pergunta. — O prazo? Ah, não. Problema nenhum. Certamente terei seus documentos prontos a tempo.

Teria sido bom ter Edward ali, para saber quais eram as verdadeiras preocupações de J. Suspirei. Guardar segredos de Edward já era bastante ruim; ter de ficar longe dele era ainda pior.

— Então o verei daqui a uma semana.

34. DECLARADOS

OUVI A MÚSICA ANTES DE SAIR DO CARRO. EDWARD NÃO TOCAVA PIAno desde a noite em que Alice partira. Agora, enquanto eu fechava a porta do carro, ouvi o som se transformar em minha cantiga de ninar. Edward estava me dando as boas-vindas.

Eu me movia devagar enquanto tirava Renesmee do carro. Ela dormia profundamente; havíamos ficado fora o dia todo. Tínhamos deixado Jacob na casa de Charlie — ele dissera que pegaria uma carona para casa com Sue. Perguntei-me se ele estava tentando encher a cabeça com banalidades, a fim de apagar minha expressão ao cruzar a porta de Charlie.

Enquanto caminhava devagar para a casa dos Cullen, reconheci que a esperança e o ânimo que pareciam quase uma aura visível em volta da grande casa branca também tinham sido meus naquela manhã. Mas agora me eram totalmente estranhos.

Queria chorar de novo, ouvindo Edward tocar para mim. Mas me compus. Não queria que ele ficasse desconfiado. Eu não deixaria pistas em sua mente para Aro; não se pudesse evitar.

Edward virou a cabeça e sorriu quando surgi à porta, mas continuou tocando.

— Bem-vinda ao lar — disse ele, como se este fosse apenas mais um dia normal. Como se não houvesse outros doze outros vampiros na sala, envolvidos em várias atividades, e mais uma dezena espalhados por outros lugares.

— Divertiu-se muito com o Charlie hoje?

— Sim. Desculpe-me demorar tanto. Saí um pouco para fazer umas compras de Natal para Renesmee. Sei que não será um grande acontecimento, mas... — Eu dei de ombros.

Os lábios de Edward curvaram-se para baixo. Ele parou de tocar e girou no banco, de modo que todo o seu corpo ficou de frente para mim.

— Eu não tinha pensado nisso. Se *quiser* que seja um acontecimento...

— Não — eu o interrompi. Eu me encolhi por dentro com a ideia de tentar fingir mais entusiasmo do que o mínimo. — Só não queria deixar passar sem dar nada a ela.

— Posso ver?

— Se quiser. É só uma bobagenzinha.

Renesmee estava inconsciente, ressonando delicadamente em meu pescoço. Eu a invejava. Teria sido bom escapar da realidade, mesmo que por algumas horas.

Com cuidado, peguei o saquinho de veludo em minha bolsa sem abri-la o bastante para que Edward visse o dinheiro que eu ainda tinha ali.

— Chamou minha atenção na vitrine de um antiquário enquanto eu passava de carro.

Coloquei o pequeno medalhão de ouro na mão dele. Era redondo, com uma videira entalhada em volta do círculo externo. Edward abriu a caixinha e olhou o interior. Ali havia espaço para uma pequena foto e, do outro lado, uma inscrição em francês.

— Sabe o que diz aí? — perguntou ele, num tom diferente, mais moderado do que antes.

— O vendedor me disse que era algo como *"Mais do que minha própria vida"*. É isso mesmo?

— Sim, ele tinha razão.

Ele olhou para mim, os olhos topázio me sondando. Encarei-o por um momento, depois fingi me distrair com a televisão.

— Espero que ela goste — murmurei.

— É claro que ela vai gostar — disse ele com leveza, despreocupado, e naquele segundo eu tive certeza de que ele sabia que eu estava escondendo algo. Também tive certeza de que ele não fazia ideia do que era.

— Vamos levá-la para casa — sugeriu ele, levantando-se e colocando o braço em meus ombros.

Eu hesitei.

— O que foi? — perguntou ele.

— Eu queria treinar com Emmett um pouco... — Havia perdido o dia todo em minha missão vital; por isso, me sentia ficando para trás.

Emmett — no sofá com Rose e tendo na mão o controle remoto, é claro — olhou e sorriu, antecipadamente.

— Ótimo. A floresta precisa ser desbastada.

Edward olhou de cara feia para Emmett e depois para mim.

— Haverá muito tempo para isso amanhã — disse ele.

— Não seja ridículo — eu me queixei. — Não existe mais *muito tempo*. Este conceito deixou de existir. Tenho muito o que aprender e...

Ele me interrompeu.

— Amanhã.

E sua expressão era tal que nem Emmett discutiu.

Fiquei surpresa em ver como era difícil voltar a uma rotina que, afinal de contas, era completamente nova. Mas perder mesmo aquela pequena esperança que eu viera nutrindo fez tudo parecer impossível.

Tentei me concentrar nos aspectos positivos. Havia uma boa possibilidade de que minha filha sobrevivesse ao que viria, e Jacob também. Se eles tinham um futuro, então isso era uma espécie de vitória, não era? Nosso pequeno grupo continuaria se Jacob e Renesmee tivessem a oportunidade de fugir. Sim, a estratégia de Alice só faria sentido se fôssemos enfrentar uma boa briga. Assim, havia uma espécie de vitória ali também, levando-se em conta que os Volturi nunca haviam sido seriamente desafiados em milênios.

Não seria o fim do mundo. Seria só o fim dos Cullen. O fim de Edward, o meu fim.

Eu preferia desta forma — a última parte, pelo menos. Eu não viveria sem Edward de novo; se ele ia deixar este mundo, então eu iria logo atrás dele.

De vez em quando eu me perguntava inutilmente se haveria alguma coisa para nós do outro lado. Eu sabia que Edward não acreditava nisso, mas Carlisle, sim. Eu mesma não conseguia imaginar. Por outro lado, tampouco conseguia imaginar Edward não existindo de alguma forma, em algum lugar. Se pudéssemos ficar juntos em outro lugar, então seria um final feliz.

E assim o padrão dos meus dias continuava, só que muito mais difíceis do que antes.

Fomos ver Charlie no dia de Natal — Edward, Renesmee, Jacob e eu. Toda a matilha de Jacob estava presente, além de Sam, Emily e Sue. Foi de muita ajuda que eles estivessem na casinha de Charlie, seus corpos imensos e quentes apertados nos cantos em volta da árvore pouco decorada — era possível ver exatamente onde Charlie tinha se entediado e desistido — e transbordando de sua mobília. Era sempre possível contar que os lobisomens ficassem animados com uma luta iminente, por mais suicida que fosse.

A eletricidade de sua empolgação produziu uma boa corrente que disfarçou minha completa falta de ânimo. Edward, como sempre, foi melhor ator do que eu.

Renesmee usava o medalhão que dei a ela ao amanhecer, e no bolso de seu casaco estava o MP3 player que Edward lhe dera — uma coisinha minúscula que guardava cinco mil músicas, já cheia com as preferidas de Edward. Em seu pulso estava uma versão quileute, intrincadamente trançada, de um anel de noivado. Edward tinha trincado os dentes ao vê-la, mas eu não me incomodei.

Logo, muito em breve, eu a daria a Jacob para proteção dela. Como eu poderia me incomodar com um símbolo do compromisso de que eu tanto dependia?

Edward salvara o dia encomendando um presente para Charlie também. Tinha chegado na véspera — por remessa expressa prioritária — e Charlie passou a manhã toda lendo o grosso manual de instruções de seu novo sistema de sonar para pesca.

Pelo modo como os lobisomens comiam, o almoço de Sue devia estar bom. Imaginei como o grupo pareceria a quem estivesse de fora. Será que fizemos nosso papel bem o bastante? Será que um estranho teria nos visto como um círculo contente de amigos, curtindo as festas com uma alegria despreocupada?

Acho que Edward e Jacob ficaram tão aliviados quanto eu quando chegou a hora de ir embora. Era estranho gastar energia com o disfarce humano quando havia tantas coisas mais importantes para fazer. Tive dificuldades para me concentrar. Ao mesmo tempo, aquela, talvez, fosse a última vez em que veria Charlie. Talvez fosse bom que estivesse entorpecida demais para registrar isso de fato.

Eu não vira minha mãe desde o casamento, mas descobri que só podia me sentir feliz com a gradual distância que começara dois anos antes. Ela era frágil demais para meu mundo. Não queria que participasse daquilo. Charlie era mais forte.

Talvez até bem forte para um adeus, mas eu não era.

O silêncio era intenso no carro; do lado de fora, a chuva era só uma névoa, pairando entre o líquido e o gelo. Renesmee estava sentada no meu colo, brincando com seu medalhão, abrindo-o e fechando-o. Eu a observava e imaginava o que diria a Jacob naquele momento, se não tivesse de esconder minhas palavras da mente de Edward.

Se um dia for seguro de novo, leve-a para ver Charlie. Conte toda a história a ele um dia. Diga-lhe o quanto eu o amava, como eu não suportava a ideia de deixá-lo quando minha vida humana acabou. Diga-lhe que ele foi o melhor pai do mundo. Diga-lhe que transmita meu amor a Renée, todos os meus votos de que ela seja feliz...

Precisaria dar a Jacob os documentos antes que fosse tarde demais. Eu lhe daria um bilhete para Charlie também. E uma carta para Renesmee. Algo para ela ler quando eu não pudesse mais dizer que a amava.

Não havia nada de extraordinário do lado de fora da casa dos Cullen quando entramos na campina, mas eu podia ouvir um alvoroço sutil lá dentro. Muitas vozes baixas murmuravam e grunhiam. Parecia uma discussão. Eu captava a voz de Carlisle e de Amun como mais frequência do que a dos outros.

Edward estacionou na frente da casa em vez de ir para a garagem. Trocamos um olhar preocupado antes de sair do carro.

A atitude de Jacob mudou; seu rosto ficou grave e cauteloso. Imaginei que ele estivesse no modo alfa de novo. Evidentemente, algo tinha acontecido, e ele ia buscar a informação de que ele e Sam precisariam.

— Alistair foi embora — murmurou Edward enquanto subíamos em disparada pela escada.

Na sala da frente, o principal confronto era fisicamente evidente. Alinhado junto às paredes via-se um círculo de espectadores, todos os vampiros que haviam se unido a nós, exceto Alistair e os três envolvidos na discussão. Esme, Kebi e Tia estavam mais perto dos três vampiros no centro da sala, onde Amun sibilava para Carlisle e Benjamin.

O queixo de Edward retesou e ele seguiu rapidamente para o lado de Esme, puxando-me pela mão. Eu apertei Renesmee junto ao peito.

— Amun, se quiser ir embora, ninguém o está obrigando a ficar — disse Carlisle calmamente.

— Você está roubando metade do meu clã, Carlisle! — guinchou Amun, apontando um dedo para Benjamin. — Foi por isso que me chamou aqui? Para me *roubar*?

Carlisle suspirou e Benjamin revirou os olhos.

— Sim, Carlisle arrumou uma briga com os Volturi, colocou em risco toda a sua família, só para me atrair à morte aqui — disse Benjamin com sarcasmo. — Seja razoável, Amun. Estou comprometido em fazer o que é certo aqui... não estou me unindo a nenhum outro clã. É claro que você pode fazer o que quiser, e Carlisle já deixou isso claro.

— Isso não vai terminar bem — grunhiu Amun. — Alistair era o único são aqui. Todos devíamos fugir.

— Olhe quem você está chamando de são — murmurou Tia, num aparte discreto.

— Vamos ser todos massacrados!

— Não vai chegar a haver uma briga — disse Carlisle numa voz firme.

— É o que você diz!

— Se houver, pode trocar de lado, Amun. Sei que os Volturi apreciarão sua ajuda.

Amun dirigiu-lhe um sorriso de desprezo.

— Talvez esta *seja* a resposta.

A réplica de Carlisle foi suave e sincera.

— Não vou ficar aborrecido com você por causa disso, Amun. Somos amigos há muito tempo, mas nunca lhe pediria para morrer por mim.

A voz de Amun também soou mais controlada.

— Mas você está levando meu Benjamin com você.

Carlisle pôs a mão no ombro de Amun; Amun esquivou-se.

— Eu vou ficar, Carlisle, mas pode ser para prejuízo seu. Eu *vou* me juntar a eles se for este o caminho para a sobrevivência. Vocês são todos tolos se pensam que podem desafiar os Volturi. — Ele fechou a cara, depois suspirou, olhou para Renesmee e para mim e acrescentou, num tom exasperado: — Vou testemunhar que essa criança cresceu. Isso não é nada mais do que a verdade. Qualquer um poderia ver.

— É só o que pedimos.

Amun fez uma careta.

— Mas não é só o que está conseguindo, ao que parece. — Ele se virou para Benjamin. — Eu lhe dei a vida. Você a está jogando fora.

O rosto de Benjamin parecia mais frio do que eu jamais o vira; a expressão fazia um contraste estranho com suas feições juvenis.

— É uma pena que no processo você não tenha podido substituir minha vontade pela sua; talvez assim ficasse satisfeito comigo.

Os olhos de Amun se estreitaram. Ele gesticulou abruptamente para Kebi, e eles passaram por nós, saindo pela porta da frente.

— Ele não vai embora — disse Edward baixinho —, mas vai manter uma distância ainda maior a partir de agora. Ele não estava blefando quando falou em se unir aos Volturi.

— Por que Alistair foi embora? — sussurrei.

— Ninguém tem certeza; ele não deixou bilhete. Pelos murmúrios dele, ficou claro que ele pensa que é inevitável ocorrer uma luta. Apesar de seu comportamento, ele gosta muito de Carlisle para ficar ao lado dos Volturi. Acho que ele concluiu que era arriscado demais. — Edward deu de ombros.

Embora a conversa fosse claramente entre nós dois, todos podiam ouvir. Eleazar respondeu ao comentário de Edward como se tivesse sido feito para todos.

— Pelo tom dos murmúrios dele, foi mais do que isso. Não falamos muito da agenda dos Volturi, mas Alistair preocupava-se, achando que, por mais decisivamente que possamos provar sua inocência, os Volturi não ouvirão. Ele acha que eles encontrarão uma desculpa para alcançar suas metas aqui.

Os vampiros se entreolharam, inquietos. Não era popular a ideia de que os Volturi manipulariam sua própria lei sacrossanta para vencer. Só os romenos ficaram compostos, com seus meios sorrisos irônicos. Eles pareciam se divertir em ver como os outros queriam pensar bem de seus antigos inimigos.

Muitas discussões em voz baixa começaram ao mesmo tempo, mas eram os romenos que eu ouvia. Talvez porque Vladimir, com seus cabelos claros, ficasse lançando olhares na minha direção.

— Espero que Alistair tenha razão sobre isso — murmurou Stefan a Vladimir. — Independentemente do resultado, a notícia se espalhará. Está na hora de nosso mundo ver no que os Volturi se transformaram. Eles jamais cairão se todos acreditarem nessa bobagem de eles protegerem nosso estilo de vida.

— Pelo menos, quando governávamos, éramos sinceros sobre o que éramos — replicou Vladimir.

Stefan assentiu.

— Nunca usamos auréola e nos chamamos de santos.

— Acredito que chegou a hora de lutar — disse Vladimir. — Você pode crer que algum dia vamos encontrar uma força melhor a quem apoiar? Outra possibilidade tão boa?

— Nada é impossível. Talvez um dia...

— Estamos esperando há *mil e quinhentos anos*, Stefan. E eles só vão ficando mais fortes a cada ano. — Vladimir fez uma pausa e olhou para mim de novo. Ele não mostrou surpresa quando viu que eu também o olhava. — Se vencerem esse conflito, os Volturi sairão com mais poder do que chegaram. Com cada conquista eles aumentam suas forças. Pense no que só essa recém--criada pode dar a eles — ele apontou o queixo para mim —, e ela mal está descobrindo seus dons. E aquele que move a Terra. — Vladimir indicou

Benjamin, que enrijeceu. Agora quase todos ouviam os romenos, como eu.

— Com seus gêmeos feiticeiros, eles não precisam de ilusionistas nem do choque elétrico. — Seus olhos dirigiram-se a Zafrina e depois a Kate.

Stefan olhou para Edward.

— Nem o leitor de pensamento é muito necessário. Mas eu entendo seu argumento. De fato, eles ganharão muito se vencerem.

— Mais do que podemos permitir que ganhem, não concorda?

Stefan suspirou.

— Acho que devo concordar. E isso significa...

— Que devemos nos colocar contra eles enquanto ainda há esperanças.

— Se pudermos só incapacitá-los, expô-los...

— Então um dia outros terminarão o serviço.

— E nossa longa vingança será cumprida. Finalmente.

Eles se olharam por um momento e murmuraram, em uníssono:

— Parece ser a única maneira.

— Então lutaremos — disse Stefan.

Embora eu pudesse ver que estavam divididos, a autopreservação lutando com a vingança, o sorriso que trocaram era cheio de expectativa.

— Lutaremos — concordou Vladimir.

Achei que isso era bom; como Alistair, tinha certeza de que era impossível evitar a batalha. Nesse caso, mais dois vampiros lutando a nosso lado podiam ajudar. Mas, ainda assim, a decisão dos romenos me fez tremer.

— Lutaremos também — disse Tia, sua voz em geral grave mais solene do que nunca. — Acreditamos que os Volturi vão abusar de sua autoridade. Não queremos pertencer a eles. — Seus olhos demoraram-se no parceiro.

Benjamin sorriu e lançou um olhar malicioso para os romenos.

— Ao que parece, sou mercadoria disputada. Parece que tenho de conquistar o direito à liberdade.

— Essa não vai ser a primeira vez que luto para evitar as regras de um rei — disse Garrett num tom zombeteiro. Então foi até Benjamin e deu-lhe um tapa nas costas. — Que nos libertemos de toda opressão!

— Ficamos com Carlisle — disse Tanya —, e lutamos com ele.

O pronunciamento dos romenos pareceu fazer os outros sentirem a necessidade de se declarar também.

— Ainda não decidimos — disse Peter. Ele baixou os olhos para sua minúscula companheira; os lábios de Charlotte estavam cerrados de insatisfação. Parecia que ela havia tomado sua decisão. Eu me perguntei qual seria.

— O mesmo é válido para mim — disse Randall.

— E para mim — acrescentou Mary.

— As matilhas lutarão com os Cullen — disse Jacob de repente. — Não temos medo de vampiros — acrescentou ele com um sorriso afetado.

— Crianças — murmurou Peter.

— Bebês — corrigiu Randall.

Jacob sorriu, zombeteiro.

— Bem, também estou dentro — disse Maggie, livrando-se da mão restritiva de Siobhan. — Sei que a verdade está do lado de Carlisle. Não posso ignorar isso.

Siobhan encarou com olhos preocupados a integrante mais nova de seu clã.

— Carlisle — disse ela como se eles estivessem a sós, ignorando o sentido súbito e formal da reunião, o surto inesperado de declarações. — Não quero que isso chegue a uma luta.

— Nem eu, Siobhan. Você sabe que esta é a última coisa que eu quero. — Ele deu um meio sorriso. — Talvez deva se concentrar em manter a paz.

— Sabe que não vai ajudar — disse ela.

Lembrei-me da discussão de Rose e Carlisle sobre a líder irlandesa; Carlisle acreditava que Siobhan tinha um dom poderoso mas sutil para conseguir o que queria — e no entanto a própria Siobhan não acreditava naquilo.

— Não vai fazer mal — disse Carlisle.

Siobhan revirou os olhos.

— Devo imaginar o resultado que desejo? — perguntou ela, sarcástica.

Carlisle agora sorria abertamente.

— Se não se importa.

— Então não há necessidade de meu clã se declarar, há? — retorquiu ela. — Já que não há possibilidade de uma luta. — Ela pôs a mão no ombro de Maggie de novo, puxando a garota para mais perto dela. O parceiro de Siobhan, Liam, continuava em silêncio e sem expressão.

Quase todos os outros na sala pareciam aturdidos com o diálogo claramente jocoso de Siobhan e Carlisle, mas estes não se explicaram.

Esse foi o fim dos discursos dramáticos da noite. O grupo aos poucos se dispersou, alguns para caçar, outros para matar tempo com os livros de Carlisle, a televisão ou os computadores.

Edward, Renesmee e eu fomos caçar. Jacob nos acompanhou.

— Sanguessugas idiotas — murmurou ele para si mesmo quando estávamos lá fora. — Se acham tão superiores. — Ele bufou.

— Eles vão ficar chocados quando os *bebês* salvarem sua vida superior, não vão? — disse Edward.

Jake sorriu e lhe deu um soco no ombro.

— Pode apostar que vão.

Aquela não foi nossa última excursão de caça. Todos caçaríamos de novo, mais perto do momento em que esperávamos os Volturi. Como o prazo não era exato, pretendíamos ficar algumas noites na grande clareira de beisebol que Alice tinha visto, só por precaução. Todos sabíamos que eles viriam no dia em que a neve se prendesse ao chão. Não queríamos os Volturi perto demais da cidade, e Demetri os levaria aonde estivéssemos. Perguntei-me quem ele rastrearia e deduzi que seria Edward, uma vez que ele não podia me rastrear.

Pensei em Demetri enquanto caçava, prestando pouca atenção à minha presa ou aos flocos de neve que finalmente haviam aparecido, mas que derretiam antes de tocar o solo rochoso. Será que Demetri perceberia que não podia me rastrear? O que ele faria com isso? O que Aro faria? Ou Edward estava enganado? Ali estavam pequenas exceções ao que eu podia resistir, caminhos para atravessar meu escudo. Tudo o que estava fora de minha mente era vulnerável — aberto ao que Jasper, Alice e Benjamin podiam fazer. Talvez o talento de Demetri também funcionasse de uma forma meio diferente.

E então me ocorreu um pensamento que me fez parar de súbito. O alce cujo sangue eu ainda não terminara de sugar caiu de minhas mãos no chão rochoso. Flocos de neve se vaporizavam a alguns centímetros do corpo quente com leves chiados. Fitei sem ver minhas mãos ensanguentadas.

Edward viu minha reação e correu para o meu lado, sem terminar com sua caça.

— O que foi? — perguntou em voz baixa, os olhos varrendo a floresta à nossa volta, procurando o que poderia ter deflagrado meu comportamento.

— Renesmee — eu disse sufocada.

— Ela está atrás daquelas árvores — ele me tranquilizou. — Posso ouvir os pensamentos dela e de Jacob. Ela está bem.

— Não é a isso que me refiro — eu disse. — Eu estava pensando em meu escudo... Você acha realmente que vale algo, que vai ajudar de alguma forma? Sei que os outros esperam que eu seja capaz de proteger Zafrina e Benjamin, mesmo que eu só possa manter o escudo por alguns segundos de cada vez. E se for um erro? E se sua confiança em mim for o motivo de nosso fracasso?

Minha voz beirava o desespero, embora eu tivesse controle suficiente para mantê-la baixa. Eu não queria perturbar Renesmee.

— Bella, de onde você tirou essas ideias? É claro, é maravilhoso que você possa se proteger, mas você não tem a responsabilidade de salvar ninguém. Não se aflija sem necessidade.

— Mas e se eu não puder proteger nada? — sussurrei, arfando. — Isso que eu faço é falho, é errático! Não tem pé nem cabeça. Talvez não faça nada contra Alec.

— Psiu — ele me silenciou. — Não entre em pânico. E não se preocupe com Alec. O que ele faz não é diferente do que Jane ou Zafrina fazem. É só uma ilusão... Ele não pode entrar em sua cabeça mais do que eu.

— Mas Renesmee pode! — sibilei entredentes. — Parecia tão natural, que eu nunca questionei antes. Sempre foi parte de quem ela é. Mas Renesmee coloca seus pensamentos em minha cabeça como faz com todos os outros. Meu escudo tem falhas, Edward!

Eu o encarei, desesperada, esperando que ele admitisse minha revelação terrível. Seus lábios estavam franzidos, como se ele estivesse tentando decidir como dizer algo. Sua expressão era perfeitamente relaxada.

— Você pensou nisso há muito tempo, não é? — perguntei, sentindo-me uma idiota por ter passado meses sem ver o óbvio.

Ele assentiu, com um sorriso fraco erguendo um canto de sua boca.

— Na primeira vez em que ela a tocou.

Suspirei diante de minha própria estupidez, mas a calma dele tinha me abrandado um pouco.

— E isso não o incomoda? Não vê como um problema?

— Eu tenho duas teorias, uma mais provável do que a outra.

— Me dê a menos provável primeiro.

— Bem, ela é sua filha — salientou ele. — Metade você, geneticamente. Eu costumava brincar com você sobre sua mente estar numa frequência diferente da do resto de nós. Talvez ela esteja na mesma frequência.

Não funcionou para mim.

— Mas você ouve a mente de Renesmee muito bem. *Todo mundo* a ouve. E se Alec tiver numa frequência diferente? E se...?

Ele colocou um dedo em meus lábios.

— Eu pensei nisso. E é por isso que creio que a teoria seguinte é mais provável.

Trinquei os dentes e esperei.

— Lembra o que Carlisle me disse sobre Renesmee, logo depois de ela lhe mostrar sua primeira lembrança?

É claro que eu lembrava.

— Ele disse: "É uma distorção interessante. Como se ela fizesse exatamente o contrário do que você faz."

— Sim. E então fiquei pensando. Talvez ela tenha tomado seu talento e o virado pelo avesso também.

Eu refleti.

— Você mantém todo mundo de fora — começou ele.

— E ninguém a deixa de fora? — terminei, hesitante.

— Minha teoria é essa — disse ele. — E se ela pode entrar em sua cabeça, duvido que haja um escudo no planeta que possa mantê-la distante. Isso vai ajudar. Pelo que vimos, ninguém pode duvidar da verdade de seus pensamentos, quando permitem que ela os mostre. E acho que ninguém pode impedir que ela mostre, se ela chegar bem perto. Se Aro permitir que ela explique...

Estremeci ao pensar em Renesmee tão perto dos olhos gananciosos e leitosos de Aro.

— Bem — disse ele, esfregando meus ombros tensos —, pelo menos não há nada que possa impedi-lo de ver a verdade.

— Mas a verdade será suficiente para detê-lo? — murmurei.

Para isso Edward não tinha resposta.

35. PRAZO FINAL

— VAI SAIR? — PERGUNTOU EDWARD, NUM TOM DESPREOCUPADO. HA-via uma espécie de forçada serenidade em sua expressão. Ele apertou Renesmee ligeiramente mais junto ao peito.

— É, algumas coisas de última hora... — respondi com o mesmo tom casual.

Ele abriu meu sorriso preferido.

— Volte correndo para mim.

— Sempre.

Peguei novamente seu Volvo, perguntando-me se ele havia observado o odômetro depois de minha última saída. O que ele tinha concluído? Que eu tinha um segredo, era certo. Ele teria deduzido o motivo de eu não me explicar para ele? Será que imaginava que, talvez, Aro logo soubesse tudo o que ele sabia? Pensei que Edward podia ter chegado a essa conclusão, por isso não teria exigido de mim explicações. Imaginei que estivesse tentando não especular demais, tentando deixar meu comportamento fora de sua mente. Será que ele considerara minha estranha atitude na manhã seguinte à partida de Alice, queimando meu livro na lareira? Eu não sabia que ele poderia ter feito essa associação.

Era uma tarde lúgubre, já escura ao pôr do sol. Acelerei em meio às sombras, meus olhos nas nuvens carregadas. Nevaria esta noite? O suficiente para cobrir o chão e criar a cena da visão de Alice? Edward estimava que tínhamos mais dois dias. Depois nos instalaríamos na clareira, atraindo os Volturi para o local escolhido.

Enquanto eu seguia pela floresta que escurecia, pensei em minha última viagem a Seattle. Pensei que sabia o propósito de Alice em me mandar a uma espelunca dilapidada onde J. Jenks atendia a seus clientes mais obscuros. Se eu tivesse ido a um de seus outros escritórios, mais legítimos, teria sabido o que pedir? Se o conhecesse como Jason Jenks ou Jason Scott, advogado legítimo, teria eu desenterrado J. Jenks, fornecedor de documentos ilegais? Eu tivera de seguir o caminho que deixava claro que estava pretendendo algo ilícito. Essa foi minha pista.

Estava escuro quando parei no estacionamento do restaurante, alguns minutos adiantada, ignorando os manobristas ansiosos perto da entrada. Coloquei as lentes de contato e fui esperar J no restaurante. Embora tivesse pressa de acabar com aquela exigência deprimente e voltar para minha família, J parecia cauteloso em não se deixar manchar por suas associações mais vis; eu tinha a impressão de que uma entrega no estacionamento escuro ofenderia sua suscetibilidade.

Dei o nome *Jenks* na recepção e o maître obsequioso levou-me a uma salinha privativa com um fogo crepitando numa lareira de pedra. Ele pegou o casaco marfim abaixo do joelho que vesti para disfarçar o fato de que estava usando o que Alice considerava um traje adequado, e ofegou em silêncio diante de meu vestido de cetim cor de ostra. Não pude evitar me sentir meio lisonjeada; eu ainda não estava acostumada a ser linda aos olhos de todos, e não só aos de Edward. O maître gaguejou elogios pela metade enquanto deixava, vacilante, a saleta.

Fiquei esperando perto do fogo, mantendo os dedos perto da chama para aquecê-los um pouco antes do inevitável aperto de mãos. Não que J não estivesse ciente de que havia algo estranho com os Cullen, mas ainda assim era um bom hábito para se praticar.

Por meio segundo imaginei como seria colocar a mão no fogo. O que eu sentiria quando queimasse...

A entrada de J me tirou de minha morbidez. O maître havia pegado o casaco dele também, e ficou evidente que eu não era a única que me produzira para aquela reunião.

— Eu sinto muito pelo atraso — disse J assim que ficamos a sós.

— Não, chegou exatamente na hora.

Ele estendeu a mão, e quando trocamos o aperto pude sentir que seus dedos ainda eram perceptivelmente mais quentes que os meus. Isso não pareceu incomodá-lo.

— Você está impressionante, se me permite o atrevimento, Sra. Cullen.

— Obrigada, J. Por favor, me chame de Bella.

— Devo dizer que é uma experiência diferente trabalhar com você em vez de com o Sr. Jasper. Bem menos... inquietante. — Ele abriu um sorriso hesitante.

— É mesmo? Sempre achei que Jasper tem uma presença muito tranquilizadora.

Suas sobrancelhas se uniram.

— Verdade? — murmurou ele educadamente, embora fosse evidente que discordava.

Que estranho. O que Jasper fizera com aquele homem?

— Conhece Jasper há muito tempo?

Ele suspirou, parecendo pouco à vontade.

— Trabalho com o Sr. Jasper há mais de vinte anos, e meu antigo sócio o conhecia por quinze anos antes disso... Ele jamais muda. — J se encolheu discretamente.

— É, Jasper é meio estranho nesse aspecto.

J sacudiu a cabeça como se pudesse afugentar os pensamentos perturbadores.

— Não vai se sentar, Bella?

— Na verdade, estou com um pouco de pressa. Tenho uma longa viagem até em casa. — Enquanto eu falava, peguei na bolsa o envelope branco grosso com a bonificação dele e o estendi.

— Ah! — disse ele, com certa decepção na voz. Enfiou o envelope num bolso interno do paletó sem se incomodar em conferir a quantia. — Eu esperava que pudéssemos conversar um pouco.

— Sobre o quê? — perguntei, curiosa.

— Bem, deixe-me entregar sua encomenda primeiro. Quero ter certeza de que ficou satisfeita.

Ele se virou, colocou a pasta na mesa e abriu os fechos. Tirou um envelope pardo tamanho ofício.

Embora eu não fizesse ideia do que devia procurar, abri o envelope e olhei rapidamente o conteúdo. J tinha invertido a foto de Jacob e mudado a cor para que não ficasse tão evidente que era a mesma foto no passaporte e na carteira de motorista. Os dois pareciam perfeitamente bons para mim, mas isso pouco significava. Olhei a foto no passaporte de Vanessa Wolfe por uma fração de segundo, depois desviei os olhos rapidamente, um nó subindo por minha garganta.

— Obrigada — eu disse a ele.

Seus olhos se estreitaram um pouco e senti que ele ficou decepcionado por meu exame não ter sido mais minucioso.

— Posso lhe garantir que cada um desses documentos é perfeito. Tudo preparado para passar pelo exame mais rigoroso de especialistas.

— Tenho certeza disso. Agradeço de verdade o que fez por mim, J.

— O prazer foi meu, Bella. No futuro, fique à vontade para me procurar para qualquer necessidade da família Cullen. — Ele não fez nenhuma sugestão, mas parecia um convite para eu assumir o lugar de Jasper como elemento de ligação.

— Havia alguma coisa que queria discutir?

— Hã, sim. É um pouco delicado...

Ele indicou com um gesto a lareira de pedra com uma expressão inquisitiva. Sentei-me na beira da pedra e ele se sentou ao meu lado. O suor gotejava em sua testa de novo e ele pegou um lenço de seda azul do bolso e começou a enxugar.

— Você é irmã da esposa do Sr. Jasper? Ou é casada com o irmão dele? — perguntou ele.

— Casada com o irmão dele — esclareci, perguntando-me aonde ele queria chegar.

— Seria a jovem recém-casada com o Sr. Edward, então?

— Sim.

Ele sorriu como quem se desculpa.

— Eu vi todos os nomes muitas vezes, entenda. Meus parabéns atrasados. É bom que o Sr. Edward tenha encontrado uma parceira tão adorável depois de todo esse tempo.

— Muito obrigada.

Ele fez uma pausa, enxugando o suor.

— Com o passar dos anos, deve imaginar que desenvolvi um nível muito saudável de respeito pelo Sr. Jasper e por toda a família.

Assenti com cautela.

Ele respirou fundo e expirou sem falar.

— J, por favor, diga o que precisa dizer.

Ele respirou fundo de novo e murmurou rapidamente, atropelando as palavras.

— Se pudesse me garantir que não está pretendendo sequestrar a menina, tirando-a do pai, eu dormiria melhor esta noite.

— Ah! — eu disse, pasma. Precisei de um minuto para entender a conclusão errônea a que ele havia chegado. — Ah, não. Não é nada disso. — Abri um sorriso fraco, tentando tranquilizá-lo. — Estou simplesmente preparando um lugar seguro para ela, caso algo venha a acontecer com meu marido e comigo.

Seus olhos se estreitaram.

— Espera que algo aconteça? — Ele corou, depois se desculpou. — Não que seja da minha conta.

Eu vi o rubor se espalhar por trás da membrana delicada de sua pele e fiquei feliz — como sempre ficava — que eu não fosse uma recém-criada comum. J parecia um homem muito gentil, à parte o comportamento criminoso, e teria sido uma pena matá-lo.

— Nunca se sabe — eu suspirei.

Ele franziu o cenho.

— Eu lhe desejo toda a sorte, então. E, por favor, não se ofenda, minha cara, mas... se o Sr. Jasper me procurar e perguntar que nomes coloquei nestes documentos...

— É claro que deve contar a ele imediatamente. Acharia bem melhor ter o Sr. Jasper plenamente ciente de toda a nossa transação.

Minha sinceridade transparente pareceu atenuar um pouco sua tensão.

— Muito bom — disse ele. — E eu não posso convencê-la a ficar para jantar?

— Desculpe, J. No momento estou sem tempo.

— Então, novamente, meus mais sinceros votos por sua saúde e felicidade. Qualquer coisa que a família Cullen precisar, por favor, não hesite em me ligar, Bella.

— Obrigada, J.

Saí com meu contrabando, olhando para trás e vendo que J me observava, sua expressão uma mescla de ansiedade e desapontamento.

A viagem de volta me consumiu menos tempo. A noite era escura, então desliguei os faróis e voei. Quando cheguei à casa, a maioria dos carros, inclusive o Porsche de Alice e minha Ferrari, não estava lá. Os vampiros tradicionais iam o mais longe possível para saciar sua sede. Tentei não pensar neles caçando na noite, encolhendo-me com a imagem mental de suas vítimas.

Só Kate e Garrett estavam na sala da frente, discutindo de bom humor o valor nutricional do sangue animal. Concluí que Garrett tinha tentado uma excursão de caça no estilo vegetariano e achara difícil.

Edward devia ter levado Renesmee para dormir em casa. Jacob, sem dúvida, estava no bosque, perto do chalé. O restante de minha família devia estar caçando também. Talvez estivessem fora, com os outros Denali.

O que basicamente deixava a casa para mim, e eu rapidamente tirei proveito disso.

Eu sabia, pelo cheiro, que era a primeira a entrar no quarto de Alice e Jasper, provavelmente desde a noite em que eles nos deixaram. Vasculhei em silêncio seu imenso closet até encontrar a bolsa certa. Devia ser de Alice; era uma pequena mochila de couro preto, do tipo que se costuma usar como bolsa, bem pequena para que mesmo Renesmee a usasse sem chamar a atenção. Depois assaltei o local onde guardavam o dinheiro, pegando duas vezes a renda anual de uma família americana média. Imaginei que meu roubo seria menos perceptível ali do que em qualquer outro lugar da casa, uma vez que o quarto entristecia todo mundo. O envelope com os passaportes e documentos falsos foi para a bolsa, por cima do dinheiro. Depois me sentei na borda da cama de Alice e Jasper e olhei o pacote insignificante que era tudo o que eu podia dar a minha filha e a meu melhor amigo para ajudar a salvar a vida dos dois. Desabei de encontro à coluna da cama, sentindo-me indefesa.

Mas o que mais eu podia fazer?

Fiquei sentada ali vários minutos, de cabeça baixa, antes que me ocorresse a insinuação de uma boa ideia.

Se...

Se eu supusesse que Jacob e Renesmee iam escapar, então isso incluiria o pressuposto de que Demetri estaria morto. O que daria a qualquer sobrevivente algum espaço para respirar, inclusive Alice e Jasper.

Então, por que Alice e Jasper não podiam ajudar Jacob e Renesmee? Se eles se reunissem, Renesmee teria a melhor proteção imaginável. Não havia motivo para isso não acontecer, a não ser o fato de que tanto Jake quanto Renesmee eram pontos cegos para Alice. Como ela começaria a procurar por eles?

Pensei por um momento, depois saí do quarto, atravessando o corredor até a suíte de Carlisle e Esme. Como sempre, a mesa de Esme estava cheia de plantas e projetos, tudo organizado em pilhas altas. A mesa tinha escaninhos acima da superfície de trabalho; em um deles estava uma caixa de papel de carta. Peguei uma folha de papel e uma caneta.

Depois fiquei olhando a página marfim por uns bons cinco minutos, concentrando-me em minha decisão. Alice podia não ser capaz de ver Jacob ou Renesmee, mas podia me ver. Eu a visualizei vendo este momento, numa esperança desesperada de que ela não estivesse ocupada demais para prestar atenção.

Devagar, deliberadamente, escrevi as palavras *RIO DE JANEIRO* em maiúsculas, de um lado a outro da folha.

O Rio parecia o melhor lugar para mandá-los: era bem longe daqui, Alice e Jasper já estavam na América do Sul, segundo o último relato, e nossos antigos problemas não haviam deixado de existir só porque agora tínhamos problemas piores. Ainda havia o mistério do futuro de Renesmee, o terror de seu envelhecimento acelerado. Nós havíamos planejado ir para o sul de qualquer forma. Seria então tarefa de Jacob e, se tivéssemos sorte, de Alice, rastrear as lendas.

Abaixei a cabeça novamente, reprimindo um impulso repentino de chorar e trincando os dentes. Era bom que Renesmee sobrevivesse, mesmo sem mim. Mas eu já sentia tanta falta dela que mal conseguia suportar a ideia.

Respirei fundo e coloquei o bilhete no fundo da bolsa, onde Jacob não demoraria a encontrá-lo.

Cruzei os dedos para que — como era improvável que a escola dele oferecesse aulas de português — Jake pelo menos tivesse aprendido espanhol como língua eletiva.

Agora não restava mais nada a não ser esperar.

Por dois dias, Edward e Carlisle ficaram na clareira onde Alice tinha visto a chegada dos Volturi. Era o mesmo campo de morte onde os recém-criados de Victoria haviam atacado no verão passado. Perguntei-me se pareceria repetitivo a Carlisle, como um *déjà vu*. Para mim, seria completamente novo. Dessa vez Edward e eu estaríamos com nossa família.

Só podíamos imaginar que os Volturi estariam rastreando Edward ou Carlisle. Perguntei-me se seria surpresa para eles que sua presa não fugisse. Será que isso os deixaria cautelosos? Eu não conseguia imaginar os Volturi sentindo alguma necessidade de cautela.

Embora eu fosse — assim esperávamos — invisível a Demetri, fiquei com Edward. É claro. Só nos restavam algumas horas juntos.

Edward e eu não tivemos uma última grande cena de despedida, nem eu planejei uma. Pronunciar a palavra era torná-la definitiva. Seria o mesmo que digitar a palavra *Fim* na última página de um original.

Então não dissemos adeus, e ficamos muito perto um do outro, sempre nos tocando. Qualquer que fosse o nosso fim, ele não nos encontraria separados.

Armamos uma barraca para Renesmee a alguns metros na floresta protetora, depois houve mais *déjà-vu* enquanto nos víamos acampando no frio mais uma vez com Jacob. Era quase impossível acreditar em quanto havia mudado desde junho passado. Sete meses atrás, nossa relação triangular parecia impossível, três tipos diferentes de mágoa que não podiam ser evitados. Agora tudo estava em perfeito equilíbrio. Parecia de uma ironia horrenda que as peças do quebra-cabeças se encaixassem pouco antes de serem todas destruídas.

Começou a nevar de novo na noite que antecedia a véspera de Ano-Novo. Dessa vez, os minúsculos flocos não se dissolveram no chão pedregoso da clareira. Enquanto Renesmee e Jacob dormiam — Jacob roncando tão alto que me perguntei como Renesmee não acordava —, a neve formou, primeiro, uma fina camada de gelo na terra, depois, criou montes mais espessos. Quando o sol nasceu, a cena da visão de Alice era completa. Edward e eu nos demos as mãos ao olhar o campo branco e reluzente, e nenhum de nós disse nada.

No começo da manhã os outros se reuniram, os olhos trazendo a prova silenciosa de seus preparativos — alguns dourado-claro, outros de um vermelho vivo. Quando estávamos todos juntos, ouvimos os lobos movendo-se na floresta. Jacob saiu da barraca, deixando Renesmee ainda dormindo, para se juntar a eles.

Edward e Carlisle estavam organizando os outros numa formação frouxa, nossas testemunhas ao lado como colunas.

Fiquei olhando de longe, esperando perto da barraca que Renesmee acordasse. Quando ela acordou, eu a ajudei a se vestir com as roupas que eu havia escolhido com cuidado dois dias antes. Roupas que pareciam frágeis e femininas, mas na verdade eram bastante resistentes para não revelar nenhum desgaste — mesmo que uma pessoa as usasse enquanto cavalgava um lobisomem gigante por alguns estados do país. Por cima do casaco, pus a mochila de couro com os documentos, o dinheiro, a pista e meus bilhetes de amor para ela e Jacob, Charlie e Renée. Ela era bem forte para que isso não lhe fosse um fardo pesado.

Seus olhos estavam imensos enquanto ela lia a agonia em meu rosto. Mas ela adivinhara o suficiente para não me perguntar o que eu estava fazendo.

— Eu amo você — eu disse a ela. — Mais do que tudo.

— Eu também amo você, mamãe — respondeu ela. E tocou o medalhão no pescoço, que agora tinha uma minúscula foto dela, comigo e com Edward. — Sempre estaremos juntos.

— Em nossos corações, sempre estaremos juntos — eu a corrigi com um sussurro muito baixo. — Mas quando chegar a hora, hoje, você terá de me deixar.

Seus olhos se arregalaram e ela tocou meu pescoço. O *não* silencioso foi mais alto do que se ela tivesse gritado.

Lutei para engolir; minha garganta parecia inchada.

— Fará isso por mim? Por favor?

Ela pressionou os dedos com força em meu rosto. *Por quê?*

— Não posso lhe dizer — sussurrei. — Mas você entenderá em breve. Eu prometo.

Em minha cabeça, vi o rosto de Jacob.

Assenti, depois afastei seus dedos.

— Não pense nisso — respirei em seu ouvido. — Não conte a Jacob antes de eu lhe dizer para correr, está bem?

Isso ela entendeu. E concordou também.

Tirei do bolso um último detalhe.

Enquanto preparava as coisas de Renesmee, uma faísca inesperada de cor tinha atraído meus olhos. Um raio de sol, através da claraboia, atingira as joias da antiga caixa preciosa colocada numa prateleira alta em um canto intocado. Pensei por um momento e dei de ombros. Depois de reunir as pistas de Alice, eu não podia ter esperanças de que o confronto fosse resolvido pacificamente. Mas por que não tentar começar da forma mais amistosa possível?, perguntei a mim mesma. No que isso seria prejudicial? Então achei que devia ter alguma esperança, afinal de contas — uma esperança tola e insensata —, porque escalei a estante e peguei o presente de casamento de Aro.

Agora coloquei o cordão grosso de ouro e senti o peso do enorme diamante aninhado na concavidade abaixo do pescoço.

— Lindo — sussurrou Renesmee. Depois ela passou os braços como um torno em meu pescoço. Eu a apertei de encontro ao peito.

Entrelaçadas daquela maneira, tirei-a da barraca e a levei até a clareira.

Edward ergueu uma sobrancelha quando nos aproximávamos, mas não fez nenhuma observação sobre o meu acessório ou o de Renesmee. Só nos abraçou com força por um longo momento e depois, com um suspiro profundo, nos soltou. Eu não podia ver um adeus em nenhum lugar de seus olhos. Talvez ele tivesse mais esperanças de haver algo depois dessa vida do que deixara transparecer.

Assumimos nossas posições, Renesmee passando com agilidade para minhas costas a fim de que minhas mãos ficassem livres. Fiquei um pouco atrás da linha de frente, composta por Carlisle, Edward, Emmett, Rosalie, Tanya, Kate e Eleazar. Ao meu lado estavam Benjamin e Zafrina; era minha tarefa protegê-los pelo máximo de tempo que eu pudesse. Eles eram nossas melhores armas de ataque. Se fossem os Volturi a não poder ver, mesmo por alguns momentos, tudo mudaria.

Zafrina estava rígida e feroz, com Senna quase uma imagem especular ao lado dela. Benjamin estava sentado no chão, as mãos na terra, e murmurava baixo sobre falhas geológicas. Na noite anterior, ele havia espalhado pilhas de rocha de aparência natural, agora montes cobertos de neve, atrás da campina. Não eram suficientes para ferir um vampiro, mas poderiam, com sorte, distraí-los.

As testemunhas agrupavam-se à nossa esquerda e à direita, alguns mais próximos do que outros — aqueles que se declararam eram os mais próximos. Percebi Siobhan massageando as têmporas, os olhos fechados, concentrando-se; estaria ela atendendo ao pedido de Carlisle? Tentando visualizar uma solução diplomática?

Na floresta atrás de nós os lobos, invisíveis, estavam imóveis e preparados; só podíamos ouvir seu arfar pesado, os corações batendo.

As nuvens se moviam, tornando a luz difusa, de modo que tanto podia ser manhã quanto tarde. Edward estreitou os olhos enquanto examinava a área, e eu tinha certeza de que ele estava vendo aquele exato cenário pela segunda vez — tendo sido a primeira na visão de Alice. A cena seria a mesma quando os Volturi chegassem. Agora só nos restavam minutos, ou segundos.

Toda a nossa família e nossos aliados se prepararam.

Da floresta, o imenso lobo alfa ruivo avançou para se postar ao meu lado; devia ter sido demais para ele manter distância de Renesmee quando ela estava em perigo tão iminente.

Renesmee estendeu a mão para entrelaçar os dedos no pelo de seu ombro imenso, e o corpo dela relaxou um pouco. Ela se sentia mais calma com Jacob por perto. Eu também me senti um pouquinho melhor. Desde que Jacob estivesse com Renesmee, ela ficaria bem.

Sem arriscar um olhar para trás, Edward estendeu a mão para mim. Eu estiquei o braço para pegar sua mão. Ele apertou meus dedos.

Mais um minuto se passou, e me vi procurando ouvir algum som de aproximação.

E, então, Edward enrijeceu e sibilou baixo entre os dentes trincados. Seus olhos focalizaram a floresta ao norte de onde estávamos.

Olhamos para onde ele fitava e esperamos, enquanto os últimos segundos passavam.

36. DESEJO DE SANGUE

ELES VIERAM COM POMPA, COM UMA ESPÉCIE DE ENCANTO.

Vieram numa formação rígida e convencional. Moviam-se juntos, mas não marchavam; fluíam das árvores numa sincronia perfeita — uma forma escura e ininterrupta que parecia pairar alguns centímetros acima da neve branca, tão suave era seu avanço.

O perímetro mais externo era cinza; a cor escurecia a cada fila de corpos até o cerne da formação, intensamente preto. Cada rosto estava encapuzado, ensombrecido. O fraco roçar de seus pés era tão regular que parecia música, uma batida complexa que nunca falhava.

A um sinal que não vi — ou talvez não fosse um sinal, só milênios de prática —, a configuração se desdobrou. O movimento foi rígido demais, quadrado demais para se assemelhar à abertura de uma flor, embora a cor sugerisse isso; era a abertura de um leque, gracioso mas muito anguloso. As figuras de manto cinza se espalharam nos flancos enquanto as formas mais escuras surgiam precisamente no centro, cada movimento rigorosamente controlado.

Seu progresso era lento mas decidido, sem pressa, sem tensão, sem ansiedade. Era o ritmo dos invencíveis.

Era quase o meu antigo pesadelo. A única coisa que faltava era o desejo triunfante que eu vira nos rostos de meu sonho — os sorrisos de alegria da vingança. Até agora, os Volturi estavam disciplinados demais para demonstrar qualquer emoção. Também não revelaram surpresa nem espanto com o grupo de vampiros que os esperava ali — em comparação, um grupo que parecia de repente desorganizado e despreparado. Tampouco mostraram surpresa com o lobo gigantesco no meio de nosso grupo.

Não pude deixar de contar. Eles eram trinta e dois. Mesmo que se excluíssem as duas figuras de mantos pretos desgarradas atrás, que eu tomaria pelas esposas — sua posição protegida sugerindo que não se envolveriam no ataque —, ainda éramos em menor número. Só dezenove de nós iriam lutar, e outros sete assistiriam enquanto éramos destruídos. Mesmo contando os dez lobos, eles nos sobrepujavam.

— Os britânicos estão vindo, os britânicos estão vindo — murmurou Garrett misteriosamente consigo mesmo, e depois riu. Ele se aproximou um passo de Kate.

— Eles vieram — sussurrou Vladimir a Stefan.

— As esposas — sibilou Stefan de volta. — Toda a guarda. Todos eles juntos. Ainda bem que não tentamos Volterra.

E depois, como se não bastasse estarem em maior número, enquanto os Volturi avançavam lenta e majestosamente, mais vampiros começaram a surgir na clareira atrás deles.

Os rostos naquele influxo aparentemente interminável de vampiros eram a antítese da disciplina inexpressiva dos Volturi — mostravam um caleidoscópio de emoções. Inicialmente, havia o choque e até alguma ansiedade enquanto eles viam a força inesperada que os aguardava. Mas a preocupação passou rapidamente; eles estavam seguros em seu número esmagador, seguros em sua posição atrás da irreprimível força dos Volturi. Suas feições voltaram à expressão que tinham antes de os surpreendermos.

Era fácil entender sua disposição — os rostos eram explícitos. Aquela era uma turba irritada, impelida a um frenesi e com sede de justiça. Eu não entendera plenamente o sentimento do mundo dos vampiros em relação às crianças imortais antes de ver aqueles rostos.

Estava claro que sua horda heterogênea e desorganizada — mais de quarenta vampiros reunidos — eram as testemunhas dos Volturi. Quando estivéssemos mortos, eles espalhariam a notícia de que os criminosos tinham sido erradicados, que os Volturi agiram com absoluta imparcialidade. A maioria parecia esperar por mais que uma oportunidade de testemunhar — queria ajudar a dilacerar e queimar.

Não tínhamos a menor chance. Mesmo que de algum modo conseguíssemos neutralizar as vantagens dos Volturi, eles ainda poderiam nos soterrar em corpos. Mesmo que matássemos Demetri, Jacob não conseguiria escapar.

Eu podia sentir a mesma compreensão instalando-se à minha volta. O desespero pesava no ar, forçando-me para baixo com mais pressão do que antes.

Um vampiro na força adversária não parecia pertencer a nenhum dos dois grupos; reconheci Irina enquanto ela hesitava entre os dois grupos, a expressão única em meio aos outros. O olhar apavorado de Irina estava fixo na posição de Tanya na linha de frente. Edward rosnou, um som muito baixo mas fervoroso.

— Alistair tinha razão — murmurou para Carlisle.

Vi Carlisle olhar para Edward de forma inquisitiva.

— Alistair tinha razão? — sussurrou Tanya.

— Eles, Caius e Aro, vieram destruir e conquistar — sussurrou Edward quase em silêncio; só nosso lado podia ouvir. — Eles têm muitas estratégias já preparadas. Se a acusação de Irina se provasse falsa de algum modo, eles se empenhariam em encontrar outro motivo para ofender-se. Mas eles podem ver Renesmee agora, então estão completamente otimistas quanto ao rumo que tomarão. Ainda podemos tentar nos defender das outras acusações maquinadas por eles, mas primeiro eles têm de parar, ouvir a verdade sobre Renesmee. — Depois, ainda mais baixo: — O que eles não têm a intenção de fazer.

Jacob soltou um bufo baixo e estranho.

E então, inesperadamente, dois segundos depois, a procissão *parou*. A música baixa dos movimentos em perfeita sincronia transformou-se em silêncio. A disciplina impecável continuou intacta; os Volturi ficaram absolutamente imóveis. Estavam a cerca de cem metros de nós.

Atrás de mim, para os lados, ouvi o batimento de corações grandes, mais perto que antes. Arrisquei-me a olhar para a esquerda e para a direita pelo canto do olho, para ver o que havia detido o avanço dos Volturi.

Os lobos tinham se juntado a nós.

De ambos os lados de nossa linha irregular, os lobos se posicionaram, estendendo-se em braços longos, limítrofes. Só precisei de uma fração de segundo para perceber que havia mais de dez lobos, para reconhecer os que eu conhecia e os que nunca vira antes. Eles eram dezesseis, espaçados uniformemente em torno de nós — dezessete no total, contando Jacob. Estava claro, pela altura e pelas patas imensas, que os recém-chegados eram muito jovens. Pensei que deveria ter previsto isso. Com tantos vampiros acampados por perto, era inevitável uma explosão populacional de lobisomens.

Mais crianças morrendo. Perguntei-me por que Sam permitira isso, e então me dei conta de que ele não tinha alternativa. Se algum dos lobos ficasse do nosso lado, os Volturi cuidariam de procurar pelo resto. Estavam apostando toda a sua espécie naquele embate.

E nós íamos perder.

De repente, eu me senti furiosa. Mais do que furiosa, eu experimentava uma fúria homicida. Meu desespero desapareceu inteiramente. Um brilho avermelhado e fraco destacou as figuras escuras diante de mim, e tudo o que eu queria nesse momento era a oportunidade de cravar meus dentes neles, arrancar-lhes os membros dos corpos e empilhá-los numa fogueira. Eu estava tão enlouquecida que podia ter dançado em volta da pira onde eles tostariam vivos; eu teria gargalhado enquanto suas cinzas ardiam. Meus lábios se retraíram automaticamente, e um rosnado baixo e feroz rompeu por minha garganta, vindo do fundo do estômago. Percebi que os cantos de minha boca estavam levantados num sorriso.

Ao meu lado, Zafrina e Senna ecoaram meu rosnado abafado. Edward apertou a mão que ainda segurava, advertindo-me.

Os rostos sombrios dos Volturi, em sua maioria, ainda não tinham expressão. Só dois pares de olhos traíam alguma emoção. No centro deles, com as mãos se tocando, Aro e Caius tinham parado para avaliar, e toda a guarda havia parado com eles, esperando pela ordem de matar. Os dois não se olhavam, mas era evidente que estavam em comunicação. Marcus, embora tocasse a outra mão de Aro, não parecia participar da conversa. Sua expressão não era tão descuidada quanto a dos guardas, mas era quase igualmente vazia. Como na outra ocasião em que eu o vira, ele parecia completamente entediado.

As testemunhas dos Volturi inclinavam-se para nós, os olhos fixos furiosamente em mim e Renesmee, mas eles se mantiveram perto da lateral da floresta, deixando um amplo espaço entre si e os soldados Volturi. Somente Irina pairava atrás dos Volturi, a alguns passos das anciãs — ambas com cabelos claros, a pele como talco, e de olhos leitosos — e seus dois imensos seguranças.

Havia uma mulher em um dos mantos cinza mais escuros, logo atrás de Aro. Eu não podia ter certeza, mas ela parecia tocar as costas dele. Seria ela o outro escudo, Renata? Perguntei-me, como Eleazar, se ela seria capaz de *me* repelir.

Mas eu não ia desperdiçar minha vida tentando pegar Caius ou Aro. Eu tinha alvos mais vitais.

Eu os procurei na fila e não tive dificuldade de localizar os dois mantos pequenos e cinza-escuros perto do centro do grupo. Alec e Jane, certamente os menores membros da guarda, encontravam-se ao lado de Marcus, que era flanqueado por Demetri do outro lado. Seus rostos adoráveis eram suaves, sem deixar nada transparecer; usavam os mantos mais escuros, afora o preto puro dos anciãos. Os gêmeos bruxos, Vladimir os chamara. Seus poderes eram a base da ofensiva Volturi. As joias da coleção de Aro.

Meus músculos se contraíram, e o veneno encheu minha boca.

Os olhos vermelhos e toldados de Aro e Caius percorreram nossa linha. Vi a decepção no rosto de Aro enquanto seu olhar vagava por nossos rostos repetidas vezes, procurando alguém que faltava. A contrariedade enrijeceu-lhe os lábios.

Nesse momento, senti-me grata por Alice ter fugido.

Enquanto a pausa se estendia, ouvi a respiração de Edward se acelerar.

— Edward? — perguntou Carlisle num tom baixo e ansioso.

— Eles não sabem bem o que fazer. Estão pesando as opções, escolhendo os principais alvos... Eu, é claro, você, Eleazar, Tanya. Marcus está lendo a força de nossos laços, procurando pontos fracos. A presença dos romenos os irrita. Eles estão preocupados com os rostos que não reconhecem... Zafrina e Senna, em particular... E com os lobos, naturalmente. Nunca estiveram em desvantagem numérica. Foi isso que os deteve.

— Desvantagem numérica? — sussurrou Tanya, incrédula.

— Eles não contam as testemunhas que trouxeram — sussurrou Edward. — Elas são inexistentes, não significam nada para a guarda. Aro só gosta de uma plateia.

— Devo falar? — perguntou Carlisle.

Edward hesitou, depois assentiu.

— É a única chance que você terá.

Carlisle endireitou os ombros e avançou vários passos à frente de nossa linha de defesa. Eu odiei vê-lo sozinho e desprotegido.

Ele abriu os braços, erguendo as palmas das mãos como em um cumprimento.

— Aro, meu velho amigo. Já faz séculos.

Sobre a clareira branca caiu um silêncio mortal por um longo momento. Eu podia sentir a tensão irradiando de Edward enquanto ele ouvia a avaliação que Aro fazia das palavras de Carlisle. A tensão aumentava com o passar dos segundos.

E, então, Aro deu um passo à frente, saindo do centro da formação Volturi. O escudo, Renata, moveu-se com ele como se as pontas de seus dedos estivessem costuradas ao manto dele. Pela primeira vez a tropa dos Volturi reagiu. Um grunhido percorreu a formação, as sobrancelhas franziram-se desenhando carrancas, os lábios se repuxaram sobre os dentes. Alguns membros da guarda se agacharam.

Aro ergueu a mão para eles.

— Paz.

Ele andou mais alguns passos, depois inclinou a cabeça para um lado. Seus olhos leitosos cintilavam de curiosidade.

— Belas palavras, Carlisle — sussurrou ele em sua voz fina e ciciada. — Mas parecem deslocadas, considerando o exército que você reuniu para me matar e matar os que me são caros.

Carlisle sacudiu a cabeça e estendeu a mão direita, como se não houvesse ainda quase uma centena de metros entre eles.

— Basta tocar minha mão para saber que essa nunca foi minha intenção.

Os olhos astutos de Aro se estreitaram.

— Mas que importância pode ter sua intenção, meu caro Carlisle, diante do que você fez? — Ele franziu a testa e uma sombra de tristeza cobriu suas feições. Se era ou não autêntica, eu não sabia dizer.

— Não cometi o crime pelo qual você está aqui para me punir.

— Então saia da frente e deixe-nos punir os responsáveis. Na verdade, Carlisle, nada me agradaria mais do que preservar sua vida hoje.

— Ninguém infringiu a lei, Aro. Deixe-me explicar. — De novo, Carlisle lhe ofereceu a mão.

Antes que Aro pudesse responder, Caius moveu-se rapidamente e parou ao lado de Aro.

— Tantas regras sem sentido, tantas leis desnecessárias você criou para si mesmo, Carlisle — sibilou o ancião de cabelos brancos. — Como é possível que defenda a violação daquela que verdadeiramente importa?

— A lei não foi violada. Se vocês ouvissem...

— Estamos vendo a criança, Carlisle — grunhiu Caius. — Não nos trate como tolos.

— Ela *não* é uma imortal. Ela não é uma vampira. Posso provar facilmente isto em apenas alguns momentos...

Caius o interrompeu.

— Se ela não é uma das proibidas, então por que reuniu um batalhão para protegê-la?

— Testemunhas, Caius, como vocês mesmos trouxeram. — Carlisle gesticulou para a horda furiosa na margem da floresta; alguns grunhiram em resposta. — Qualquer um desses amigos pode lhes dizer a verdade sobre a criança. Ou vocês podem simplesmente olhar para ela, Caius. Ver o fluxo de sangue humano em seu rosto.

— É um truque! — rebateu Caius. — Onde está a informante? Que ela avance! — Ele esticou o pescoço até localizar Irina, hesitante, atrás das esposas. — Você! Venha!

Irina o fitou sem compreender, o rosto como o de alguém que não despertou inteiramente de um pesadelo horrendo. Impaciente, Caius estalou os dedos. Um dos imensos seguranças das esposas caminhou até Irina e a cutucou rudemente nas costas. Irina piscou duas vezes e andou lentamente até Caius, atordoada. Parou a vários metros, os olhos ainda nas irmãs.

Caius cobriu a distância até ela e lhe deu uma bofetada.

Não podia ter doído, mas houve algo de terrivelmente degradante no ato. Era como ver alguém chutar um cachorro. Tanya e Kate sibilaram em sincronia.

O corpo de Irina ficou rígido e seus olhos finalmente focalizaram Caius. Ele apontou um dedo em garra para Renesmee, agarrada às minhas costas, os dedinhos ainda emaranhados no pelo de Jacob. Caius ficou totalmente vermelho em minha visão furiosa. Um rosnado trovejou no peito de Jacob.

— É esta a criança que você viu? — perguntou Caius. — Aquela que era evidentemente mais do que humana?

Irina nos olhou, examinando Renesmee pela primeira vez desde que entrara na clareira. Sua cabeça tombou para o lado, a confusão cruzando seu rosto.

— E então? — rosnou Caius.

— Eu... não tenho certeza — disse ela, a voz perplexa.

A mão de Caius crispou-se, como se ele quisesse bater nela outra vez.

— O que quer dizer? — disse ele num sussurro de aço.

— Ela não está igual, mas acho que é a mesma criança. Quero dizer, ela mudou. Esta criança é maior do que a que eu vi, mas...

O arfar furioso de Caius passou por seus dentes subitamente expostos e Irina interrompeu-se, sem terminar. Aro flutuou até o lado de Caius e pôs a mão, restritiva, em seu ombro.

— Componha-se, irmão. Temos tempo para esclarecer isso. Não há necessidade de pressa.

Com uma expressão rabugenta, Caius deu as costas a Irina.

— Agora, minha querida — disse Aro num murmúrio caloroso e açucarado. — Mostre-me o que está tentando dizer. — Ele estendeu a mão para a desnorteada vampira.

Insegura, Irina pegou sua mão. Ele a segurou por apenas cinco segundos.

— Está vendo, Caius? — disse ele. — É uma simples questão de conseguir o que precisamos.

Caius não respondeu. Pelo canto do olho, Aro olhou para sua plateia, sua turba, depois voltou-se para Carlisle.

— Ao que parece, temos um mistério em nossas mãos. Aparentemente, a criança cresceu. No entanto, a primeira lembrança de Irina foi claramente de uma criança imortal. Curioso.

— É exatamente o que estou tentando explicar — disse Carlisle, e pela mudança em sua voz pude ver seu alívio. Esta era a pausa em que apostáramos todas as nossas nebulosas esperanças.

Mas eu não senti alívio. Esperava, quase entorpecida de fúria, pelas várias estratégias que Edward mencionara.

Carlisle estendeu a mão de novo.

Aro hesitou por um momento.

— Preferiria receber a explicação de alguém mais central nesta história, meu amigo. Estou errado em supor que esta violação não foi obra sua?

— Não houve violação.

— Ainda que assim seja, *terei* cada aspecto da verdade. — A voz frágil de Aro endureceu. — E a melhor maneira de conseguir isso é ter a prova diretamente de seu filho talentoso. — Ele inclinou a cabeça na direção de Edward. — Como a criança está nas costas de sua parceira recém-criada, suponho que Edward esteja envolvido.

É claro que ele queria Edward. Assim que olhasse na mente de Edward, ele saberia *todos* os nossos pensamentos. Exceto os meus.

Edward virou-se rapidamente para beijar minha testa e a de Renesmee, sem me olhar nos olhos. Depois atravessou o campo nevado, dando um tapinha no ombro de Carlisle ao passar. Ouvi um gemido baixo atrás de mim — o pavor de Esme transparecia.

A névoa vermelha que eu via em volta do exército Volturi flamejou, mais brilhante do que antes. Eu não suportava ver Edward atravessar sozinho o espaço branco e vazio — mas também não podia suportar ter Renesmee um passo mais próxima de nossos adversários. As necessidades contrárias me dilaceravam; fiquei tão paralisada que parecia que meus ossos poderiam se espatifar com a pressão.

Vi Jane sorrir enquanto Edward passava da metade da distância, quando ele ficou mais perto deles do que de nós.

Aquele sorrisinho presunçoso foi o bastante. Minha fúria chegou ao auge, mais intensa até do que o violento desejo de sangue que senti no momento em que os lobos se comprometeram com aquela guerra condenada. Eu sentia na língua o gosto da loucura — sentia-a fluir por mim como uma onda de puro poder. Meus músculos se contraíram, e eu agi automaticamente. Lancei meu escudo com toda a força de minha mente, arremessando-o pelo espaço impossível do campo — dez vezes minha melhor distância — como um dardo. O esforço me fez bufar.

O escudo explodiu de mim como uma bolha de pura energia, uma nuvem de aço líquido. Pulsava como um ser vivo — eu podia *senti-lo*, do ápice às bordas.

Agora o tecido elástico não se retraiu; nesse instante de força bruta, vi que a reação que senti antes era criação minha — estivera me prendendo àquela parte invisível de mim, em autodefesa, subconscientemente hesitando soltá-lo. Agora o liberava, e meu escudo explodiu uns bons cinquenta metros sem nenhum esforço, e usei apenas uma fração de minha concentração. Eu podia senti-lo se flexionar como qualquer outro músculo, obediente à minha vontade. Eu o empurrei, modelei-o em uma forma oval longa e pontiaguda. Tudo sob o escudo de ferro flexível de repente era parte de mim — eu podia sentir a força vital de tudo que ele cobria como pontos de um calor luminoso, centelhas deslumbrantes de luz que me cercavam. Lancei o escudo adiante, até a beira da clareira, e respirei aliviada quando senti a luz brilhante de Edward dentro de minha proteção. Mantive-me ali, contraindo aquele novo músculo de modo que envolvesse Edward, um manto fino, mas inviolável, entre seu corpo e nossos inimigos.

Mal se passou um segundo. Edward ainda andava até Aro. Tudo tinha mudado completamente, mas ninguém percebera nada, a não ser eu. Uma risada sobressaltada escapou de meus lábios. Senti os outros olhando para mim e vi os olhos escuros e grandes de Jacob me encarando como se eu tivesse enlouquecido.

Edward parou a pouca distância de Aro, e percebi com certo dissabor que, embora certamente pudesse, eu *não devia* evitar que aquele diálogo acontecesse. Esse tinha sido o objetivo de todos os nossos preparativos: conseguir que Aro ouvisse nosso lado da história. Era quase fisicamente doloroso fazer isso, mas, com relutância, fiz meu escudo recuar e deixei Edward exposto de novo. A disposição para rir desapareceu. Concentrei-me totalmente em Edward, pronta para protegê-lo imediatamente se algo desse errado.

O queixo de Edward projetou-se com arrogância, e ele estendeu a mão para Aro como se estivesse lhe conferindo uma grande honra. Aro pareceu deliciado com a atitude dele, mas seu prazer não era universal. Renata tremulava nervosa na sombra de Aro. As rugas na testa franzida de Caius eram tão profundas que parecia que sua pele translúcida, friável, ficaria permanentemente vincada. A pequena Jane mostrou os dentes, e ao lado dela os olhos de Alec se estreitaram, concentrados. Adivinhei que, como eu, ele estava preparado para agir assim que fosse necessário.

Aro cobriu a distância sem interrupção — mas, francamente, o que ele teria para temer? As sombras imensas dos mantos cinza mais claros — os lutadores musculosos como Felix — estavam a poucos metros. Jane e seu dom de queimar podiam lançar Edward no chão, retorcendo-se em agonia. Alec podia deixá-lo cego e surdo antes que ele pudesse dar um passo para Aro. Ninguém sabia que eu tinha o poder de impedi-los, nem mesmo Edward.

Com um sorriso imperturbável, Aro pegou a mão de Edward. Seus olhos se fecharam de pronto e os ombros se curvaram sob a enxurrada de informações.

Cada pensamento secreto, cada estratégia, cada *insight* — tudo o que Edward tinha ouvido nas mentes dos que o cercavam no último mês — agora eram de Aro. E mais além — cada visão de Alice, cada momento de silêncio com nossa família, cada imagem na mente de Renesmee, cada beijo, cada toque entre mim e Edward... Tudo agora também era de Aro.

Sibilei de frustração e o escudo se moveu com minha irritação, alterando a forma e contraindo-se em torno dos nossos.

— Calma, Bella — sussurrou Zafrina.

Trinquei os dentes.

Aro continuava a se concentrar nas lembranças de Edward. A cabeça de Edward curvou-se também, os músculos de seu pescoço enrijecendo enquanto ele lia de volta tudo o que Aro tirava dele, e a reação de Aro a tudo aquilo.

O diálogo de duas vias, mas desigual, continuou por tempo suficiente para que até a guarda ficasse inquieta. Murmúrios baixos percorreram a linha até que Caius ladrou uma ordem de silêncio. Jane estava avançando aos poucos, como se não conseguisse evitar, e o rosto de Renata estava rígido de aflição. Por um momento, examinei aquele escudo poderoso que parecia tão apavorado e fraco; embora ela fosse útil a Aro, eu podia ver que ela não era uma guerreira. Sua função não era lutar, mas proteger. Não havia nela nenhum desejo de sangue. Crua como eu era, sabia que se fosse entre mim e ela, eu a bloquearia.

Voltei a me concentrar enquanto Aro endireitava o corpo, os olhos abrindo-se, a expressão pasma e cautelosa. Ele não soltou a mão de Edward.

Os músculos de Edward relaxaram ligeiramente.

— Viu? — perguntou Edward, a voz aveludada e calma.

— Sim, eu vi, deveras — concordou Aro, e surpreendentemente ele quase parecia se divertir. — Duvido que deuses ou mortais pudessem ver com tanta clareza.

Os rostos disciplinados da guarda mostraram a mesma incredulidade que eu sentia.

— Deu-me muito o que refletir, jovem amigo — continuou Aro. — Muito mais do que eu esperava. — Ele ainda não soltara a mão de Edward, e a atitude tensa de Edward era a de quem ouve.

Edward não respondeu.

— Posso conhecê-la? — perguntou Aro, quase suplicante, com um interesse ansioso e repentino. — Nunca imaginei a existência de uma coisa dessas em todos os meus séculos. Que acréscimo à nossa história!

— Do que se trata, Aro? — perguntou Caius antes que Edward pudesse responder. Bastou a pergunta de Aro para que eu puxasse Renesmee para meus braços, aninhando-a protetoramente em meu peito.

— Algo que você jamais sonhou, meu amigo pragmático. Reflita por um momento, pois a justiça que pretendíamos aplicar não é mais válida.

Caius sibilou de surpresa com as palavras dele.

— Paz, irmão — advertiu Aro, tranquilizador.

Isso devia ser uma boa notícia — eram as palavras que esperávamos, a chance que nunca julgamos de fato possível. Aro tinha ouvido a verdade. Aro admitira que a lei não fora infringida.

Mas meus olhos estavam fixos em Edward, e vi os músculos de suas costas enrijecerem. Repassei mentalmente a instrução de Aro para Caius *refletir* e percebi o duplo significado.

— Vai me apresentar sua filha? — perguntou Aro a Edward novamente.

Caius não foi o único que sibilou com esta revelação.

Edward concordou, relutante. E, no entanto, Renesmee havia conquistado tantos outros! Aro sempre pareceu o líder dos anciãos. Se ele ficasse do lado dela, poderiam os outros agir contra nós?

Aro ainda segurava a mão de Edward, e ele agora respondeu a uma pergunta que o resto de nós não ouvira.

— Creio que um meio-termo a essa altura certamente é aceitável, nessas circunstâncias. O encontro se dará no meio.

Aro soltou sua mão. Edward se virou para nós, e Aro se juntou a ele, passando um braço casualmente sobre o ombro de Edward, como se fossem grandes amigos — mantendo contato o tempo todo com a pele de Edward. Eles começaram a cruzar o campo até o nosso lado.

Toda a guarda começou a acompanhá-los. Aro ergueu a mão negligentemente sem olhar para eles.

— Esperem, meus caros. É verdade, eles não nos causarão mal algum se formos pacíficos.

A guarda reagiu mais abertamente do que antes, com rosnados e silvos de protesto, mas se manteve no lugar. Renata, mais presa a Aro do que nunca, gemeu de angústia.

— Mestre — sussurrou ela.

— Não tema, minha amada — respondeu ele. — Está tudo bem.

— Talvez deva levar alguns membros de sua guarda conosco — sugeriu Edward. — Isso os deixará mais à vontade.

Aro assentiu como se fosse uma observação sensata que ele mesmo devia ter feito. Então estalou os dedos duas vezes.

— Felix, Demetri.

Os dois vampiros estavam a seu lado num instante, com a mesmíssima aparência da última vez em que os vi. Ambos eram altos e tinham cabelos escuros, Demetri rígido e magro como a lâmina de uma espada, Felix imenso e ameaçador como uma maça com pontas de ferro.

Os cinco pararam no meio do campo nevado.

— Bella — chamou Edward. — Traga Renesmee... e alguns amigos.

Respirei fundo. Meu corpo estava rígido, opondo-se à ideia de levar Renesmee ao meio do conflito... Mas eu confiava em Edward. Àquela altura, ele saberia se Aro estivesse planejando alguma traição.

Aro tinha três protetores de seu lado do encontro, então eu levaria dois. Só precisei de um segundo para decidir.

— Jacob? Emmett? — perguntei em voz baixa. Emmett, porque estaria morrendo de vontade de ir. Jacob, porque não suportaria ficar para trás.

Os dois assentiram. Emmett sorriu.

Atravessei o campo ladeada por eles. Ouvi outro rumor vindo da guarda ao verem minhas opções — evidentemente, eles não confiavam no lobisomem. Aro levantou a mão, desprezando seu protesto outra vez.

— Companhia interessante vocês têm — murmurou Demetri para Edward.

Edward não respondeu, mas um grunhido baixo escapou pelos dentes de Jacob.

Paramos a alguns metros de Aro. Edward escapou de seu braço e juntou-se a nós, pegando minha mão.

Por um momento nos olhamos em silêncio. Então Felix me cumprimentou num tom baixo.

— Olá de novo, Bella. — Ele deu um sorriso arrogante ao mesmo tempo em que acompanhava cada movimento de Jacob com sua visão periférica.

Eu sorri obliquamente para o enorme vampiro.

— Olá, Felix.

Ele riu.

— Você está muito bem. A imortalidade lhe cai perfeitamente.

— Muito obrigada.

— Por nada. Pena que...

Ele deixou o comentário perder-se no silêncio, mas eu não precisava do dom de Edward para concluir a frase. *Pena que vamos matá-la daqui a um segundo.*

— Sim, é mesmo uma pena, não é? — murmurei.

Felix piscou.

Aro não prestava atenção a nosso diálogo. Ele inclinou a cabeça para o lado, fascinado.

— Ouço seu coração estranho — murmurou ele com um tom quase musical. — Sinto seu cheiro estranho. — Depois seus olhos nebulosos passaram a mim. — Na verdade, jovem Bella, a imortalidade a tornou extraordinária — disse ele. — É como se tivesse sido feita para esta vida.

Assenti, agradecendo o elogio.

— Gostou do meu presente? — perguntou ele, olhando o pingente que eu usava.

— É lindo. Foi muita, muita generosidade de sua parte. Obrigada. Eu devia ter lhe mandado um bilhete.

Aro riu, deliciado.

— Foi só uma coisinha que eu tinha por perto. Pensei que podia complementar seu novo rosto, e vejo que acertei.

Ouvi um leve silvo vindo do centro da linha dos Volturi. Olhei por cima do ombro de Aro.

Humm. Parecia que Jane não estava satisfeita com o fato de Aro ter me dado um presente.

Aro deu um pigarro para recuperar minha atenção.

— Posso cumprimentar sua filha, adorável Bella? — perguntou-me com doçura.

Era o que esperávamos, lembrei a mim mesma. Reprimindo o impulso de fugir dali com Renesmee, dei dois passos lentamente em sua direção. Meu escudo ondulou atrás de mim como uma capa, protegendo o restante de minha família enquanto Renesmee ficava exposta. Parecia um erro terrível.

Aro veio ao nosso encontro, o rosto radiante.

— Mas ela é excepcional — murmurou ele. — Tão parecida com você e com Edward. — E, mais alto: — Olá, Renesmee.

Renesmee olhou para mim rapidamente. Eu assenti.

— Olá, Aro — respondeu ela formalmente com sua voz aguda e ressoante.

Os olhos de Aro estavam perplexos.

— O que é isso? — sibilou Caius de trás. Ele parecia enfurecido pela necessidade de perguntar.

— Meio mortal, meio imortal — anunciou Aro a ele e ao restante da guarda sem desviar seus olhos encantados de Renesmee. — Concebida e trazida à luz por esta recém-criada enquanto ainda era humana.

— Impossível — Caius zombou.

— Acha então que eles me enganaram, irmão? — A expressão de Aro era de muita diversão, mas Caius se retraiu. — O coração que você está ouvindo também é um truque?

Caius fechou a cara, parecendo contrariado, como se as perguntas gentis de Aro fossem golpes.

— Calma e cuidado, irmão — alertou Aro, ainda sorrindo para Renesmee. — Sei quanto você ama sua justiça, mas não há justiça em agir contra esta pequenina singular por sua ascendência. E há muito o que aprender, muito o que saber! Sei que você não compartilha meu entusiasmo por colecionar histórias, mas seja tolerante comigo, irmão, e eu acrescentarei um capítulo que me espanta com sua improbabilidade. Viemos esperando apenas justiça e a tristeza de falsos amigos, mas veja o que ganhamos! Um novo conhecimento sobre nós mesmos, nossas possibilidades.

Ele estendeu a mão para Renesmee, em um convite. Mas não era isso que ela queria. Ela se afastou de mim, esticando-se, para tocar o rosto de Aro com a ponta dos dedos.

Aro não reagiu com o choque que quase todos tiveram a essa demonstração de Renesmee; ele estava acostumado com o fluxo de pensamento e lembranças de outras mentes, como Edward.

Seu sorriso se ampliou e ele suspirou de satisfação.

— Brilhante — sussurrou ele.

Renesmee relaxou em meus braços, seu rostinho muito sério.

— Por favor? — ela perguntou a ele.

Seu sorriso tornou-se gentil.

— É claro que não desejo machucar seus entes queridos, preciosa Renesmee.

A voz de Aro era tão reconfortante e afetuosa, que me convenceu por um segundo. Mas então ouvi os dentes de Edward ranger e, atrás de nós, o silvo de ultraje de Maggie com a mentira.

— O que me faz imaginar — disse Aro, pensativo, parecendo não ter ciência da reação a suas palavras anteriores. Seus olhos passaram inesperadamente a Jacob, e em vez da repulsa que os outros Volturi mostraram pelo lobo gigante, os olhos de Aro eram cheios de um desejo que eu não compreendia.

— Não funciona assim — disse Edward, a neutralidade cautelosa distanciando-se de seu tom subitamente áspero.

— Foi só uma ideia errante — disse Aro, avaliando Jacob abertamente. Então seus olhos moveram-se lentamente pelas duas filas de lobisomens atrás de nós. O que quer que Renesmee tenha mostrado a ele, tornou os lobos repentinamente interessantes.

— Eles não nos *pertencem*, Aro. Eles não seguem nossos comandos dessa maneira. Estão aqui porque querem.

Jacob rosnou de forma ameaçadora.

— Mas parecem muito ligados a você — disse Aro. — E à sua jovem parceira e à sua... família. *Leais.* — Sua voz acariciou a palavra com suavidade.

— Eles têm o compromisso de proteger a vida humana, Aro. Isso os torna capazes de coexistir conosco, mas não com você. A não ser que esteja repensando seu estilo de vida.

Aro riu.

— Só uma ideia errante — repetiu ele. — Você sabe muito bem como é isso. Nenhum de nós pode controlar inteiramente nossos desejos subconscientes.

Edward fez uma careta.

— Sei como é isso. E também sei a diferença entre esse tipo de ideia e o tipo que tem um propósito por trás. Nunca daria certo, Aro.

A imensa cabeça de Jacob virou-se para Edward, e um gemido fraco escapou por seus dentes.

— Ele está intrigado com a ideia de... cães de guarda — murmurou Edward.

Houve um segundo de silêncio mortal, então o som de rosnados furiosos vindos de toda a matilha encheu a grande clareira.

Houve um brusco latido de comando — de Sam, imaginei, embora não me virasse para olhar — e a queixa foi interrompida, transformando-se em um silêncio agourento.

— Imagino que isso responda à pergunta — disse Aro, rindo de novo. — *Este* bando escolheu seu lado.

Edward sibilou e se inclinou para a frente. Segurei seu braço, perguntando-me quais seriam os pensamentos de Aro para que ele reagisse com tamanha violência, enquanto Felix e Demetri agachavam-se em sincronia. Aro os dispensou de novo. Todos voltaram à atitude anterior, inclusive Edward.

— Há muito o que discutir — disse Aro, o tom subitamente o de um homem de negócios assoberbado. — Muito o que decidir. Se vocês e seu protetor peludo me derem licença, meus caros Cullen, devo conferenciar com meus irmãos.

37. ARTIFÍCIOS

ARO NÃO FOI ATÉ A GUARDA ANGUSTIADA QUE ESPERAVA DO LADO NORTE da clareira; em vez disso, acenou para que o seguissem.

Edward começou a recuar imediatamente, puxando meu braço e o de Emmett. Voltamos, apressados, de olho na ameaça que avançava. Jacob recuou mais lentamente, o pelo dos ombros se eriçando enquanto ele arreganhava as presas para Aro. Renesmee agarrou a ponta de sua cauda, e a segurou como uma guia, obrigando-o a ficar conosco. Alcançamos nossa família no mesmo instante em que os mantos escuros cercaram Aro de novo.

Agora só havia cinquenta metros entre nós e eles — uma distância que qualquer um de nós podia saltar em uma fração de segundo.

Caius começou a discutir com Aro imediatamente.

— Como pode tolerar esta infâmia? Por que estamos aqui, parados e impotentes, diante de um crime tão ultrajante, encoberto por uma fraude tão ridícula? — Ele mantinha os braços rígidos ao lado do corpo, as mãos formando garras.

Perguntei-me por que ele não tocava Aro para partilhar sua opinião. Já estaríamos vendo uma divisão em suas fileiras? Será que tínhamos tanta sorte assim?

— Porque é tudo verdade — disse Aro calmamente. — Cada palavra dita. Veja quantas testemunhas estão prontas para dar prova de que viram essa criança miraculosa crescer e amadurecer no pouco tempo em que a conhecem. Que sentiram o calor do sangue que pulsa em suas veias. — O gesto de Aro abarcou Amun, de um lado, e Siobhan, do outro.

Caius reagiu estranhamente às palavras tranquilizadoras de Aro a partir da menção da palavra *testemunhas*. A raiva desapareceu de seu rosto, substituída por uma fria maquinação. Ele olhou para as testemunhas dos Volturi com uma expressão que parecia um tanto... nervosa.

Eu também olhei para a turba furiosa e imediatamente vi que a descrição não era mais válida. O frenesi de ação tinha se transformado em confusão. Conversas aos sussurros fervilhavam pela multidão tentando encontrar sentido no que acontecera.

Caius tinha a testa franzida, imerso em pensamentos. Sua expressão especulativa alimentou as chamas de minha raiva abrasadora ao mesmo tempo em que me preocupava. E se a guarda agisse novamente a um sinal invisível, como fizera em sua marcha? Ansiosa, examinei meu escudo; parecia tão impenetrável quanto antes. Eu o flexionei num domo baixo e amplo que cobria todo o nosso grupo.

Podia sentir as fluidas agulhas de luz onde estavam minha família e meus amigos — cada um deles um cheiro especial, que eu imaginava, com a prática, ser capaz de reconhecer. Já conhecia o de Edward — era o mais brilhante de todos. O espaço a mais em volta dos pontos luminosos me incomodava; não havia barreira física ao escudo, e se qualquer um dos talentosos Volturi entrasse *debaixo* dele, ele protegeria só a mim. Senti a testa enrugar enquanto puxava com cuidado a armadura elástica para mais perto. Carlisle era o mais distante; puxei o escudo centímetro por centímetro, tentando envolvê-lo com a maior exatidão possível.

Meu escudo parecia querer cooperar. Ele abraçou seu corpo e, quando Carlisle se moveu para o lado, para ficar mais perto de Tanya, o elástico se esticou com ele, atraído por sua centelha.

Fascinada, puxei mais fios do tecido, passando-o em volta de cada forma cintilante que era um amigo ou aliado. O escudo prendeu-se a eles de boa vontade, movendo-se quando eles se moviam.

Só um segundo tinha se passado; Caius ainda estava deliberando.

— Os lobisomens — murmurou por fim.

Com um pânico repentino, percebi que a maioria dos lobisomens estava desprotegida. Eu estava prestes a estender o escudo até eles quando percebi que, estranhamente, ainda podia sentir suas centelhas. Curiosa, recolhi o escudo até Amun e Kebi — na extremidade mais distante de nosso grupo — ficarem de fora com os lobisomens. Quando eles ficavam do outro lado, suas luzes desapareciam. Deixavam de existir, naquele novo sentido. Mas os lobos ainda eram chamas brilhantes — ou melhor, metade deles. Humm... Eu o estendi novamente, e assim que Sam estava sob a cobertura, todos os lobos eram centelhas brilhantes outra vez.

Suas mentes deviam ser mais interconectadas do que eu imaginava. Se o alfa estivesse dentro de meu escudo, as demais mentes ficavam tão protegidas quanto a dele.

— Ah, irmão... — Aro respondeu à declaração de Caius com um olhar de dor.

— Defenderá essa aliança também, Aro? — perguntou Caius. — Os Filhos da Lua têm sido nossos inimigos mais amargos desde a aurora dos tempos. Nós quase os levamos à extinção na Europa e na Ásia. E, no entanto, Carlisle estimula uma relação familiar com essa enorme infestação... sem dúvida numa tentativa de nos destronar. Melhor para proteger seu estilo de vida distorcido.

Edward pigarreou e Caius o fuzilou com os olhos. Aro colocou a mão fina e delicada no rosto como se estivesse constrangido pelo outro ancião.

— Caius, estamos no meio do dia — observou Edward. Ele gesticulou para Jacob. — Estes não são Filhos da Lua, obviamente. Não têm nenhuma relação com seus inimigos do outro lado do mundo.

— Vocês criaram mutantes aqui — cuspiu Caius.

O queixo de Edward enrijeceu e relaxou, e então ele respondeu, tranquilamente:

— Eles nem são lobisomens. Aro pode lhe contar tudo sobre isso, se não acredita em mim.

Não são lobisomens? Olhei pasma para Jacob. Ele ergueu os ombros imensos e os soltou, dando de ombros. Ele também não sabia do que Edward estava falando.

— Meu caro Caius, eu o teria alertado a não insistir nesse ponto, se tivesse me contado seus pensamentos — murmurou Aro. — Embora as criaturas se considerem lobisomens, elas não o são. Um nome mais preciso para elas seria transfiguradores. A opção pela forma de lobo foi puramente fortuita. Podia ter sido urso, falcão ou pantera, quando aconteceu a primeira transformação. Essas criaturas nada têm a ver com os Filhos da Lua. Elas meramente herdaram essa habilidade de seus pais. É genético... Eles não dão continuidade a sua espécie infectando outros, como fazem os lobisomens.

Caius olhou para Aro com irritação e algo mais — uma acusação de traição, talvez.

— Eles conhecem nosso segredo — disse ele.

Edward parecia prestes a responder a essa acusação, mas Aro foi mais rápido.

— Eles são criaturas de nosso mundo sobrenatural, irmão. Talvez ainda mais dependentes do sigilo do que nós; não podem nos expor. Cuidado, Caius. Alegações falsas não nos levam a lugar nenhum.

Caius respirou fundo e assentiu. Eles trocaram um longo olhar, cheio de significado.

Pensei ter entendido a instrução por trás da advertência de Aro. Acusações falsas não iam ajudar a convencer as testemunhas de nenhum dos lados; Aro estava alertando Caius a passar para a estratégia seguinte. Perguntei-me se o motivo por trás da aparente tensão entre os dois anciãos — a má vontade de Caius em partilhar seus pensamentos com um toque — seria Caius não se importar com a exibição tanto quanto Aro. Se a carnificina esperada não seria tão mais essencial para Caius do que uma reputação imaculada.

— Quero falar com a informante — anunciou Caius abruptamente e voltou seu olhar para Irina.

Irina não prestava atenção na conversa de Caius e Aro; seu rosto estava retorcido de agonia, os olhos, fixos nas irmãs, enfileiradas para morrer. Em seu rosto estava claro que agora ela sabia que sua acusação fora totalmente falsa.

— Irina — ladrou Caius, insatisfeito por ter de se dirigir a ela.

Ela levantou a cabeça, assustada e amedrontada.

Caius estalou os dedos.

Hesitante, ela saiu da margem da formação Volturi para ficar de frente para Caius de novo.

— Parece que você cometeu um erro em suas alegações — começou Caius.

Tanya e Kate inclinaram-se para a frente, ansiosas.

— Desculpe-me — sussurrou Irina. — Eu deveria ter me certificado do que estava vendo. Mas eu não fazia ideia... — Ela gesticulou desamparada na nossa direção.

— Meu Caro Caius, você esperaria que ela adivinhasse em um instante algo tão estranho e impossível? — perguntou Aro. — Qualquer um de nós teria feito a mesma suposição.

Caius agitou os dedos para silenciar Aro.

— Todos sabemos que você cometeu um erro — disse ele bruscamente. — Eu me referia a suas motivações.

Nervosa, Irina esperou que ele continuasse, então repetiu:

— Minhas motivações?

— Sim, para vir espioná-los, antes de tudo.

Irina se encolheu com a palavra *espionar*.

— Estava insatisfeita com os Cullen, não é verdade?

Ela voltou seus olhos infelizes para Carlisle.

— Estava — admitiu.

— Porque...? — incitou Caius.

— Porque os lobisomens mataram meu amigo — sussurrou ela. — E os Cullen não me permitiram vingá-lo.

— Os transfiguradores — corrigiu Aro em voz baixa.

— Então os Cullen tomaram o partido dos *transfiguradores* e contra nossa própria espécie... contra o amigo de uma amiga, até — resumiu Caius.

Ouvi Edward deixar escapar um som de repulsa. Caius estava verificando sua lista, procurando uma acusação que pegasse.

Os ombros de Irina enrijeceram.

— Era assim que eu via.

Caius esperou novamente e sugeriu:

— Se quiser fazer uma queixa formal contra os *transfiguradores*... e os Cullen, por apoiarem seus atos... esta é a hora. — Ele abriu um sorrisinho cruel, esperando que Irina lhe desse a próxima desculpa.

Talvez Caius não entendesse as famílias de verdade — as relações baseadas em amor, e não apenas no amor pelo poder. Talvez ele superestimasse a força da vingança.

O queixo de Irina empinou-se e seus ombros se endireitaram.

— Não, não tenho nenhuma queixa contra os lobisomens, nem contra os Cullen. Vocês vieram aqui para destruir uma criança imortal. Não existe nenhuma criança imortal. Esse foi meu erro, e assumo total responsabilidade por ele. Mas os Cullen são inocentes e vocês não têm motivos para permanecer aqui. Sinto muito — ela nos disse, e então se voltou para as testemunhas dos Volturi. — Não houve nenhum crime. Não há motivo válido para ficarem.

Enquanto ela falava, Caius ergueu a mão, e nela havia um estranho objeto de metal, entalhado e decorado.

Era um sinal. A reação foi tão rápida que todos assistimos em aturdida incredulidade enquanto acontecia. Antes que houvesse tempo para reagir, estava acabado.

Três dos soldados Volturi saltaram para a frente, e Irina foi completamente obscurecida por seus mantos cinza. No mesmo instante, um horrendo guincho metálico rasgou a clareira. Caius deslizou para o meio do alvoroço cinza, e o guincho chocante explodiu numa chuva assustadora de centelhas e línguas de fogo. Os soldados fugiram do inferno repentino, saltando para trás e imediatamente reassumindo suas posições na linha perfeitamente reta da guarda.

Caius permaneceu sozinho ao lado dos restos em brasa de Irina, o objeto de metal em sua mão ainda lançando um jato espesso de fogo na pira.

Com um pequeno estalo, o fogo que esguichava da mão de Caius desapareceu. Um arquejo percorreu a massa de testemunhas atrás dos Volturi.

Estávamos horrorizados demais para emitir qualquer ruído. Uma coisa era saber que a morte viria com uma velocidade feroz e irreprimível; outra, era vê-la acontecer.

Caius deu um sorriso frio.

— *Agora* ela assumiu toda a responsabilidade por seus atos.

Seus olhos dispararam para a nossa linha de frente, tocando rapidamente as formas paralisadas de Tanya e Kate.

Naquele segundo eu entendi que Caius não havia subestimado os laços de uma verdadeira família. *Essa* era a trama. Ele não quisera arrancar a queixa de Irina; o que ele queria era que ela o desafiasse. Uma desculpa para destruí-la, para inflamar a violência que enchia o ar como uma névoa espessa e combustível. Ele havia riscado um fósforo.

A paz tensa daquela reunião já oscilava mais precariamente do que um elefante numa corda bamba. Assim que a luta começasse, não haveria como pará-la. Ela só aumentaria até que um lado estivesse inteiramente extinto. Nosso lado. Caius sabia disso.

E também Edward.

— Detenham-nas! — gritou Edward, saltando para agarrar o braço de Tanya enquanto ela se atirava na direção do sorridente Caius com um grito enlouquecido de puro ódio. Ela não conseguiu se livrar de Edward antes que Carlisle passasse os braços em sua cintura, prendendo-a.

— É tarde demais para ajudá-la — argumentou ele com urgência enquanto ela lutava. — Não lhe dê o que ele quer!

Kate foi mais difícil de conter. Gritando sem dizer nada, como Tanya, ela deu o primeiro passo do ataque que terminaria com a morte de todos. Rosalie estava mais perto dela, mas, antes que Rose pudesse imobilizá-la com uma gravata, Kate lhe aplicou um choque tão violento que Rose caiu no chão. Emmett agarrou o braço de Kate e a derrubou, depois recuou, cambaleando, seus joelhos cedendo. Kate se levantou, e parecia que ninguém poderia detê-la.

Garrett atirou-se sobre ela, jogando-a no chão novamente. Ele passou os braços em torno dos dela, segurando com força os próprios punhos. Vi o corpo dele agitar-se em espasmos enquanto ela lhe aplicava choques. Os olhos de Garrett rolaram nas órbitas, mas ele não a soltou.

— Zafrina — gritou Edward.

Os olhos de Kate ficaram vagos e seus gritos transformaram-se em gemidos. Tanya parou de lutar.

— Devolva minha visão — sibilou Tanya.

Desesperada, mas com toda a delicadeza que consegui, eu empurrei meu escudo ainda mais contra as centelhas de meus amigos, retirando-o cuidadosamente de Kate enquanto tentava mantê-lo em torno de Garrett, formando uma membrana fina entre eles.

E então Garrett tinha o controle de si mesmo outra vez, segurando Kate na neve.

— Se eu a deixar levantar, vai me derrubar de novo, Katie? — sussurrou ele.

Ela rosnou em resposta, ainda se debatendo.

— Ouçam-me, Tanya, Kate — disse Carlisle num sussurro baixo mas intenso. — A vingança não as ajudará agora. Irina não ia querer que desperdiçassem a vida dessa maneira. Pensem no que estão fazendo. Se os atacarem, todos vamos morrer.

Os ombros de Tanya desabaram com a dor, e ela se recostou em Carlisle, buscando apoio. Kate finalmente ficou imóvel. Carlisle e Garrett continuaram a consolar as irmãs com palavras insistentes demais para parecerem reconfortantes.

E minha atenção se voltou para os olhares que pesavam sobre nosso momento de caos. Pelo canto do olho pude ver que Edward e todos, exceto Carlisle e Garrett, estavam em guarda novamente.

O olhar mais pesado vinha de Caius, olhando com uma incredulidade enfurecida Kate e Garrett na neve. Aro também observava os dois, descrença era a emoção mais forte em seu rosto. Ele sabia o que Kate podia fazer. Tinha sentido sua potência por meio das lembranças de Edward.

Será que ele entendia o que estava acontecendo agora — via que meu escudo tinha adquirido força e sutileza muito além do que Edward sabia que eu era capaz de fazer? Ou ele pensava que Garrett tinha aprendido sua própria forma de imunidade?

A guarda Volturi não tinha mais aquela atenção disciplinada — estavam agachados, esperando para lançar o contra-ataque no momento em que fizéssemos a investida.

Atrás deles, quarenta e três testemunhas observavam com expressões muito diferentes daquelas que tinham ao entrar na clareira. A confusão se transformara em desconfiança. Todos ficaram abalados com a destruição relâmpago de Irina. Qual fora o crime dela?

Sem o ataque imediato com que Caius havia contado para distraí-los de seu ato temerário, as testemunhas Volturi se viram questionando exatamente o que estava acontecendo ali. Aro olhou para trás rapidamente enquanto eu observava, seu rosto traindo-o com um lampejo de irritação. Sua necessidade de uma plateia havia se voltado contra ele.

Ouvi os murmúrios silenciosos de alegria de Stefan e Vladimir com o desconforto de Aro.

Aro, obviamente, estava preocupado em manter sua auréola, como disseram os romenos. Mas eu não acreditava que os Volturi nos deixariam em paz só para salvar sua reputação. Depois que terminassem conosco, certamente abateriam também suas testemunhas. Senti uma compaixão estranha e repentina pela massa de estranhos que os Volturi trouxeram para nos ver morrer. Demetri os perseguiria até que eles também estivessem extintos.

Por Jacob e Renesmee, por Alice e Jasper, por Alistair e por todos aqueles estranhos que não sabiam o que lhes custaria aquele dia, Demetri tinha de morrer.

Aro tocou de leve o ombro de Caius.

— Irina foi punida por dar falso testemunho contra esta criança. — Então essa era a desculpa deles. Ele continuou: — Talvez devamos voltar à questão que nos interessa.

Caius endireitou o corpo e sua expressão endureceu, tornando-se impenetrável. Ele olhava à frente, sem nada ver. Seu rosto lembrou, estranhamente, o de uma pessoa que tinha acabado de saber que fora rebaixada.

Aro adiantou-se, Renata, Felix e Demetri automaticamente movendo-se com ele.

— Para cobrirmos todos os aspectos — disse ele —, gostaria de falar com algumas de suas testemunhas. Protocolo, vocês sabem. — Ele agitou a mão com desdém.

Duas coisas aconteceram a um só tempo. Os olhos de Caius se concentraram em Aro e o sorrisinho cruel voltou. E Edward sibilou, as mãos fechando-

-se com tanta força que parecia que os ossos dos nós dos dedos romperiam a pele dura como diamante.

Eu estava desesperada para perguntar a ele o que se passava, mas Aro estava muito perto para ouvir o mais leve sussurro. Vi Carlisle olhar ansioso para Edward, e então seu rosto enrijeceu.

Enquanto Caius tropeçava em acusações inúteis e tentativas precipitadas de incitar à luta, Aro devia ter pensado numa estratégia mais eficaz.

Aro caminhou como um fantasma pela neve até a extremidade esquerda de nossa linha, parando a uns dez metros de Amun e Kebi. Os lobos próximos se eriçaram, coléricos, mas se mantiveram no lugar.

— Ah, Amun, meu vizinho do sul! — disse Aro calorosamente. — Faz muito tempo que não me visita.

Amun estava imóvel, ansioso; Kebi uma estátua ao lado dele.

— O tempo pouco significa; nunca percebo sua passagem — disse Amun com os lábios imóveis.

— É verdade — concordou Aro. — Mas quem sabe tem outro motivo para se manter afastado?

Amun nada disse.

— Pode tomar muito de nosso tempo organizar recém-chegados em um clã. Sei bem disso! Sinto-me grato por ter outros para lidar com o tédio. E fico feliz que seus novos acréscimos tenham se adaptado tão bem. Eu teria adorado ter sido apresentado a eles. Sei que você pretendia me procurar em breve.

— É claro — disse Amun, o tom tão sem emoção que era impossível dizer se havia medo ou sarcasmo em sua voz.

— Ah, ora, agora estamos todos juntos! Não é maravilhoso?

Amun assentiu, o rosto inexpressivo.

— Mas o motivo para sua presença aqui não é tão agradável, infelizmente. Carlisle o chamou para testemunhar?

— Sim.

— E o que você testemunhou?

Amun falou com a mesma frieza e falta de emoção.

— Observei a criança em questão. Quase imediatamente ficou claro que não se tratava de uma criança imortal...

— Talvez devamos definir nossa terminologia — interrompeu Aro —, agora que parece haver novas classificações. Por criança imortal você se refere, é claro, a uma criança humana que foi mordida e assim transformada em vampira.

— Sim, é o que quero dizer.

— O que mais observou sobre a criança?

— O mesmo que você certamente viu na mente de Edward. Que a criança é biologicamente dele. Que ela cresce. Que ela aprende.

— Sim, sim — disse Aro, uma ponta de impaciência no tom amistoso. — Mas, especificamente nas poucas semanas em que esteve aqui, o que você viu?

A sobrancelha de Amun se franziu.

— Que ela cresce... rapidamente.

Aro sorriu.

— E acredita que devamos permitir que ela viva?

Um silvo escapou por meus lábios, e eu não fui a única. Metade dos vampiros em nossa linha ecoou meu protesto. O som era um chiado baixo de fúria que pairou no ar. Do outro lado da campina, algumas testemunhas dos Volturi fizeram o mesmo ruído. Edward recuou e me conteve, passando a mão em minha cintura.

Aro não se virou para o ruído, mas Amun olhou em volta, inquieto.

— Não estou aqui para fazer julgamentos — ele se esquivou.

Aro riu levemente.

— Apenas a sua opinião.

O queixo de Amun se ergueu.

— Não vejo nenhum perigo na criança. Ela aprende ainda mais rapidamente do que cresce.

Aro assentiu, refletindo. Depois de um instante, ele se afastou.

— Aro? — chamou Amun.

Aro girou.

— Sim, meu amigo?

— Já dei meu testemunho. Não tenho outros interesses aqui. Minha parceira e eu gostaríamos de partir agora.

Aro sorriu calorosamente.

— Claro. Fico feliz que tenhamos podido conversar um pouco. E sei que nos veremos novamente em breve.

Os lábios de Amun eram uma linha reta enquanto ele inclinava a cabeça, reconhecendo a ameaça maldisfarçada. Ele tocou o braço de Kebi, e então os dois correram rapidamente para a margem sul da campina e desapareceram em meio às árvores. Eu sabia que eles não parariam de correr por um bom tempo.

Aro deslizava de volta, seguindo para a direita de nossa fila, seus guardas rondando-o, tensos. Ele parou diante da imensa forma de Siobhan.

— Olá, minha cara Siobhan. Está linda como sempre.

Siobhan inclinou a cabeça, esperando.

— E você? — perguntou ele. — Teria respondido a minhas perguntas da mesma forma que Amun?

— Sim — disse Siobhan. — Mas talvez eu acrescentasse um pouco mais. Renesmee entende as limitações. Ela não coloca os humanos em risco... Ela se mistura melhor do que nós. Não oferece nenhuma ameaça de nos expor.

— Não consegue pensar em nenhuma? — perguntou Aro com gravidade.

Edward grunhiu, um ruído baixo e violento do fundo da garganta.

Os olhos carmim e nebulosos de Caius se iluminaram.

Renata estendeu o braço protetor para o mestre.

E Garrett libertou Kate a fim de avançar um passo, ignorando a mão de Kate enquanto, dessa vez, ela tentava alertá-lo.

Siobhan respondeu lentamente.

— Acho que não o compreendi.

Aro recuou um pouco, casualmente, em direção ao resto de sua guarda. Renata, Felix e Demetri estavam mais próximos do que sua sombra.

— Não houve nenhuma infração à lei — disse Aro numa voz apaziguadora, mas cada um de nós podia perceber que viria um porém. Reprimi a raiva que tentava se apoderar de minha garganta e libertar meu rosnado de desafio. Transferi a fúria para meu escudo, espessando-o, certificando-me de que todos estivessem protegidos.

— Nenhuma infração à lei — repetiu Aro. — No entanto, isso assegura que não haja perigo? Não. — Ele sacudiu a cabeça gentilmente. — Esta é outra questão.

A única resposta foi o endurecimento de nervos já tensos, e Maggie, na extremidade de nosso grupo de lutadores, sacudiu a cabeça com uma raiva lenta.

Aro andava de um lado para o outro, pensativo, parecendo flutuar em vez de tocar o chão com os pés. Percebi que cada passo o colocava mais próximo da proteção de sua guarda.

— Ela é única... Completa e impossivelmente única. Seria um desperdício destruir algo tão maravilhoso. Em especial quando podemos aprender tanto... — Ele suspirou, como se hesitasse continuar. — Mas *existe* perigo, um perigo que não pode ser ignorado.

Ninguém respondeu a essa afirmativa. Fez-se um silêncio mortal enquanto ele continuava o monólogo, como se falasse consigo mesmo.

— Que ironia que à medida que os homens avançam, que sua fé na ciência aumenta e controla seu mundo, mais livres fiquemos de ser descobertos. No entanto, à medida que nos tornamos cada vez mais desinibidos por sua descrença no sobrenatural, eles se tornem tão fortes em suas tecnologias que, se desejassem, poderiam realmente representar uma ameaça para nós, até destruir alguns de nós.

"Por milhares e milhares de anos, nosso segredo tem sido mais uma questão de conveniência, de comodidade, em vez de segurança real. Este último século, cruel e furioso, deu à luz armas com tal poder que colocam em risco até os imortais. Agora nossa condição de mero mito na verdade nos protege dessas criaturas fracas que caçamos.

"Esta criança impressionante," ele ergueu a palma da mão como se para pousá-la em Renesmee, embora estivesse a quarenta metros dela, quase dentro da formação Volturi, "se pudéssemos conhecer seu potencial... saber com *absoluta certeza* que ela poderia sempre continuar abrigada na obscuridade que nos protege... Mas nada sabemos do que ela se tornará! Seus próprios pais temem por seu futuro. *Não podemos* saber no que ela se transformará."

Ele parou, olhando, primeiro, para nossas testemunhas, depois, para as dele. Sua voz convencia como a de alguém dilacerado pelo que dizia.

Ainda olhando para suas testemunhas, ele voltou a falar.

— Só o conhecido é seguro. Só o conhecido é tolerável. O desconhecido é... uma vulnerabilidade.

O sorriso de Caius se ampliou cruelmente.

— Está se estendendo demais, Aro — disse Carlisle numa voz fria.

— Paz, amigo. — Aro sorriu, o rosto tão gentil, a voz tão suave como sempre. — Não vamos nos precipitar. Vamos examinar a questão de todos os aspectos.

— Posso propor um aspecto a ser considerado? — solicitou Garrett num tom equilibrado, dando outro passo à frente.

— Nômade — disse Aro, dando sua permissão.

O queixo de Garrett se ergueu. Seus olhos focalizaram a massa acotovelada no fim da campina e ele falou diretamente às testemunhas dos Volturi.

— Vim aqui a pedido de Carlisle, assim como os outros, para testemunhar — disse ele. — Isso, certamente, não é mais necessário, com relação à criança. Todos vemos o que ela é.

"Fiquei para observar outra coisa. Vocês." Ele apontou para os vampiros cautelosos. "Dois de vocês eu conheço... Makenna, Charles... E sei que muitos outros também são errantes, nômades como eu. Que não respondem a ninguém. Pensem com cuidado no que vou lhes dizer agora.

"Esses anciãos *não* vieram para fazer justiça, como lhes disseram. Tínhamos essa desconfiança, e agora isso foi provado. Eles vieram, equivocados, mas com uma desculpa válida para seus atos. Vocês os veem agora procurar desculpas frágeis para continuar sua verdadeira missão. Vejam como lutam para encontrar uma justificativa para seu verdadeiro propósito... destruir esta família aqui."

Ele gesticulou na direção de Carlisle e Tanya.

— Os Volturi vieram eliminar o que veem como uma concorrência. Talvez, como eu, vocês olhem para os olhos dourados deste clã e se surpreendam. É difícil entendê-los, é verdade. Mas os anciãos olham e veem algo além de sua estranha opção. Eles veem *poder*.

"Testemunhei os laços que unem esta família — notem que digo *família*, e não *clã*. Esta gente estranha, de olhos dourados, nega sua própria natureza. Mas será que em troca encontraram algo que vale mais, talvez, do que a mera satisfação do desejo? Estudei-os um pouco enquanto estive aqui, e me parece que intrínseco a este forte laço familiar — o que o torna possível — é o caráter pacífico dessa vida de sacrifício. Não há agressividade, como todos vimos nos grandes clãs do sul, que cresceram e diminuíram tão rapidamente em suas rixas desvairadas. Não há a intenção de domínio. E Aro sabe disso melhor que eu."

Olhei o rosto de Aro enquanto as palavras de Garrett o condenavam, esperando, tensa, uma reação. Mas a expressão de Aro era apenas educadamente divertida, como se esperasse que uma criança em um acesso de pirraça percebesse que ninguém estava prestando atenção nela.

— Quando nos disse o que estava por vir, Carlisle garantiu a todos que não nos chamou aqui para lutar. Estas testemunhas — Garrett apontou para Siobhan e Liam — concordaram em vir para reduzir o avanço dos Volturi com sua presença, de modo que Carlisle tivesse a oportunidade de apresentar seus argumentos.

"Mas alguns de nós se perguntavam", seus olhos passaram pelo rosto de Eleazar, "se ter a verdade a seu lado seria o suficiente para Carlisle impedir a assim chamada justiça. Os Volturi estão aqui para proteger a segurança de nosso segredo ou para proteger seu próprio poder? Eles vieram destruir uma criação ilegal ou um modo de vida? Eles ficariam satisfeitos quando o perigo se revelasse nada mais do que um mal-entendido? Ou levariam a questão adiante, sem a desculpa da justiça?

"Já temos a resposta a todas estas perguntas. Nós a ouvimos nas palavras enganadoras de Aro — temos alguém com o dom para saber essas coisas com certeza — e a vemos agora no sorriso ávido de Caius. Sua guarda é apenas uma arma irracional, um instrumento na busca de domínio de seu senhores.

"Assim, agora há mais questões, questões a que *vocês* devem responder. Quem os governa, nômades? Vocês respondem aos desejos de alguém, além dos próprios? São livres para escolher seu caminho ou os Volturi decidirão como vocês vão viver?

"Eu vim testemunhar. Fico para lutar. Os Volturi não se importam com a morte da criança. O que eles buscam é a morte de nosso livre-arbítrio."

Ele se virou, então, para encarar os anciãos.

— Então venham, é o que digo! Não vamos mais ouvir racionalizações mentirosas. Sejam francos em seus propósitos, como somos nos nossos. Defenderemos nossa liberdade. Vocês a atacarão ou não? Decidam agora e deixem que essas testemunhas vejam a questão verdadeiramente em debate aqui.

Mais uma vez ele olhou para as testemunhas dos Volturi, os olhos sondando cada rosto. O poder de suas palavras estava evidente na expressão deles.

— Talvez queiram considerar se juntar a nós. Se pensam que os Volturi os deixarão viver para contar *esta* história, estão enganados. Seremos todos destruídos — ele deu de ombros —, ou talvez não. Talvez estejamos em pé de igualdade, mais do que eles acreditam. Talvez, finalmente, os Volturi tenham encontrado adversários à altura. Mas eu lhes garanto: se cairmos, vocês cairão.

Ele terminou seu discurso acalorado recuando para o lado de Kate e então deslizando numa postura semiagachada, preparado para o ataque.

Aro sorriu.

— Um belo discurso, meu amigo revolucionário.

Garrett manteve a postura de ataque.

— Revolucionário? — ele grunhiu. — Contra quem estou me rebelando, posso perguntar? Você é meu rei? Quer que o chame de *mestre* também, como sua guarda de sicofantas?

— Paz, Garrett — disse Aro com tolerância. — Apenas me referi à sua época de nascimento. Pelo que vejo, ainda é um patriota.

Garrett o olhou furioso.

— Indaguemos a nossas testemunhas — sugeriu Aro. — Ouçamos seus pensamentos antes de tomarmos nossa decisão. Digam-nos, amigos — e ele voltou as costas despreocupadamente para nós, andando alguns metros na direção de sua massa de observadores nervosos, agora ainda mais próxima da beira da floresta —, o que pensam de tudo isso? Posso lhes garantir que a criança não é o que temíamos. Assumimos o risco e deixamos a criança viver? Colocamos nosso mundo em perigo para preservar essa família intacta? Ou o sincero Garrett tem razão? Vocês se unirão a eles numa luta contra nossa súbita busca de dominação?

As testemunhas responderam a seu olhar com expressões cautelosas. Uma mulher pequena de cabelos pretos olhou brevemente o louro ao seu lado.

— Essas são nossas únicas opções? — ela perguntou de repente, o olhar cintilando de volta a Aro. — Concordar com vocês ou lutar contra vocês?

— É claro que não, minha encantadora Makenna — disse Aro, parecendo horrorizado com o fato de que alguém pudesse chegar àquela conclusão. — Você pode ir em paz, é claro, como fez Amun, mesmo que discorde da decisão do conselho deliberativo.

Makenna olhou o rosto do parceiro de novo, e ele assentiu minimamente.

— Não viemos para lutar. — Ela parou, soltou o ar, então disse: — Estamos aqui para testemunhar. E nosso testemunho é que esta família condenada é inocente. Tudo o que Garrett afirmou é a verdade.

— Ah! — disse Aro com tristeza. — Lamento que nos veja dessa maneira. Mas essa é a natureza do nosso trabalho.

— Não é o que vejo, mas o que sinto — disse o parceiro louro de Makenna num tom alto e nervoso. Ele olhou para Garrett. — Garrett disse que eles têm formas de identificar mentiras. Eu também sei quando estou ouvindo a verdade e quando não estou. — Com olhos assustados, ele se aproximou da parceira, esperando pela reação de Aro.

— Não tenha medo de nós, amigo Charles. Não há dúvida de que o patriota acredita de fato no que diz. — Aro riu de leve e os olhos de Charles se estreitaram.

— Este é nosso testemunho — disse Makenna. — Agora vamos partir.

Ela e Charles recuaram lentamente, só nos voltando as costas depois de os perdermos de vista nas árvores. Outro estranho começou a se retirar da mesma maneira, depois mais três dispararam atrás dele.

Avaliei os trinta e sete vampiros que ficaram. Alguns pareciam confusos demais para tomar a decisão. Mas a maioria parecia estar totalmente ciente do rumo que o confronto assumia. Calculei que estavam desistindo da vantagem de uma saída antecipada em favor de saber exatamente quem os caçaria depois.

Eu tinha certeza de que Aro via o mesmo que eu. Ele se afastou, retornando à sua guarda com um passo comedido. Parou diante deles e lhes falou em tom claro.

— Somos em menor número, meus queridos — disse ele. — Não podemos esperar ajuda externa. Devemos deixar esta questão sem uma solução, para nos salvar?

— Não, mestre — sussurraram eles em uníssono.

— A proteção de nosso mundo vale a possível perda de alguns de nós?

— Sim — sussurraram. — Não temos medo.

Aro sorriu e virou-se para seus companheiros de mantos pretos.

— Irmãos — disse Aro sombriamente —, há muito o que considerar aqui.

— Deliberemos — disse Caius com ansiedade.

— Deliberemos — repetiu Marcus num tom desinteressado.

Aro nos deu as costas de novo, ficando de frente para os outros anciãos. Eles se deram as mãos, formando um triângulo de mantos pretos.

Assim que a atenção de Aro se voltou para a muda deliberação, outras duas testemunhas desapareceram silenciosamente na floresta. Desejei, para o bem deles, que fossem rápidos.

Era agora. Com cuidado, soltei os braços de Renesmee de meu pescoço.

— Lembra o que eu disse a você?

Lágrimas encheram seus olhos, mas ela assentiu.

— Eu amo você — sussurrou ela.

Agora Edward nos observava, os olhos topázio arregalados. Jacob nos olhava pelo canto de seus grandes olhos escuros.

— Eu também amo você — eu disse, depois toquei seu medalhão. — Mais do que minha própria vida. — E lhe dei um beijo na testa.

Jacob gemeu, inquieto.

Fiquei na ponta dos pés e sussurrei em seu ouvido:

— Espere até que eles estejam totalmente distraídos, depois corra com ela. Vá para o lugar mais longe daqui possível. Quando estiver o mais distante que conseguir a pé, ela terá aquilo de que vocês precisam para continuar por ar.

O rosto de Edward e Jacob eram máscaras quase idênticas de pavor, apesar do fato de um deles ser um animal.

Renesmee estendeu a mão para Edward e ele a pegou nos braços. Eles se abraçaram com força.

— Foi isso que escondeu de mim? — sussurrou ele por cima da cabeça de Renesmee.

— De Aro — sussurrei.

— Alice?

Assenti.

Seu rosto se retorceu com compreensão e dor. Teria sido aquela a expressão em meu rosto quando eu finalmente reunira as pistas de Alice?

Jacob grunhia baixo, um som áspero que era tão regular e ininterrupto quanto um ronronar. Os pelos de seu dorso estavam eriçados e os dentes, expostos.

Edward beijou a testa e ambos os lados do rosto de Renesmee, depois a colocou no ombro de Jacob. Ela subiu com agilidade em suas costas, agarrando-se aos pelos, e se acomodou facilmente no espaço entre os ombros imensos.

Jacob virou-se para mim, os olhos expressivos cheios de agonia, o grunhido ainda rasgando seu peito por dentro.

— Você é o único a quem poderíamos confiá-la — murmurei para ele. — Se você não a amasse tanto, eu não suportaria isso. Sei que pode protegê-la, Jacob.

Ele gemeu de novo e baixou a cabeça para encostá-la em meu ombro.

— Eu sei — sussurrei. — Eu também amo você, Jake. Você sempre será o meu padrinho.

Uma lágrima do tamanho de uma bola de beisebol caiu no pelo avermelhado embaixo do olho.

Edward inclinou a cabeça no mesmo ombro onde tinha colocado Renesmee.

— Adeus, Jacob, meu irmão... meu filho.

Os outros não estavam alheios à cena de despedida. Seus olhos estavam fixos no silencioso triângulo de preto, mas eu sabia que estavam ouvindo.

— Não há esperanças, então? — sussurrou Carlisle. Não havia medo em sua voz. Só determinação e aceitação.

— Há esperança, definitivamente — murmurei. *Pode ser verdade*, eu disse a mim mesma. — Só sei de meu próprio destino.

Edward pegou minha mão. Ele sabia que estava incluído. Quando eu disse *meu destino*, não havia dúvida de que me referia a nós dois. Éramos as metades de um todo.

A respiração de Esme, atrás de mim, era entrecortada. Ela passou por nós, tocando-nos o rosto, e foi se colocar ao lado de Carlisle e segurar sua mão.

De repente, estávamos cercados por murmúrios de adeus e eu te amo.

— Se sobrevivermos a isso — Garrett sussurrou para Kate —, eu a seguirei a qualquer lugar, mulher.

— Agora é que ele me diz isso — ela murmurou.

Rosalie e Emmett se beijaram rápida mas apaixonadamente.

Tia afagou o rosto de Benjamin. Ele sorriu para ela, alegre, pegando sua mão e a segurando junto a seu peito.

Não vi todas as expressões de amor e dor. Uma súbita e latejante pressão do lado externo de meu escudo me chamou a atenção. Eu não sabia de onde vinha, mas parecia que era dirigida às extremidades de nosso grupo, a Siobhan e Liam particularmente. A pressão não causou danos, e então se foi.

Não houve alteração nas formas silenciosas e imóveis dos anciãos em deliberação. Mas talvez houvesse algum sinal que eu perdera.

— Preparem-se — sussurrei aos outros. — Está começando.

38. PODER

— CHELSEA ESTÁ TENTANDO ROMPER NOSSOS LAÇOS — SUSSURROU Edward. — Mas não consegue encontrá-los. Ela não consegue nos sentir aqui... — Seus olhos pousaram em mim. — Você está fazendo isso?

Sorri sinistramente para ele.

— Estou cobrindo *todos*.

Edward se afastou de mim de repente, a mão estendida para Carlisle. Ao mesmo tempo, senti um golpe muito mais agudo contra o escudo, onde envolvia protetoramente a luz de Carlisle. Não doeu, mas também não foi agradável.

— Carlisle? Você está bem? — arquejou Edward freneticamente.

— Sim. Por quê?

— Jane — respondeu Edward.

No momento em que ele disse aquele nome, uma dúzia de ataques precisos nos atingiram em um segundo, golpeando todo o escudo elástico, mirando em doze diferentes pontos brilhantes. Eu me contraí, certificando-me de que o escudo não estava danificado. Não parecia que Jane fora capaz de perfurá-lo. Olhei em volta rapidamente; todos estavam bem.

— Incrível — disse Edward.

— Por que não estão esperando a decisão? — sibilou Tanya.

— Procedimento normal — respondeu Edward bruscamente. — Em geral, eles incapacitam os que estão em julgamento para que não possam fugir.

Olhei para Jane, do outro lado, encarando nosso grupo com uma incredulidade furiosa. Eu tinha certeza de que, além de mim, ela nunca vira alguém permanecer incólume a seu ataque feroz.

Provavelmente, não foi muito maduro de minha parte. Mas imaginei que Aro levaria meio segundo para deduzir — se é que já não tinha deduzido —

que meu escudo era mais poderoso do que Edward imaginava; eu já trazia um alvo enorme na testa e não tinha sentido tentar guardar segredo do que eu podia fazer. Então abri um sorriso imenso e presunçoso para Jane.

Seus olhos se estreitaram e senti outra punhalada de pressão, dessa vez dirigida a mim.

Arreganhei ainda mais os lábios, mostrando os dentes.

Jane soltou um rosnado alto e agudo. Todos pularam, até a guarda disciplinada. Todos, exceto os anciãos, que levantaram os olhos de sua conferência. O gêmeo de Jane pegou seu braço enquanto ela se agachava para atacar.

Os romenos começaram a rir em um antegozo sombrio.

— Eu lhe disse que essa era a nossa hora — disse Vladimir a Stefan.

— Olhe só a cara da bruxa — disse Stefan com uma risadinha.

Alec afagou o ombro da irmã, tranquilizando-a, depois a segurou sob o braço. Ele virou o rosto para nós, perfeitamente tranquilo, completamente angelical.

Esperei sentir alguma pressão, algum sinal do ataque dele, mas não senti nada. Ele continuava a nos olhar com o lindo rosto composto. Será que estava atacando? Estaria ele passando por meu escudo? Seria eu a única que ainda podia vê-lo? Apertei a mão de Edward.

— Você está bem? — perguntei, engasgada.

— Sim — sussurrou ele.

— Alec está tentando?

Edward assentiu.

— Seu dom é mais lento que o de Jane. Arrasta-se. Vai nos tocar daqui a alguns segundos.

Então eu o vi, quando tinha uma pista do que procurar.

Uma névoa clara e estranha se arrastava pela neve, quase invisível contra o branco. Lembrou uma miragem — uma leve deformação na visão, uma sugestão de tremor. Estendi meu escudo adiante de Carlisle e da linha de frente, temerosa de ter a neblina furtiva perto demais quando nos atingisse. E se conseguisse passar por minha proteção intangível? Deveríamos correr?

Um estrondo baixo ocorreu pelo chão sob nossos pés e uma lufada de vento soprou a neve em súbitas rajadas entre nossa posição e a dos Volturi. Benjamin também tinha visto a ameaça rastejante e agora tentava afastar a névoa de nós. Graças à neve, era fácil ver onde ele lançara o vento, mas a névoa não reagiu de maneira nenhuma. Era como o ar soprando inofensivamente uma sombra; a sombra era imune.

A formação triangular dos anciãos finalmente se separou quando, com um gemido torturante, uma fissura funda e estreita se abriu em um longo ziguezague no meio da clareira. A terra se agitou sob meus pés por um momento. As correntes de neve mergulharam na abertura, mas a névoa a atravessou, por cima, tão intocada pela gravidade quanto fora pelo vento.

De olhos arregalados, Aro e Caius viam a terra se abrir. Marcus olhava na mesma direção sem emoção alguma.

Eles não falaram; também esperaram, enquanto a névoa se aproximava de nós. O vento gritou mais alto, mas não mudou o rumo da neblina. Jane agora sorria.

E, então, a névoa atingiu uma parede.

Pude sentir o gosto assim que ela tocou meu escudo — um sabor denso, doce e enjoativo. Lembrou-me vagamente o torpor da novocaína em minha língua.

A névoa espiralou para cima, procurando uma brecha, um ponto fraco. Não encontrou nenhum. Os dedos da neblina se retorciam para o alto e em torno do escudo, tentando encontrar uma maneira de entrar, e assim revelando o tamanho impressionante da tela de proteção.

Ouviram-se arquejos de ambos os lados da fenda de Benjamin.

— Muito bom, Bella! — aprovou Benjamin em voz baixa.

Meu sorriso voltou.

Eu podia ver os olhos semicerrados de Alec, a dúvida em seu rosto pela primeira vez enquanto sua névoa girava inofensiva nos limites de meu escudo.

E então entendi que eu podia conseguir. Evidentemente, eu seria a prioridade número 1, a primeira a morrer, mas desde que me mantivesse firme, estaríamos em pé de igualdade com os Volturi. Ainda tínhamos Benjamin e Zafrina; eles não tinham nenhuma ajuda sobrenatural. Desde que eu conseguisse segurar.

— Terei de me concentrar — sussurrei para Edward. — Quando chegar a hora do corpo a corpo, será mais difícil manter o escudo em volta das pessoas certas.

— Eu os manterei afastados de você.

— Não. Você *precisa* pegar Demetri. Zafrina os manterá longe de mim.

Zafrina assentiu solenemente.

— Ninguém tocará esta jovem — prometeu ela a Edward.

— Eu iria atrás de Jane e Alec, mas sou mais útil aqui.

— Jane é minha — sibilou Kate. — Ela precisa provar do próprio remédio.

— E Alec me deve muitas vidas, mas vou me contentar com a dele — grunhiu Vladimir do outro lado. — Ele é meu.

— Eu só quero Caius — afirmou Tanya serenamente.

Os outros começaram a repartir os adversários, mas foram rapidamente interrompidos.

Aro, olhando calmamente a névoa ineficaz de Alec, por fim falou.

— Antes de votarmos — começou ele.

Sacudi a cabeça com raiva. Eu estava cansada daquele teatro. O desejo de sangue me incitava de novo, e eu lamentava que ajudasse mais aos outros ficando parada. Eu *queria* lutar.

— Permitam-me lembrá-los — continuou Aro — de que, qualquer que seja a decisão do conselho, não há necessidade de violência.

Edward rosnou uma risada sombria.

Aro olhou para ele com tristeza.

— Será um desperdício lamentável para nossa espécie perder qualquer um de vocês. Mas você especialmente, jovem Edward, e sua parceira recém-criada. Os Volturi ficariam felizes em receber muitos de vocês em nossas fileiras. Bella, Benjamin, Zafrina, Kate. Há muitas opções diante de vocês. Considerem-nas.

A tentativa de Chelsea de nos abalar oscilou impotente contra meu escudo. O olhar de Aro percorreu nossos olhos duros, procurando algum sinal de hesitação. Pela expressão dele, não encontrou nenhum.

Eu sabia que ele estava desesperado para manter Edward e a mim, para nos aprisionar, como tinha esperado escravizar Alice. Mas essa luta era grande demais. Ele não venceria se eu vivesse. Eu estava tremendamente feliz por ser tão poderosa que não lhe deixava a possibilidade de *não* me matar.

— Sendo assim, vamos votar — disse ele com visível relutância.

Caius falou com uma pressa ansiosa.

— A criança representa o desconhecido. Não há motivo para permitir que um risco desses continue a existir. Ela deve ser destruída, junto com todos que a protegem. — Ele sorriu na expectativa.

Reprimi um grito de desafio em resposta a seu sorriso cínico e cruel.

Marcus ergueu os olhos despreocupados, parecendo olhar através de nós enquanto votava.

— Não vejo nenhum perigo imediato. Por ora, a criança é suficientemente segura. Podemos reavaliar depois. Vamos embora em paz. — Sua voz era ainda mais fraca do que os suspiros frágeis do irmão.

Ninguém da guarda relaxou suas posições com as palavras de desacordo. O sorriso de expectativa de Caius não se abalou. Era como se Marcus não tivesse falado.

— Cabe a mim o voto de Minerva, ao que parece — refletiu Aro.

De repente, Edward enrijeceu a meu lado.

— Sim! — sibilou ele.

Arrisquei uma olhada para ele. Seu rosto cintilava com uma expressão de triunfo que eu não entendi — era a expressão que um anjo da destruição deveria ter enquanto o mundo queimava. Linda e apavorante.

Houve uma fraca reação da guarda, um murmúrio inquieto.

— Aro? — chamou Edward, quase aos gritos, a vitória maldisfarçada em sua voz.

Aro hesitou por um segundo, avaliando esse novo estado de espírito antes de responder.

— Sim, Edward? Há mais alguma coisa...?

— Talvez — disse Edward de modo agradável, controlando a empolgação inexplicada. — Primeiro, posso esclarecer uma questão?

— Certamente — disse Aro, erguendo as sobrancelhas, agora só o interesse educado na voz.

Meus dentes trincaram; Aro era sempre mais perigoso quando gentil.

— O perigo que você prevê vindo de minha filha... ele tem origem inteiramente em sua incapacidade de deduzir como ela se desenvolverá? É esse o xis da questão?

— Sim, amigo Edward — concordou Aro. — Se pudéssemos ter *certeza* de que, enquanto cresce, ela será capaz de permanecer escondida do mundo humano... de não colocar em risco a segurança de nossa obscuridade... — Ele se interrompeu, dando de ombros.

— Então, se pudéssemos ter certeza — sugeriu Edward — exatamente do que ela se tornará... então não haveria nem necessidade de um conselho deliberativo?

— Se houvesse alguma maneira de estar *absolutamente* certo — concordou Aro, a voz frágil um pouco mais estridente. Ele não entendia aonde Edward queria chegar. Nem eu. — Então, sim, não haveria o que debater.

— E poderíamos nos despedir em paz, como bons amigos novamente? — perguntou Edward com um toque de ironia.

Ainda mais estridente.

— É claro, meu jovem amigo. Nada me agradaria mais.

Edward riu, exultante.

— Então tenho algo mais a oferecer.

Os olhos de Aro se estreitaram.

— Ela é absolutamente única. Seu futuro só pode ser conjecturado.

— Não absolutamente única — discordou Edward. — Rara, certamente, mas não única.

Lutei contra o choque, a esperança repentina ganhando vida, pois ela ameaçava me distrair. A névoa de aspecto doentio ainda girava nos limites do meu escudo.

E enquanto eu me esforçava para me concentrar, senti de novo a pressão perfurante em minha proteção.

— Aro, poderia pedir a Jane que pare de atacar minha esposa? — perguntou Edward com cortesia. — Ainda estamos discutindo as provas.

Aro ergueu a mão.

— Paz, meus queridos. Vamos ouvi-lo.

A pressão desapareceu. Jane arreganhou os dentes para mim; não pude deixar de sorrir para ela.

— Por que não se junta a nós, Alice? — chamou Edward em voz alta.

— Alice — sussurrou Esme, chocada.

Alice!

Alice, Alice, Alice!

— Alice! Alice! — murmuraram outras vozes à minha volta.

— Alice — sussurrou Aro.

O alívio e a alegria violenta cresceram dentro de mim. Precisei de toda a minha força de vontade para manter o escudo no lugar. A névoa de Alec ainda procurava um ponto fraco — Jane veria se eu deixasse buracos.

Então os ouvi correndo pela floresta, voando, aproximando-se o mais rápido que podiam, sem nenhuma tentativa de manter silêncio.

Os dois lados ficaram imóveis, na expectativa. As testemunhas Volturi franziram a testa, novamente confusas.

Então Alice entrou bailando na clareira, vinda do sudoeste, e senti que a alegria de ver seu rosto novamente poderia me desconcentrar totalmente. Jasper estava poucos centímetros atrás dela, os olhos atentos e ferozes. Logo depois deles vieram três estranhos; a primeira era uma mulher alta e musculosa, com cabelos escuros e desgrenhados — evidentemente Kachiri.

Tinha os membros alongados e feições das outras Amazonas, ainda mais pronunciados no caso dela.

Em seguida uma vampira de pele escura com uma longa trança de cabelos pretos presos nas costas. Seus profundos olhos cor de vinho percorreram nervosos o confronto que tinha diante de si.

E o último era um jovem... não tão veloz, nem tão fluido em sua corrida. Sua pele era de um marrom-escuro inacreditável. Seus olhos cautelosos passaram feito relâmpago pela reunião, e eram da cor da teca. O cabelo era preto e trançado, como o da mulher, embora não tão comprido. Ele era lindo.

Enquanto se aproximavam de nós, um novo som provocou ondas de choque pela multidão que assistia — o som de outro coração batendo, acelerado pelo esforço.

Alice saltou com leveza sobre os limites da névoa que se dissipava mas continuava tentando penetrar em meu escudo, e parou sinuosamente ao lado de Edward. Estendi a mão para tocar seu braço, e Edward, Esme e Carlisle fizeram o mesmo. Não havia tempo para outra recepção. Jasper e os outros seguiram-na através do escudo.

Toda a guarda observava, a especulação em seus olhos, enquanto os recém-chegados atravessavam a fronteira invisível sem dificuldade. Os musculosos, Felix e outros como ele, focalizaram os olhos repentinamente esperançosos em mim. Antes eles não tinham certeza do que meu escudo repelia, mas agora estava claro que não impediria um ataque físico. Assim que Aro desse a ordem, eles atacariam, tendo a mim como único alvo. Perguntei-me quantos Zafrina seria capaz de cegar e quanto isso os atrasaria. Tempo suficiente para Kate e Vladimir tirarem Jane e Alec da equação? Era só o que eu podia pedir.

Apesar de estar absorto no estratagema que dirigia, Edward enrijeceu-se furiosamente em reação aos pensamentos deles. Ele se controlou e voltou a falar com Aro.

— Alice procurou sua própria testemunha nas últimas semanas — disse ele aos anciãos. — E não voltou de mãos vazias. Alice, por que não apresenta as testemunhas que trouxe?

Caius rosnou.

— Já passou a hora das testemunhas! Dê seu voto, Aro!

Aro ergueu um dedo para silenciar o irmão, os olhos pousados no rosto de Alice.

Ela avançou ligeiramente e apresentou os estranhos.

— Estes são Huilen e seu sobrinho, Nahuel.

Ouvir a voz dela... era como se ela nunca tivesse partido.

Os olhos de Caius se estreitaram enquanto Alice nomeava a relação entre os recém-chegados. As testemunhas Volturi sibilaram entre si. O mundo vampiro estava mudando, e todos podiam sentir isso.

— Fale, Huilen — exigiu Aro. — Dê-nos o testemunho que foi trazida aqui para dar.

A mulher pequenina olhou nervosa para Alice, que assentiu, encorajando-a, e Kachiri pôs a comprida mão no ombro de Huilen.

— Meu nome é Huilen — anunciou a mulher com clareza, mas em um estranho sotaque. Enquanto ela continuava, ficou evidente que tinha se preparado para contar aquela história, que treinara para isso. Fluía como uma familiar canção de ninar. — Há um século e meio eu vivia com meu povo, os Mapuches. Minha irmã chamava-se Pire. Nossos pais a batizaram com o nome da neve nas montanhas por causa de sua pele clara. E ela era muito bonita... bonita demais. Um dia ela me falou, em segredo, do anjo que encontrou no bosque e que a visitava à noite. Eu a adverti. — Huilen sacudiu a cabeça, pesarosa. — Como se os hematomas em sua pele não fossem advertências suficientes. Eu sabia que era o lobisomem de nossas lendas, mas ela não me deu ouvidos. Estava enfeitiçada.

"Ela me contou quando teve certeza de que o filho de seu anjo sombrio estava crescendo dentro dela. Eu não tentei dissuadi-la de seu plano de fugir... Eu sabia que até nosso pai e nossa mãe concordariam que a criança fosse destruída, e Pire com ela. Fui com ela para as partes mais escondidas da floresta. Ela procurou seu anjo demônio, mas não encontrou nada. Eu cuidei dela, caçava para ela quando suas forças lhe faltaram. Ela comia animais crus, bebia seu sangue. Eu não precisava de mais confirmação do que ela carregava no útero. Eu tinha esperanças de salvá-la antes de matar o monstro.

"Mas ela amava o filho que trazia no ventre. E o chamava de Nahuel, um felino da selva, quando ele ficou forte e começou a quebrar seus ossos. Mas ainda assim ela o amava.

"Não pude salvá-la. A criança veio à luz rasgando-a, e ela morreu rapidamente, implorando que eu cuidasse de Nahuel. Seu desejo de moribunda... e eu concordei.

"Mas ele me mordeu quando tentei erguê-lo de sobre o corpo dela. Eu me arrastei pela selva para morrer. Não fui muito longe — a dor era demasiada. Ele me encontrou; a criança recém-nascida se arrastou pela vegetação rasteira até o meu lado e me esperou. Quando a dor passou, ele estava enroscado encostado ao meu corpo, dormindo.

"Cuidei dele até que foi capaz de caçar sozinho. Caçamos nas aldeias em volta de nossa floresta, sempre sozinhos. Nunca nos afastamos tanto de nosso lar, mas Nahuel queria ver a criança daqui."

Huilen curvou a cabeça quando terminou, e recuou, ficando parcialmente escondida atrás de Kachiri.

Os lábios de Aro estavam franzidos. Ele olhava o jovem de pele escura.

— Nahuel, você tem 150 anos? — perguntou ele.

— Uma década a mais ou a menos — respondeu ele numa voz clara, calorosa e linda. Seu sotaque mal era perceptível. — Não contamos.

— E com quantos anos chegou à maturidade?

— Cerca de sete anos após o meu nascimento, mais ou menos, eu já era adulto.

— Não mudou desde então?

Nahuel deu de ombros.

— Não que eu tenha percebido.

Senti um tremor repentino pelo corpo de Jacob. Eu não queria pensar naquilo ainda. Ia esperar até que o perigo passasse e eu pudesse me concentrar.

— E sua dieta? — pressionou Aro, parecendo interessado, mesmo contra a vontade.

— Principalmente sangue, mas como um pouco de alimento humano. Posso sobreviver com os dois.

— Você foi capaz de criar uma imortal? — Quando Aro apontou Huilen, a voz dele ficou subitamente intensa. Voltei a me concentrar no escudo; talvez ele procurasse uma nova desculpa.

— Sim, mas as outras não podem.

Um murmúrio de choque percorreu os três grupos.

As sobrancelhas de Aro se ergueram.

— As outras?

— Minhas irmãs. — Nahuel deu de ombros de novo.

Aro o encarou irritado por um momento antes de se recompor.

— Talvez possa nos contar o resto de sua história, uma vez que parece haver mais.

Nahuel franziu a testa.

— Meu pai me procurou alguns anos depois da morte de minha mãe. — Seu rosto bonito se retorceu um pouco. — Ele ficou feliz ao me encontrar. — O tom de Nahuel sugeria que o sentimento não fora mútuo. — Ele tinha duas filhas, mas nenhum filho homem. Esperava que eu me juntasse a ele, como minhas irmãs.

"Ficou surpreso que eu não estivesse só. Minhas irmãs não eram venenosas, mas se isso se deve ao sexo ou ao acaso... quem sabe? Eu já tinha minha família com Huilen e não estava *interessado*", ele torceu a palavra, "em mudar. Eu o vejo de tempos em tempos. E tenho uma nova irmã, que chegou à maturidade há uns dez anos."

— O nome de seu pai? — perguntou Caius entredentes.

— Joham — respondeu Nahuel. — Ele se considera um cientista. Acha que está criando uma nova super-raça. — Ele não tentou disfarçar a repulsa em seu tom de voz.

Caius olhou para mim.

— Sua filha, ela é venenosa? — perguntou ele asperamente.

— Não — respondi.

A cabeça de Nahuel se virou com a pergunta e seus olhos de teca se demoraram em meu rosto.

Caius olhou para Aro em busca de confirmação, mas Aro estava absorto em seus pensamentos. Franziu os lábios e olhou para Carlisle, depois para Edward, e por fim seus olhos pousaram em mim.

Caius grunhiu.

— Vamos cuidar da aberração daqui, depois seguiremos para o sul — ele exortou Aro.

Aro me olhou nos olhos por um momento longo e tenso. Eu não fazia ideia do que ele procurava, ou do que encontrou, mas, depois de me avaliar assim, algo em seu rosto mudou, uma leve alteração na disposição da boca e dos olhos, e eu soube que Aro havia tomado sua decisão.

— Irmão — disse suavemente a Caius. — Não parece haver perigo. Esta é uma evolução incomum, mas não vejo ameaça. Estes semivampiros são muito semelhantes a nós, ao que parece.

— Este é o seu voto? — perguntou Caius.

— Sim.

Caius fechou a cara.

— E esse Joham? O imortal tão adepto da experimentação?

— Talvez *devamos* falar com ele — concordou Aro.

— Detenham Joham, se quiserem — disse Nahuel, decidido. — Mas deixem minhas irmãs em paz. Elas são inocentes.

Aro assentiu, a expressão solene. E então ele se voltou para sua guarda com um sorriso caloroso.

— Meus caros — disse ele. — Não lutaremos hoje.

A guarda assentiu em uníssono e abandonou a postura de ataque. A névoa se dissipou rapidamente, mas mantive meu escudo no lugar. Talvez esse fosse *outro* truque.

Analisei suas expressões quando Aro se voltou novamente para nós. Seu rosto era benevolente, como sempre, mas, ao contrário de antes, senti um estranho vazio por trás da fachada. Como se seus esquemas tivessem acabado.

Caius estava visivelmente furioso, mas sua raiva agora se voltava para dentro; estava resignado. Marcus parecia... entediado; não havia outra palavra para descrevê-lo. A guarda mostrava-se impassível e disciplinada de novo. Não havia indivíduos entre eles, só o todo. Estavam em formação, prontos para partir. As testemunhas dos Volturi ainda estavam cautelosas; uma após a outra, elas se foram, dispersando-se pela floresta. Assim que seu efetivo diminuiu, os restantes se apressaram. Logo todos haviam partido.

Aro estendeu as mãos em nossa direção, quase como quem se desculpa. Atrás dele, a maior parte de sua guarda, assim como Caius, Marcus e as esposas misteriosas e silenciosas, já se afastavam rapidamente, a formação impecável de novo. Só os três que pareciam ser seus guardiões pessoais permaneceram com ele.

— Fico feliz que tenhamos podido resolver tudo sem violência — disse ele com doçura. — Meu amigo, Carlisle... Que satisfação poder chamá-lo de amigo de novo! Espero que não haja ressentimentos. Sei que entende o fardo severo que o dever coloca em nossos ombros.

— Vá em paz, Aro — disse Carlisle rigidamente. — Lembre-se, por favor, de que ainda temos nosso anonimato a proteger, e evite que sua guarda cace nesta região.

— É claro, Carlisle — Aro lhe garantiu. — Lamento ser alvo de sua desaprovação, meu querido amigo. Talvez, com o tempo, você vá me perdoar.

— Talvez, com o tempo, se você provar que é nosso amigo de novo.

Aro baixou a cabeça, a imagem do remorso, e recuou de costas por um momento antes de se virar. Observamos em silêncio enquanto os quatro últimos Volturi desapareciam entre as árvores.

Tudo ficou muito silencioso. Eu não recolhi o escudo.

— Acabou mesmo? — sussurrei para Edward.

Seu sorriso era imenso.

— Sim. Eles desistiram. Como todos os valentões, eles são covardes por baixo da arrogância. — Ele riu.

Alice riu com ele.

— É sério, gente. Eles não vão voltar. Todo mundo pode relaxar agora.

Houve outro silêncio.

— Mas que falta de sorte — murmurou Stefan.

E então aconteceu.

Vieram os gritos. Uivos ensurdecedores encheram a clareira. Maggie bateu nas costas de Siobhan. Rosalie e Emmett se beijaram de novo — mais demorada e ardorosamente do que antes. Benjamin e Tia estavam presos nos braços um do outro, assim como Carmen e Eleazar. Esme segurou Alice e Jasper num abraço apertado. Carlisle agradecia calorosamente aos recém-chegados sul-americanos que haviam salvado todos nós. Kachiri estava muito perto de Zafrina e Senna, as três com as pontas dos dedos entrelaçadas. Garrett levantou Kate do chão e a girou.

Stefan cuspiu na neve. Vladimir trincou os dentes com uma expressão azeda.

E eu quase subi no lobo gigante e avermelhado para tirar minha filha de suas costas e apertá-la junto ao peito. Os braços de Edward nos envolveram no mesmo instante.

— Nessie, Nessie, Nessie — entoei.

Jacob soltou sua metade gargalhada metade latido e cutucou minha nuca com o focinho.

— Cale a boca — murmurei.

— Vou poder ficar com vocês? — perguntou Nessie.

— Para sempre — prometi a ela.

Nós tínhamos a eternidade. E Nessie ia ficar bem, saudável e forte. Como o semi-humano Nahuel, dali a cento e cinquenta anos ela ainda seria jovem. E todos estaríamos juntos.

A felicidade se expandiu como uma explosão dentro de mim — tão extrema, tão violenta que não eu não sabia se sobreviveria a ela.

— Para sempre — Edward fez eco em meus ouvidos.

Eu não conseguia mais falar. Ergui a cabeça e o beijei com uma paixão capaz de incendiar a floresta.

E eu nem teria notado.

39. FELIZES PARA SEMPRE

— Então, no fim, foi uma combinação de fatores, mas o que realmente resume tudo é... Bella — explicava Edward.

Nossa família e os dois hóspedes restantes encontravam-se sentados na sala dos Cullen enquanto a floresta escurecia cada vez mais do lado de fora das vidraças.

Vladimir e Stefan haviam desaparecido antes que parássemos de comemorar. Eles estavam extremamente decepcionados com o desfecho do confronto, mas Edward disse que eles se deleitaram com a covardia dos Volturi quase o suficiente para compensar sua frustração.

Benjamin e Tia partiram rapidamente atrás de Amun e Kebi, ansiosos para contar a eles o resultado do conflito; eu tinha certeza de que os veríamos de novo — Benjamin e Tia, pelo menos. Nenhum dos nômades se demorou. Peter e Charlotte tiveram uma breve conversa com Jasper, depois se foram também.

As Amazonas reunidas estavam ansiosas para voltar para casa — era difícil para elas ficar longe de sua amada floresta —, embora relutassem mais do que alguns outros em partir.

— Você precisa levar a criança para me ver — insistira Zafrina. — Prometa-me, jovem.

Nessie havia pressionado a mão em meu pescoço, pedindo também.

— É claro, Zafrina — concordei.

— Seremos grandes amigas, minha Nessie — declarara a mulher antes de partir com as irmãs.

O clã irlandês continuou o êxodo.

— Muito bem, Siobhan — Carlisle a cumprimentou ao se despedirem.

— Ah, o poder da vontade — respondeu ela com sarcasmo, revirando os olhos. E então ela falou seriamente: — Naturalmente, ainda não acabou. Os Volturi não perdoarão o que aconteceu aqui.

Foi Edward quem respondeu.

— Eles ficaram seriamente abalados; sua confiança foi abalada. Mas, sim, sei que um dia eles se recuperarão do golpe. E então... — Seus olhos se estreitaram. — Imagino que tentarão nos pegar separadamente.

— Alice nos alertará quando eles pretenderem atacar — disse Siobhan com a voz segura. — E vamos nos reunir novamente. Talvez um dia nosso mundo esteja pronto para se libertar dos Volturi para sempre.

— Esse dia pode mesmo chegar — respondeu Carlisle. — Se isso acontecer, estaremos unidos.

— Sim, meu amigo, estaremos — concordou Siobhan. — E como poderemos falhar, se *eu* desejar o contrário? — Ela soltou uma gargalhada ruidosa.

— Exatamente — disse Carlisle. Ele e Siobhan se abraçaram, depois ele apertou a mão de Liam. — Procure Alistair e conte-lhe o que aconteceu. Odeio pensar nele se escondendo debaixo de uma pedra por uma década.

Siobhan riu de novo. Maggie abraçou a mim e a Nessie, e então o clã irlandês se foi.

Os Denali foram os últimos a partir. Garrett com eles — como seria a partir de agora, eu tinha certeza absoluta. O clima de comemoração era muito para Tanya e Kate. Elas precisavam de tempo para prantear a irmã.

Huilen e Nahuel foram os que ficaram, embora eu tivesse esperado que os dois voltassem com as Amazonas. Carlisle estava mergulhado em uma fascinante conversa com Huilen; Nahuel estava sentado junto dela, ouvindo Edward nos contar a história do conflito que só ele conhecia.

— Alice deu a Aro a desculpa de que ele precisava para sair da luta. Se não tivesse ficado tão apavorado com Bella, provavelmente teria ido em frente com seu plano original.

— Apavorado? — eu disse ceticamente. — *Comigo?*

Ele sorriu para mim com uma expressão que não reconheci inteiramente — era terna, mas também pasma e até exasperada.

— Quando é que vai ver a si mesma com clareza? — perguntou ele suavemente. Depois falou mais alto, tanto para os outros quanto para mim: — Os Volturi não têm uma luta justa há cerca de dois mil e quinhentos anos. E eles nunca, jamais lutaram em desvantagem. Especialmente desde que conquistaram Jane e Alec, eles só se envolveram em carnificinas sem oposição.

"Deviam ter visto como eles nos enxergaram! Em geral, Alec elimina todos os sentidos e sensações de suas vítimas enquanto eles fazem o teatro do conselho. Assim, ninguém pode fugir quando o veredito é dado. Mas lá estávamos nós, preparados, esperando, em maior número do que eles, com nossos dons, enquanto os deles eram anulados por Bella. Aro sabia que, com Zafrina do nosso lado, eles seriam os cegos quando a batalha começasse. Sei que nosso grupo teria sido severamente reduzido, mas *eles* tinham certeza de que o deles também. Havia até uma boa possibilidade de que perdessem. Eles nunca antes enfrentaram essa possibilidade. E não lidaram bem com ela hoje."

— É difícil se sentir confiante quando se está cercado de lobos do tamanho de cavalos — Emmett riu, cutucando o braço de Jacob.

Jacob abriu um sorriso para ele.

— Foram os lobos que os refrearam de início — eu disse.

— Claro que foram — concordou Jacob.

— Certamente — concordou Edward. — Essa foi outra visão que eles nunca tiveram. Os verdadeiros Filhos da Lua raras vezes andam em matilhas, e nunca têm muito controle sobre si mesmos. Dezesseis lobos imensos em regimento foram uma surpresa para a qual eles não estavam preparados. Caius na verdade tem pavor de lobisomens. Ele quase perdeu uma luta com um deles há alguns milhares de anos e nunca se recuperou totalmente.

— Então existem lobisomens *de verdade*? — perguntei. — Com lua cheia, balas de prata e tudo isso?

Jacob bufou.

— *De verdade*. Isso me torna imaginário?

— Sabe o que eu quis dizer.

— Lua cheia, sim — disse Edward. — Balas de prata, não... Esse foi mais um mito criado para que os humanos sentissem que tinham uma chance. Não restam muitos deles. Caius os caçou até quase a extinção.

— E você nunca falou nisso porque...?

— O assunto nunca surgiu.

Revirei os olhos e Alice riu, inclinando-se para a frente — ela estava enfiada debaixo do outro braço de Edward —, e piscou para mim.

Eu a fuzilei com os olhos.

Eu a amava loucamente, é claro. Mas agora que tivera tempo de me conscientizar de que ela na verdade estava em casa, que sua fuga fora somente um ardil para fazer Edward acreditar que ela nos abandonara, começava a ficar muito irritada. Alice tinha algumas explicações a dar.

Ela suspirou.

— Fale logo, Bella.

— Como pôde fazer isso comigo, Alice?

— Era necessário.

— Necessário! — explodi. — Você me deixou totalmente convencida de que todos íamos morrer! Eu fiquei um caco por semanas.

— Podia ter sido assim — disse ela calmamente. — E, nesse caso, você precisava estar preparada para salvar Nessie.

Por instinto, abracei Nessie — agora dormindo em meu colo — com mais força.

— Mas você sabia que havia outros caminhos — eu a acusei. — Sabia que havia esperança. Não lhe ocorreu que podia ter me contado tudo? Eu sei que Edward tinha de pensar que íamos morrer, por causa de Aro, mas você podia ter contado *a mim*.

Ela me olhou especulativamente por um momento.

— Creio que não — disse ela. — Você não é uma atriz muito boa.

— Mas então foi tudo por causa de meu *talento como atriz*?

— Ah, menos, Bella. Tem alguma ideia de como isso foi *complicado* de articular? Eu nem tinha certeza de que existia alguém como Nahuel... Tudo o que eu sabia era que ia procurar algo que eu não podia ver! Tente imaginar a busca de um ponto cego... Não é a coisa mais fácil que fiz na vida. Além disso, tínhamos de mandar as testemunhas, como se tivéssemos tempo de sobra... E ainda manter os olhos abertos o tempo todo para o caso de você decidir me dar mais instruções. Alguma hora você vai ter de me dizer exatamente o que está no Rio. E, antes de tudo *isso*, tinha de tentar ver cada truque que os Volturi pudessem estar preparando e dar a vocês as poucas dicas que podia, de modo que estivessem prontos para a estratégia deles, e eu só tinha algumas horas para identificar todas as possibilidades. Acima de tudo, eu tinha de me certificar de que vocês todos acreditassem plenamente que eu os estava abandonando, porque Aro tinha de ter certeza de que vocês não tinham nada guardado na manga ou ele nunca teria se comprometido com uma saída daquela. E se acha que não me senti desprezível...

— Tudo bem, tudo bem! — interrompi. — Desculpe-me! Sei que foi duro para você também. É só que... bom, eu senti uma saudade louca de você, Alice. Não faça isso comigo de novo.

O riso melodioso de Alice ressoou pela sala, e todos sorrimos ao ouvir aquela música mais uma vez.

— Também senti saudades suas, Bella. Então me perdoe, e procure se contentar em ser a super-heroína do dia.

Todos os outros riram, e eu escondi o rosto no cabelo de Nessie, constrangida.

Edward voltou a analisar cada mudança de intenção e controle que ocorrera na campina, declarando que fora meu escudo que fizera os Volturi fugir com o rabo entre as pernas. O modo como todos me olhavam me deixou pouco à vontade. Até Edward. Era como se eu tivesse crescido uns trinta metros naquela manhã. Tentei ignorar os olhares impressionados, mantendo os meus olhos no rosto adormecido de Nessie e na expressão inalterada de Jacob. Eu sempre seria simplesmente Bella para ele, e isso era um alívio.

O olhar mais difícil de ignorar era também o mais perturbador.

Não que aquele Nahuel parte humano, parte vampiro estivesse acostumado a me ver de determinada maneira. Pelo que ele sabia, eu podia sair por aí derrotando vampiros todos os dias, e a cena na campina não tivera nada de incomum. Mas o rapaz não tirava os olhos de mim. Ou talvez ele estivesse olhando para Nessie. O que também me deixava pouco à vontade.

Ele não podia ficar alheio ao fato de que Nessie era a única fêmea de sua espécie que não era meia-irmã dele.

Eu não achava que a ideia já tivesse ocorrido a Jacob. E esperava que demorasse a ocorrer. Já tivera brigas suficientes por um bom tempo.

Por fim, os outros pararam de fazer perguntas a Edward e a discussão se dissolveu em um monte de conversas menores.

Eu me sentia estranhamente cansada. Não sonolenta, é claro, mas como se o dia tivesse sido longo demais. Eu queria alguma paz, alguma normalidade. Queria Nessie em sua cama; queria as paredes de minha pequena casa à minha volta.

Olhei para Edward e senti por um momento que podia ler a mente *dele*. Eu podia ver que ele sentia exatamente o mesmo. Pronto para um pouco de paz.

— Devemos levar Nessie...

— É uma boa ideia — concordou ele rapidamente. — Sei que ela não dormiu muito na noite passada, com todos aqueles roncos.

Ele sorriu para Jacob.

Jacob revirou os olhos e bocejou.

— Já faz algum tempo que não durmo em uma cama. Aposto que meu pai ficará feliz por me ter sob o teto dele de novo.

Eu toquei seu rosto.

— Obrigada, Jacob.

— Disponha, Bella. Mas você já sabe disso.

Ele se levantou, espreguiçou-se, beijou o alto da cabeça de Nessie e então o alto da minha. Por fim, deu um soco no ombro de Edward.

— Vejo vocês amanhã. Acho que as coisas vão ficar meio chatas agora, não é?

— Espero fervorosamente que sim — disse Edward.

Nós nos levantamos quando ele foi embora; eu me movia com cuidado para que Nessie não tivesse nenhum sobressalto. Eu me sentia profundamente grata por vê-la em sono profundo. Seus pequenos ombros haviam suportado tanto peso! Estava na hora de ela voltar a ser criança — protegida e segura. Mais alguns anos de infância.

A ideia de paz e segurança me lembrou de alguém que não tinha essas sensações o tempo todo.

— Ah, Jasper? — perguntei quando nos viramos para a porta.

Jasper estava espremido entre Alice e Esme, de certo modo parecendo mais central ao quadro da família do que o normal.

— Sim, Bella?

— Estou curiosa... Por que J. Jenks morre de medo só de ouvir o seu nome?

Jasper riu.

— Na minha experiência, alguns relacionamentos profissionais funcionam melhor motivados pelo medo do que pela recompensa financeira.

Franzi a testa, prometendo a mim mesma que, a partir dali, assumiria aquele relacionamento profissional, e pouparia J do ataque cardíaco que certamente estava a caminho.

Fomos beijados e abraçados e desejamos boa-noite à nossa família. O único que destoava era ainda Nahuel, que nos olhava intensamente, como se desejasse nos seguir.

Depois que estávamos do outro lado do rio, andamos pouco mais rápido do que a velocidade humana, sem pressa, de mãos dadas. Eu estava cansada de viver sob o peso de um prazo, e só queria agir sem pressa. Edward devia estar sentindo o mesmo.

— Tenho de dizer que estou impressionadíssimo com Jacob — disse Edward.

— Os lobos causam um impacto e tanto, não é?

— Não é a isso que me refiro. Nem uma vez hoje ele pensou no fato de que, segundo Nahuel, Nessie estará plenamente amadurecida daqui a apenas seis anos e meio.

Pensei nisso por um minuto.

— Ele não a vê dessa forma. Ele não tem pressa de que ela cresça. Só quer que ela seja feliz.

— Eu sei. Como eu disse, é impressionante. É estranho dizer isso, mas ela poderia fazer uma escolha pior.

Eu franzi a testa.

— Não vou pensar nisso por mais uns seis anos e meio.

Edward riu e suspirou.

— É claro que parece que ele vai ter de se preocupar com a competição quando chegar a hora.

Minha testa franziu ainda mais.

— Eu percebi. Estou grata a Nahuel por hoje, mas aqueles olhares o tempo todo foram meio esquisitos. Não me importo se ela é a única quase vampira que não é parente dele.

— Ah, ele não estava olhando para ela... Era para você.

Foi o que me pareceu... Mas não fazia sentido.

— Por que ele faria isso?

— Porque você está viva — disse ele baixinho.

— Estou boiando.

— Toda a vida dele — explicou Edward — ... e ele é cinquenta anos mais velho do que eu...

— Decrépito — comentei.

Ele me ignorou.

— Ele sempre pensou em si como uma criação do mal, um assassino por natureza. As irmãs mataram as mães também, mas elas não deram importância a isso. Joham as criou para pensar nos humanos como animais, enquanto eles eram deuses. Mas Nahuel foi educado por Huilen, e Huilen amava a irmã mais do que qualquer outra pessoa. Isso moldou toda a perspectiva mental dele. E, de certa maneira, ele se odiava verdadeiramente.

— Isso é muito triste — murmurei.

— E então ele nos viu, os três... e pela primeira vez percebeu que só porque é meio imortal não é inerentemente mau. Ele olha para mim e vê... o que o pai devia ter sido.

— Você *é* mesmo ideal em todos os aspectos — concordei.

Ele bufou e ficou sério de novo.

— Ele olha para você e vê a vida que a mãe devia ter tido.

— Pobre Nahuel — murmurei, e então suspirei porque eu sabia que nunca seria capaz de pensar mal dele depois disso, por mais desconfortável que seu olhar me deixasse.

— Não fique triste por ele. Ele está feliz agora. Hoje ele finalmente começou a se perdoar.

Eu sorri com a felicidade de Nahuel e então pensei que aquele dia fora mesmo de felicidade. Embora o sacrifício de Irina fosse uma sombra escura contra a luz branca, evitando a perfeição do momento, era impossível negar a alegria. A vida por que eu havia lutado estava segura de novo. Minha família estava reunida. Minha filha tinha um lindo futuro que se estendia interminavelmente à sua frente. No dia seguinte, eu iria ver meu pai; ele veria que o medo em meus olhos fora substituído pela alegria, e também ficaria feliz. De repente, eu tinha certeza de que não o encontraria sozinho. Eu não fora muito observadora nas últimas semanas, mas nesse momento foi como se eu soubesse o tempo todo. Sue estaria com Charlie — a mãe dos lobisomens com o pai da vampira —, e ele não ficaria mais sozinho. Abri um sorriso largo com esse novo *insight*.

Mas o mais significativo nessa maré de felicidade era o fato mais certo de todos: eu estava com Edward. Para sempre.

Não que eu quisesse repetir as últimas semanas, mas eu precisava admitir que elas me fizeram apreciar mais ainda o que eu tinha.

O chalé era um lugar de absoluta paz na noite azul-prateada. Levamos Nessie até sua cama e a aconchegamos ali delicadamente. Ela sorria dormindo.

Tirei o presente de Aro do pescoço e o joguei no canto do quarto dela. Ela podia brincar com ele, se quisesse; ela gostava de coisas cintilantes.

Edward e eu caminhamos lentamente para nosso quarto, balançando os braços entre nós.

— Uma noite para comemorações — murmurou ele, e pôs a mão sob meu queixo para levantar meus lábios para os dele.

— Espere — hesitei, afastando-me.

Ele me olhou, confuso. Como regra geral, eu não me afastava. Tudo bem, era mais do que uma regra geral. Era a maior de todas.

— Quero experimentar algo — disse a ele, sorrindo de leve de sua expressão estupefata.

Pus as mãos dos dois lados de seu rosto e fechei os olhos, concentrada.

Eu não me saíra muito bem quando Zafrina tentara me ensinar, mas agora eu conhecia melhor meu escudo. Entendia a parte que combatia a separação de mim, o instinto automático para a autopreservação acima de qualquer coisa.

Ainda não era nem de longe tão fácil quanto proteger outras pessoas junto comigo. Senti o puxão elástico de novo enquanto meu escudo lutava para me proteger. Tive de lutar para empurrá-lo inteiramente para fora de mim; precisei de toda minha concentração.

— Bella! — Edward sussurrou, em choque.

Eu soube então que estava funcionando, e me concentrei ainda mais, trazendo as lembranças específicas que eu havia poupado para esse momento, deixando que inundassem minha mente e, com sorte, a dele também.

Parte das lembranças não era clara — lembranças humanas indistintas, vistas através de olhos fracos e ouvidas por ouvidos fracos: a primeira vez em que vira o rosto dele... o que senti quando ele me segurou na campina... o som de sua voz na escuridão de minha consciência vacilante, quando ele me salvara de James... seu rosto enquanto me esperava sob o dossel de flores no dia do nosso casamento... cada momento precioso na ilha... suas mãos frias tocando nosso bebê através da minha pele...

E as lembranças agudas, perfeitamente recordadas: seu rosto quando eu abrira os olhos para minha nova vida, para o interminável amanhecer da imortalidade... aquele primeiro beijo... aquela primeira noite...

Os lábios de Edward, de repente ferozes nos meus, romperam minha concentração.

Com um arquejo, deixei escapar o peso vibrante que tentava manter afastado de mim. Ele voltou como um elástico esticado, protegendo meus pensamentos de novo.

— Epa, perdi! — suspirei.

— Eu *ouvi* você — sussurrou ele. — Como? Como fez isso?

— Ideia de Zafrina. Treinamos algumas vezes.

Ele estava atordoado. Piscou duas vezes e sacudiu a cabeça.

— Agora você sabe — eu disse baixinho e dei de ombros. — Ninguém jamais amou alguém como eu amo você.

— Você quase tem razão. — Ele sorriu, os olhos ainda um pouco maiores do que o normal. — Só sei de uma exceção.

— Mentiroso.

Ele começou a me beijar de novo, mas parou de repente.
— Pode fazer isso outra vez? — perguntou.
Fiz uma careta.
— É muito difícil.
Ele esperou, a expressão ansiosa.
— Não consigo me fixar se tiver a mais leve distração — alertei-o.
— Vou me comportar — ele prometeu.
Franzi os lábios, meus olhos se estreitando. Depois sorri.
Coloquei as mãos em seu rosto de novo, lançando o escudo para fora de minha mente, e então comecei onde eu havia parado — com a lembrança clara como cristal da primeira noite de minha nova vida... demorando-me nos detalhes.
Eu ri sem fôlego quando seu beijo ansioso interrompeu meus esforços de novo.
— Droga — grunhiu ele, beijando faminto a linha do meu maxilar.
— Temos muito tempo para trabalhar nisso — lembrei a ele.
— Para sempre, para sempre e para sempre — ele murmurou.
— Isso soa perfeito para mim.
E assim, alegremente, continuamos aquela parte pequena e perfeita de nossa eternidade.

fim

ÍNDICE DE VAMPIROS

ÍNDICE DE VAMPIROS
Em ordem alfabética de clã

-« »-

* O vampiro possui um talento sobrenatural quantificável
— Par comprometido (o mais velho aparece primeiro)
~~tachado~~ Vampiro morto antes do início deste romance

Clã das Amazonas
Kachiri
Senna
Zafrina*

Clã Denali
Eleazar* — Carmen
Irina — ~~Laurent~~
Kate*
~~Sasha~~
Tanya
~~Vasilii~~

Clã Egípcio
Amun — Kebi
Benjamin* — Tia

Clã Irlandês
Maggie*
Siobhan* — Liam

Clã de Olympic
Carlisle — Esme
Edward* — Bella*
Jasper* — Alice*
Renesmee*
Rosalie — Emmett

Clã Romeno
Stefan
Vladimir

Clã Volturi
Aro* — Sulpicia
Caius — Athenodora
Marcus* — ~~Didyme~~*

Guarda Volturi (parcial)
Alec*
Chelsea* — Afton*
Corin*
Demetri*
Felix
Heidi*
Jane*
Renata*
Santiago

Nômades Americanos (parcial)
Garrett
~~James~~* — ~~Victoria~~*
Mary
Peter — Charlotte
Randall

Nômades Europeus (parcial)
Alistair*
Charles* — Makenna

Agradecimentos

-‹‹ ››-

Como sempre, um oceano de gratidão a:

Minha incrível família, por todo seu amor e apoio incomparáveis.

Minha talentosa assessora de imprensa, Elizabeth Eulberg, por criar STEPHENIE MEYER da argila crua, que antigamente era só uma tímida Steph.

Toda a equipe da Little, Brown Books for Young Readers por cinco anos de entusiasmo, fé, apoio e um trabalho incrivelmente árduo.

Todos os surpreendentes criadores e administradores de sites de fã-clubes on-line da saga Crepúsculo; vocês me deixam pasma de tão legais que são.

Meus fãs lindos e brilhantes, com seu bom gosto sem paralelo na literatura, na música, nos filmes, por continuarem a me amar mais do que mereço.

As livrarias que fizeram desta série um sucesso com suas recomendações; todos os escritores estão em dívida com vocês por seu amor e paixão pela literatura.

As muitas bandas e músicos que me mantêm motivada; eu já falei na Muse? Já? Que pena. Muse, Muse, Muse...

Minha gratidão renovada a:

A melhor banda-que-nunca-existiu: Nic and the Jens, apresentando Shelly C (Nicole Driggs, Jennifer Hancock, Jennifer Longman e Shelly Colvin). Obrigada por me colocar sob sua asa protetora, gente. Eu não seria nada sem vocês.

Minhas amigas e fontes de sanidade por interurbano, Cool Maghan Hibbett e Kimberly "Shazzer" Suchy.

Meu esteio, Shannon Hale, por entender tudo, e por alimentar meu amor pelo humor zumbi.

Makenna Jewell Lewis pelo uso de seu nome, e a sua mãe, Heather, pelo apoio ao Arizona Ballet.

O novo pessoal da minha *playlist* de "inspiração para escrever": Interpol, Motion City Soundtrack e Spoon.

intrinseca.com.br

@intrinseca

editoraintrinseca

@intrinseca

@editoraintrinseca

intrinsecaeditora

2ª EDIÇÃO
Outubro de 2025

IMPRESSÃO
Imprensa da Fé

MIOLO
Ivory Bulk 65 g/m²

CAPA
Cartão Supremo Alta Alvura 250 g/m²

-‹- -›-